천하제일 고려청자

天下第一 高麗靑瓷

남도에서 꽃피다

천하제일 고려청자

天下第一 高麗靑瓷

남도에서 꽃피다

韓盛旭

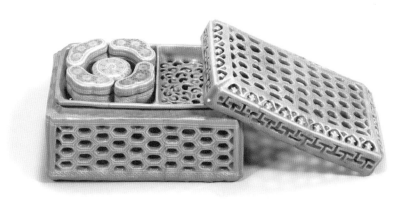

學研文化社

● 머리글

　고려청자는 장인匠人의 정성과 하늘의 조화로 빚어낸天工術 신비로운 비색翡色으로 천하제일의 평가를 받고 있다. 유려하게 흐르는 아름다운 선과 자연을 담아 단아하면서도 깊은 여운이 남아 있는 무늬, 맑고 청정한 가을 하늘 빛깔에 남아 있는 장인들의 땀과 예술혼은 현재까지도 우리 민족의 가장 큰 자랑거리 가운데 하나로 한국 미술의 우수성을 세계에 보여주는데 조금의 손색도 없다.

　고려는 중국에 이어 세계에서 두 번째로 자기를 생산한 국가로 그 중심에 청자가 있으며, 이를 발전시키고 활짝 꽃 피우는데 가장 핵심적 역할을 하였던 지역이 바로 서남해안을 끼고 있는 전라남도이다. 이 가운데 가장 대표적 요장窯場은 양질의 고품격 청자를 주로 생산하였던 강진과 소박하면서 일상생활에서 쉽게 사용할 수 있는 청자를 주로 생산하였던 해남이다. 이들 남도의 고려청자는 도자의 종주국인 중국을 비롯하여 일본과 베트남 등 멀리까지 전파되었다. 국제 무역의 중심로中心路였던 초원과 사막을 이용한 "비단길"과 바다를 이용한 "도자길"을 통해 그 우수성을 널리 검증받았던 것이다. 따라서 남도에서 생산된 고려청자는 고려의 문화적 역량과 대외 교류를 실증적으로 알려주는 매우 중요한 자료이다.

　이 책자는 918년 개창한 고려 건국 1100주년과 1018년 전라도全羅道라는 이름이 처음으로 명명된 1000년을 기념하여 2017년 7월 21일부터 2019년 11월 13일까지 54회에 걸쳐 전남일보에 게재하였던 "한성욱의 도자 이야기"를 수정 보완하여 재구성한 것이다. 이 책은 천하제일의 고려청자를 탄생시키고 확산하는데 큰 역할을 하였던 강진과 해남 등 남도 청자문화의 우수성과 친근함을 재발견하고 전통문화를 계승 발전시키는데 도움을 주고자 작성하였다.

　청자를 박물관과 미술관 등에서 찾는 학문적 접근보다 그릇 본연의 역할인 일상생활에서 편리함을 갖춘 아름다운 그릇이라는 공예품의 입장에서 청자의 다양한 쓰임새를 살펴보았다. 그리고 고려청자의 형태와 무늬, 빛깔 등 아름다운 조형성을 비롯하여 고려청자의 발생과 변천, 유통 등의 역사적 배경을 검토하였다. 또한, 고려청자 속에 담겨 있는 고려인의 정신세계와 철학적 측면을 살펴보았으며, 고려청자의 전통을 어떻게 현재에 활용하고 미래로 전승할 것인지에 대해 고민하였다. 무엇보다 천하제일로 일컬어졌던 독창적 아름다움을 지녔던 고려청자가 더욱 널리 알려졌으면 소망한다.

쉽게 읽힐 수 있는 글을 지향하였으나 조금은 어려운 글이 된 것 같다. 부족하지만 청자라는 그릇을 이해하고 도자사를 연구하는데 조그만 보탬이 된다면 더 없이 만족하며, 앞으로 기회가 되면 보완할 것도 약속드린다. 이 글을 작성하는데 열거할 수 없을 정도로 많은 분들의 도움을 받았다. 선후배와 동료 연구자, 그리고 다양한 자료를 제공하여 주신 국내외 박물관과 미술관, 연구기관 등에 다시 한 번 깊은 감사를 드린다. 또한, 이 글을 작성할 수 있도록 기회를 주시고 필요한 자료와 사진을 적극 수집하고 제공하여 주신 전남일보의 이용규 편집국장님과 박간재 문화부장님께도 깊은 감사드린다. 어려운 여건에도 불구하고 흔쾌히 출판을 맡아주신 학연문화사의 권혁재 사장님을 비롯한 편집진에게도 감사의 마음을 전한다.

끝으로 부족한 필자에게 언제나 넓고 큰 힘이 되어 주는 아내 임희성과 딸 홍주, 아들 경주의 사랑이 무엇보다 큰 원동력이 되었음을 밝혀둔다.

壬寅年(2022) 元旦

長興 瓷現堂에서 韓盛旭 識

제5부 해저에 잠든 청자를 찾다

제6부 대항해시대와 고려청자

일러두기

1. 이 책은 고려 건국 1100주년과 전라도全羅道 정명定名 1000년을 기념하여 2017년 7월 21일부터 2019년 11월 13일까지 전남일보에 게재하였던 "한성욱의 도자 이야기"를 수정 보완하여 재구성한 것이다. 따라서 시간은 고려시대, 공간은 전라남도, 도자 재질은 청자를 중심으로 서술하였다. "남도"는 기본적으로 "전라남도"를 이르지만 필요할 경우 "전라북도"를 포함하여 설명한 곳도 있다.

2. 강진과 해남, 부안 등의 지명은 필요한 경우 고려시대 지명인 탐진현耽津縣과 대구소大口所 등을 사용하였으나 대부분 현재의 지명으로 설명하였다.

3. 광역자치단체 지정 문화재의 경우 전라남도 지정 문화재는 자치단체 표기 없이 유형문화재와 무형문화재, 기념물, 문화재자료 등 지정 종목을 명기하였으며, 이외의 지역은 광역자치단체와 지정 종목을 함께 적었다.

4. 왕은 기본적으로 재위 기간을 명기하였으며, 필요한 경우 생몰년을 함께 적었다. 왕비를 비롯한 일반인은 모두 생몰년을 적었다.

5. 고려시대 유물은 왕조를 표기하지 않았으나 중국과 조선 등 고려시대 이외의 유물은 왕조를 명기하였다.

6. 조선 초기의 특징적 자기로 "분청사기"로 불렸던 유형은 분장 기법에 따른 독창적 문양도 일부 있으나 기본적으로 고려청자의 전통을 계승하고 있어 청자의 한 유형에 포함하여 "분장청자"로 정리하였다.

7. 도자를 생산하였던 유적을 기존에는 "가마(요窯)"로 설명하였으나 도자 생산 유적에서 가마는 여러 생산 공정 가운데 그릇을 번조燔造하는 기능만 담당하고 있어 유적 전체를 일컫는 용어로 한계가 있다. 따라서 도자 생산을 관리하였던 감조監造 공간과 원료를 공급하였던 채토장採土場, 완성된 도자기를 고르던 선별장選別場, 실패품 등을 버렸던 폐기장廢棄場(퇴적층), 무엇보다 바탕 흙(태토胎土)을 정제하는 수비水飛와 그릇의 꼴을 만드는 성형成形, 무늬를 표현하는 시문施文, 유약을 바르는 시유施釉 등을 실시하였던 가장 핵심적 공간인 공방工房 등을 모두 포함하는 의미로 유적 전체를 설명할 때는 "요장窯場"으로 정리하였다.

8. 이 책에 실린 사진은 기본적으로 전남일보에서 제공하였으며, <u>유물의 소장기관과 유적의 조사기관, 그리고 사진 촬영자 등은 책 뒤 사진 목록에 정리하였다.</u>

제1부

천하제일 고려청자의
탄생과 발전

1. 흙과 불에 혼을 담아 남도의 색을 입히다

전라남도는 한반도 서남부에 위치한 지역으로 바다와 접해 있어 교통이 편리하고 물산이 풍부하여 일찍부터 고인돌을 비롯한 특징적인 문화유산을 많이 지니고 있다. 또한, 고분시대의 독특한 묘제로 발달된 옹관甕棺을 비롯하여 다양한 도자문화가 전개되어 우리나라의 전통문화를 빛내는데 큰 역할을 담당하였다. 특히, 고려시대부터 조선시대까지 한반도 자기 생산의 핵심지역으로 많은 요장窯場이 분포하고 있어 이를 뚜렷하게 입증하고 있다. 그 가운데 도자문화가 가장 화려한 꽃을 피웠던 고려시대에는 청자 제작의 중심지로 그 기원과 발전에 있어 매우 중요한 역할을 담당하였다.

가장 대표적인 곳은 강진군 대구면 용운리·계율리·사당리·수동리(사적 제68호)와 강진군 칠량면 삼흥리(기념물 제81호), 해남군

사진 1 | 전라남도 지역 옹관(국립나주박물관)

사진 2 | 영암 구림리 도기 요장(사적 제338호) 출토 도기

화원면 신덕리·금평리(기념물 제220호), 해남군 산이면 진산리·초송리·구성리(사적 제310호) 요장 등이 있다. 한편, 청자 발생기의 요장은 고흥군 두원면 운대리(기념물 제80호)와 장흥군 용산면 풍길리(기념물 제221호), 함평군 손불면 양재리 등에서도 확인되고 있어 일찍부터 서남해안을 중심으로 청자가 생산되었음을 알 수 있다.

한반도의 청자 발생은 중국의 직·간접적인 영향으로 시작되었다. 즉, 오월국吳越國이 송宋에 의해 멸망하면서 각지로 흩어진 일부 도자 장인들이 고

사진 3 | 강진 사당리 43호 청자 요장(사적 제68호)

사진 4 | 고흥 운대리 분장청자 요장(기념물 제80호) 출토 분장청자

려에 유입되어 그 기능을 전수하였다. 이외에 신라 말 9세기에 강력한 해상
세력을 구축하였던 장보고(?~846) 대사에 의해 수입되었던 중국 자기가 더
욱 확산되었다. 이렇게 중국의 수준 높은 신기술을 받아들이면서 삼국시대
이후 발달한 도기 제작기술을 토대로 고려만의 독창적인 청자를 만들 수 있
었다.

  고려청자는 처음 개경과 가까운 경기도 일대에서 만들기 시작하여 이후
전국적으로 확산되었으나 11세기가 되면 강진과 해남에 집중되어 고려만의
특징적인 청자 문화를 발전시켰다. 전라남도 지역에 요장이 집중되고 독창
적으로 운영될 수 있었던 배경은 다양하게 설명될 수 있다. 우선 서해를 통
한 해상활동으로 성장한 장보고 청해진(현재 완도) 세력을 비롯한 호족들과
중국에 다녀온 유학생 등 새로운 지배세력이 당唐과 오대五代의 중국 문물에
익숙해져 있었다. 또한, 장흥 보림사와 곡성 태안사 등의 선승禪僧들에 의한

사진 5 | 장성 대도리 백자 요장(사적 제377호)

다도茶道 보급으로 도자 문화가 널리 확산되어 있었다. 이들은 처음 중국 자기를 구해 욕구를 충족하였으나 점차 체제가 안정되고 지배층이 늘어나면서 수입 자기만으로 수요를 감당하기 힘들게 되었다. 즉, 수요에 비해 공급이 부족하게 되자 그와 비슷한 제품을 구하고자 하였다.

그리고 사회가 안정되고 제도가 정비되면서 궁궐과 관청, 사찰 등 많은 건물이 신축되어 이곳에 사용할 고급 기물이 대량으로 필요하게 되었다. 이를 위해 여러 지역에서 생산된 청자가 유통되었을 것으로 추정되는데, 이들 가운데 전라남도 생산의 청자가 중심이 된 것은 다른 지역에 비해 왕실을 비롯한 수요층의 미감과 일치하였으며 기술력이 월등하였기 때문에 가능하였던 것으로 판단된다. 즉, 수요층의 욕구를 충족할 수 있는 기술력과 예술성을 보유하고 있었기 때문에 가능하였던 것으로 이는 지금까지 전라남도를 예향藝鄕

으로 부르고 있음에서도 쉽게 알 수 있다. 또한, 고품질의 청자를 안정적으로 생산하기 위해서는 전문적으로 분업화된 공방이 필요하였으며 이를 위해 강진으로의 기술력과 인적 집약도 있었던 것으로 판단된다. 무엇보다 전라남도는 풍족한 물산과 무역을 통한 부의 축적으로 자기에 대한 이해와 수요에 대한 욕구가 강했던 것으로 추정된다. 따라서 새로운 기물로 선망의 대상이 되었던 청자 제작은 필수적이었으며 그 역할을 전라남도가 담당하였다. 특히, 전라도 지역은 한반도의 대표적 곡창지대로 농경시대에는 상대적으로 경제적 여유가 많아 음식과 음주, 음다飮茶 등 풍류문화가 발달한 곳으로 고급 도자문화를 적극 수용하고 사용할 수 있는 여건이 갖추어져 있었다. 한편, 청자 발생과 발전의 핵심 역할 가운데 하나였던 음다의 또 다른 중요 요소인 차의

사진6 | 무안 몽강리 옹기 요장 마을

생산이 전라남도에서 성행하였음은 현재도 강진과 보성, 장흥, 구례 등에 분포하고 있는 차밭에서도 입증되고 있다. 이와 같이 전라남도는 도자의 생산과 물류뿐만 아니라 소비지의 여건도 갖추고 있어 다른 지역에 비해 도자문화가 더욱 발전할 수 있었던 것이다. 그리고 바닷길이 중요한 역할을 하였는데, 이를 통한 선진 기술의 신속한 유입과 편리한 유통 수단 등이 도자문화의 발전을 촉진시켰다. 해로를 통한 청자의 운반은 완도와 무안, 군산, 보령, 태안 등 서남해안에서 조사되고 있는 많은 해저유적에서도 쉽게 알 수 있다.

전라도 지역은 겨울과 여름의 기온 차가 심하지 않고 온난하여 사람이 거주하기에 좋은 곳이다. 또한, 우수한 태토가 매장되어 있으며 땔감과 물이 풍부하여 도자 생산에 적합한 자연환경을 갖추고 있다. 특히, 풍부한 땔감은 대단위 요장의 입지에 중요한 역할을 하는데, 이러한 자연조건의 유리함은 고려와 몽골 연합군의 일본 원정을 위한 전함을 강진과 인접한 장흥의 천관산과 부안의 변산에서 제작했다는 사실로 충분히 유추할 수 있다. 이는 이 지역에 일시에 많은 전함을 만들 정도로 목재가 매우 풍족하였음을 알려준다.

그러나 무엇보다 전라남도 지역이 고려시대 도자문화를 선도 발전시킬 수 있었던 것은 이 지역에 선진 기술을 수용할 수 있었던 전문 기술과 우수한 문화, 그리고 이를 통제 운영할 수 있었던 세력집단이 있었기 때문에 가능하였다. 그렇지만 이들 세력에 대해서는 아직 명확한 실체가 드러나지 않고 있다. 이와 관련하여 초기 청자의 경우 장보고 대사 세력을 언급하고 있으나 장보고 대사의 본서시인 완도 청해진 유적에서 초기 청자가 전혀 출토되지 않아 역사적 배경만으로 청자 발생과 연관 짓는 것은 설득력이 약하다고 하겠다. 따라서 영산강 유역을 중심으로 한 토착세력에 의한 제작 가능성을 앞으로 심층적으로 연구하여야 하겠다. 특히, 신라 하대와 고려 전기에 해남과 강진 지역을 관할하였던 양무군陽武郡과 영암군 세력에 대한 연구가 있어야 하겠다. 이는 나주 오량동과 광주 행암동, 영암 마산리 등의 영산강 유역에서 대단위 도기 요장窯場들이 계속 조사되고 있으며, 이를 계승한 영암 구림리 도기 가마의 제작 기술과 유사한 제품들이 청자 요장에서 확인되고 있어 제작 기술뿐만 아니라 제작 집단, 생산 주체도 영산강에 기반을 둔 토착세력이었을 가능성이 크다. 또한, 이들 영산강 중심의 나주와 영암 세력이 고려 건국에 크게 기여한 공로로 당시의 첨단 선진 기술이었던 청자 제작의 우월적 지위를 부여받았을 가능성도 높다.

참고문헌

강경숙『한국 도자사』일지사, 1990.

강경숙『한국 도자사의 연구』시공사, 2000.

강경숙『한국 도자사』예경, 2012.

강대규·김영원『도자 공예』솔출판사, 2005.

국립중앙박물관『고려청자 명품 특별전』1989.

국립중앙박물관『천하제일 비색청자』2012..

국립중앙박물관『대고려 918~2018 그 찬란한 도전』2018.

방병선 외『한반도의 흙, 도자기로 태어나다』국사편찬위원회, 2010.

윤용이『한국 도자사 연구』문예출판사, 1993.

이화여자대학교박물관『청자』2017.

정양모『한국의 도자기』문예출판사, 1991.

조기정「전남의 도자사」『전라남도지』3, 1984.

한성욱 외『고려도자신론』학연문화사, 2009.

호림박물관『호림박물관 소장품 선집』청자 Ⅰ·Ⅱ·Ⅲ, 1991·1992·1996.

호암미술관『대고려 국보전-위대한 문화유산을 찾아서-』삼성문화재단, 1995.

大阪市立東洋陶磁美術館『高麗青磁-ヒスイのきらめき-』2018.

2. 남도 청자의 밑거름, 옹관甕棺에서 시작되다

남도 도자의 독창성을 가장 먼저 완성하고 뚜렷하게 인식시킨 문화유산은 누구에게나 한 눈에 들어오는 거대한 옹관(독무덤)이다. 옹관은 우리나라 전역에서 확인되고 있으나 보는 이들의 시선을 압도하는 대형 옹관은 전라남도에서도 영산강 유역을 중심으로 발전 성행하였다. 고대 영산강 유역은 독특한 문화 요소인 대형 옹관을 무덤 축조에 사용하였는데, 이는 백제와 구분되는 독자적인 세력이 영산강 유역에 존재하였음을 알려주는 증거로 고고학계에서는 이를 옹관 고분사회라고 부른다.

옹관묘는 신석기시대에 도기를 만들기 시작한 이래 한반도 전역, 나아가 세계적으로 사용되던 무덤 양식 가운데 하나이다. 전라남도에서는 영산강 유역을 중심으로 다른 지역에 비해 발전된 많은 대형 옹관묘가 확인되고 있다. 처음 일상 도기를 옹관으로 사용하는 방식에서 점차 발전하여 3세기를 넘어서면 분구를 가진 옹관묘가 등장하고 성인 시신을 넣을 정도의 크기인 전용의 대형 옹관을 사용하는 특징을 보인다. 대형 옹관은 크게 목이 있고 입술이 밖으로 벌어지는 유형과 목의 꺾임이 없이 몸통에서 입술이 매끄럽게 올라가는 유형으로 구분된다. 옹관과 함께 출토되는 유물은 옹관 내부나 외부에서 확인되는데, 이른 시기의 높이가 낮은 무덤에서는 이중구연호二重口緣壺(겹아가리이중단지)와 양이부호兩耳附壺(양쪽에 둥근 귀가 달린 항아리), 장경호長頸壺(목이 긴 항아리), 광구호廣口壺(입이 큰 항아리) 등 부장품이 많지 않지만, 크기가 높은 무덤에서는 개배蓋杯(굽 없이 뚜껑을 덮은 접시)와 고배高杯(굽다리접시), 병 등 새로운 기종의 도기가 등장하고 철기류 등의 금속 유물이 다량 부장되어 정치 경제의 변화를 보여주고 있다. 특히, 도기는 백제적인 요소도 있으나 지역적인 특징을 반영한 독자적인 양식을 유지하면서 변화하고 있다. 그러나 6세기에 접어들면 영산강 유역은 백제의 영역으로 편입되고 옹관은 고분의 중심적인 매장 시설에서 벗어나 점차 쇠퇴하여 소멸한다.

영산강 유역 고대 사회의 성격을 규명하는데 핵심적 역할을 하고 있는 대형 옹관은 일제강점기부터 나주 신촌리 고분을 시작으로 많은 발굴조사를 실시하였으나 그 생산지가 확인되지 않았다. 그러나 최근 나주 오량동(사적 제456호)에서 대규모의 옹관 생산 요장이 확인되어 전문적인 생산 집단에 의해 대형 옹관이 제작되었으며, 영산강을 통해 유통되었음을 알 수 있었다. 나주 오량동 도기 요장은 나주시 오량동 산 27번지 일대의 가야산에서 남서쪽으로 뻗어 내린 구릉 끝자락에 위치한다. 이곳은 영산강 본류와 1㎞ 정도 떨어진 곳으로 생산된 옹관을 주변에 공급하는데 좋은 조건을 갖추고 있다. 현재까지 70여 기의 가마와 폐기장 5기, 작업장 1기 등의 유구가 확인되어 옹관의 생산 과정을 잘 보여주고 있다. 가마는 구릉 경사면의 등고선과 직교하는 방향으로 축조되었으며 일정 간격을 두고 나란히 배치되는 양상을 보인

사진 7 | 나주 오량동 도기 요장(사적 제456호)

사진 8 | 나주 오량동 도기 요장 가마

다. 또한, 반지하식으로 굴착한 다음 윗부분은 진흙과 풀 등을 섞어 만들었
다. 구조는 부정형한 앞부분과 긴 타원형의 가마로 구성되어 있으며, 땔감이
타는 연소부와 그릇을 놓는 번조실燔造室의 구분이 없는 통가마이다. 가마의
크기는 길이 570~815㎝, 너비 115~210㎝이며, 가마 바닥의 경사도는 10° 내
외로 낮게 만들었다. 출토 유물은 옹관 파편이 대부분이며 이외에 옹관과 함
께 번조한 완과 호, 시루 등의 도기를 비롯하여 도지미와 내박자 등의 다양한
제작 도구가 확인되었다. 특히, 도기는 바닥에 생산자를 나타내는 16종류의
각선부호가 확인되어 전문 집단에 의한 대량생산의 특징을 보여주고 있다.
이들 오량동 도기 요장은 5세기를 중심으로 100여 년에 걸쳐 옹관을 전문적
으로 생산 공급하여 독특한 도자문화를 꽃피웠다.

　　대형의 전용 옹관은 길이 160~210㎝, 지름 90~130㎝, 두께 6~10㎝, 무게

200~300kg 정도의 크고 무거운 특성을 갖고 있어 처음 만들 때부터 전문적인 기술이 필요하다. 대형 옹관은 대부분 가래떡 모양의 질가래나 질판을 만들어 테를 쌓는 방법으로 제작하는데 이 과정에서 그릇이 무너지지 않고 형태를 유지할 수 있도록 가소성

사진 9 | 무안 구산리 옹관 고분

可塑性을 갖춘 점토를 준비하여야 한다. 또한, 가소성을 갖추고 있어도 밑부분과 윗부분의 수분이 고루 말라야 무너지지 않고 형태를 유지할 수 있다. 건조된 날그릇 상태의 옹관을 가마로 옮기고 적재하는 것도 수준 높은 기술을 요구한다. 도자는 높은 고온에

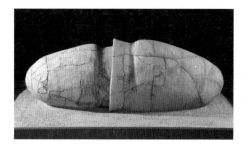

사진 10 | 영암 옥야리 고분 옹관

서 완성되고 이를 식히는 과정 등에서 팽창과 수축이 진행되면서 터지거나 금이 가 실패작이 발생하는데, 이를 극복할 수 있는 화력 관리도 매우 중요하다. 그러나 이러한 전문적이고 집단화된 기술의 보유도 중요하지만 무엇보다 이들 전문 집단을 통제 관리할 수 있는 운영 능력이 필요하다. 이러한 조건을 바탕으로 변화 발전하였던 옹관 제작기술은 이후 자기 제작에 가까운 기술을 갖추고 있던 영암 구림리 도기 요장(사적 제338호) 등의 도기 제작 집단에게 전수되어 남도 청자 발생의 밑거름이 되었다.

사진 11 | 중국 시유도기잔
(영암 내동리 쌍무덤 1호 석실 출토)

사진 12 | 중국 시유도기잔
(영암 옥야리 19호분 2호 옹관 출토)

사진 13 | 중국 시유도기잔
(여수 고락산성 출토)

　한편, 고구려와 백제, 신라, 가야, 마한 등 고대 국가 가운데 중국 도자를 가장 선호하였던 나라는 백제이다. 중국 도자는 백제에서도 거점 지역이었던 서울과 충청남도, 전라북도에서 대부분 출토되고 있으며 이외의 지역은 매우 소량 출토되고 있다. 이들 수입 도자는 왕실 등 중앙에서 선물로 하사한 것으로 실제 사용보다는 신분 과시와 권위를 상징하는 등 위세품 역할을 하였다. 전라남도에서는 현재까지 자기는 확인되지 않으며 유약을 바른 도기施釉陶器가 영암 내동리 쌍무덤 1호 석실(기념물 제83호)과 영암 옥야리 19호분 2호 옹관(문화재자료 제140호), 함평 금산리 방대형 고분(기념물 제151호), 함평 마산리 표산고분(기념물 제122호), 여수 고락산성(기념물 제244호) 등에서 청유잔靑釉盞을 비롯하여 흑유와 전문호錢文壺 파편 등이 소량 출토되었을 뿐이다. 따라서 백제 중심지역과는 출토 수량과 그릇의 종류, 품질 등에서 차이가 있음을 알 수 있다. 이는 전라남도 지역이 백제 문화에 완전히 편입되지 않았으며, 옹관에서 알 수 있는 것처럼 독자적인 문화와 세력권을 유지하고 있었음을 의미한다. 또한, 전라남도 지역 사람들이 중국 도자를 특별히 선호하지 않았기 때문으로 추정된다. 이는 신라 하대에 여러 지역에서 중국 청자와 백자를 수입하여 사용하였으나 전라남도 지역은 완도 청해진 장도 유적과 광양 마노산성을 중심으로 일부에서만 확인되고 있어 이를 뒷받침한다. 특히, 이 시기는 차문화가 성행하여 경주 황룡사와 익산 미륵사, 남원 실상사, 보령 성주사, 영월 흥녕사 등 전국의 많은 사찰에서 중국 자기가 대량으로 확인되고 있으나 장흥 보림사와 곡성 태안사, 화순 쌍봉사 등 전라남도의 핵심 사찰에서는 이 시기 중국 자기가 현재까지 거의 확인되지 않고 있다. 이는 백제시대처럼 중국 자기에 대한 선호도가 낮았기 때문으로 판단된다. 이러한 특징은 지역만의 자기를 만들기 위해 일찍부터 도자문화를 발전시킨 결과이며, 비색翡色과 상감 등 독창적인 청자를 생산하고 발전시켰던 배경이 되었을 가능성도 있다.

참고문헌

국립광주박물관『한국의 옹관묘』1992.

국립나주문화재연구소『한국의 고대 옹관』학연문화사, 2009.

국립나주문화재연구소『대형 옹관 생산과 유통 연구의 현황과 과제』2013.

국립나주문화재연구소『대형 옹관 태토 및 원료 산지의 자연과학적 분석을 통한 유통망 복원』2015.

국립나주문화재연구소『다시 태어난 옹관-대형 옹관 제작 기술의 기록-』2018.

국립나주문화재연구소『나주 오량동 요지, 편년부터 보존 정비안까지』2020.

국립나주박물관『국립박물관 소장 독널 목록집』2018.

국립나주박물관『따뜻한 마음의 공간 호남의 옛 부엌』2021.

서현주『영산강 유역 고분 토기 연구』학연문화사, 2006.

이지영『영산강 유역 삼국시대 토기의 생산과 유통 연구』목포대학교 박사학위논문, 2021.

전남문화재연구소 외『영암 내동리 쌍무덤』영암군, 2021.

3. 도기, 빛을 머금다

고대 옹관에서 발현된 남도 도자의 독창성은 이후 청자에서 가장 큰 꽃을 피우게 된다. 그러나 고대부터 고려까지의 많은 시간적 간격을 메꾸어주고 그 아름다움에 더욱 빛을 발할 수 있도록 하였던 것은 도중에 시유도기施釉陶器가 있었기 때문이다. 즉, 옹관과 청자의 중간에는 도기에 유약을 입혀 1,000℃ 이상의 높은 온도에서 구워낸 고화도高火度의 시유도기가 있었기 때문에 자기라는 높은 수준의 신기술을 쉽게 정착시킬 수 있었던 것이다. 이를 입증하는 시유도기 생산지는 영암 구림리 도기 요장(사적 제338호)이 가장 널리 알려져 있다. 우리나라의 대표적 도기 생산지 가운데 한 곳인 구림리 요장은 신라 말부터 고려 초에 운영된 대규모 도기 산업단지로 전라남도 지역에 청자가 발생하고 발전하는데 중요한 역할을 하였다.

사진 14 | 영암 구림리 도기 요장(사적 제338호)

사진 15 | 영암 구림리 도기 요장 가마

　구림리 도기 요장은 영암군 군서면 서구림리 남송정 마을의 돌정고개로
불리는 구릉에 분포하고 있다. 이곳은 월출산 남서쪽의 양지 바른 낮은 구릉
으로 요장은 동-서 700~800m에 달하는 구릉 전체에 20여 기가 넓게 분포하
고 있다. 그리고 영산강 지류를 경계로 고대 옹관 고분이 밀집된 영암 시종
면과 나주 반남면에 인접하고 있어 오랜 세월 기억되고 전승되었던 옹관 제
작의 전통이 영암 마산리 도기 요장을 거쳐 구림리 도기 제작으로 다시 등장
하였음을 알 수 있다. 즉, 이곳은 독창적 옹관 제작이 성행하였던 영산강을
끼고 있는 고대 문화의 핵심 지역으로 도자 생산의 역사 문화적 기반을 이미
갖추고 있어 이를 쉽게 전승 발전시킬 수 있었던 것이다. 이는 구림리가 영
암과 전라도, 나아가 우리나라를 대표하는 전통문화 마을의 품격을 유지하
고 있는 것에서도 알 수 있다.
　구림리 도기 가마는 암반이 풍화된 석비레층(푸석푸석한 돌이 많이 섞인

흙으로 된 지층)에 굴을 파고 들어간 지하식의 통칸單室 오름 가마登窯로 불을 때는 작업 공간인 가마 앞부분과 땔감이 타는 연소실燃燒室, 그릇을 놓는 번조실燔造室, 연기가 나가는 굴뚝으로 간단하게 구성되어 있으며, 평면 형태는 장타원형이다. 가마 바닥은 앞쪽의 경우 10° 내외의 완만한 경사를 갖추고 넓게 만들었으나 뒤로 갈수록 20~25°로 경사가 급해지고 너비가 좁아져 가마 끝 부분에 수직의 굴뚝을 설치하였다. 연소실은 타원형이며 일부 가마는 연소실 앞에 깬 돌로 만든 배수로가 특징이다. 이러한 가마 구조는 강진과 해남을 비롯한 전라남도 지방에 분포하

사진 16 | 영암 구림리 도기 요장 가마 근경

는 초기 청자 가마에도 일부 반영되고 있어 청자 생산에 깊은 영향을 미쳤음을 알 수 있다. 즉, 벽돌을 이용하고 불턱이 있는 길이 40m 내외의 대규모 중국식 청자 가마에 비해 진흙을 이용하고 불턱이 없으며 길이 20m 내외의 소규모 고려식 청자 가마와 유사하여 구림리 가마의 구조가 대부분 고려 초기 청자 가마에 그대로 이용되었음을 알 수 있다.

구림리 요장에서 출토된 도기들은 삼국시대 고분 출토품이나 경주를 중심으로 한 신라 도기와는 다른 유형으로 목이 짧고 좁으며 몸이 긴 사각편병四角扁瓶과 휴대하기 편리한 높이 5~6㎝의 줄무늬가 있는 작은 편구형병扁球形瓶이 있고 고구려 도기에서 보이는 원반형圓盤形 도기 등도 있다. 또한, 편병과 작은 병 등 운반에 편리한 형태가 등장하고 있으며, 큰 항아리와 사각병,

작은 단지가 조합을 이루어 대량 생산되었다. 이외에도 대접과 주전자, 단지, 바래기, 시루, 솥 등이 확인되고 있는데 이들은 대부분 일상생활 용기들로 회색 경질의 환원還元 번조의 도기가 대부분이며 약간

사진 17 | 영암 구림리 도기 요장 폐기장

의 회색 연질 도기도 일부 확인된다. 구림리 도기를 만드는 방법은 선사시대부터 이어져 온 도기 제작방식으로 그릇의 밑판을 만들고 그 위에 타래 또는 흙 판을 쌓아 올리는 방법을 주로 사용하였다. 그러나 작은 병의 경우 물레를 사용하여 흙덩어리에서 직접 뽑아 올리는 발전된 방법을 사용하고 있는데, 이는 고려청자 제작에 계승되고 있어 도기에서 자기로의 기술 진입을 보여 주는 중요한 요소로 그 의미가 크다. 한편, 영암 구림리 도기의 가장 큰 특징은 그릇에 유약을 입힌 녹갈색과 황갈색의 시유도기가 일부 제작되고 있는 점이다. 이는 도기에서 자기로 발전해 가는 기술 발전의 단계를 가장 잘 보여 주는 특징으로 기술사적 가치가 매우 크다고 할 수 있다. 유약은 그릇에 수분이 스며드는 것을 막아 위생적이며, 그릇의 강도를 높여 형태를 지속적으로 유지시키는 효과가 있다. 무엇보다 그릇의 겉면을 아름답게 장식하는 시각적 효과를 가져와 미적 완성도를 높여주고 있다. 그리고 유약을 만들 수 있는 기술뿐만 아니라 그릇의 바탕 흙이 좋아야 하며, 이를 고온에서 녹일 수 있는 기술이 있어야 가능한 것으로 시유도기의 생산은 높은 기술력을 지니고 있음을 입증하는 척도인 것이다.

이와 같은 가마의 구조와 그릇의 성형 방법, 시유 등의 특징도 중요하지만

더욱 중요한 요소는 대규모 요장을 관리하고 운영하였던 경영 능력과 새로운 기술의 효율적 활용방법, 이를 판매할 수 있는 유통구조 등을 고루 갖출 수 있었기 때문에 요장을 체계적으로 경영할 수 있었다.

사진 18 | 영암 구림리 도기 요장 출토 도기

이러한 경영 능력 등의 요소는 대규모 고려청자 요장을 운영하였던 강진과 해남의 청자 생산체제에도 전승되어 남도 청자 발전의 핵심적 밑거름이 되었다. 또한, 영암 구림리 시유도기는 이후 고려와 조선에서 저장과 운반 등의 용도로 계속 사용되었던 시유도기의 모태가 되었으며, 조선 후기부터 현재까지 남도의 또 다른 도자 매력인 옹기로 그 맥이 이어지고 있다.

요장이 위치한 구림리는 일찍부터 중요한 뱃길로 이용된 상대포가 있어 이를 통해 대량 생산된 구림리 도기가 완도 청해진 등 주변 지역에 널리 유통되었음은 잘 알려져 있다. 즉, 영암 구림리 요장은 신라 하대 상대포를 중심으로 전개되었던 사회 경제와 도기의 생산 유통, 청자의 발생과 성격 등을 밝힐 수 있는 귀중한 유적임을 쉽게 알 수 있다. 한편, 구림리 요상에는 그동안 발굴조사된 가마 가운데 2기를 보호각을 세워 보존 공개하고 있으며, 주변에 영암도기박물관을 건립하여 전시와 연구, 개발, 교육, 재현, 전승 등에 활용하여 문화유산의 효율적 보존 관리와 체계적 활용의 모범 사례로 꼽히고 있다.

사진 19 | 영암도기박물관

참고문헌

김여진 「고려시대 도기 생산시설과 생산품에 대한 연구」 한신대학교 석사학
　　위논문, 2008.

나선화 『한국의 전통 공예 도기』 이화여자대학교 출판부, 2006.

연세대학교박물관 『고려시대 질그릇』 1991.

이화여자대학교박물관 『통일신라·고려 질그릇』 1987.

이화여자대학교박물관 『영암의 토기 전통과 구림 도기』 1999.

최견미 「나말여초 도기에서 자기로의 생산체계 이행 과정」 『한국고고학보』
　　99, 한국고고학회, 2016.

최철희 「고려시대 질그릇의 형식분류와 변천과정-병·호·대옹을 중심으로-」
　　한신대학교 석사학위논문, 2004.

충청북도문화재연구원 『고려시대의 도기』 2010.

한혜선 『고려 도기 연구』 혜안, 2019.

玉城 眞紀子 「전남 서남부지역 고려시대 도기호에 관한 고찰」 목포대학교 석
　　사학위논문, 2020.

4. 청자, 남도에 정착하다

옹관으로 대표되는 고대의 독창적 전통을 바탕으로 시유도기 단계를 거쳐 진정한 도자문화의 꽃을 피운 것은 고려청자가 발생하면서부터이다. 고려청자는 처음 경기도와 충청도, 전라도 등 해로를 통해 중국과 쉽게 접근할 수 있는 서남해안 지역을 중심으로 발생하였다. 그러나 고려가 정치 사회적으로 안정되는 11세기가 되면 강진과 해남으로 집결되어 고려만의 특징을 발현하여 마침내 비색청자를 완성하고 상감청자를 만들어 세계 도자사적으로 중요한 한 축을 마련하게 된다. 즉, 왕실과 호족 등 상위층을 위한 양질청자를 생산하였던 강진과 이를 보완하여 중위층 소비자들의 욕구를 충족시킨 조질청자 중심의 해남으로 양분되어 청자 생산의 독점권을 확보하면서 발전을 거듭하였던 것이다. 이는 단순한 도자 생산의 의미를 넘어 높은 기술력을 요구하면서 고부가 가치를 지니고 있던 당시 최첨단 산업이었던 청자 생산의 독점적 지위를 확보하였음을 상징하는 것으로 대단한 특혜이며 특권이었다.

다양한 지역에서 전개되었던 청자 생산이 강진과 해남으로 집약될 수 있었던 배경은 자연 지리적 조건과 기술력 등의 이점도 있을 수 있으나 이러한 장점은 엄밀하게 검토하면 대소의 차이는 있으나 다른 지역도 일정 부분 갖추고 있다. 고려 태조(918~943) 왕건(877~943)은 고려를 건국하면서 나주 오씨와 낭주 최씨 등 영산강 세력과 강진 무위사에 주석하였던 선각대사 형미(864~917) 등 사원세력의 후원을 받아 통일 대업을 완수할 수 있었다. 특히, 나주 오씨는 태조의 두 번째 왕후이자 2대 혜종(912~945)의 어머니인 장화왕후를 배출할 정도로 태조와 매우 가까운 세력이었다. 따라서 나주 오씨를 비롯한 영산강 세력이 건국에 크게 기여한 공로로 당시 첨단 산업이었던 청자 생산의 우월적 지위를 부여받아 자신들 관할 아래 있던 강진과 해

사진 20 | 고려 태조 왕건과 나주 출신 장화왕후 오씨의 사연이 깃든 나주 완사천(기념물 제93호)

남에 이를 유치하였던 것으로 판단된다. 이와 같은 독점적 지위는 대규모로 운영되었던 영암 구림리 도기 요장에서 쌓은 경영 능력과 청자라는 새로운 기술을 받아들일 수 있는 생산 체제를 갖추고 있었기 때문에 가능하였다. 즉, 정치적 역량과 탁월한 경영 능력, 우수한 기술, 적절한 자연 환경 등이 어울려 이를 독차지할 수 있었다.

한편, 완도 청해진을 중심으로 신라 하대에 강력한 해상세력을 구축하여 대외무역을 독점하였던 장보고 대사의 역할도 매우 크다. 장보고 대사에 의해 수입 유통되었던 중국 청자가 신라에 넓게 확산되면서 자체 생산에 대한 욕구가 발생하였으며 마침내 청자를 만들 수 있었던 것이다. 즉, 서해를 통한 해상활동으로 성장한 청해진 세력을 비롯한 호족들과 중국에 다녀온 유

사진 21 | 완도 청해진 유적(사적 제308호)

학생 등 새로운 지배세력이 중국 도자문화에 익숙해 있어, 수입만으로 충족할 수 없었던 당시 유행의 대명사인 청자의 자체 제작이 필요하였기 때문이다. 청자의 수입과 발전은 차를 마시기 위해 반드시 필요한 다완茶碗의 필요성에서 비롯되었다. 중국의 차문화를 정립한 육우陸羽(733~804)가 청자와 백자 등 다양한 그릇 가운데 청자완을 최고의 다완으로 정의하면서 수요가 늘어났다. 특히, 차 마시는 것을 수행의 한 방법으로 수용하였던 신라 하대의 새로운 불교사상인 선종禪宗의 등장은 이를 더욱 발전하도록 하였다. 선종 사찰 가운데 구산선문의 으뜸으로 유명한 장흥 보림사를 비롯하여 곡성 태안사와 화순 쌍봉사 등의 선승禪僧들에 의한 다도茶道 문화의 보급은 쉽게 짐작할 수 있다. 차문화의 발달은 현재도 강진과 장흥, 보성 등에서 경작되고 생산되는 차밭을 통해서도 알 수 있다. 차의 생산과 수요, 그리고 이를 마시기 위한 다완의 필요성이 청자의 발전을 촉진하였다. 이들은 처음 중국 자기를 구해 욕구를 충족하였으나 수입 자기만으로 수요를 감당할 수 없게 되자 이와 비슷한 제품을 구하고자 노력하였으며, 이것이 청자 생산의 원동력 가운데 하나가 되었다.

고려 사회가 안정되고 제도가 정비되면서 궁궐과 관청, 사찰 등 많은 건물이 신축되고 이곳에 사용할 고급 기물이 대량으로 필요하게 되었다. 이를 위해 여러 지역에서 생산된 청자가 유통되었을 것으로 추정되는데, 이들 가운데 남도 청자가 중심이 된 것은 다른 지역에 비해 왕실을 비롯한 수요층의 미감과 일치하였으며 기술력이 월등하였기 때문에 가능하였던 것으로 판단된다. 즉, 수요층의 욕구를 충족할 수 있는 기술력과 예술성을 보유하고 있었

사진 22 | 구산선문 으뜸 사찰 장흥 보림사

기 때문에 가능하였던 것으로, 이는 남종화와 판소리 등의 예술혼이 면면히 흐르고 있으며 현재도 전라남도를 맛과 멋을 갖춘 예향으로 부르고 있음에서도 알 수 있다. 예술성의 확보는 무엇보다 풍족한 물산과 무역을 통한 부의 축적으로 자기에 대한 이해와 수요에 대한 욕구가 강했기 때문으로 추정된다. 따라서 새로운 기물로 선망의 대상이 되었던 청자 제작은 필수적이었으며 그 중심적 역할을 전라남도가 담당하였다. 특히, 전라도 지역은 한반도의 대표적 곡창지대로 농경시대에는 상대적으로 경제적 여유가 많아 음식과 음주, 음다 등 풍류문화가 발달한 곳으로 고급 도자문화를 적극적으로 수용하고 사용할 수 있는 여건이 갖추어져 있었다. 이와 같이 전라남도는 도자의 생산과 물류뿐만 아니라 소비지의 여건도 갖추고 있어 청자 생산을 독점적으로 운영하고 발전시킬 수 있었다. 그리고 바닷길이 중요한 역할을 하였는데, 이를 통한 선진 기술의 신속한 유입과 편리한 유통 수단 등이 발전을

사진 23 | 강진 월출산 차밭

촉진시켰다. 해로를 통한 청자의 운반은 완도와 진도, 무안, 군산, 보령, 태안 등에서 조사되고 있는 많은 해저유적에서도 쉽게 알 수 있다.

전라도 지역은 겨울과 여름의 기온 차가 심하지 않고 온난하여 사람이 거주하기에 좋은 곳이다. 또한, 우수한 태토가 매장되어 있으며 땔감과 물이 풍부하여 도자 생산에 적합한 자연환경을 갖추고 있다. 특히, 풍부한 땔감은 대단위 요장의 입지에 중요한 역할을 하는데, 이러한 자연조건의 유리함은 고려와 몽골 연합군의 일본 원정을 위한 전함을 강진과 인접한 장흥의 천관산에서 건조하였던 것에서도 충분히 유추할 수 있다. 이는 이 지역에 일시에 많은 전함을 만들 정도로 목재가 매우 풍족하였음을 알려주는 것이다.

이와 같은 다양한 요인들이 더해져 변화 발전하면서 청자는 남도에서 빛을 발하고 멋을 찾아 천하제일의 비색을 갖추고 독특한 상감청자를 만들어 그 아름다움을 우리에게 물려주고 있다. 그러나 우수한 도자문화를 가꾸었던 고려시대 남도인들에 대한 연구는 아직 미흡한 실정이다. 따라서 영산강 세력뿐만 아니라 신라 하대와 고려 전기에 해남과 강진 지역을 관할하였던 양무군陽武郡과 영암군 세력에 대한 연구도 앞으로 더욱 깊게 진행되어야 하겠다.

참고문헌

강경인 외『한눈에 보는 청자』한국공예·디자인문화진흥원, 2017.

국립광주박물관『전라도-천년을 지켜온 사람들-』2018.

국립나주박물관『풍요의 땅 전라-천년의 시간을 걷다』2018.

국립해양문화재연구소『대한민국 수중발굴 40년 특별전』2016.

김영진『고려 자기』사회과학출판사, 1987.

김영진『조선 도자사 연구』삼국~고려, 사회과학출판사, 1995.

용인대학교박물관『고려 國風』2018.

한성욱「강진 청자의 생산과 유통」『문화사학』34, 한국문화사학회, 2010.

한성욱 외『해양강국 고려와 진남』민속원, 2019.

5. 고려 전기, 청자의 발생과 발전

고려 전기 청자는 대체로 고려 건국(918)부터 11세기까지를 이르는데, 청자 발생은 중국의 영향을 받아 시작되었다. 청자 생산의 중심지가 있던 오吳·월越이 송宋에 의해 멸망하면서 각지로 흩어진 일부 장인들이 고려에 유입되어 기능을 전수하였던 것이다. 내적으로는 삼국시대 이후 발달한 도기 제작 기술의 토대 위에 중국의 새로운 기술을 받아들여 고려만의 독창적인 청자를 제작하였다. 따라서 청자의 발생은 전통의 도기 산업에서 새로운 첨단기술인 자기로의 이행 과정을 보여주는 중요한 역사적 문화적 사건이었다. 이때는 중국의 직접적인 영향을 받아 그릇을 생산하고 있어 중국적인 청자와 백자 등이 생산되던 시기로 가장 대표적인 그릇은 굽 바닥이 해무리처럼 넓고 측면 선이 삿갓과 같이 사선을 이루는 해무리굽 다완茶碗이다. 또한, 글씨가 있어 생산 시기를 알 수 있는 황해남도 배천군 원산리 청자 가마터에서 출토된 순화淳化(중국 송 태종의 연호) 3년(992)과 4년이 새겨진 그릇 등이 널리 알려져 있다. 이 시기를 대표하는 전라남도의 청자 요장은 모두 바다와 인접한 강진 용운리(사적 제68호)와 고흥 운대리(기념물 제80호), 장흥 풍길리(기념물 제221호), 함평 양재리, 해남 신덕리(기념물 제220호) 등으로 일찍부터 다양한 지역에서 해로를 통해 첨단 신기술을 도입하였음을 알 수 있다.

사진 25 | 강진 용운리 10호 청자 요장 1호 가마

사진 26 | 해남 신덕리 20호 청자 요장 가마

청자가 발생하여 전성기 비색청자의 토대를 이루는 고려 전기는 나라의 건국과 안정, 사회 발전 등이 진행되는 시기로 청자도 이러한 영향을 받아 변화 발전하였다. 후삼국을 통일한 고려는 신라의 진골 중심적인 폐쇄적 정치체제를 극복하려는 지방 호족들을 중심으로 성립되었다. 고려의 새로운 지배세력은 당나라에 유학하였던 학생과 선승禪僧, 서해안을 통해 중국 문물에 친숙한 호족들로 중국 당唐·오대五代와 긴밀한 관계에 있었다. 따라서 이들은 이미 중국과의 교류를 통해 선진문물의 하나인 자기를 널리 사용하고 있었다. 또한, 호족들의 이념적 기반이 되었던 선종禪宗 사상이 빠른 속도로 전파되면서 차문화와 함께 이를 위한 필수 도구인 자기문화가 널리 확산되었다. 한편, 고려의 지식인들도 중국의 선진문물에 대한 욕구가 강하였으며, 왕실과 귀족사회에서도 중국 청자에 대한 욕구

사진 27 | 장흥 풍길리 청자 요장 출토 청자

가 증가하여 이를 대체할 고려 청자의 생산이 절실하였다. 이와 같은 지방 중심의 호족과 중앙 정부, 왕실 등의 수요를 담당하기 위해 초기 청자 요장은 서남해안을 중심으로 전국에 분포하여 운영되었다. 따라서 이때는 수도인 개경 주변뿐만 아니라 다양한 지역에서 요장을

운영하여 강진을 비롯한 전라도 지역에서 왕실과 중앙 정부에 대한 청자 공납의 필요성이 특별히 없었다. 이는 최근 많은 발굴조사가 실시되고 있는 해저유적에서도 고려 전기의 유적은 보령 삽시도 해저유적 이외에는 거의 알려지지 않고 있으며, 고려 중기 유적이 중심을 이루고 있음에서도 알 수 있다.

사진 28 | 고흥 운대리 1호 청자 요장 출토 흑자와 도기

한편, 11세기 고려의 대내외적 상황을 살펴보면, 송과 일시적으로 교류가 단절되기도 하였으나 11세기 말에는 다시 공식적으로 통교를 실시한다. 그러나 단절 시기에도 중국의 민간 상선이 100회 이상 고려에 왕래하여 많은

사진 29 | 함평 양재리 청자 요장 출토 청자와 도지미

문물을 교역하였다. 또한, 송의 관리와 상인이 고려에 귀화하기도 하였으며, 반대로 고려에서 송으로 귀화하는 사람도 있었다. 이 시기 고려는 귀족 정치가 확립되는 때로 왕권의 안정과 학문의 발달, 북송과의 활발한 교류를 통한 문화적 자극과 발전이 이루어졌던 시기였다. 거란과도 평화 정책을 유지하여 왕래가 계속되었으며 문물교역이 활발히 실시되었다. 이러한 정치 사회적 안정과 대외교류는 11세기 고려청자의 급속한 발전과 생산에 커다란 배경이 되었다. 국가의 안정 속에 귀족 문화의 일환으로 청자 제작이 활발히 전개되어 수준이 중국 청자에 근접하고 있었으며, 종류도 다양해지며 기형과 문양, 번조 방법 등이 고려 특유의 유형으로 세련되었다. 양질청자를 생산하던 강진은 일종의 관요官窯 형태인 대구소大口所 중심의 대규모 요장으로 점차 발전하였으며, 조질청자를 생산하는 해남 요장들도 이들과 공존하였다. 강진이 개경 중심의 왕실을 비롯한 중앙의 요구에 따라 제작되었다면, 해남에서 생산된 조질청자는 개경에도 공급하였으나 주로 지방의 사찰과 관청, 토호들의 요구에 따라 생산되었던 것으로 추정된다. 이런 양상은 12세기까지 계속되며, 가마 구조와 제작 방법은 13세기 전반까지 이어진다.

전라도 지역과 개경을 중심으로 한 중서부 지역의 자기 제작 기술을 살펴보면 가마 축조 방법에서 가장 큰 차이점을 찾을 수 있다. 중서부 지역은 중국식인 벽돌로 가마를 축조塼築窯하고 있으나 전라남도 지역은 전통적 방식인 진흙을 이용하여 가마를 축조土築窯하고 있다. 또한, 벽돌 가마는 땔감이 타는 번소실에 불턱이 있으며 40m 내외의 길이를 갖추고 있으나 진흙 가마는 불턱이 없으며 20m 이내로 축조되고 있어 뚜렷한 차이를 보인다. 진흙 가마가 중심을 이룬 전라남도 지역은 고화도의 옹관묘를 제작하던 우수한 가마 축조기술을 보유하고 있어 중국의 선진기술이 직접적으로 필요하였던 중서부 지역처럼 벽돌 가마의 필요성이 절실하지 않았던 것으로 판단된다. 전축요는 토축요에 비해 노동력과 시간이 많이 소요되는 가마로 숙달된 토축요 축조 기술이 축적되어 있던 영산강 유역 기술자에게는 전축요가 필요하지 않았을 가능성이 높다. 그리고 중서부 지역과는 바탕 흙과 유약, 굽는 방법 등에서도 많은 차이를 보이고 있다. 전축요는 그릇을 한 번만 구워 완성하고 있으나 토축요는 두 번 굽고 있으며, 중서부 지역은 청자와 함께 백자를 제작하고 있으나 전라남도 지역은 청자와 흑자를 함께 생산하고 있다. 흑자는 영암 구림리 요장 등의 전통 도기 제작 기법을 바탕으로 반구병과 편병, 유병, 항아리 등의 저장 또는 운반 용기를 중심으로 생산하였는데, 전라남도에 분포하는 모든 초기 청자 가마에서 흑자가 확인되고 있어 전통 계승을 뚜렷하게 알 수 있다. 따라서 전라남도 지역의 진흙 가마는 전통적 도기 제작 기술을 바탕으로 중국의 신기술을 도입하여 운영하였음을 쉽게 알 수 있다.

사진 30 | 배천 원산리 청자 요장 가마(벽돌)

한편, 고려청자는 처음 중국의 기술을 직접 받아들인 개경과 가까운 황해도 배천 원산리와 평천 봉암리, 경기도의 고양 원흥동과 시흥 방산동, 용인 서리 등에서 만들기 시작하여 이후 전국적으로 확산되었다. 그러나 10세기 말~11세기 초 거란 침입기에 중서

사진 31 | 시흥 방산동 청자와 백자 요장
(벽돌, 사적 제413호) 출토 백자

부 지역 요장은 대부분 폐요_{廢窯}되고 전란을 피해 보다 안정적으로 운영되었던 남서부의 강진과 해남에 요장이 집중되어 고려만의 특징적인 청자 문화를 발전시킨다.

이와 같이 청자 발생기의 고려 전기는 전통 도기와 중국 자기의 제작 기술과 이행 과정, 장보고 대사의 해상 활동과 청자 문화의 확산, 거란과의 전란, 개경 중심의 중서부 지역 청자 요장과 강진을 비롯한 남해안 지역 청자 요장과의 관계 등 다양한 요인과 더불어 고려의 독창성과 조형성을 모색하면서 변화 발전하였다.

참고문헌

국립나주문화재연구소『장흥 풍길리 청자 요지 보고서』2016.

김인규『越州窯 청자와 한국 초기 청자』일지사, 2007.

민족문화유산연구원『해남 신덕리 청자 요장 20호 발굴조사 보고서』2019.

민족문화유산연구원『함평 양재리 청자 요장 발굴조사 보고서』2020.

오영인「고려 塼築窯 연구」서울대학교 석사학위논문, 2009.

이종민『고려 초기 청자 연구』백산자료원, 2004.

이희관「한국 초기 청자 연구의 현황과 문제점」『지방사와 지방문화』14-2, 역사문화학회, 2011.

한광휘「고려 전기 자기 생산체계 연구」충북대학교 석사학위논문, 2018.

한국도자사연구회『한국 자기 발생에 관한 제문제』한국고고미술연구소, 1990.

大阪市立東洋陶磁美術館『高麗青磁の誕生-初期高麗青磁とその展開-』2004.

6. 고려 중기, 청자의 절정 비색翡色과 상감청자의 등장

12세기부터 13세기 전반에 이르는 고려 중기 청자는 중국에서도 감탄할 만큼 그 기량이 절정을 이룬다. 백자와 흑자의 제작이 활발해지고, 청자에서도 비색의 음각과 양각 청자를 비롯한 순청자와 상감청자, 상형청자, 동화청자, 철화청자 등 다양한 청자들이 제작되었다. 이 시기는 무신정권이 중심을 이루는 시기(1170~1270)로 귀족사회의 전성기였던 문종(1046~1083) 이후 점차 내부 모순이 쌓여 지배세력의 내분을 가져와 전통적인 문벌귀족과 지방출신 신진관료 사이의 대립으로 이어진다. 지방에서는 속현屬縣들과 향鄕, 소所, 부곡部曲의 민중들이 도망가거나 저항하였다. 또한, 정치권력을 둘러싼 갈등이 폭발하여 왕위를 찬탈하려는 이자겸의 난(1126)과 서경(현재의 평양) 천도를 주장하였던 묘청의 난(1135~1136) 등이 발생하였다. 인종(1122~1146) 때에 발생한 이들 난은 고려 전기의 귀족사회가 동요하는 발단을 마련하였으며, 1170년(의종 24) 무신정변에 의해 붕괴하게 된다. 특히, 이 시기는 농민과 천민의 난이 빈번하게 발생하였으며, 최우(1219~1249 집정) 정권 때는 몽고의 침입으로 1232년(고종 19) 수도를 강화로 옮겨 대몽항쟁을 전개하였으나 1273년(원종 14) 진도와 제주 등의 대몽항쟁이 끝나고 무인정권도 붕괴되면서 고려 중기는 마무리된다.

고려 문화는 12세기 전반 예종(1105~1122)과 인종 때에 이르러 황금기를 맞게 된다. 또한, 지방 호족세력들은 중앙 관료로 진출하면서 문화의 주인공으로 등장한다. 이들은 유교를 새로운 정치사상으로 채용하여 정치이념으로 확립하였으며, 불교는 국가의 보호를 받으면서 크게 융성하였다. 이와 같은 사회적 배경과 사상적 조화는 문화에 직접적으로 반영되어, 고려청자가 기술적·예술적 정점을 이루는데 중요한 배경으로 작용하였다. 즉, 11세기 후반부터 확립되기 시작한 귀족정치가 예종과 인종 때에 이르러 완성되며, 문

사진 32 | 청자음각연화당초문매병(국보 제97호)

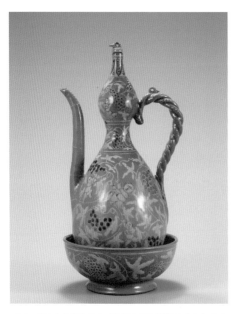

사진 33 | 청자상감동화포도동자문표주박형 주전자와 받침

화 또한 전성기를 맞이하면서 청자 발전을 뒷받침하였던 것이다. 그리고 11세기 후반 시작된 다양한 시문기법과 제작기술을 바탕으로 12세기 전반 비색청자가 완성되는 기반이 되었다. 이 시기는 강진군 대구면 사당리를 중심으로 요업이 집약되어 전성기 청자를 생산하였으며, 장보고 대사 이후 발전된 바닷길과 조운제도를 통해 수도인 개경 또는 강화에 공납되어 왕실과 관청, 귀족들의 그릇으로 사용되었다. 11세기 후반은 무늬가 없는 자기를 주로 생산하였으나 이때는 무문을 비롯하여 음각과 압출양각, 철화 등이 등장하여 연꽃과 모란, 앵무 등 다양한 무늬를 새기거나 그리고 있다. 그릇의 두께는 이전 보다 얇고, 대부분 거친 내화토 비짐과 규석 받침을 놓고 번조하였다. 이 시기를 대표하는 비색청자는 1146년(의종 즉위년) 만든 인종 장릉에서 출토된 청자참외형병(국보 제94호) 등이 있으며, 북송의 사신 서긍徐兢이 1123년(인종 원년) 고려를 방문하고 남긴 『선화봉사고려도경宣和奉使高麗圖經』과 태평노인太平老人이 쓴 『수

중금袖中錦』 등은 고려의 비색청자를 천하제일로 기록하고 있다.

12세기 후반은 의종(1146~1170)과 명종(1170~1197)으로 이어지는 시대적 전환기로 귀족사회의 절정기이자 몰락기였고, 청자에도 많은 영향을 끼친 변화의 시기이다. 이 시기 청자는 음각과 양각, 투각기법이 널리 사용되며, 철화와 철채, 진사채 등이 고루 등장한다. 또한, 다양하고 섬세하며 화려한 기교를 자랑하고 있어 그야말로 고려청자의 전성기였다. 이러한 12세기 후반의 양상은 13세기로 이어져 확대 발전하는데, 특히 상감기법의 발전은 청자의 주류를 바탕 흙과 유약 중심의 순청자에서 무늬가 돋보이는 상감청자로 발전시키는 기반이 되었다. 이 시기는 상감기법을 이용한 독창적 시문기법을 다양하게 응용하여 청자를 생산하고 있어 눈부신 발전을 거듭하였던 중기 청자의 면모를 구체적으로 느낄 수 있게 해준다.

한편, 고려 중기는 양질청자 중심의 강진 요장 이외에 해남에서 바탕 흙과 유약 등의 품질이 떨어지는 조질청자를 집중적으로 대량생산하여 각지에 공급하였다. 이외에도 전국 각지에서 품질이 낮은 청자를 생산하여 생산지 주변의 수요를 담당하였는데, 일부는 강진 청자를 모방하여 만들기도 하였다. 해남의 경우 청자 발생기에는 화원면 신덕리에서 이를 생산하였는데, 고려 중기가 되면 산이면 진산리로 이동하여 강진 유형의 양질청자와 함께 역할을 나누어 계속 청자를 생산하였다. 해남 유형은 철화청자와 다완 등의 우수한 청자도 있으나 대부분 품질이 떨어지는 청자를 생산하고 있어 소비층에 맞추어 청자의 품질이 분화되었

사진 34 | 청자철화모란넝쿨무늬장구(완도 어두리 해저유적 출수)

음을 알 수 있다. 해남 유형의 청자는 완도군 약산면 어두리 해저유적에서 2만2천 여 점의 청자가 출수되면서 새롭게 인식되는 계기가 되었다.

양질청자 생산의 중심지인 대구소大口所(현재 강진군 대구면 일대)가 위치한 탐진현耽津縣은 고려 전기 전라도의 강력한 지방 세력 가운데 하나인 영산강 세력의 영암군 속현에서 1124년(인종 2) 공예태후 임씨의 고향으로 정안현에서 승격된 장흥부의 속현으로 행정체계가 변화된다. 따라서 이 시기는 이자겸李資謙(?~1126)을 제거하고 공예태후恭睿太后(1109~1183)가 왕비가 되는데 결정적 역할을 하였던 탐진 최씨의 시조인 최사전崔思全(1067~1139)과 장흥 임씨 세력이 영산강 세력으로부터 탈피하여 탐진강 유역 중심의 새로운 토착세력을 형성하여 청자 생산의 주도권을 확보한 시기로 볼 수 있다. 장흥지역에서는 이를 입증하듯 청자상감투각귀갑문상자를 비롯한 고품격 청자들이 많이 출토되고 있어 그 위상을 쉽게 느낄 수 있다.

사진 35 | 장흥 옥당리 당동마을 정안 임씨 세거지

특히, 대구소가 있던 탐진현은 감무監務가 파견되지 않은 지역으로 조선 1417년(태종 17)에서야 이웃 도강현과 합해지면서 치소治所가 들어선다. 따라서 감무가 없었던 탐진 지역은 국가의 직접 통제보다는 지방 세력에 의해 그 산업적 특권을 유지하면서 운영되었을 가능성이 높다.

사진 36 | 청자삼감투각귀갑문상자
(장흥 모산리 고분 출토)

　고려시대 감무의 파견은 왕권 강화와 재정 확보 등을 위해 실시되었는데 감무가 파견되지 않았다는 것은 지방 세력 또는 중앙세력과 결탁한 지방 세력의 힘이 강했기 때문이라고 생각된다. 이는 최근 발굴조사된 태안 대섬 해저유적 출수 목간에서 확인된 '최대경崔大卿'과 '안영安永' 등의 인물이 대부분 탐진의 토착세력인 것에서도 알 수 있다. 따라서 안정적인 양질청자의 생산을 위해 탐진현 지역에 설치되었던 대구소는 고려 중기 이후 토착세력에 의해 통제되고 발전하였던 것으로 판단된다. 탐진강 세력에 의해 운영되던 절정기의 청자 가마는 전통 진흙 가마와 중국 벽돌 가마의 장점을 혼용하여 대체로 길이 20m 내외의 규모를 갖추고 불칸(연소실)에 불턱을 만들며 가마의 끝부분을 초벌칸으로 활용

사진 37 | 강진 사당리 43호 청자 요장 가마

하는 고려(강진)만의 진흙 가마를 축조하여 비색청자를 생산하였다. 이와 같이 고려 중기 청자는 탐진강 세력이 주도권을 확보한 이후에 비약적으로 발전하고 있어 이들의 역할이 매우 컸음을 알 수 있다. 이와 같은 전성기 강진 청자는 전국에 분포하는 소규모의 요장에도 많은 영향을 미쳐 강진 유형의 청자가 전국에서 생산되는 계기가 되었다.

참고문헌

강진청자박물관『고려 중기 청자 제작의 시대적 고찰』 2008.

김세진『고려 13세기 청자 연구』충북대학교 박사학위논문, 2020.

노대석「고려 중기 자기의 연구」한신대학교 석사학위논문, 2008.

장남원『고려 중기 청자 연구』혜안, 2006.

단국대학교 도예연구소『고려 12세기 강진요와 북송 汝官窯 청자 비교』 2005.

한나래「江都時期(1232~1270) 고려 청자 연구」이화여자대학교 석사학위논문, 2010.

7. 고려 후기, 청자의 양적 확산과 질적 쇠퇴

고려 후기 청자는 13세기 중반부터 고려가 폐망하는 1392년(공양왕 4)까지를 이르는데, 이 시기는 정치, 경제, 사회, 문화 등 모든 분야에서 매우 혼란하여 이를 반영하듯 청자도 질적 하락이 지속되었다. 고려 후기는 몽골과의 긴 전란(1231~1273)과 전란 이후 고려에 대한 원元의 간섭, 중국 홍건적紅巾賊의 난, 잦은 왜구의 침입, 원과 명明 교체에 의한 국경 분쟁 등 대외적 요인과 내적으로는 권문세족 등의 집권층에 의한 경제적 수탈이 매우 심했던 시기이다. 그리고 이로 인한 파행적 정치가 계속되어 사회 경제적 모순이 매우 심화되었던 혼돈의 시기였다. 특히, 몽골 전란 등의 요인으로 청자를 만들던 전문적 행정구역인 소所의 해체가 가속화되어 전문적 분업화로 제작되던 청자 생산은 점차 그 품질이 떨어질 수밖에 없었다. 따라서 중앙 통제에 의해 제작되던 청자 생산은 통제의 해이와 함께 장인들의 전국적 이탈에 의한 생산과 공급의 확대, 이에 따른 수요층의 증가로 점차 품질이 쇠퇴하여 조선 건국 후 분장청자(분청사기)로 옮겨간다. 한편, 대몽항쟁 중 전라도 지역은 개성과 강화 등 전란의 중심지에서 멀리 떨어져 있었으며, 무신정권의 경제적 기반을 형성하고 있어 상대적으로 피해가 적었다. 청자 생산의 핵심인 대구소大口所 역시 품질이 급격하게 저하되지 않고 점진적으로 쇠퇴가 진행되었다. 즉, 대몽항쟁은 청자 쇠퇴의 원인은 되었으나 이것이 곧바로 청자의 품질을 하락시킨 것은 아니며 이후 원 간섭과 왜구의 잦은 침입 등 고려 사회의 점진적 침체와 함께 점차 쇠퇴하였던 것이다. 이는 강화에서 출토된 최씨 무인정권의 집정자였던 최항(?~1257)의 묘에서 출토된 청자 동화연화문 표주박모양 주전자(국보 제133호)에서도 쉽게 알 수 있다.

강진 청자의 품질을 하락시키는 결정적 계기는 1350년(충정왕 2) 이후 남해안에 많은 피해를 주었던 왜구의 잦은 침입이었다. 왜구에 의한 피해는 전

사진 38 | 청자동화연화문표주박형주전자
(강화 최항 묘 출토, 국보 제133호)

라도와 경상도에서 나는 곡물과 특산품 등의 세금을 바닷길에서 육로로 바꾸어 운반하는 계기가 되었다. 이는 바다를 통해 옮겼던 청자 운반에도 많은 영향을 미쳐 육로로 운반하는 불편함을 감수하도록 하였다. 즉, 중기 청자를 선적한 해저유적은 현재 많이 확인되고 있으나 후기 청자가 출수되는 곳은 무안 도리포 해저유적 등 일부에 지나지 않아 왜구를 피해 육로로 청자가 운반되었음을 뒷받침하고 있다. 또한, 이 시기는 오랜 전란으로 인한 신분제도의 해이와 소의 해체, 신진세력의 등장 등으로 청자를 필요로 하는 신분층이 두터워져 수요층이 확대되면서 장인들의 이탈에 의한 도자 생산을 더욱 증가시켰다. 이와 같은 정치 사회적 혼란은 공납체제의 혼란을 가져와 정부에서 사용하기 위해 만든 청자가 민간으로 많이 유실되었는데, 중앙 정부로 운반하던 청자가 개경에 도착하면 열에 하나뿐이었다는 기록에서도 알 수 있다. 또한, 공민왕의 비인 노국대장공주魯國大長公主(?~1365)의 무덤인 정릉에서 사용하기 위해 특별하게 제작된 '정릉正陵'이 새겨진 청자가 지방 관아인 나주 금성관과 일본의 다자이후大宰府 유적 등에서 출토되고 있어 고려 후기의 혼란함을 엿볼 수 있다. 이러한 복합적 문제는 시대적 배경과 함께 청자의 질적 쇠퇴를 더욱 가속화시키는 요인이 되었으나 실용성이 강조되는 도자의 대량 생산을 촉진시켰으며 새로운 도자문화인 분장청자를 탄생시키는 계기가 되었다.

13세기 청자는 시간이 흐르면서 12세기 전성기 청자에 비해 기형과 문양 등에 있어 부분적으로 도식화가 진행되고 있으나 아직은 기본 골격을 유지하면서 단정하면서도 사실적인 자연스러움이 있다. 받침은 규석을 중심으로 내화토 비짐

사진 39 | '正陵'이 쓰인 상감청자

이 부분적으로 사용되었으며, 유색도 비색에 비해 떨어지지만 전성기의 여운이 남아 있다. 또한, 생활유적 출토품을 보면 12세기처럼 순청자純青瓷의 비중이 매우 많음을 알 수 있다. 따라서 13세기 청자는 12세기 절정을 이루었던 비색청자의 여운을 간직하면서 대몽항쟁 등의 사회적 여건으로 점차 쇠퇴하고 있음을 알 수 있다. 이러한 전통은 14세기가 되면 실용성과 기능성이 강조되면서 질적으로 더욱 퇴화되어 기형은 매우 두터워져 대형화되면서 둔중해지고 굽도 13세기대 청자에 비해 상대적으로 넓어진다. 문양은 간략해지거나 집단 문양이 반복되는 등 도식화·양식화되고 있다. 유색에 있어서도 황색조와 갈색조를 띠는 점차 어두운 색조로 변해가고 있어 매우 퇴화되었음을 알 수 있는데, 유색의 퇴화는 색상보다 문양을 강조하는 상감청자가 중심을 이루는 배경이 되었다. 바탕 흙 또한 시기가 지나면서 점차 거칠어져 잡물이 많아지고 있다.

이러한 청자의 질적 쇠퇴를 억제하기 위해 14세기가 되면 제작 시기를 알

사진 40 | '德泉'이 쓰인 상감청자(보물 제1452호)

사진 41 | '辛巳'가 쓰인 상감청자

수 있는 간지명干支銘 상감청자를 비롯하여 '덕천고德泉庫(고려 후기 왕실의 재정을 담당하였던 기관)' 등 이를 사용하던 관청과 장소 등을 새긴 명문銘文 그릇이 다량 등장한다. 명문 청자는 생산 시기와 생산지(생산자), 사용처를 주로 새기고 있는데, 생산자의 표기는 책임 생산을 실시하여 품질의 저하를 막기 위한 조치이며, 생산 시기와 사용처의 표기는 효율적 관리와 사사로운 유출을 방지하기 위하여 실시하였다. 한편, 고려 후기 청자의 핵심 자료 가운데 하나이면서 제작 시기에 대한 논란이 많았던 간지명 청자는 제작지인 대구소 지역의 정세와 13세기 유적 출토품, 중국 도자와의 비교 등에 의해 14세기에 제작되었음을 알 수 있다.

14세기 간지명 청자는 '기사己巳(1329)'~'갑술甲戌(1334)'과 '신사辛巳(1341)'~'을미乙未(1355)' 시기로 크게 나누어지는데, 앞의

사진 42 | 무안 도리포 해저유적(사적 제395호) 출수 상감청자

유형은 규석 받침을 중심으로 유약을 그릇 전체에 시유하고 있으나, 후자는 도자의 품질이 더욱 떨어져 모래 받침과 바탕 흙(태토) 비짐이 중심을 이루며 굽바닥과 굽 안바닥의 유약을 닦아낸 다음 굽고 있다. 기형은 보다 커지면서 둔중해지고 유색도 더욱 어두운 색조로 변화되고 있다. 이러한 변화는 무안 도리포 해저유적(사적 제395호)으로 대표되는 말기 청자로 이어지는데 이때가 되면 문양은 생략되거나 간략화된 반복 문양이 듬성듬성 거칠게 시문된다. 기형에 있어서도 '기사己巳'명 청자 이후의 대형화된 둔중한 형태를 계속 유지하고 있다. 번법燔法은 모래보다 바탕 흙 비짐의 비중이 높아지

며, 굽바닥의 유약은 시유 후 모두 닦아낸 다음 번조하고 있다. 무안 도리포 해저유적 단계를 지나면 고려청자는 왕조의 교체와 함께 조선 전기를 대표하는 새로운 도자 전통인 분장청자로 이행 발전되면서 소멸한다. 그동안 고품격 명품 고려청자 생산을 위해 시대적 책임을 다했던 대구소 장인들은 전국으로 흩어져 새로운 도자 전통인 조선 분장청자가 꽃을 피우는데 커다란 밑거름이 되는 역할을 담당하는 것으로 그 소임을 마무리하였다. 강진 지역도 대구면 일대의 청자 생산은 종언을 고하였으나 칠량면 명주리 등에서 분장청자를 생산하고 있어 고려청자의 전통이 지속적으로 계승되었음을 알 수 있다.

참고문헌

김세진『고려 13세기 청자 연구』충북대학교 박사학위논문, 2020.

김윤정『고려말·조선초 명문청자 연구』고려대학교 박사학위논문, 2011.

박경자「14세기 강진 자기소의 해체와 요업 체제의 이원화」충북대학교 석사 학위논문, 2002.

박정민「14세기 전반 상감청자 연구」명지대학교 석사학위논문, 2006.

이종민「14세기 고려 상감청자의 연구」홍익대학교 석사학위논문, 1992.

해강도자미술관『고려 후기 간지명 상감청자』1991.

한성욱「고려 후기 청자의 성격」목포대학교 석사학위논문, 2001.

韓盛旭『高麗後期靑瓷の硏究』總合硏究大學院大學 博士學位論文, 2006.

8. 고려청자의 성지^{聖地}, 강진

강진은 청자를 만들기 시작하면서부터 그 기술이 유입되어 퇴장 소멸하는 시기까지 이를 발전 변화시켰던 가장 대표적인 고려청자 요장窯場이다. 특히, 강진은 도기를 만들던 전통 기술을 바탕으로 중국의 신기술을 받아들여 독창적인 비색청자翡色靑瓷와 상감청자를 완성하였던 곳으로 그 의미가 더욱 깊다. 또한, 강진은 국가 재정과 물품의 안정적 확보를 위해 운영되었던 '소所' 가운데 청자 생산을 담당하였던 대구소大口所와 칠량소七良所가 운영되어 양질의 고급청자를 안정적으로 공급하였던 곳으로 국가의 통제와 토착세력의 운영 아래 품질이 관리되었다. 따라서 강진 청자와 고려청자는 별개로 생각할 수 없는 순망치한脣亡齒寒의 관계로 강진 청자의 변천사가 고려청자의 변천사이며, 고려청자의 발전이 강진 청자의 발전이라고 할 수 있다. 강진에는 사적 제68호로 지정된 대구면 용운리(75기)와 계율리(59기), 사당

사진 43 | 강진 사당리 청자 요장과 미산포구

리(43기), 수동리(6기)를 비롯하여 전라남도 기념물 제81호로 지정된 칠량면 삼흥리(5기) 등에 전국에서 가장 많은 고려청자 요장이 집중 분포하고 있어 강진 청자의 역사성과 우수성을 입증하고 있다.

강진은 1417년(태종 17) 도강현道康縣과 탐진현耽津縣이 통합되면서 등장한 명칭이다. 따라서 고려시대는 도강현과 탐진현이 각각의 행정구역을 갖추고 있었으며, 청자를 생산하였던 대구소와 칠량소는 탐진현 지역에 있었다. 고려 초 강진 지역은 940년(태조 23) 신라시대의 양무군陽武郡이 도강군으로 명칭이 바뀌면서 속현이었던 탐진현을 인접한 영암군에 넘겨주고, 이후 1018년(현종 9) 도강군의 속현이던 황원黃原·해남海南·죽산竹山현과 함께 영암군에 포함되면서 독립된 행정 영역을 상실하게 된다. 또한, 1124년(인종 2) 무렵 영암의 속현이던 정안현定安縣이 장흥부長興府로 승격되면서 영암에 속해 있던 탐진현의 소속이 장흥부로 옮겨진다. 이 변화를 보면 고려 이전까지 영암·해남·강진을 아우르던 강진 세력이 점차 약화되어 1018년 독립 행정 영역을 상실하였음을 알 수 있다. 즉, 고려 건국에 일정한 기여를 하였던 영암 세력이 성장하면서 현재의 영암과 강진, 해남, 장흥 등을 묶는 호남 서남부의 중심이 되었던 것이다. 특히, 영암은 고려 전기 청자 생산의 중심지인 탐진현과 황원군(현재 해남군 산이면과 화원면)을 영역에 포함하고 있어 도자 산업의 독점적 지위를 확보하였음을 알 수 있다. 한편, 고려의 행정체계는 조직적이지 못해 대구소가 있던 탐진현은 중앙 정부의 감무가 파견되지 않고 시내에 따라 영암과 장흥의 속현으로 관리되었다.

국가에서 필요한 특정 물품을 생산하였던 '소所'는 중앙의 지배를 받으며 소사所司의 주관 아래 운영되었다. 그러나 소는 지방 관리가 파견되지 않아 소가 위치한 주현主縣에 의해 관리되었기 때문에 국가와 주현 등에 의한 이중적 감독을 받고 있었다. 특히, 감무가 없었던 탐진 지역은 국가의 직접 통제보다는 지방 세력에 의해 그 산업적 특권을 유지하면서 운영되었을 가능

사진 44 | 최사전(1067~1139) 묘지명

성이 높다. 따라서 대구소는 최사전崔思全(1067~1139)으로 대표되는 지역 세
력집단인 탐진 최씨와 주현의 세력집단으로 탐진 최씨와 정치적 유대 관계
에 있던 장흥의 정안 임씨任氏 등에 의해 움직였을 가능성이 높다. 또한, 소
에는 소민所民 등을 관리하는 소리所吏가 있는데 대구소에는 서씨徐氏가 대
표적이다. 이와 같은 사실을 입증하는 자료는 강진에서 청자를 싣고 출발한
태안선에서 출수된 '최대경崔大卿'과 '안영安永' 등이 쓰인 목간을 비롯하여 리
움미술관에 소장된 보물 제1382호 청자상감'신축'명국화모란문벼루에 새겨
진 '대구 전호정 서감부大口前戶正徐敢夫' 등의 기록이 있는데, 이들은 모두 탐
진현과 대구소의 토착 세력이다. 한편, 태안선에는 청자 운반을 책임졌던 인
물의 서명으로 판단되는 '정鄭'이 쓰인 목간이 있는데, 『세종실록지리지』와

사진 45 | 청자상감'辛표'명국화모란문벼루(보물 제1382호)

사진 46 | 청자상감모란문표주박형주전자(강진 출토, 국보 제116호)

『신증동국여지승람』 등에 의하면 정씨 역시 탐진현의 토착 성씨 가운데 하나로 이들에 의해 청자가 운반되었음을 알 수 있다.

강진 지역은 바다와 접해 있어 일찍부터 해로가 발달하였다. 해로의 발달은 육상교통이 발달하지 못한 고대로 올라갈수록 그 의미는 컸으며 서남해를 통과하는 해로는 국제문화의 교역로로 매우 주목되었다. 이는 탐진耽津의 지명이 탐라耽羅(현재 제주)와의 해상교류 때문에 생긴 것에서도 쉽게 알 수 있다. 해로를 통한 교

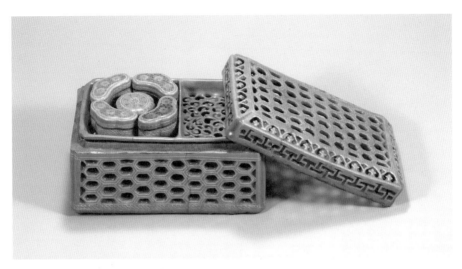

사진 47 | 청자상감투각귀갑문상자(장흥 모산리 고분 출토)

류가 본격적인 궤도에 오른 것은 고려시대였으며 강진 지역의 문화 역시 그 영향을 받아 더욱 발전하였다. 이러한 해로의 발달은 청자 문화 발전에도 큰 역할을 하였다. 또한, 많은 수량을 한꺼번에 운반해야 하는 청자는 부피가 크고 무거워 대부분 바닷길을 통해 유통되고 있어 바다를 접하고 있는 강진은 청자 생산의 가장 좋은 조건을 갖추고 있었던 것이다. 해상교통의 발달은 강진 지역 문화 발전의 중요한 배경이었으나 고려말 조선초에 이르면 왜구의 피해가 극심한 지역으로 전락하게 하여 강진 도자문화의 쇠퇴를 가져오는 결정적 원인 가운데 하나가 된다.

신라 이래 무위사와 월남사, 백련사 등을 중심으로 꽃피웠던 불교문화 역시 강진 지역의 사회와 문화 발전에 많은 기여를 하였다. 특히, 고려 태조 왕건의 스승으로 지역에 많은 영향을 미쳤던 선각대사先覺大師 형미逈微의 주석처가 무위사였음은 널리 알려진 사실이다. 당나라에 유학하였던 형미는 장흥 가지산문迦智山門 체징體澄의 문하로 무위사에 거주하면서 서남해 지역 호족들에게 많은 영향력을 미쳤는데, 왕건은 그의 제자가 되어 영산강 세력

사진 48 | 강진 무위사 선각대사탑비(보물 제507호)와 삼층석탑(문화재자료 제76호)

의 협조를 유도할 수 있었다. 또한, 고려후기 역시 무신정권에 절대적 영향을 미쳤던 백련결사白蓮結社의 중심 도량인 백련사와 수선결사修禪結社의 핵심 사찰이었던 월남사(고려시대에는 영암의 월경지였음)가 현재의 강진 지역에 위치하여 새로운 신앙결사 운동을 이끌고 있음도 이 지역 문화의 우수성과 이를 수용하고 발전시켰던 포용성을 대변하고 있다.

강진 청자는 전국의 큰 사찰과 관청, 그리고 중국과 일본 등 여러 나라에서 확인되고 있어 개경으로의 유통 과정뿐만 아니라 지방과 외국으로의 유통 구조도 검토할 필요성이 있다. 강진을 출발한 청자 운반선은 대부분 개경이 목적지였지만 일부는 조정의 통제 아래 지방의 거점 포구로 운송되어 지역의 최상류층에 공급되었던 것으로 추정된다. 그러나 일부 고급 청자는 개경으로 운반된 뒤 선물 등의 형식으로 지방과 외국으로 유통되었다. 이는 강진 청자의 독창성과 아름다움이 특정한 지역이 아닌 여러 곳에서 널리 사랑받았음을 알려주는 징표이다.

참고문헌

강진문화원『강진의 역사와 문화』1989.

강진문화원『고려청자 문화와 강진』1990.

국립광주박물관『남도문화전』Ⅲ 강진, 2012.

국립전주박물관『고려청자의 정점을 만나다 부안 청자 강진 청자』2018.

목포대학교박물관『강진군의 문화유적』1989.

한성욱「강진 청자의 생산과 유통」『문화사학』34, 한국문화사학회, 2010.

해강도자미술관『강진의 청자요지』1992.

9. 해남, 또 다른 고려청자의 멋을 만들다

해남은 이웃 강진과 함께 고려청자의 역사를 가꾸고 발전시킨 매우 중요한 곳으로 남도 도자문화의 유구한 역사와 우수성을 알리는데 큰 역할을 하고 있다. 한반도 서남단에 위치한 해남은 기후가 따뜻하고 토양이 기름지며, 넓고 긴 해안선을 갖고 있어 물산이 풍부한 곳이다. 따라서 선사시대부터 근대에 이르기까지 다양한 문화유산이 곳곳에 남아 있다. 특히, 청자 요장은 산이면과 화원면 일대 해안선을 따라 집중 분포하고 있는데, 남해안과 영산강을 끼고 있어 제주와 완도, 진도 등 인근 도서 지역은 물론 중국, 일본 등과 연결되는 대외 교역의 요충지로 도자 기술의 유입과 공급에 유리한 조건을 갖추고 있다. 이와 같은 대외 교류의 유리한 입지 조건은 군곡리 패총(사적 제449호)과 만의총萬義塚 고분, 그리고 이웃한 완도 청해진淸海鎭과 진도 벽파진碧波津 등의 해상 활동, 일본의 여러 유적에서 출토되고 있는 해남 유형의 청자를 통해서도 쉽게 알 수 있다. 한편, 다성茶聖으로 추앙받고 있는 초의선사가 해남 대흥사大興寺를 중심으로 활동하였던 것도 음다飮茶와 밀접하게 관련된 청자와의 인연을 보여준다.

고려 중기까지 해남 유형의 조질청자를 대규모로 생산하였던 산이면과 화원면 지역은 도강군道康郡 아래의 황원군黃原郡 소속이었으나 1018년(현종 9) 영암군으로 이속되었다. 영암군은 940년(태조 23) 양질청자 생산의 중심인 대구소大口所와 칠량소七良所가 있던 탐진현耽津縣을 이미 예속시키고 있어 1124년(인종 2) 무렵 속현이던 정안현定安縣이 탐진현을 데리고 장흥부長興府로 독립하기 이전까지는 고려시대 청자 산업의 독점적 지위를 확보하고 있었다. 해남의 청자 요장은 현재까지 산이면 진산리(사적 제310호) 일대에서 168개소가 확인되었으며, 화원면 신덕리(전라남도 기념물 제220호) 일대에서는 초기 청자 요장 60여 개소가 조사되어 청자의 탄생과 함께 이를 대규모로 생산하였음을 알 수 있다.

　남부지역 초기 청자를 대표하는 화원면 신덕리 일대 요장은 해남군의 서
북단에 위치한 화원반도의 중심에 있으며 진산리 요장과는 금호방조제를
사이에 두고 마주하고 있다. 요장 주변은 신덕저수지를 중심으로 사방이 나
지막한 산들로 둘러싸여 있어 요장 운영에 필수적인 땔감과 물을 공급하는
데 유리한 조건을 갖추고 있다. 요장은 신덕저수지 일대와 뱀골마을을 중심
으로 밀집 분포하고 있다. 그리고 발굴조사를 실시한 신덕리 20호 청자 요
장에서 고려 초기 남부지역의 특징인 진흙 가마의 평면 구조가 완벽하게 밝
혀져 신덕리 청자 요장의 중요성을 다시 한 번 입증하였다. 즉, 가마의 길이
가 10m로 소규모이며 연소실과 번조실 사이에 불턱이 없어 영암 구림리 등
전통 도기 가마의 구조와 매우 비슷하다는 것을 알 수 있다. 출토유물은 청

사진 49 | 해남 신덕리 청자 요장

사진 50 | 해남 신덕리 20호 청자 요장 출토 청자와 흑자, 도기

사진 51 | 해남 신덕리 4호 청자 요장 출토 청자와 흑자

자와 흑자, 도기 등의 도자기와 갑발과 도지미 등의 요도구 등이 확인되었다. 청자는 차를 마실 때 쓰였던 다완을 비롯하여 발과 접시, 병, 호 등 일상생활 용기가 중심을 이루고 있으며, 흑자와 도기는 저장 또는 운반 용기로 사용하였던 병과 호 등이 중심을 이루고 있다. 청자의 품질은 완을 제외하면 대부분 조질이다. 완은 다른 그릇에 비해 특별히 제작하여 태토와 유약 등이 상대적으로 우수하며, 다른 그릇들은 포개구이를 한 사례가 많은데 비해 완은 1점씩 갑발에 넣고 갑번匣燔으로 제작하였다. 흑자와 도기는 중부지역의 벽돌 가마에서는 확인되지 않고

사진 52 | 해남 신덕리 20호 청자 요장 가마

남부지역의 진흙 가마에서만 파악되는 것으로 가마 구조와 함께 생산품도 영암 구림리 등의 전통 도기 요장의 제작 기술을 계승하였음을 알려준다. 신덕리 요장은 대체로 11세기를 중심으로 운영된 이후 이웃 진산리로 이동하여 조질청자 생산을 전담하였던 것으로 추정된다. 이와 같이 운영 시기가 짧은 것은 일시에 많은 요장이 운영되어 주변의 땔감과 태토가 고갈되어 나타난 결과로 추정된다.

산이면 진산리 일대의 청자 요장은 해남만 중앙의 가늘고 길게 뻗은 산이반도에 위치하는데, 특히 영산강 유역 개발로 간척이 이루어진 초송리 남쪽에서 진산리에 이르는 6㎞ 해안에 집중적으로 분포하고 있다. 이곳은 높은 산이 없는 낮은 구릉지대로 현재는 밭으로 경작되고 있지만, 예전에는 삼

사진 53 | 해남 진산리 청자 요장

사진 54 | 해남 진산리 17호 청자 요장 가마

림이 풍부하고 바다와 인접하여 활발한 교역이 이루어졌을 것으로 판단된다. 또한, 청자의 주재료인 점토가 해안선을 따라 곳곳에 노출되어 있어 원료 수급에도 유리한 조건을 갖추고 있다. 한편, 1984년 완도군 약산면 어두리 해저유적(완도선)에서 출수된 많은 양의 청자가 이곳에서 생산된 것으로 밝혀져 그 중요성이 더욱 커지게 되었다. 1991년 진산리 17호 청자요장을 발굴조사하여 길이 24.5m, 벽체 너비 120~130㎝, 바닥 너비 100~120㎝의 가마를 확인하였는데, 이는 신덕리에 비해 크고 40m 길이의 중국식 벽돌 가마보다 작아 전통과 중국식을 절충한 크기로

진산리 가마가 고려 중기에 등장하였음을 알려주고 있다. 그리고 가마 바닥
이 급경사를 이루고 있어 조질청자 생산을 중심으로 운영되었음을 쉽게 알
수 있다. 출토유물은 청자와 흑자, 도기, 갑발, 도지미 등이며, 기종은 대접과
완, 접시, 병, 자배기, 대반, 뚜껑 등 매우 다양하다. 이들 가운데 청자는 순청
자와 철채청자, 철화청자, 음각청자, 양각청자, 투각청자, 상형청자, 퇴화청
자, 박지청자, 흑갈유청자 등 다양하다. 한편, 진산리 요장 생산품 가운데 다
완과 철화무늬가 있는 청자는 신덕리처럼 다른 그릇과 달리 특별히 관리되
었음을 알 수 있다.

　해남 지역의 요장은 역사적·미술사적 의의와 함께 규모면에서도 강진 청
자 요장(사적 제68호)과 비견될 정도로 중요한 곳이다. 강진의 청자 요장은

사진 55 | 해남 진산리 74호 청자 요장 출토 청자

고려 500여 년간 200여 기가 운영되었으나 해남은 고려 중기까지 300여 년 간 200여 기가 운영되어 짧은 기간에 대단위로 운영되었음을 쉽게 알 수 있 다. 또한, 초기 청자 요장이 집중 분포하고 있는 곳은 신덕리가 유일하며, 품 질 또한 우수하여 향후 보다 많은 연구가 필요하다. 이후 산이면으로 이동한 해남 유형의 청자는 중앙과 최상류층보다는 지방과 중간 계층을 위해 주로 생산된 것으로 투박하지만 거친 맛이 있으며, 철화무늬는 단순하면서 간략 한 멋을 지니고 있어 해남만의 전통을 엿 볼 수 있는 우리 민족의 귀중한 문 화 자산이다.

참고문헌

국립광주박물관『해남 신덕리 청자 도요지 정밀지표조사 보고서』2000.

국립해양문화재연구소『고려 난파선 해남 청자를 품다』2019.

목포대학교박물관『해남군의 문화유적』1986.

목포대학교박물관『해남군 산이면 녹청자 도요지』1987.

목포대학교박물관『해남의 청자요지』2002.

민족문화유산연구원『해남 청자의 현황과 성격』2019.

민족문화유산연구원『해남 신덕리 청자 요장 20호 발굴조사 보고서』2019.

민족문화유산연구원『해남 진산리 청자 요장 74호 발굴조사 보고서』2020.

민족문화유산연구원『해남 신덕리 청자 요장 3-4호 발굴조사 약보고서』2020.

민족문화유산연구원『해남 진산리 청자 요장 20호 발굴조사 약보고서』2021.

역사문화학회『해남 화원 초기청자 가마터의 성격과 해양 교류』2011.

인천서구 녹청자박물관『녹청자 고려의 마음을 품다』2017.

조은정「한반도 남서부 지역 토축요 연구-해남 신덕리를 중심으로-」홍익대학 교 석사학위논문, 2003.

제2부

장인의 혼과 땀, 기예技藝의 결정체

1. 청자 발전을 위한 각고의 노력, 가마의 변천

　도자기는 점력을 지닌 바탕 흙의 재질적 특성으로 인해 살아 움직이는 것을 제외한 모든 물상을 표현하고 재현하며 창조할 수 있다. 다양한 용도에 맞추어 제작되며 인간의 상상에 의해 여러 형태를 만들 수 있다. 또한, 예술적 조형과 실용적 용도를 함께 지니고 있어 그 가격도 천양天壤의 차이를 보이는 높은 재화財貨의 가치를 지니고 있다. 수비와 성형 등의 공정을 거친 날 그릇은 가마에 넣어져 높은 화력을 견뎌내면 마침내 흙에서 도자로 새롭게 탄생한다. 이를 견뎌내지 못하고 터지거나 금이 가는 등 실패한 도자는 아쉬움을 남기고 폐기장으로 향한다. 이 과정에서 장인의 완벽한 기술력과 예술성, 그리고 지극한 정성, 우수한 태토와 유약의 개발, 물과 바람 등 자연의 조화, 전통과 창조의 절충 등이 어울려 고려만의 비색청자가 완성된 것이다.

　가마는 도자 제작의 최종적인 과정인 불 때기를 위한 시설이지만 장인이 원하는 청자를 만들기 위해서는 완벽한 가마 구조와 이를 운용하는 기술력, 그리고 바람과 습도 등 순조로운 자연의 조건을 맞추어야 가능하였다. 따라서 가마는 바탕 흙과 유약 등의 원료와 지역의 독특한 기후, 가마가 위치한 지형 등을 이해하여야 완벽하게 지을 수 있다. 이러한 이유로 가마만을 전문적으로 축조하는 전문 기술자가 있었으며, 이러한 모든 조건을 이해하고 수

시로 바뀌는 바람 등 자연의 변화에 맞추어 불을 땔 수 있는 전문가도 별도로 있었다. 완벽한 청자의 제작에는 가마 짓기와 불 때기 등의 전문 인력 이외에도 바탕 흙의 채취와 운반, 수비, 성형, 무늬, 유약, 땔감, 포장 등 모든 공정에 대한 기술자가 각자 있어 완벽한 천하제일의 청자를 만들기 위해 정성을 다했다.

고려에서 청자와 백자 등 자기 제작은 처음 중국의 자기 제작기술을 도입하여 개경 주변의 중서부지역에서 시작하였다. 이후 전라도를 비롯한 남서부지역에서 전통 도기 제작기술을 바탕으로 중국 기술을 받아들여 자기를 생산하였으며, 마침내 고려만의 독창적인 비색청자로 발전하였다. 이와 같은 시간적 지역적 차이는 가마 규모와 구조, 축조 재료, 번조품 등에도 반영되어 배천과 고양, 시흥, 용인, 여주 등의 중서부지역 가마는 중국의 기술을 그대로 반영하여 벽돌로 축조하고 있다. 또한, 길이 40m 내외의 규모를 갖추고 있으며, 연소실에 불턱이 있어 고화도의 화력을 효율적으로 얻을 수 있었다. 생산품은 청자와 백자를 함께 번조하고 있으며, 요도구로 굽 안바닥에 받친 원형의 고리 받침이 특별히 확인되고 있다. 강진과 해남, 고흥, 장흥, 함평 등의 남서부지역 가마는 신라 하대의 전통적인 도기

사진 56 | 배천 원산리 청자 요장 가마(벽돌)

가마를 계승하여 진흙으로 축조하고 있다. 길이 10~20m의 규모를 갖추고 있으며, 연소실에 불턱이 없어 번조실과의 경계가 뚜렷하지 않다. 생산품은 청자를 중심으로 흑자와 도기를 함께 번조하고 있으며 원형 고리 받침이 확인되지 않아 중서부지역과 뚜렷하게 다른 양상을 보이고 있다.

이들 가마는 고려 중기에 청자 생산의 성지聖地인 강진으로 기술이 집약되면서 전통의 진흙 가마를 바탕으로 연소실에 불턱을 갖추고 길이 20m 내외로 축조되는 등 고려만의 특징으로 변화 정착된다. 또한, 중국식의 벽돌 가마는 초벌구이가 없으며, 초기의 진흙 가마 역시 강진 용운리 63호를 제외하면 대부분 초벌구이가 확인되지 않고 있으나 비색청자가 생산되는 등 고려식 요업 체계가 완성되는 중기 단계에서는 초벌구이가 정착되어 가마에서도 초벌칸이 뚜렷하게 확인된다. 즉, 중국의 신기술과 전통의 도기 가마가 고려의 원료와 풍토 등에 맞추어 절충되면서 고려만의 청자를 만들 수 있도록 변화 발전된 것이다.

전라도지역에서 고려 전기의 가마는 강진 용운리 63호와 장흥 풍길리, 함평 신덕리, 해남 신덕리, 진안 도통리와 고창 용계리·반암리 등이 조사되었는데, 중국식의 벽돌 가마는 진안 도통리에서 확인되고 있으나 전라남도에서는 모두 전통을 계승한 진흙 가마만 확인되었다. 진안 도통리는 전라도 최초로 벽돌 가마의 구조가 확인되었으며, 주변에서 진흙 가마가 함께 확인되어 벽돌 가마에서 진흙 가마로의 변화 과정을 보여주고 있다. 고창 용계리는 이전에 알려진 감조관監造官과 관계된 건물지 이외에 공방시설이 확인되어 앞으로 청자의 생산구조를 밝히는데 중요한 단서를 제공하고 있다. 감조관 또는 '소所'의 치소와 관련된 건물지는 강진 사당리와 부안 유천리에서도 확인되었으며, 공방 시설은 용인 보정동 등에서 일부 확인되었으나 감조시설과 공방지가 확연하게 확인되는 사례는 고창 용계리가 처음이다. 또한, 해남 신덕리에서는 초기 진흙 가마의 평면 형태가 완벽하게 확인되어 가마 구조를 이해하는데 중요한 자료를 제공하고 있다.

중국식의 벽돌 가마가 확인된 진안 도통리 청자 요장(사적 제551호)은 진
안군 성수면 도통리 중평마을 일원으로 내동산(887m)에서 뻗은 2갈래의 산
줄기가 마을을 서남쪽과 동북쪽으로 감싸는데 요장은 서남쪽 말단부에 위
치한다. 이곳은 요장을 운영하면서 버린 요도구와 축요재, 청자 실패품 등이
대규모로 쌓여 있어 일찍부터 널리 알려진 곳이다. 갑발이 퇴적의 중심을 이
루는 대규모의 폐기장은 초기 청자 요장에서 일반적으로 확인되는 특징 가
운데 하나이다. 발굴조사 결과 전축요(벽돌 가마)에서 토축요(진흙 가마)로
변화되는 과정을 보여주는 가마와 고려만의 토축요 가마가 함께 확인되어
초기 청자를 생산하였던 10세기 중반~11세기 중반 중국계의 전축요에서 고
려의 독창적인 토축요로 변화되는 과정을
이해하는데 절대적인 자료를 제공하였다.

도통리 벽돌 가마는 벽돌에서 진흙으로
변화하는 과정을 보여주는 전축요계 토
축요로 반지하식 단실 오름 가마이다. 가
마는 요전부窯前部와 연소실, 번조실, 출
입시설 등을 갖추고 있으며, 길이 43m, 너
비 1.4~1.8m, 경사도 12~16°이다. 연소실
의 평면 형태는 타원형이며, 벽체는 생토
층을 번조실보다 깊게 판 다음 그 안에 벽
체를 세운 반지하식 구조이다. 불턱의 높
이는 35cm로 부정형 할석을 2열 가량 쌓고
진흙을 발라 마무리하였다. 번조실은 벽
체가 상부로 갈수록 점차 둥글게 곡선을
이루고 있어 궁륭형 천정이었던 것으로

사진 57 | 진안 도통리 청자 요장 가마(벽돌)

판단된다. 번조실의 최후 벽체는 대체로 진흙으로 축조되었으나, 연소실과 가까운 하부는 지름 20㎝ 내외의 갑발을 品자 형태로 엇갈려 쌓은 다음 진흙을 발라 보강하였으며, 상부는 길이 40㎝ 내외의 부정형 냇돌을 이용하여 축조하였다. 최후 벽체 뒤쪽에는 벽돌로 축조한 벽체가 확인되고 있어 벽돌 가마에서 진흙 가마로 변화하였음을 쉽게 알 수 있다.

도통리 진흙 가마는 반지하식 단실 등요로 요전부와 연소실, 번조실 등을 갖추고 있는데, 특히 번조실 가장 위쪽 마지막 칸을 초벌칸으로 사용하고 있어 중국식의 벽돌 가마에서 고려식의 진흙 가마로 변화하는 과정을 보여주고 있다. 가마의 규모는 전체 길이 13.4m, 경사도 16°이다. 연소실과 번조실을 연결하는 불턱은 생토층을 판 다음 외면에 갑발 2단을 엇갈려 쌓고 그 사이와 뒷부분에 점토를 발라 보강하였다. 벽체가 상부로 갈수록 둥글게 곡선을 이루고 있어 궁륭형 천정이었던 것으로 판단된다. 한편, 가마 최상단을 석재로 축조하면서 점토 등으로 내측면을 마무리하지 않은 것은 특별히 화력을 관리하지 않았음을 의미한다. 그리고 석재로 축조한 부분의 바닥도 다른 곳에 비해 화력이 약해 거의 소결이 이루어지지 않고 있다. 또한, 갑발과 점토를 이용하여 축조한 곳과 석재를 이용하여 축조한 곳의 경계 부분 바닥에는 3매의 갑발이 정연하게 박혀 있어 양쪽을 구분하고 있다. 이와 같은 특징으로 보아 최상부의 석재로 축조한 부분은 고려 중기 진흙 가마의 특징 가운데 하나인 초벌구이를 번조하기 위한 초벌칸으로 판단된다. 그러나 초벌칸의 경계가 뚜렷하지 않아 전형적인 중기 가마와는 약간의 차이를 보여주고 있다. 연도부는 특별한 시설이나 흔적이 확인되지 않아 단순히 배연공을 통해 연기를 배출하였던 것으로 추정된다.

초기 진흙 가마의 전형이 확인된 해남 신덕리 청자 요장(기념물 제220호)은 전국에서 가장 많은 60여 곳의 초기 청자 요장이 분포하고 있는 해남군 화원면 신덕리에 위치하고 있다. 발굴조사 결과 완벽한 평면 구조를 보여주는

사진 58 | 해남 신덕리 20호 청자 요장 가마(진흙)

사진 59 | 영암 구림리 도기 요장 가마

초기 진흙 가마와 폐기장이 확인되어 많은 자료를 제공하였다. 신덕리는 짧은 기간 많은 가마가 운영되어 일찍부터 국내 청자 발생의 단서와 초기 청자의 기형 변화 등을 파악하는데 중요한 유적으로 주목받아 왔다. 신덕리는 신덕저수지를 중심으로 사방에 나지막한 산들로 둘러싸여 있어 가마 운영에 필수적인 땔감과 물을 공급하는데 유리한 조건을 갖추고 있으며, 바다와 접해 있어 운반이 편리한 곳이다. 가마는 육덕산 남사면 말단부의 해발 48m 지점에 위치하고 있으며, 구조는 자연 경사면을 판 다음 진흙으로 만든 반지하식 통칸單室 오름 가마이다. 크기는 길이 10m, 너비 1.3~1.6m로 비교적 작은 규모로 중국에서 직접 기술을 받아들여 만든 길이 40m 내외의 벽돌 가마와 뚜렷하게 비교된다. 또한, 전통의 도기 가마를 계승하여 연소실에 뚜렷한 불턱이 없는 것도 특징이다. 연도부는 번소실에서 급성사를 이루고 있으며, 배연공排煙孔을 통해 연기를 배출하고 있다. 고려청자 가마는 중기가 되면 중국식의 벽돌 가마는 없어지고 전통의 진흙 가마를 중심으로 전성기 비색청자를 만들고 있어 신덕리에서 확인된 신라 하대의 전통적인 진흙 가마의 구조는 영암 구림리 등의 전통 도기 가마의 제작 기술을 계승하고 있으며, 이후 등장하는 고려 비색청자의 비밀을 푸는데도 중요한 자료를 제공하고 있다.

비색청자의 탄생 등 전성기 고려 중기 청자를 생산하였던 강진 사당리 청자 요장(사적 제68호)은 강진군 대구면 사당리에 위치한다. 이 가운데 43호 요장 가마의 구조는 산기슭 경사면을 이용한 반지하식 단실 오름 가마로 전체 길이 20.1m, 경사도 13°이다. 특히, 연소실의 불턱뿐만 아니라 초벌칸初燔間이 확인되어 중기 청자 가마의 정확한 규모와 평면 구조를 이해할 수 있는 중요한 자료이다. 이는 강진 지역의 청자 가마도 고려 중기가 되면 중국의 영향을 받아 불턱을 만들었으며, 독창적으로 초벌칸을 운영하였음을 알려주는 뚜렷한 사례이다. 불턱을 정확하게 갖춘 구조의 가마는 이후 고려 후기를 거쳐 조선 전기 분장청자 가마까지 지속되며, 부안 유천리를 비롯하여 용인 보정동과 대전 구완동 등에서도 확인되고 있어 이 시기 전국에서 유사한 구조의 가마가 사용되었음을 알 수 있다.

사진 60 | 강진 사당리 43호 청자 요장 가마

사진 61 | 고흥 운대리 14호 분장청자 요장 가마

그리고 최근 초벌과 비색청자와의 관계를 더욱 확실하게 입증하는 가마가 강진 사당리 23호 요장에서 확인되었다. 국내에서는 최초로 확인된 초벌구이 전용 가마로 벽돌과 기와를 이용하여 타원형으로 축조하였는데, 형태가 만두와 비슷하여 중국에서는 '만두형 가마'로 알려져 있다. 특히, 연소실과 번조실 바닥에서 초벌 파편이 다량 출토되어 초벌구이를 전문적으로 생산하였음을 뚜렷하게 알려주고 있다.

사진 62 | 강진 사당리 23호 청자 요장 만두형 초벌 가마　　사진 63 | 강진 사당리 43호 청자 요장 숯 가마

한편, 사당리 43호 요장 가마의 반대편 구릉인 남서 사면부에서 숯 가마炭窯가 확인되었다. 평면 형태는 약간 세장한 타원형이며 유물은 출토되지 않았으나 청자 가마가 운영되던 시기에 함께 운영되었던 것으로 판단된다. 숯 가마는 최근 발굴조사가 요장 개념으로 확대되면서 주로 조선시대 분장청자와 백자 요장에서 함께 확인되고 있으나 정확한 기능은 정립되지 않고 있다. 이들 숯가마는 자기 제작에 필수적인 유약을 안정적으로 확보하기 위해 운영하였다는 주장 등이 있으나 아직 학술적으로 입증되지 않고 있어 향후 더 많은 조사 연구가 진행되어야 하겠다.

고려 중기 사당리 가마에서 확립된 불턱과 초벌칸을 갖춘 가마는 조선 전기의 분장청자 가마에도 그대로 계승되어 청자 생산에 효율적인 가마였음을 보여주고 있다. 이후 분장청자와 백자를 함께 번조하고 있는 고흥 운대리 분장청자 가마 등에서 불창 기둥이 확인되고 있어 백자가 등장하면서 새로운 가마에 밀려 퇴장하였음을 알 수 있다. 즉, 청자보다 훨씬 높은 화력이 필요한 백자에 맞는 새로운 가마가 등장하였던 것이다.

이와 같이 고려의 자기 가마는 중국의 영향을 받아 벽돌 가마로 출발하였으나 이후 전통의 진흙 가마와 공존을 거쳐 중기가 되면 진흙 가마와 벽돌 가마를 절충한 길이 20m의 고려식 진흙 가마가 등장하는데 초벌칸이 불분명한 유형에서 초벌칸이 뚜렷한 유형으로 변화한다. 또한, 고화력을 얻는데 편리한 중국식 가마의 장점인 불턱은 그대로 수용하여 고려만의 독창적 가마 구조를 완성하고 있다. 즉, 고려만의 재료와 풍토, 미감, 기술에 맞는 새로운 가마를 개발하여 비색청자를 창조하고 독창적인 청자 문화를 이끌었다.

참고문헌

강경숙『한국 도자기 가마터 연구』시공아트, 2005.

국립광주박물관『전남지방 도요지 조사보고』Ⅰ·Ⅱ·Ⅲ·Ⅳ·Ⅴ, 1986·1988·1991
 ·1995·1996.

국립광주박물관『한국 가마터 발굴 현장 조사』1, 고려청자, 2019.

김영진『도자기 가마터 발굴보고』백산자료원, 2003.

민족문화유산연구원『세계유산과 강진 고려청자 요장의 의의』2021.

이종민「고려시대 청자 가마의 구조와 생산방식 고찰」『한국상고사학보』45,
 한국상고사학회, 2004.

최 건「청자 요지의 계보와 전개」『미술사연구』12, 미술사연구회, 1998.

최순우『한국 청자 도요지』한국정신문화연구원, 1982.

해강도자미술관『벽돌 가마와 초기 청자』2000.

2. 그릇의 꼴을 만들고 무늬를 베풀다

도자기는 인류의 발전과 진화를 알려주는 대표적인 문명의 상징물이다. 흙을 채취하거나 돌을 갈아 이를 정제하고 성형하여 유약을 발라 가마에 넣고 높은 온도에 구워 부드러운 흙을 단단한 물질로 변화시켜 완성한다. 그릇마다 문화적 요소와 사회적 경향 등이 가미되어 조형과 유색, 문양 등이 풍부하고 다양하게 나타난다. 사용자와 제작자, 장인 등이 함께 시대를 구현하고 마음에 끌리도록 만들면서, 역사와 호흡하고 동시에 여러 경로를 통해 서로 다른 문화와 교류하면서 발전 변화하고 있다. 따라서 자기는 그 시대의 역사성과 기술력, 예술성, 정서, 일상생활 등을 비롯하여 국제적 교류 관계도 엿볼 수 있다.

청자의 제작 과정은 매우 복잡하고 정성과 정밀을 요하는 작업으로 대부분 비슷한 과정을 거치는데 채토採土와 수비水飛, 성형, 정형, 조각, 장식, 초벌구이初燔, 시유, 재벌구이再燔 등 완성품이 되기까지는 60~70여 일의 기간에 24~25단계의 공정을 거친다. 그리고 청자의 신비스러운 비색을 재현하기 위해서는 불과 바탕 흙胎土, 유약의 3요소가 조화를 이루어야 하며, 이외에 수비에 사용하는 물과 가마 내에서 불의 작용, 기상 조건에 따라 변화무쌍한 현상을 일으키기 때문에 완성까지 많은 어려움이 있다.

청자를 만들기 위한 점토는 일반적으로 점력이 풍부하고 내화도가 높으며 입도가 균일하고 철분 함량이 과다하지 않으며 수축률이 크지 않고 재벌구이 후의 태토 색상이 회청색을 띠는

사진 64 | 청자음각참외무늬주전자

흙을 찾아 사용한다. 그러나 이러한
재료들은 채토하여 바로 사용하지 않
고 수비를 하는데 물에 풀어 고운 체
로 걸러 불순물을 제거한 다음 수십
일간 말려 사용한다. 흙이 마르면 알
맞게 물을 뿌리고 흙에 찰기가 있도
록 짓이긴다. 잘 이겨진 흙은 필요한
만큼 한 덩어리씩 떼어 속에 들어 있
는 공기가 완전히 없어질 때까지 여러
차례 이긴 다음 비로소 형태를 만드는
성형을 한다. 흙을 잘못 이겨 성형을
하면 가마에서 구울 때 흙 속에 들어
있던 공기가 팽창하여 혹처럼 부풀어
오르기 때문에 잘 이겨야 한다.

사진 65 | 청자양각죽절문병(국보 제169호)

　완성된 태토는 대부분 물레 위에 올
려놓고 회전시켜 의도하는 기형으로 만드는데 이를 성형이라 한다. 성형은
물레 외에도 상서로운 동물과 식물 등의 형태를 본떠 형상화하는 상형기법
과 틀陶范을 이용하여 짧은 시간에 같은 형태를 대량으로 생산하는 방법 등
이 있다. 성형이 끝난 그릇은 적당히 건조시켜 다시 물레 위에 올려놓고 정
형을 실시하는데, 이때 굽을 깎고 두께도 조정하여 맵시 있게 다듬는다. 정
형이 마무리된 그릇은 조각실로 옮겨 형태에 어울리도록 여러 가지 기법을
응용하여 문양을 새겨 넣는다. 성형과 장식이 끝나면 그릇에 남아 있는 수분
을 완전히 제거하여 기물의 강도를 높여 번조할 때 파손되지 않도록 기물을
건조시킨다. 수분이 남아 있을 때 번조하면 그릇의 팽창과 수분의 급속한 증
발 등으로 그릇이 터지거나 균열이 간다. 너무 빨리 건조시키면 그릇 외면

사진 66 | 청자어룡형주전자(국보 제61호)

이 먼저 건조되면서 기공이 닫혀 내면의 수분이 남아 건조 시간이 오래 걸리며 파손 비율도 높아진다. 그리고 수분이 완전히 제거된 그릇은 강도가 높아 가마 재임이 쉽지만 수분이 남아 있으면 재임할 때 하중을 견디지 못해 파손되기도 한다. 좋은 건조 방법은 그늘진 실내 공간에서 통풍을 약간 자유롭게 만들어 주고 그릇의 내·외면과 위·아래가 같은 속도로 건조될 수 있도록 하는 것이다.

조각과 건조가 끝나면 가마에 넣고 초벌구이를 한다. 초벌구이는 유약을 시유하기 위해 적당한 강도로 만들고 흡수율을 줄일 목적으로 750~850℃ 정도로 아주 서서히 굽는다. 땔감은 주로 소나무를 이용하는데 이는 불꽃이 깨끗하고 불길이 멀리가기 때문이다. 초벌구이에서도 열 조절이 잘못되면 파손율이 많으므로 온도 조절을 잘해야 한다. 조금만 서두르거나 연료의 투입량이 많아서도 그릇이 한순간에 파손된다. 따라서 연료 선택과 기압, 풍향, 풍속 등이 중요한 역할을 한다. 초벌구이가 끝나면 4~5일간 가마에 그대로 두고 천천히 식힌 다음 꺼내어 선별한다. 이후 그릇에 유약을 발라 재벌구이를 실시하기 때문에 초벌구이는 시유를 위한 작업이라고 해도 틀린 말이 아니다. 유약이란 자기 표면에 얇게 씌워 광택과 색채 또는 무늬를 내어 주는 유리질의 분말을 말한다. 유약은 실용적인 측면과 미적인 목적, 그리고 단열과 단전 등을 위해 사용되는데 주목적은 그릇의 강도를 높여 주고 위생적이며 사용에 편리하도록 하는 것이다. 특히, 장인에게는 유약의 선택과 사용 방법에 따라 작품의 성격이 달라진다. 유약은 좋은 작품을 만들기 위한 필수적인 요소지만 좋은 유약을 사용한다고 해서 반드시 좋은 작품을 생산할 수 있는 것은 아니다. 그리고 유색은 성분뿐만 아니라 굽는 온도와 연료의 종류, 번조 방식 등에 의해 크게 좌우된다. 유약의 시유와 손질이 마무리되면 다시 가마 재임을 하여 재벌구이를 실시한다.

재벌구이는 주야 연속으로 이틀간 불을 지피며 최고 온도는 1,300℃를 기준으로 한다. 불은 모두 다섯 단계로 나누어지는데 처음 불을 피움불이라 하고, 다음을 벗김불이라고 하며, 세 번째를 돋굼불, 네 번째를 녹힘불, 마지막 단계를 마감불로 구분한다. 온도 측정은 몇 가지 관찰 기준이 있으나 대부분 육감으로 한다. 온도 측정시 가장 중요한 것은 불의 색깔이며 여기에 직접적인 연관 요인이 되는 굴뚝의 연기 색깔과 불의 소리, 나무의 질량과 시간 등을 함께 관찰하면서 온도를 조절한다. 첫 번째 피움불은 그릇 속에 있는 수분과 가마 내부의 습기를 천천히 증발시키기 위해 시름불을 때게 되며 가마 안의 습기가 모두 빠져나가면 다음 단계에서는 그을음을 벗겨낸다. 첫 단계에서 천천히 불을 때면 가마 안이 그을음으로 가득 차 있어 한 단계 불을 높여 이를 모두 벗기는 것이다. 불 때가 모두 벗겨지면 다시 한 단계 높여 유약이 녹기 직전까지 열을 가하여

사진 67 | 청자철채퇴화잎무늬매병 (보물 제340호)

달구게 되는데 이것을 돋굼불이라고 한다. 돋굼불 후반기에는 환원還元 조정을 하면서 불을 때는데, 가마에 있는 갑발이 불색과 같이 달구어지면 측면 창구멍을 통해 가는 장작개비를 넣어 아래부터 차례로 갑발 속의 그릇을 녹여 올라간다. 마감불은 봉통(연소실)의 열이 갑자기 떨어지지 않도록 환원할 때 꺼내 놓은 숯을 다시 넣어 더운 공기를 계속 채워주는 역할을 한다. 마지막으로 끝 구멍까지 불이 끝나면 아궁이를 밀봉하고 열이 떨어질 때까지 5~6일간 기다렸다가 가마 안의 온도가 30℃ 이하가 되면 그릇을 꺼내기 시작한다.

한편, 유약을 시유하여 번조한 자기의 유층釉層에는 작은 그물망처럼 마치 얼음이 깨진 형태와 비슷한 실금이 있는데 이를 빙렬氷裂이라고 한다. 빙렬은 1,100~1,300℃의 고온에서 번조한 자기를 식히는 과정에서 완전히 유리가 된 유층과 유리질로 변한 태토의 수축율이 달라 생기는 것이 일반적이다. 즉, 장인이 의도하지 않았으나 원료의 미세한 성분과 두께의 차이, 번조 과정 등의 이유로 유약보다 태토가 더 많이 수축되어 그릇의 표면에 씌워진 유층에 실금이 생기는 것이 빙렬이다.

빙렬은 이외에 완성된 그릇이 완전히 식지 않은 상태에서 가마 문을 열어 갑자기 찬 공기가 유입되었을 때 발생하며, 사용하면서 차가운 그릇에 뜨거운 물체나 액체가 닿았을 때도 생긴다. 겨울철 차가운 유리창에 뜨거운 담뱃불이 닿으면 유리창이 파손되는 것과 같은 원리이다. 실용적인 측면에서도 빙렬 사이로 음식물이 스며들어 세균이 번식할 수 있어 위생적으로 부적절하며 보기에도 좋지 않아 식기로는 이용되지 않는다. 그러나 다인茶人들의 경우 차 색깔이 다완茶碗 표면에 스며들어 그릇이 차 고유의 색상을 머금고 있어 이를 음다飮茶의 즐거움 가운데 하나로 여긴다. 또한, 빙렬을 독특한 아름다운 미감으로 인식하여 감상용으로 선호하는 사람들도 있어 원료 성분 등을 인위적으로 변화시켜 빙렬을 만들기도 하는데, 중국의 송대宋代 가요哥

窯 생산품이 대표적이다.

자기의 제작 과정 가운데 가장 중요한 요소는 무늬의 표현 방법이다. 이들 시문 기법은 자기의 이름을 붙이는데 청자와 백자 등 재질 다음으로 중요한 역할을 한다. 따라서 무늬 자체도 매우 중요하지만 표현하는 시문 기법이나 성형 기법도 절대적으로 큰 비중을 차지하고 있음을 알 수 있다. 그리고 시문 기법은 그릇의 바탕 흙을 파거나 뚫고 덧붙이는 각기법刻技法과 그릇의 겉면에 단순하게 시문하는 화기법畫技法이 있다. 각기법은 치밀하고 고운 바탕 흙과 원숙한 불 때기 등을 통해 가마에서 구울 때 팽창과 수축 과정에서 그릇이 일정하게 늘어나거나 줄어들도록 하여야 한다. 따라서 숙련된 기술을 갖추어야 하므로 화기법에 비해 상대적으로 양질품임을 알 수 있다. 청자는 시문 기법에 따라 크게 순청자와 상감청자, 철화鐵畫청자, 철채鐵彩청자, 동화銅畫청자, 동채청자, 화금畫金청자, 퇴화堆花청자, 연리문練理文청자 등으로 나눌 수 있는데, 고려청자는 조형미와 정교성, 섬세함 등을 갖추고 이들 기법을 능숙하게 활용하였다.

순청자는 아름다운 비색翡色과 유려한 선이 특징으로 성형 후 유약만 바른 순수한 청

사진 68 | 청자투각연꽃넝쿨무늬베개

사진 69 | 청자상감동채모란문매병
(보물 제346호)

사진 70 | 청자철화초화문잔탁

자를 말한다. 여기에는 무늬가 전혀 없는 무문청자와 무늬가 있는 음·양각청자, 투각透刻청자, 동물이나 식물의 모양을 한 상형청자 등이 있는데 그 무늬는 매우 간결하다. 특히, 투각 기법은 성형한 기물이 약간 굳어진 후 예리한 조각칼을 이용하여 완전히 구멍을 뚫어 무늬를 표현하고 있어 기술력과 함께 바탕 흙도 매우 중요하다. 순청자는 상감청자가 성숙되는 13세기 중엽까지 전성기를 누리며 발전하였다.

상감청자는 금속기와 목기의 바탕에 은이나 조개껍질을 새겨 넣는 은입사와 나전기법을 계승한 것으로 그릇 바탕 위에 무늬를 새긴 다음 그 부분에 붉은 흙楮土이나 하얀 흙을 메꾸어 흑백을 표현하는 방법이다. 이때 파낸 부분이 날렵해야 상감 후 무늬가 선명하게 나타나므로 많은 숙련이 필요하다. 상감기법은 고려청자의 가장 큰 특징이며 중요한 요소로 조각 수법을 빌려 회화적 조형미를 보여주고 있어 세계인들의 칭송을 받고 있다. 철화청자는 그릇 바탕 위에 산화철이 포함된 점토를 물에 개어 붓으로 무늬를 그리고 그 위에 유약을 입혀 번조한다. 무늬를 그릴 때 붓을 사용하기 때문에 선이 짧고 굵지만 대담하고 율동감이 있는데 이것이 철화청자의 가장 큰 특징이다. 철화청자는 10세기 후반에 발생하여 상감청자가 성행하면서 점차 소멸되는데, 이후 조선시대 분장철화청자와 철화백자로 이어지고 있다. 철채청자는 철사 안료를 그릇 전체에 칠하고 그 위에 청자 유약을 시유하여 마치 흑유를 씌운 것처럼 검게 발색한 그릇을 말한다. 동화와 동채 청자는 산화동을 이용하여 무늬를 그리거나 그릇에 칠한 것을 말한다.

화금청자는 금채金彩청자라고도 하

사진 71 | 청자상감화금연판문 파편
(강진 용운리 출토)

며 주로 순청자와 상감청자에 표현하고 있다. 『고려사』에 의하면, 원元에 화금청자를 보냈다는 기록이 있으나 극히 일부만 만들어 남아 있는 사례가 많지 않다. 퇴화堆花청자는 붓으로 백토 물 또는 자토赭土 물을 이용하여 점이나 선을 그려 무늬를 나타내거나 새기는 기법이다. 상형청자나 상감기법, 동채기법, 철채기법 등과 함께 사용한 것들도 있다. 퇴화청자는 고려시대에 계속 만들었으나 수량과 품질에서 소극적인 발전을 보이며, 상감청자가 성행하면서 점차 소멸한다. 연리문청자는 철분의 함량이 다른 청자토와 백토, 자토를 함께 반죽하여 성형한 것으로 이를 구우면 각각의 흙이 회색, 백색, 흑색으로 나타나 마치 대리석 무늬와 같은 자연스러운 나무 물결무늬가 나타나는 청자이다. 흙의 특성이 각각 달라 구울 때 터지거나 주저앉을 가능성이 많아 남아 있는 사례가 매우 적다.

사진 72 | 청자동화퇴화국화문합　　　사진 73 | 청자연리문완

　그리고 그릇의 뚜껑과 손잡이, 다리 등을 자연에서 찾은 동식물의 형상으로 만들고 있는데, 향로의 경우 뚜껑은 용과 사자, 원앙, 오리 등으로 만들고 있으며 몸체火爐는 서수형瑞獸形 다리를 부착하였다. 주전자는 표주박과 참외형 몸체뿐만 아니라 손잡이도 연꽃이나 포도, 표주박 등 다양한 식물의 줄기로 표현하여 자연친화적이며 사실적 아름다움을 강조하였다.

이와 같이 고려청자의 가장 큰 특징 가운데 하나는 다양한 시문기법을 통해 자연의 아름다움을 일상생활에서 느끼고 볼 수 있도록 한 것이다. 이를 통해 고려 사람들의 정서와 안목을 함께 품을 수 있다면 또 다른 고려청자의 멋이라 할 수 있겠다.

참고문헌

강경인 『전남 지역의 고대 토기 및 도자기에 관한 자연 과학적 연구』 전남대학교 박사학위논문, 1997.

강경인 외 『한눈에 보는 청자』 한국공예·디자인문화진흥원, 2017.

경기도자박물관 『새김과 채움-상감 도자 특별전-』 2011.

고려청자박물관 『하늘의 조화를 빌리다』 2019.

고려청자박물관 『고려청자 문양의 시대적 상징성 고찰』 2021.

과학기술부 『한국 전통 도자기 기술의 재현을 위한 연구』 2000.

김경진 「강진 고려청자의 특성 분석 및 재현에 관한 연구」 호남대학교 석사학위논문, 2004.

단국대학교 『강진 지역 태토 연구개발 보고서-강진 지역 도자기 원료-』 2007.

정기봉 「해남 녹청자의 특성 분석 및 재현에 관한 연구」 호남대학교 석사학위논문, 2007.

조선관요박물관 『청자의 색형-한국·중국 청자 비교전-』 2005.

한성욱 외 「전라도 지역 요지 출토 청자의 자연과학적 분석을 통한 산지 추정 연구」 『장보고 대사의 활동과 그 시대에 관한 문화사적 연구』 2, 아세아 해양사학회, 2007.

3. 청자에 등장하는 동물들의 상징과 의미

청자의 조형미는 유려한 형태와 청아한 색상, 그리고 그릇의 표면에 그려진 무늬가 핵심이다. 무늬를 비롯한 청자의 조형성은 다양한 제작 기법과 소재를 보여주고 있어 청자의 아름다움을 다채롭게 표현하는데 큰 역할을 한다.

도자의 명칭을 결정하는 4가지 요소는 재질과 시문 기법, 문양의 소재, 그릇의 종류인데 이 가운데 시문 기법과 문양의 소재는 바로 무늬의 속성으로 그 만큼 도자를 이해하는데 중요한 요소이다. 도자기의 이름은 일반적으로 가장 먼저 재질(청자와 백자 등)이 무엇이며, 어떤 시문기법(음각과 양각, 상감)으로 어떤 무늬(국화문과 용문 등)를 넣었는지, 어떤 형상(사자와 참외 등)에 어떤 용도(대접과 접시, 잔 등)의 그릇으로 만들었는지에 따라 결정된다.

도자기의 이름은 일정한 약속에 따라 지어지고 있어 이름만 보고도 도자기의 재질과 시문기법, 무늬, 형상, 그릇의 종류를 비롯하여 시대적 특징도 대략 알 수 있다. 또한, 시문기법은 그릇의 재질과 크기에 따라서도 다양한 방법이 있으며 하나의 그릇에 여러 가지 기법이 복합적으로 사용되기도 한다. 그러나 무엇보다도 그릇을 만드는 시대적 배경과 사용하는 사람, 만드는 사람이 다양한 기법과 소재 가운데 무엇으로 만들 것인가에 의해 결정된다. 한편, 도자기의 세부 설명은 사람의 몸에 비유하여 정리하는데, 아가리 부분을 입술口緣이라 부르며 항아리와 병 등 규모가 큰 그릇은 어깨肩部, 몸통胴體, 굽다리 등으로 그 형태를 설명한다. 그리고 다시 입이 넓고 좁고, 목이 길고 짧고, 몸체가 원형인지 반원형인지, 굽다리가 어떤 형태로 깎였는지에 따라 세부적인 이름이 정해진다. 이외에도 보존 상태와 그릇의 무게, 지역성 등 다양한 요소가 있다. 또한, 같은 시기에 같은 형태와 기법으로 제작하여 함께 구운 도자기도 환경에 따라 품질의 차이가 있다. 즉, 중앙과 지방에 의한 소비층의 차이와 지방 상호간 문화의 차이에 의한 특성, 가마 안에서의 위치, 바람의 방향과 속도에 의한 차이 등 다양한 요소가 작용되어 도자는 완성된다. 따라서 조형성과 지역성 등 다양한 요소들이 그 시대의 양식과 특성 등에 적합한지 종합적으로 검토하여야 한다.

실용성을 갖는 자기에 각종 무늬와 형상이 더해지면서 예술성이 더욱 가미되고 미술품으로서의 역할에 힘을 실어주었다. 따라서 형상과 무늬는 자기의 예술성을 판단하는데 중요한 기준이 되고 있다. 무늬는 사회가 안정되고 제도가 정비되면서 수요자의 기호에 맞추어 대부분 일정한 양식이 등장하면서 규격화되었다. 수요자의 대부분을 이루는 집권층은 자신들이 원하는 견본품을 제시하거나 전문적인 화원을 보내 자신들의 취향을 자기에 반영하였다. 그러나 장인들의 독특한 해학성이 반영된 자기들도 남아 있어 다양성도 엿볼 수 있다. 자기에 그려진 무늬와 형상은 예술성과 장식성뿐만 아니라 그 시대 사람들의 의식과 염원, 사상, 미감, 문화, 사회, 종교 등을 반영한 사회성과 주술성 등을 지니고 있어 내재적 의미를 간직한 정서적 역할도 담당하여 다종다양한 소재의 무늬가 그려졌다. 그 가운데 자연을 소재로 한 내용이 가장 많은데, 이는 우리 조상들이 인위적인 미감보다 자연을 사랑하고 이를 표현하고자 노력하였음을 알려준다. 따라서 우리 선조들이 선호하였던 무늬들에는 선조들의 다양한 바람과 사상이 스며있음을 알 수 있다. 고려청자에는 다양한 동물들이 표현되어 있는데 가장 많이 등장하는 동물들을 중심으로 그 의미를 살펴보는 것도 청자뿐만 아니라 고려 사회와 문화를 이해하는데 도움을 줄 수 있으리라 생각된다. 특히, 상서로운 동물을 본떠 만든 상형청자는 전성기 비색청자 시기에 주로 제작되고 있어 고려청자의 우수성과 아름다움을 현재까지 알려주고 있다.

용은 인간이 만든 상상의 동물로 만물을 주관하고 지켜주는 수호신이다.

우리말로는 '미르'라고 하며 '물'과 상통한다. 용은 중국에서 유래되었으나 우리 민족에게도 많은 영향을 미쳐 삶의 곳곳에 그 흔적이 남아 있으며 지금도 경외로운 동물로 인식되고 있다. 용은 봉황과 기린, 거북과 함께 4가지의 영물로 알려져 있으며, 실존하는 어떤 동물보다 최고의 권위를 지닌 최상의 동물이다. 또한, 다른 동물들이 가지고 있는 최고의 무기를 모두 갖춤과 동시에 무궁무진한 조화 능력을 가지고 있다. 용은 그 종류가 다양하고 역할이 많지만 가장 기본적 역할은 비와 바람의 관장이다. 따라서 농경사회였던 우리 민족에게 그 의미는 더욱 각별하여 풍요와 풍어, 선행을 기원하는 대상이었다. 용은 모든 동물의 왕으로 여겨졌으며 하늘의 명을 받아 천하만물을 다스리는 왕에 비유된다. 이외에 호국과 호법, 호불, 예시자, 천지조화 등을 상징하여 명예와 위엄, 신성함을 지니며 등장한다. 이처럼 다양한 의미로 우리 생활과 밀접하게 연계된 용은 회화와 조각, 공예, 건축 등 모든 미술품에 구현되어 상서로움을 표현하였다.

청자상감동채연화당초용문병은 목 부위를 6개의 단으로 나누어 3단까지는 번개와 연꽃무늬를 백상감하였으며, 그 아래는 연꽃과 국화, 구름과 학무늬를 흑백 상감하였다. 어깨에도 흰색의 꽃무늬를 꽉 차게 시문하여 화려함을 더하고 있다. 몸통에는 4면에 큰 원을 그리고 그 안에 여의주를 물고 희롱하면서 승천하는 용을 해학적으로 그리고 있다. 병 전체에 무늬를 그린 다음 산화동을 적절하게 사용하

사진 74 | 청자상감동채연화당초용문병(보물 제1022호)

사진 75 | 청자상감봉황연꽃넝쿨무늬대접

여 장식 효과를 극대화한 고려 후기의 대표작이다.

봉황은 용과 더불어 대표적인 상상의 동물로 수컷인 '봉鳳'과 암컷인 '황凰'을 함께 이르는 말이다. 뱀의 목과 제비의 턱, 거북의 등, 물고기의 꼬리 모양을 하고 있으며 고고함과 인애함을 상징한다. 그리고 어진 군주가 나타나 나라가 편안할 때만 나타난다는 전설 때문에 태평성대와 성군의 상징으로 인식되어 용과 함께 왕실을 장엄하는데 주로 사용되었던 위세품적 성격을 지니고 있다. 또한, 도교에서는 사후 세계의 수호자이며 유교에서는 인의예지의 표상이기도 하여 널리 사용되었다. 청자상감봉황연꽃넝쿨무늬대접은 봉황과 연꽃 이외에도 학과 국화 등으로 그릇 전체에 무늬를 화려하게 장식한 고려 후기의 대표작이다.

사진 76 | 청자기린형향로(국보 제65호)

기린은 수컷인 '기麒'와 암컷인 '린麟'이 결합된 상상의 동물로 뿔이 하나 있어 일각수—角獸라고도 불린다. 은혜와 선의, 풍요를 상징하며, 현인이나 뛰어난 성군이 태어나는 것을 알리는 역할을 하고 있어 남달리 종명한 아이를 '기린아'라고 부른다. 매우 온순한 동물로 뿔은 부드러워 인애를 상징하며, 뿔이 한 개 밖에 없는 것은 한 사람의 위대한 군주 아래 세계가 통일되는 것을 의미한다. 오행과 오덕을 구체적으로 상징하여 다섯 가지의 색깔을 갖추고 있다. 용의 머리에 사자의 갈기, 숫사슴의 몸통, 황소의 꼬리를 가진 복합 동물로 묘사된다. 청자기린형향로는 향을 피우는 부분인 몸체火爐와 기린이 꿇어 앉아 있는 뚜껑으로 구성되어 있다. 향의 연기는 벌어진 기린의 입을 통해 뿜어 나오도록 만들어졌다. 비취색 특유의 은은한 색상이 품위를 높여주는 전성기 청자를 대표하는 명품이다.

거북은 현생 동물이지만 기린 등과 함께 상서로운 동물로 여겨졌다. 제왕의 출현 등 미래를 예언하는 것으로 알려져 등딱지를 태워 점을 치는 귀복龜卜의 풍습이 있었다. 또한, 십장생十長生 가운데 하나로 장수를 상징하며, 반드시 은혜를 갚는 동물로 알려져 우리 민족에게 널리 사랑받았던 동물이다. 거북형주전자는 불교의 상징인 연

사진 77 | 청자거북형주전자(국보 제96호)

꽃 위에 앉아있는 거북을 형상화했는데 물을 넣는 수구水口와 물을 따르는 부리, 몸통, 손잡이로 구성되어 있으며, 등 뒤로 꼬아 붙인 연꽃 줄기는 그대로 손잡이가 되도록 만들었다. 등 중앙에는 섬세하게 표현된 작은 연꽃잎을 오므려 그곳에 물을 담도록 하였다. 정교하면서도 부드럽게 숙련된 솜씨로 만든 전성기의 명품 주전자이다.

사자는 두려움이 없어 모든 동물의 왕으로 신격화되거나 물러서지 않는 용맹함 때문에 수호신의 역할을 하고 있다. 이러한 특징으로 사자는 제왕과 성인의 위력에 비유되고 있다. 불교에서는 사자를 부처님에 비유하여 설법하는 최상의 높은 자리를 사자좌獅子座로 부르며, 부처님의 설법을 사자후獅子吼라고 말한다. 청중을 압도하는 열변을 사자후라 부르는 유래이다. 따

사진 78 | 청자사자형베개(국보 제789호)

라서 사자는 불교가 국교였던 고려시대에 왕실뿐만 아니라 불교에서도 선호되었던 소재였다. 청자사자형베개는 모서리를 둥글게 깎은 직사각형의 판 위에 암수 두 마리의 사자가 서로 꼬리를 맞대고 입을 벌려 포효하는 용맹스러운 모습을 하고 있다. 눈은 검은색 안료로 생동감 있게 표현하였다. 사자의 머리 위에는 머리를 편안하게 받칠 수 있도록 곡면으로 만든 베개 판을 받치고 있다. 베개 윗면은 연꽃잎을 형상화한 다음 잎맥을 뚜렷하게 새겼다. 맑은 청자 빛은 부드러우면서 은은한 색조를 띠며, 생동감 있고 단정한 모습에서 절정기 청자의 품격을 충분히 느낄 수 있다.

사진 79 | 청자원숭이형연적(국보 제270호)

원숭이는 생김새와 행동이 사람과 가장 닮은 동물로 호기심과 꾀가 많고 재능이 많다. 우리나라에 없는 동물로 장수와 부귀, 지혜, 기교, 화합 등을 의미하고 있다. 새끼가 위험에 처하면 기꺼이 뛰어들 만큼 강한 모성애를 지니고 있어 가족 사랑을 상징하며, 손오공을 통해 알 수 있듯이 불교를 수호하는 역할을 맡고 있다. 또한, 원숭이의 한자인 후(猴)와 봉건 제후의 후(侯)가 발음이 같아 입신양명을 기원하는 의미를 지니고 있다. 청자원숭이형연적은 어미와 새끼 원숭이를 형상화하였는데 손가락과 발가락은 사이사이를 파내 도드라

지게 표현하였다. 어미 원숭이의 엉거주춤한 자세와 보채는 새끼의 모습을 통해 원숭이 모자의 사랑을 재미있게 묘사하여 원숭이가 갖는 모성애의 의미를 쉽게 전달하고 있다. 원숭이 모양의 연적은 매우 희소한데, 특히 모자가 함께 표현되어 있어 더욱 중요한 자료이다.

물고기는 알을 많이 낳고 '어魚'의 중국식 발음이 '여餘'와 같아 다산과 풍요를 상징하여 고려뿐만 아니라 조선시대까지 도자기의 문양으로 널리 애용되었다. 또한, 언제나 눈을 뜨고

사진 80 | 청자상감물고기무늬접시

깨어 있는 특성으로 근면 성실을 의미한다. 특히, 잉어는 용문龍門을 뛰어올라 용이 된 '등용문' 고사로 입신양명을 상징하여 선물용으로 많이 사용되었다. 고려 후기에 제작된 청자상감물고기무늬접시는 두 마리의 물고기가 여유롭게 노니는 모습을 사실적으로 잘 표현하고 있다.

학은 고고한 기상을 지니며 몸을 닦고 마음을 실천하는 이상적인 성품의 선비를 상징하여 왔으며, 십장생 가운데 하나로 불로장생을 의미하는 대표적 존재로 인식되어 왔다. 또한, 행운과 풍요를 상징하여 그림이나 시의 소재로 즐겨 채택되었으며 다양한 미술

사진 81 | 청자상감매죽학문매병
(보물 제1168호)

품에 등장하는 친근한 동물이다. 청자상감매죽학문매병은 바람에 흔들리는 가늘고 긴 매화와 대나무를 배경으로 위에서 내려오거나 올라가는 모습과 땅 위에 서 있는 율동적인 3마리의 학을 섬세하고 회화적인 수법으로 그려 마치 한 폭의 그림을 감상하는 느낌을 주는 청자로 고려의 높은 회화 수준을 알려주고 있다.

오리는 장원급제를 상징하는 동물로 오리 '압鴨'을 나누면 '갑甲'과 '조鳥'가 되는데 갑은 으뜸을 나타내는 것으로 장원급제를 의미한다. 그리고 오리가 노니는 연못에 있는 연밥은 한자로 '연과蓮顆'인데 잇달이 합격한다는 뜻의 '연과連科'와 발음이 같아 향시鄕試와 전시殿試에서 모두 장원급제하라는 의미로 과거를 준비하는 사람에게 최고의 선물이다. 또한, 오리는 짝을 이룬 뒤 하나가 죽으면 뒤따라 죽는다는 인식이 있어 일찍부터 부부의 금실과 다산을 상징하였다. 오리형연적은 물 위의 오리가 연꽃 줄기를 물고 있으며 등의 연잎으로 장식된 구멍에 물을 넣을 수 있도록 하였다. 구멍은 연꽃 봉오리의 작은 마개를 꽂아 막았다. 물을 따르는 부리는 주둥이에 붙어 있다. 한 손에 잡히

사진 82 | 청자오리형연적(국보 제74호)

는 알맞은 크기에 깃털까지 사실적으로 표현한 명품으로 과거급제의 기원까지 담겨 있어 당시 귀족층에게 사랑받았던 문방구였을 것으로 판단된다.

이와 같이 청자에 표현된 동물들은 단순한 무늬나 장식이 아닌 어진 군주와 태평성세, 입신양명, 부귀 영예 등을 상징하고 있어 고려의 문화와 사회 등을 이해하는데 중요한 자료로 활용되고 있다.

참고문헌

강대규『한국 전통문양』2 고려청자, 국립중앙박물관, 2001.

강진청자자료박물관『청자 빛 하늘에 담긴 구름과 학-청자운학문특별전-』 2001.

국립문화재연구소『우리나라 전통 무늬』2 도자기, 2008.

김종대『33가지 동물로 본 우리 문화의 상징 세계』다른세상, 2001.

이강한 외『한국의 동물 상징』한국학중앙연구원 출판부, 2020.

해강도자미술관『도자기에 살아 숨쉬는 동물, 물, 땅, 하늘, 상상』2007.

호림박물관『정원의 풍경-인물, 산수, 화조-』2020.

호림박물관『용의 미학전』2000.

호암미술관『한국의 동물 미술』2 물고기, 1999.

호암미술관『한국 미술 속 용 이야기』2012.

4. 청자, 자연과 함께 노닐다

　미술은 그 시대의 사상과 이념을 반영하는 것으로 이념이 뿌리라면 미술은 꽃에 해당한다. 따라서 사상과 이념을 잘 보여주면서 아름다움을 갖추고 있는 작품이 그 시대를 대표할 수 있는 명품의 자격을 지니고 있다. 미술품 감상에 그 시대의 역사인식과 사회관념, 미의식의 파악이 필수적인 것은 이 때문이다. 특히, 도자는 다른 분야의 미술품보다 왕조의 흥망성쇠를 뚜렷하게 반영하고 있어 이의 이해는 시대의 문화 흐름을 파악하는데도 유익하다. 그러므로 도자를 만드는 기술도 매우 중요하지만 이를 수용하고 사용하는 소비자의 수준도 도자의 발전과 생산에 중요한 요소가 될 수 있다. 도자의 품질은 자연적 요소와 인공적 요소가 조화를 이루어 결정된다. 또한, 품질의 결정은 객관적 요인이 기본이지만 소장자나 감상자의 주관적 요인도 상존하고 있어 감상자나 소장가에 따른 차이도 있다. 모든 미술품은 작가(장인)에 의해 만들어지고, 작품은 이를 주문(구매)한 사람의 사용 목적에 맞도록 용도가 결정된다.

　그러나 미술품은 그 특성에 따라 내용에 차이가 많다. 회화와 조각은 종교적 장식을 위한 특정 목적도 있으나 작품 감상이라는 순수미술의 성격이 강하다. 그러나 도자를 비롯한 공예품은 실생활에 사용하기 위한 실용성의 바탕 위에 아름다움이 강조되는 미술품이다. 실용성이 가장 큰 목적이기 때문에 제작자(장인 또는 작가)가 불분명한 '익명성匿名性'과 동일 물품을 장기간 재생산하는 '반복성'의 특징을 지니고 있다. 따라서 미술품은 그 종류에 따라 이해하고 즐기며 진위를 구별하는 감식 방법에도 차이가 있다. 한편, 예술품을 감상하는 사람에게는 다양한 조건이 있는데 다음의 조건이 가장 기본적인 덕목으로 꼽히고 있다. 즉, 현재뿐만 아니라 후손에게 전할 수 있는 작품(작가)과 이를 이해하고 해석할 수 있는 감식안이 필요하다. 이를 위해서는 작품에 대한 이론적 토대와 많은 미술품을 직접 보고 느끼며 안목을 꾸준히 닦아야 한다. 이러한 바탕 위에 작가를 후원하거나 작품을 구매할 수 있는 경제력이 있다면 더욱 좋을 것이다. 그리고 좋은 작품을 감상하고 소장하는 것도 중요하지만 이를 잘 보관하고 교육과 전시 등 공공 목적에 효율적으로 활용할 수 있는 덕목도 중요하다. 무엇보다 사심을 버리고 감상하여야 하며, 오감과 육감에서 그 작품이 지니고 있는 '기운'을 느낄 수 있다면 더욱 좋다.

도자의 제작 시대와 특징은 다양한 속성을 종합적으로 검토하여 결정하고 있는데, 가장 기본적인 요소 가운데 하나는 문양이다. 무늬는 시각적 대상으로 아름다움을 추구하는 인간의 마음이 가장 잘 반영되어 있다. 무늬는 단순한 그림이 아니라 대상과 목적을 지니고, 위치와 양식이 결정되고 있어 일정한 규범에 의해 국가와 민족, 지역, 문화의 차이에 따라 독특한 미감으로 표현되고 있다. 인류 문명의 발달에서 가장 큰 사건은 불의 발견과 그릇의 탄생, 그리고 그릇 표면에 무늬를 베풀어 아름다움과 상징성을 부여하여 예술적 감각을 표현한 것이다. 무늬는 인간만이 지니는 상징화의 능력에 기초하여 표현되는 것으로 대부분 자연에서 그 대상을 찾아 의미를 부여하고 있다. 따라서 자기에 그려진 무늬는 그 시대 사람들의 다양한 인식과 염원을 담고 있어 미술사뿐만 아니라 생활사 측면에서도 매우 중요한 영역이다. 고려청자에는 다양한 식물들이 표현되어 있는데 이들의 의미를 통해 고려 사람들의 사상과 염원, 이상 등을 일정 부분 이해할 수 있다. 또한, 문양이 주는 서정적이며 세련된 아름다움을 통해 고려인의 심미안과 고려청자의 우수성도 함께 느낄 수 있다.

연꽃은 불교가 국교였던 고려에서 가장 많이 등장하는 무늬이다. 부처님께서 태어나 동서남북으로 일곱 발자국씩을 걸을 때마다 땅에서 연꽃이 솟아 떠받들어 불교의 꽃이 되었으며, 부처님의 좌대를 연꽃 모양으로 장식하여 이를 '연화좌'라고 한다. 또한, 더러운 곳에서 꽃을 피워 세상에 물들지

사진 83 | 청자음각연화문매병
(태안 마도 2호선 출수, 보물 제1784호)

않고 언제나 맑은 본성을 간직하고 있으며, 맑고 향기롭게 세상을 정화한다는 의미를 지니고 있다. 연꽃의 씨는 오랜 세월이 지나도 썩지 않고 보존되어 싹이 트기도 하여 불생불멸不生不滅을 상징한다. 일반적으로 모든 꽃은 꽃이 지면 열매를 맺지만 연꽃은 꽃과 열매가 동시에 맺혀 화과동시花果同時라고 한다. 즉, 깨달음을 얻고 난 뒤에 이웃을 구제하는 것이 아니라 이웃을 위해 사는 것 자체가 바로 깨달음이라는 것을 중생들에게 전하고 있다. 유교에서도 더러운 곳에 처해 있어도 본색이 물들지 않아 세속을 초월하는 군자의 청빈과 고고함에 비유하여 연꽃을 군자의 꽃으로 부르고 있다. 연꽃의 생명은 3일인데 첫날은 절반만 피어 오전 중에 오므라든다. 이틀째 활짝 피어나는데 그때 가장 화려한 모습으로 피어나 아름다운 향기를 내뿜는다. 3일째는 꽃잎이 피었다가 오전 중에 연밥과 꽃술만 남기고 꽃잎을 하나씩 떨어뜨리고 있어 가상 아름답고 화려할 때 물러날 줄 아는 군자의 꽃으로 평가되기도 한다. 민간에서는 빠른 시기에 아들을 연이어 얻는다는 연생귀자連生貴子의 구복적인 의미로 인식되고 있는데, 이는 꽃과 많은 열매가 동시에 생장하기 때문이다. 도교에서는 여덟 신선 가운데 하나인 하선고荷仙姑가 항상 지니고 다닌 신령스러운 꽃이기도 하다.

모란은 꽃 중의 왕이라 할 만큼 탐스럽고 아름다운 꽃으로 부귀복록이 가득한 것을 의미하여 집 안의 벽이나 벽장문에 많이 그렸던 무늬이다. 신부의 예복인 원삼이나 활옷에 수놓아 번영창성과 부부 행복을 염원하였으며, 선비들이 좋아하는 책거리에 모란을 그려 부귀영화와 입신공명을 기원하기도 하였다.

사진 84 | 청자상감모란문항아리
(국보 제98호)

매화는 난초와 국화, 대나무와 함께 사군자四君子로 불리며 소나무, 대나무와 함께 '세한삼우歲寒三友'로 알려져 군자의 고고한 기품과 지조, 절개, 충절을 상징하는 꽃이다. 매화는 이른 봄에 홀로 피어 봄소식을 전하고 맑은 향기와 우아한 신선의 운치가 있어 순결과 절개의 상징으로 널리 사랑받았다. 또한, 매서운 추위에도 꿋꿋이 피어 고상한 품격에 비유되며, 겨울에 잎이 져 죽은 것처럼 보이지만 다음해 다시 꽃이 피는 속성을 지니고 있어 장수를 상징하기도 한다. 여성의 비녀나 그림에 가장 많이 등장하여 사랑을 뜻하기도 한다.

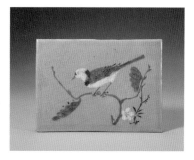

사진 85 | 청자상감매화새무늬판
(보물 제1447호)

대나무는 다년생으로 줄기가 곧고 마디가 뚜렷하다. 마디와 마디 사이는 속이 비어 있어 대통을 이루며 마디는 막혀 있어 강직함을 유지한다. 줄기는 옆으로 빗나감이 없이 세로로 잘 쪼개진다. 잎은 사철 푸르고 눈이 와도 부러지지 않는다. 이러한 특징이 선비의 강직한

사진 86 | 청자상감국학매화문매병
(보물 제903호)

성품과 정숙한 부인의 절개를 상징하였다. 혼례식 초례상에 소나무와 함께 장식하여 신랑과 신부의 마음이 송죽같이 변하지 않고 절개를 지킬 것을 다짐하며 백년해로할 것을 기원하였다. 또한, 대나무에는 소쇄蕭灑하고 상쾌한 분위기가 있어 현자賢者적인 풍모가 있다. 즉, 우아한 곡선과 날씬한 형태는 현자의 풍모와 예지叡智의 모습을 상징한다. 밑으로 숙인 잎과 비어 있는 내부는 겸손한 마음과 비유되어 덕을 겸비한 군자를 상징한다.

사진 87 | 청자상감소나무인물문매병

소나무는 초목의 군자라 일컬어지며 엄동설한의 역경 속에서도 잎이 떨어지지 않고 늘 푸른 모습을 간직해 굳은 기상과 절개, 장생을 상징하며, 역경을 만났을 때도 떠나지 않는 벗을 의미한다. 또한, 벽사辟邪와 정화淨化의 도구로 아이를 낳거나 장을 담글 때도 금줄에 숯과 고추, 종이 등과 함께 솔가지를 끼워 잡귀와 부정을 차단하였다. 정월 대보름을 전후하여 소나무 가지를 문에 걸어둔 것도 부정을 쫓기 위함이었다. 도교에서는 장생불사의 식품으로 솔잎과 솔씨를 먹었다. 소나무는 천년 학이 거처하는 곳이며 거북이 엎드린 형상으로 비유하였는데, 모두 십장생十長生에 속하는 장수의 상징물이다. 그리고 소나무는 깨끗하고 귀한 나무로 하늘의 신들이 땅으로 내려올 때 높이 솟은 소나무 줄기를 택한다고 하여 땅과 하늘을 이어주는 교통 수단으로 인식하였다.

국화는 의義를 꺾지 않는 선비 정신과 일치하는 은일화隱逸花라 하여 속세를 떠나 숨어 사는 은자에 비유하였다. 꽃들이 다투어 피는 봄이나 여름을 피하여 황량한 늦가을에 고고하게 피어난다. 벌판에 외롭게 피어난 모습에서 세상의 부귀영화를 버리고 자연 속에 숨어사는 은자의 풍모를 느낄 수 있다. 또한, 온갖 유혹과 고초에도 굴하지 않는 충절과 여인의 절개를 상징하기도 한다. 국화는 한 해의 가장 마지막에 피는 꽃으로 사람이 늙어 인격과 학문, 기능 등 모든 면에서 노숙한 경지에 이르렀음을 의미한다. 국화의 색깔인 황색은 수확의 색상으로 정점과 존엄 등 최고 단계를 가리킨다. 불교에서는 만물이 나고 죽는 것을 색色이 곧 공空인 것처럼 설법하는데 국화가 그 의미를 지닌 것으로 인식하였다. 또한, 신비한 영약으로 믿어 장수를 기원하는 의미에서 환갑과 진갑 등의 헌화로도 사용하였으며, 중양절에 국화주를 마시면 무병장수한다고 믿었다.

포도는 서역에서 전래된 과일로 한 가지에 많은 열매가 주렁주렁 맺혀 있어 풍요와 다산을 상징한다. 또한, 끊이지 않는 넝쿨로 인해 생명불사生命不死의 의미를 지니고 있다. 계속 뻗어 나가는 넝쿨은 연속되는 수태를 뜻하고, 넝쿨의 모습이 용의 수염을 닮아 큰 인물의 잉태와 벽사의 의미를 부여하였다. 따라서 포도는 넝쿨과 어린이를 함께 그려야 의미가 더 있다.

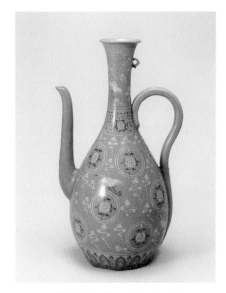
사진 88 | 청자상감국화구름학무늬주전자 (보물 제1451호)

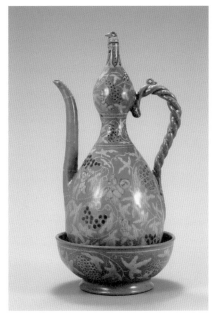
사진 89 | 청자상감동화포도동자문 주전자와 받침

사진 90 | 청자석류형주전자

사진 91 | 청자상감여지문대접 (개성 명종 지릉 출토)

사진 92 | 청자참외형병 (개성 인종 장릉 출토, 국보 제94호)

또한, 토양을 가리지 않고 잘 자라며 겨울철에도 얼어 죽지 않아 강인한 생명력을 상징한다.

석류 역시 서역 과일로 가장 건조한 지역에서 견디는 강인함을 지니고 있다. 과육 속에 많은 종자가 있어 다산과 풍요, 행복을 상징하여 물고기가 함께 그려지기도 한다. 불로초와 함께 그려질 때는 백자장생百子長生의 의미를 가지며, 황조와 더불어 그려질 때는 금의백자金衣百子를 의미한다. 또한, 맛이 시어 임산부의 구미에 알맞아 아들 생산이라는 의미와 결합되어 사랑받았다.

여지는 우리에게 익숙하지 않은 과일인데 남중국에서는 과일의 왕으로 일컬어지고 있다. 음양을 조절하는 기능을 갖는다 하여 귀하게 여겼으며 씨앗은 간과 신장, 폐의 기능을 향상시켜 기관지염과 천식, 당뇨에 효과가 있다고 한다. 열매의 형태가 원형으로 '원圓'이 으뜸을 뜻하는 '원元'과 상통하며, 한 가지에 많은 열매를 맺어 다산을 의미한다. 관복에 착용하는 띠 가운데 여지금대荔枝金帶도 이러한 의미를 지니고 있다. 전성기에 주로 만든 참외형과 표주박형의 주전자와 병, 호 등도 많은 과육에 씨앗을 품고 있어 부귀다남을 상징한다.

고려청자에 시문된 무늬는 불교적 요소가 가장 널리 사용되었으며 유교와 도교에서 유래한 문양들도 많다. 그리고 서정적인 문양에 군자의 이상을 표현하였으며, 부귀다남과 무병장수를 상징하는 소재가 많아 현실 세계의 염원도 잊지 않았다. 즉, 과일과 열매는 많은 씨앗을 품고 있어 자손번영과 부귀영화를 기원하는 현세적인 바람을 담았다면, 초화와 나무는 군자가 추구하였던 고고한 기품과 지조를 상징하는 이상적인 내용을 담고 있어 현실과 이상 세계 사이에서 고뇌하는 고려인들의 번민을 보는 것 같다.

참고문헌

강대규『한국 전통문양』2 고려청자, 국립중앙박물관, 2001.

고려청자박물관『모란 천 년의 향기를 담은 청자』2015.

고려청자박물관『문양으로 고려를 읽다龍牙蕙草 海石榴華-』2021.

국립문화재연구소『우리나라 전통 무늬』2 도자기, 2008.

목포자연사박물관·국립민속박물관『군자의 덕 자연에서 배우다』2013.

부산박물관『꽃과 도자』2004.

해강도자미술관『도자기에 핀 꽃 봄, 여름, 가을, 겨울』2007.

호림박물관『정원의 풍경-인물, 산수, 화조-』2020.

大阪市立東洋陶磁美術館『蓮』2014.

5. 또 하나의 기록, 청자에 남겨진 문자

도자에 시문된 무늬는 그릇의 조형성을 높여주고 문화를 반영하며 염원을 담고 있는 등 다양한 기능을 하고 있다. 특히, 도자에 남겨진 문자는 그릇을 제작한 시기와 장소, 만든 사람(감독자 또는 장인) 등을 표기하거나 이를 필요로 하였던 관청이나 사찰 등의 장소와 사용하였던 소비자 등을 새기고 있어 많은 자료를 제공하고 있다. 또한, 명문 자기는 그릇이 사사로이 사용되고 없어지는 것을 방지하고 품질이 떨어지는 것을 예방하기 위해 만들고 있어 대부분 높은 품질을 유지하고 있다. 자기는 높은 온도에서 화학적 변화를 거쳐 그 속성과 형태가 그대로 유지되는 특징으로 인해 외부에서 충격을 가하지 않으면 영구적으로 남아 있다. 따라서 완전하게 남아 있는 명문銘文 자기는 도자사 뿐만 아니라 역사와 문화, 사회 등을 연구하는데 매우 유용하게 활용되고 있다. 특히, 정확한 문헌과 편년 자료가 많지 않은 고려청자 연구에는 더 없이 중요한 역할을 하고 있다. 문자가 있는 청자는 대대로 전래된 전세품과 발굴조사 출토품, 개발 행위 등으로 발견된 매장문화재 신고품 등에서 확인되는데 그 수량이 많지 않다. 또한, 많은 전란으로 인한 파손과 약탈, 무분별한 개발 등에 의한 훼손도 자료의 제한을 가져왔다. 그러나 남아 있는 한정된 자료를 통한 조사 연구에서도 많은 내용이 밝혀져 고려청자의 전개와 역사, 문화, 사회 등을 이해하는데 많은 기여를 하고 있다. 강진에서 제작된 명문 청자는 크게 제작 시기와 장소, 사용처, 시詩를 적은 것을 비롯하여 제작지나 제작자를 표기한 부호 등이 확인되고 있다.

제작 시기를 표기한 청자는 '기사己巳'처럼 간지干支만 있는 것과 '지정至正' 같이 중국의 연호年號를 표기한 것, 연호와 간지를 함께 새긴 것 등이 있다. 이들 가운데 간지만 있는 청자는 60년마다 간지가 다시 돌아오고 있어回甲 관련 자료를 세밀하게 분석하고 연구하여야 정확한 편년이 정해지는 어려움

사진 93 | 청자상감'己巳'명국화문네귀호
(보령 죽도 해저유적 출수)

사진 94 | 청자상감'至正'명여의두문접시
(강진 사당리 청자 요장 출토)

이 있다. 또한, 연호만 남아 있는 청자는 연호를 사용한 기간이 짧은 것은 사용 기간이 짧아 고민이 적지만 연호를 오랜 기간 사용한 경우 간지만 적은 청자처럼 다양한 비교 분석이 필요하다. 연호와 간지를 함께 표기한 청자는 제작 시기가 정확하여 가장 좋은 편년자료이다. 이외에 간지인 '을유乙酉'와 궁중 사용의 주류酒類를 관리하였던 '사온서 司醞署'를 함께 적은 사례도 있는데, 이는 관청의 명칭 변경과 간지, 청자의 특징 등을 살펴 제작시기를 결정하고 있다. 그릇을 만든 시기와 주문자, 사용자 등을 기록한 청자는 '신축오월십일에 황화사에서 청자 벼루 한 쌍을 대구소 전호정 서감부를 위해 만들었다辛丑五月十日造 爲大口前戶正徐敢夫 淸沙硯壹雙黃河寺'는 명문이 적힌 벼루가 있는데, 대구소는 현재 강진군 대구면 지역으로 고려시대 대표적 청자 생산지인 대구소

사진 95 | 청자상감'辛丑'명국화모란문벼루
(보물 제1382호)

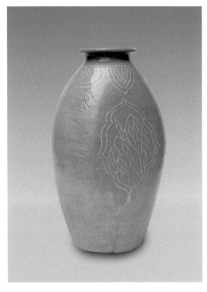

사진 96 | 청자상감'乙酉司醞署'명버들무늬매병   사진 97 | 청자상감'良醞'명버들무늬편병

사진 98 | 청자상감'德泉'명연꽃버들무늬매병
(보물 제1452호)   사진 99 | 청자상감'准備色'명국화문통형잔

와 간지 등이 새겨져 있어 사료적 가치가 매우 높다.

그릇의 사용처를 표기하였던 청자는 공적 목적의 관청 이름이 새겨진 경우가 가장 많다. 고려 후기에 왕실의 재정을 관리하였던 '덕천고德泉庫'와 주류를 담당하였던 '사온司醞'과 '양온良醞' 등이 많이 알려져 있다. 그리고 한시적으로 특정한 목적을 위해 설치하였던 '준비색准備色'이라는 임시적인 관청 이름도 확인되고 있다. 이들 관청 이름이 있는 청자는 큰 그릇인 병이 많으며 대부분 주류를 담당하거나 왕실의 재산을 관리하던 곳으로 알려져 술병으로 사용하였던 것으로 추정된다. 이들 그릇은 술과 관련되어 파손과 유실이 많아 특별히 관리하기 위해 표기하였던 것이다.

왕실에 사용하던 약품을 관리하였던 '상약국尙藥局'이 새겨진 청자는 원통형 몸통에 뚜껑이 있는 합으로 뚜껑 윗면에 매우 섬세하게 시문된 음각 용문이 있어 왕실용으로 특별하게 제작되었음을 쉽게 알 수 있다. 명문은 음각과 백상감의 두 유형이 있으며, 뚜껑 외측면 하단과 몸통 외측면 상단에 가로로 서로 대칭되도록 새겼다. 그리고 서로 맞닿는 부분인 뚜껑의 입술 내측과 몸통의 드림새는 유약을 바른 다음 깨끗하게 닦았으며, 내화토 비짐을 받쳐 함께 번조하였다. 또한, 몸통의 굽 부분에 규석을 받쳐 전체를 갑발에 넣어 번조하였다. 이들 청자합은 현재까지 강진 용운리와 사당리, 삼흥리 요장에서만 출토되고 있어 대구소大口所(현재 강진군 대구면 지역)와 칠량소七良所(현재 강진군 칠량면 지역)에서 왕실 공납용으로 제작되었으며, 상약국

사진 100 | 청자상감음각'尙藥局'명운룡문합(보물 제646호)

에서 관리하는 물품 가운데 왕의 지근에 비치된 상비약품 또는 차茶나 향香을 보관하던 용기로 사용되었을 것으로 추정된다. 따라서 '상약국'명합은 섬세한 문양과 비색의 유약, 단정한 기형, 동일한 번법, 비슷한 서체 등을 갖춘 최상품의 양질청자로 그 제작이 매우 정형화되었음을 알 수 있다.

사진 101 | 청자상감'正陵'명여의두문접시

'정릉正陵'이 새겨진 상감청자는 공민왕의 노국대장공주魯國大長公主(?~1365)에 대한 애틋한 사랑을 엿볼 수 있는 청자로 정릉은 1365년(공민왕 14) 축조한 고려 제31대 공민왕의 비인 노국대장공주의 능호이다. 따라서 '정릉'명청자는 역사적 배경으로 보아 공주가 사망한 1365년부터 공민왕이 사망한 1374년(공민왕 23) 사이에 제작된 것으로 판단된다. 공주의 사후와 관련해서는 능침陵寢인 정릉과 영전影殿인 인희전仁熙殿, 원찰願刹인 운암사雲巖寺 등에서 주로 사용하기 위해 제작되었던 것으로 판단된다. 그러나 '정릉'명청자는 나주 금성관과 나주 옥산리, 일본 다자이후大宰府 관세음사 등에서도 출토되고 있다. 이처럼 다양한 출토지는 당시 문란했던 공납체제와 왜구 창궐에 의한 결과로 판단된다. 한편, 강화 선원사에서도 '정릉'명청자가 출토되고 있는데 이는 고려대장경을 봉안한 국가적 거찰로 대몽항쟁 이후에도 충렬왕과 충숙왕, 충목왕 등을 비롯한 왕실과 밀접한 관련이 있어 노국대장공주의 극락왕생을 기원하기 위한 목적으로 왕실에서 제례음식 등을 제공하면서 함께 보냈을 가능성이 있다. 능침과 관련된 명문청자는 태묘와 능실陵室 등 보편적 명문은 있으나 특정한 곳을 가리켜 시문한 사례는 '정릉'명청자가 유일하다. 따라서 '정릉'명청자는 야사와 여러 소설의 소재로도 널리 사용되었던 공민왕의 노국대장공주에 대한 특별한 애정의 산물이라고 할 수 있다. 그러나 이러한 애정은 정릉과 인희전, 운암사의 축조와 경영에 막대한 국고와 인력을 투입하여 고려의 쇠망을 가져왔다고 할 만큼 그 후유증이 매우 컸다.

'정릉'명청자의 제작지는 현재까지 강진군 대구면 용운리와 사당리 2곳이 확인되고 있으며, 제작자는 명문의 시문기법과 서체로 보아 다양하게 확인된다. 즉, 복수의 제작지와 제작자가 확인되는데, 이는 다양한 공방을 의미할 수 있으나 제작기간(1365~1374)의 장기화에 따른 시기 차이일 수도 있다. '정릉'명청자는 공민왕의 각별한 배려가 깃든 왕실용 그릇임에도 불구하고 태토와 유색, 성형, 문양 등이 매우 거칠어 왕조의 쇠퇴에 따른 청자의 질적 저하를 이해하는데 중요한 자료이다. 즉, 당시 청자의 생산 구조와 유통 질서가 와해되었음을 보여주며, 사회적 혼란으로 왕실용임에도 그 품질이 매우 떨어지고 있어 왕조말의 시대상을 충실하게 반영하고 있는 것이다. 또한, 왕실용 그릇이 고려 후기까지 강진 지역에서 계속 제작되었음을 알려주고 있으며, 10여 년의 시기 폭이 있으나 정확한 제작 시기와 생산 체제, 유통 관계 등을 알 수 있는 중요한 자료이다. 이외에도 사용처를 명기한 사례는 불교와 도교 사원 등에 사용되었음을 알 수 있는 '청림사靑林寺'와 '천황전배天皇前排' 등의 명문이 알려져 있다. 시詩를 새긴 청자는 대부분 술을 담았던 병과 주전자에 많으며, 내용도

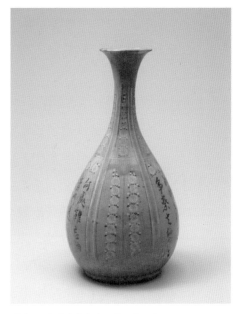

사진 102 | 청자상감시문명국화문병

사진 103 | 청자상감'ㅇ'명국화문잔

술과 관련한 흥취와 낭만을 노래하고 있어 고려 상류층의 일상생활과 문화를 엿볼 수 있다.

특정 시기와 제작지를 알 수 있는 'ㅇ'과 'ⓞ', '成', '市' 등의 부호를 표기한 청자는 강진 대구면 사당리 요장과 생활 유적 등에서 확인되고 있다. 이들 청자는 대부분 굽 안바닥에 부호를 새겨 눈에 쉽게 띄지 않도록 배려하고 있다. 표기도 다양하여 생산에 여러 사람 또는 공방이 참여하였음을 알 수 있어 품질 유지와 책임 소재 등을 위해 잘 보이지 않는 곳에 제작자와 제작 공방을 표기하였던 것으로 판단된다. 또한, 유약과 태토, 기형, 문양, 번법 등 품격이 동일하여 같은 제작기법을 사용하여 같은 시기에 제작되었음을 쉽게 알 수 있다. 기종은 완과 대접, 접시, 잔, 합, 병 등 일상생활용기가 중심을 이루고 있다. 이들 청자는 대부분 그릇 전체에 유약을 시유한 다음 U자형의 굽 안바닥 3~4곳에 규석을 받쳐 갑발에 넣고 번조하였다. 따라서 문양과 크기 등 장식의장을 균일하게 유지하여 양질의 청자를 생산하고자 노력하였음을 알 수 있다. 그리고 이들 청자가 생산된 곳은 강진군 대구면 사당리 일대로 한정되어 있으며, 대부분 시대를 내표하는 시문 기법과 문양을 나타내고 있어 매우 정성들여 만들었음을 알 수 있다. 소비층은 개성과 강화를 비롯하여 지방 관아 등에서 주로 출토되어 강진 청자의 소비층을 이해하는데 많은 자료를 제공하고 있다.

강진 지역에서 제작된 명문 청자는 대부분 제작 시기와 관청 이름을 새기거나 굽 안바닥에 제작지 또는 제작자를 상징하는 부호를 새기고 있어 공적 목적에 의해 만들었음을 알 수 있다. 이는 의장義藏과 돈장敦章, 조청照淸, 효구孝久, 효문孝文 등 장인 이름이 주로 확인되는 전라북도 부안 지역 청자 요장과는 다른 특징으로 강진 지역 요장이 국가에 의해 고품격의 양질청자를 제작하였음을 알려주는 것으로 이들 명문 청자를 통해서도 강진이 고려청자의 성지聖地였음을 쉽게 알 수 있다. 그리고 명문 청자들이 대부분 고려 후기에 집중 제작되고 있어 고려의 쇠망과 함께 품질이 저하되고 청자가 유실되는 것을 방지하기 위해 노력하였던 국가적 어려움과 사회적 혼란을 엿볼 수 있다.

참고문헌

강진청자자료박물관『고려 청자, 강진으로의 귀향-명문·부호 특별전-』2000.

국립중앙박물관『고려 도자 명문』1992.

성보갤러리『고려·조선 도자기 명문 자료선』2002.

해강도자미술관『고려시대 후기 간지명 상감청자』1991.

호림박물관『명문 도자』청자·분청사기, 2016.

6. 청자와 자태를 겨루다, 흑黑과 백白, 적赤과 황黃

고려시대 자기는 발생부터 소멸 때까지 청자가 중심을 이루며 발전하였다. 이는 중국에서 유입된 차문화의 본격적인 확산과 이에 따른 다완의 원활한 공급을 위해 청자가 가장 널리 이용되었기 때문이다. 당나라의 육우陸羽(?~804)는 당시까지의 차문화를 정리한 『다경茶經』이라는 책에서 청자와 백자 등 여러 재질의 다완 가운데 청자를 가장 으뜸으로 꼽고 있는데, 그 영향으로 청자는 고려에서 가장 사랑받았으며 반전을 거듭하여 독창적인 비색翡色의 경지까지 이르렀다. 그러나 그릇의 다채로운 기능과 다양한 용도, 개인적 취향 등에 따라 백자와 흑자, 붉은색의 동채銅彩청자 등도 함께 생산되고 유통되어 고려 도자문화를 더욱 풍성하게 하였다. 이들 자기는 청자에 비해 수량은 많지 않으나 고려청자가 쇠퇴하는 순간까지 지속적으로 함께 생산되었으며 이러한 전통은 조선시대에도 전승되어 오늘날까지 이어지고 있다.

고려 백자는 바탕 흙의 철분을 완전히 제거한 흰색의 고령토에 투명한 유약을 시유한 것으로 대부분 두께가 얇다. 그리고 대체로 무늬가 없으나 음각과 양각, 상감으로 시문한 사례도 확인되고 있다. 처음 자기가 발생할 때 배천 원산리와 시흥 방산동, 용인 서리 등의 중서부 지역은 중국의 영향을 직접 받아 벽돌 가마를 운영하면서 다완을 중심으로 청자와 백자를 함께 생산하였으나 이후 청자가 중심을 이루면서 백자는 소량 생산되었다. 이는 『다경』에서 백자를 청자 다음으로 우수한 다완으로 꼽고 있으며, 개인적 취향에 따라 백자를 선호하였던 소비층이 있어 꾸준하게 생산되었기 때문이다. 처

사진 104 | 백자음각국화문잔받침

음 중국에서 자기를 수입하여 다완으로 사용하였던 신라에서도 청자가 수입 자기의 중심을 이루며 백자는 일부 확인되는 것에서도 청자가 매우 선호되고 백자는 일부 소비층에서만 유통되었음을 알 수 있다.

좋은 백자를 만들려면 철분 등 불순물이 없는 바탕 흙과 유약이 필요하기 때문에 원료의 선정과 이를 바탕 흙으로 만드는 수비 과정 등에서 철분 등의 잡물을 완전히 걸러내야 양질의 백자를 만들 수 있다. 따라서 원료의 채취와 바탕 흙의 제조에 많은 시간과

사진 105 | 백자상감모란버들무늬매병(보물 제345호)

인력 등의 경제력이 소모되기 때문에 청자를 선호한 시대적 배경도 있으나 경제적 측면도 백자 생산을 제한하는 요인이 되었다. 조선 전기에도 백자는 왕실 이외에는 사용을 금지할 정도로 생산 과정에 많은 경제력이 소모되는 재질이었던 것이다. 백자는 강진을 비롯한 남서부 지역 요장에서 만들지 않았으나 청자 기술이 강진으로 집약되는 고려 중기에는 강진에서도 소량 생산되었다. 그러나 대부분 연질로 제작되어 중국 백자에 비해 선호도가 낮아 주 소비층이 분포하고 있던 개성을 비롯한 경기도 지역에서는 경질의 중국 백자를 수입하여 사용하였다.

강진에서 생산되는 백자는 초기 백자보다 자화瓷化가 완전히 되지 않아 대부분 연질이다. 유약은 대체로 아주 얇게 시유되었으며 그릇과 완전히 밀착되지 않아 유약이 떨어져나간 사례들도 확인된다. 이와 같은 한계도 있으나 백자의 기형은 청자처럼 부드럽고 아름다운 곡선을 지닌 고려적인 면모

사진 106 | 백자(중국, 동해 삼화동 고분 출토)

를 보이고 있어 조형성은 잃지 않고 있다. 그러나 전체적으로 중서부 지역에서 처음 만들었던 초기 백자보다 제품의 완성도와 기술력이 퇴보하고 있음은 사실이다. 이는 청자와 일부 흑자 생산을 중심으로 요장을 운영하였던 강진에서 새로운 재질의 백자에 익숙하지 않았으며, 중서부 지역과 다른 원료의 한계도 있을 수 있다. 무엇보다 사회적 안정으로 중국과의 교류가 활성화되면서 중국에서 수입하여 사용하는 것이 경제적 측면에서 유리하였던 것이다. 즉, 일부 소수 기호층만을 위해 소량 소비되는 백자를 자체 생산하는 것보다 중국에서 수입하여 유통하는 것이 훨씬 간편하며, 대중적 인기 상품인 청자에 기술력을 집약하여 발전시킬 수 있는 장점이 있었기 때문이다.

흑자黑瓷는 청자와 백자 등 주류를 형성하였던 다양한 그릇들 가운데 가장 이례적인 조형미를 갖추고 있다. 특히, 그릇 겉면에 입혀져 있는 유약은 다른 그릇에서는 찾아보기 어려운 흑갈색 계통의 어두운 색을 띠고 있어 더욱 이채롭다. 흑자는 서긍의 『선화봉사고려도경』과 박지원의 『열하일기熱河日

記』, 서유구의 『임원경제지林園經濟志』, 이규경의 『오주연문장전산고五洲衍文長箋散稿』 등에 따르면 오잔烏盞과 오자기烏磁瓷, 오기烏器, 오자烏瓷, 석간주石間硃 등의 명칭으로 기록되어 있다. 이는 근대 이전에는 까마귀의 특징인 검은 날개를 뜻하는 '오烏'를 검은 색으로 혼용하여 표기하였기 때문이다. 흑자는 자기가 발생하면서 함평 양재리와 해남 신덕리, 강진 용운리, 장흥 풍길리, 고흥 운대리 등의 서남부 지역 요장에서 전통적인 기술을 바탕으로 진흙 가마를 운영하면서 청자와 함께 소량 생산하였다. 이들 흑자는 저장 또는 운반 용기인 병과 호 등이 중심을 이루고 있어 완과 발, 접시 등의 음다飮茶와 일상생활용기인 반상기飯床器를 중심으로 생산된 청자와 뚜렷하게 비교된다. 또한, 흑자는 자기를 만드는 점토보다 도기를 만드는 점토를 주로 사용하고 있으며, 전통적인 도기 양식을 수용하여 만들고 있어 지역적 특색을 지니면서 발전 변화하였음을 알 수 있다.

검은 빛을 지닌 흑자黑瓷는 바탕 흙

사진 107 | 청자흑유장구

사진 108 | 청자철채양각동자문완

사진 109 | 청자철채상감구름학무늬매병

사진 110 | 흑유완(중국, 안산 매산리 고분 출토)

을 기준으로 정리하는 자기의 분류 기준에 의하면 흑자라고 할 수 없다. 즉, 태토에 산화철이 함유된 고려 흑자는 현재 확인되지 않으며, 검은 색을 지니고 있다는 넓은 의미에서 흑자로 개념하고 있는 것이다. 즉, 고려 흑자는 철분이 약간 들어가 있는 청자 바탕 흙 위에 산하철이 서인 분강토를 진체적으로 덧씌운 다음 청자 유약을 바른 철채청자鐵彩靑瓷와 청자 바탕 흙 위에 산화철이 많이 함유된 유약을 시유한 철유청자鐵釉靑瓷를 포함한 의미인 것이다. 따라서 엄밀한 의미에서는 청자로 분류할 수 있으나 바탕 흙이 반드시 자기를 나누는 절대적 기준이 아니기 때문에 넓은 의미의 흑자로 분류하기도 한다. 흑자는 전통적인 병과 호 등의 그릇이 중심을 이루고 있지만 다완도 일부 생산되어 지배층의 위세품으로 사용되었다. 이들 흑유 다완은 중국과 일본에서는 선풍적인 인기를 끌어 복건성福建省에서 생산된 흑유 다완은 '건잔建盞'이라 불리며 일세를 풍미하였다. 고려에서도 이러한 유행과 함께 건잔이 유입되었으며, 강진에서도 이를 생산 유통하여 강진 월남사 등의 소비지에서 확인되고 있다. 그러나 일부 흑유 다완을 요구하는 지배층의 욕구에 부응하기 위해 소량 생산하였으나 품질도 우수한 청자에 비해 떨어져 백자처럼 중국에서 수입된 흑자가 많이 유통되었다. 이를 반영하듯 개성을 비롯한 경기도 지역에서 품질 좋은 경질의 흑자가 많이 확인되고 있다. 즉, 중국 흑유 다완을 사용하는 일부 수요층을 위해 흑자를 소량 생산하였으나 역시 『다경』의 영향으로 청자가 소비의 중심을 이루고 있어 흑유 다완을 비롯한 일상생활 용기의 생산은 감소하고 저장 또는 운반 용기 중심으로 생산되었던 것이다.

한편, 청자나 백자의 그릇 겉면에 산화철 안료를 이용하여 무늬를 그린 다음 청자 유약을 시유한 철화청자鐵 畵靑瓷도 회화적인 아름다움을 뽐내 며 고려시대에 많이 제작되고 널리 사용되었다. 철화기법은 그릇 겉면에 간 편하게 무늬를 그릴 수 있으며 비교적 쉽게 안료를 구할 수 있어 오랫동안 이용되었다. 특히, 철화청자는 비색 을 갖춘 강진에서도 일부 생산되고 있 으나 해남 진산리 생산의 청자 가운데 장구와 화분, 대반大盤 등 특수성을 갖

사진 111 | 청자철화버들무늬통형병(국보 제113호)

추고 있으면서 우수한 조형을 지닌 청자에서 대부분 확인되고 있어 위세품 성격의 그릇에 주로 사용되었음을 알 수 있다. 이들 가운데 장구는 철채나 철유도 일부 있으나 대부분 철화로 무늬를 표현하고 있으며, 수량도 많아 권위적인 특수한 위세품 가운데 철화청자를 대표하기에 손색이 없다. 철화 청자는 청자의 제작 기법상 난이도가 있는 투각청자나 상감청자 등의 뚫거 나 파서 무늬를 표현하는 각기법刻技法 청자에 비해 그릇 겉면에 안료를 이 용하여 무늬를 그리는 난이도가 낮은 화기법畵技法 청자의 대표적 청자로 인 식되어 대체로 예술성이 낮은 것으로 인식되었다. 그러나 비색청자에 비해 품질이 낮지만 특별한 그릇으로 소박한 형태를 갖추고 있으며 흑갈색의 다 양한 색감은 청자와 백자 등 다른 자기에서 느낄 수 없는 고유한 멋을 풍기 고 있어 그 자체로 하나의 아름다움을 완성하여 새로운 개성과 매력을 발산 하고 있다.

조선시대에도 철화백자는 회화성을 갖추면서 다양하게 생산되었는데, 전

라남도에서는 특히 담양지역에서 백자 바탕 흙 위에 석간주라는 이름의 철유를 시유한 흑자와 간략한 문양의 철화백자가 조선 후기에 많이 생산되었다. 이들 자기는 고려시대와 같이 병과 호 등의 저장 또는 운반 용기가 중심을 이루고 있어 그 전통이 조선시대에도 지속되었음을 알 수 있다.

붉은 색을 지닌 동채청자銅彩靑瓷와 동화청자銅畵靑瓷는 산화동을 이용하여 표현한 청자로 흑자처럼 바탕 흙 자체에 산화동이 포함되어 있는 사례는 없으며, 바탕 흙 위에 산화동이 함유된 화장토를 바른 다음 청자 유약을 시유한 동채청자와 산화동을 안료로 사용하여 무늬를 그린 다음 청자 유약을 시유한 동화청자가 확인되고 있다. 동채(동화)청자는 산화된 구리를 이용하여 붉은 색으로 표현하고 있어 진사辰砂 또는 주사朱砂 청자로도 부른다. 산화동이 처음 사용된 시기는 분명하지 않지만 낮은 온도에서 구운 연유도기鉛釉陶器인 당삼채唐三彩에 녹색의 안료가 사용되었으며, 중국 호남성湖南省 장사長沙 지역에 위치한 장사요에서 생산한 청자에서도 산화동에 의한 녹색 무늬가 확인되고 있어 일찍부터 산화동이 사용되었음을 알 수 있다. 그러나 환원번조로 붉은 색을 표현한 것은 고려 중기에 생산된 고려청자가 처음이다.

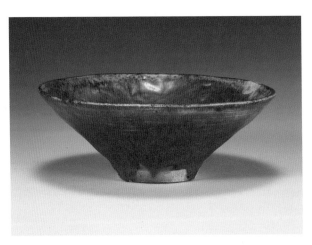

사진 112 | 청자동채완

산화동은 자칫 높은 온도에서 열을 흡수하면 불안정하여 안료가 기화氣化되어 날아가기 쉽고 불길과 바람에 따라 녹색으로 발색할 수 있어 아름다운 붉은 색을 표현하는데 많은 어려움이 있다. 또한, 붉은 색을 띠는 산화동은 청자 바탕의 청색과 보색 관계를 지니고 있기 때문에 시각적 효과를 위해 매우 한정적으로 사용하였다. 따라서 동채(동화)는 전체 장식 가운데 일부나 상감 문양에서 핵심적인 부분에 최소한으로 사용하여 오히려 큰 효과를 내도록 하였다. 즉, 우수한 기량과 뛰어난 조형성을 갖추고 있어야 구현할 수 있는 기법으로 기술력이 가장 뛰어난 청자 전성기에 일부 생산되었으며, 사회 경제적으로 어려움을 겪는 후기가 되면 갈수록 수량이 적어지며 거의 확인되지 않는다. 상감으로 그린 용의 눈을 찍는 등 아주 적은 부분에 일부 사용되고 있을 뿐이다. 그러나 조선 후기가 되면 백자에 회화적 무늬를 그리는데 다시 사용되고 있어 철화기법과 함께 재등장하여 많이 쓰였음을 알 수 있다.

동화청자 가운데 매우 우수하며 만든 시기를 뚜렷하게 알려주는 편년 자료는 왕의 권위보다 높았던 무신집권의 최고집정자 최항(?~1257)의 강화 묘에서 출토된 국보 제133호 청자동화연꽃무늬표주박형주전자青磁銅畵蓮花文瓢形注煎子가 널리 알려져 있다. 표주박 모양의 몸통에 겉면은 연잎으로 둘러싼 형태이며, 꽃봉오리 모양의 마개가 주둥이를 덮고 있다. 잘록한 목 부분에는 동자가 연봉오리를 두 손으로 껴안아 들고 있는 모습과 연잎으로 장식되어 있다. 손잡이는 덩굴을 살짝 구부려 붙인 모양으로 위에 개구리 한 마리를 앉혀 놓았으며, 물이 나오는 아가리는 연

사진 113 | 청자동화연화문표주박형주전자
(강화 최항 묘 출토, 국보 제133호)

잎을 말아 붙인 모양이다. 몸통의 연잎 가장자리와 잎맥을 빛깔이 뛰어난 동화로 대담하게 장식한 명품으로 비색과 어울려 그 뛰어남을 자랑하고 있다.

　백자와 흑자, 동화 이외에도 금을 이용하여 무늬를 넣은 화금청자畫金靑瓷도 확인되고 있다. 화금청자는 대몽항쟁 이후 비색이 퇴화되고 가시적可視的인 상감기법을 적극적으로 사용하면서 화려함을 더하기 위해 등장하였던 것으로 추정된다. 따라서 화금청자는 대부분 상감 무늬와 함께 확인되며, 유약 위釉上彩에 접착제를 이용한 가채加彩 기법으로 무늬를 그리고 있어 사용하거나 세척하면서 금이 탈락되는 특징을 갖고 있다. 특히, 금은 황제를 상징하는 황색으로 금 자체가 황제를 의미하고 있어 원 세조世祖(1260~1294)와 성종成宗(1294~1307)에게 이를 선물하였다는 기록이 있는데, 원 황제의 스승이었던 제사帝師가 머물던 티베트西藏와 역대 황실의 보물을 보관하였던 청 황실 전래품에 화금청자(대북臺北 국립고궁박물원 소장)가 남아 있어 이를 입증하고 있다. 또한, 고려 궁성이 있었던 개성 만월대滿月臺에서도 출토되고 있어 그 존귀함을 잘 알려주고 있다. 무엇보다 원 세조는 청자에 그려진 금이 재생될 수 없음을 알고 더 이상 진상하지 말 것을 명하고 있다. 따라서 재료적 특성과 세조의 지시 등으로 화금청자는 매우 한정적으로 만들어졌으며, 사용하면서 지워지는 경우도 있어 화금기법이 뚜렷하게 남아 있는 그릇은 많지 않다. 개성 만월대 출토품은 상감 무늬를 중심으로 주변에 금가루를 입혀 매우 화려하게 장식하고 있다. 무늬는 그릇의 편평한 부분에 마름모꼴의 꽃 모양菱花形을 만들고, 그 안에 원숭이가 두 손으로 복숭아를 받쳐 들고 나무 밑에 앉아 있는 모습과 갈대 등을 표현하였다. 원숭이는 장수와 부귀, 지혜, 기교, 화합, 가족애, 불교 수호를 상징하며, 원숭이의 한자인 후猴와 봉건 제후의 후侯가 발음이 같아 입신양명을 기원하는 의미를 지니고 있다. 그리고 원숭이가 들고 있는 복숭아는 불로장생과 행복, 재부를 가져오는 길상의 의미로 차용되고 있어 이 항아리는 자체의 화려함과 함께 매우 깊은

사진 114 | 청자상감화금원숭이무늬편호(개성 만월대 출토)

의미를 지니고 있음을 쉽게 알 수 있다.

　고려시대는 청자 이외에도 백자와 흑자, 산화동을 이용한 동채청자, 화금 청자 등을 생산하여 청자의 독창적 아름다움에 더하여 백화만발의 도자문화 를 꽃피웠다. 문화의 다양성은 인류의 사고와 개념을 확장시켜 삶을 풍족하 게 하였는데, 고려의 자기 문화도 청자와 백자, 흑자 등의 다양한 요소를 통 해 이를 구현하였던 것이다. 따라서 고려 도자의 미적 아름다움도 중요하지 만 이를 창조하고 구현하였던 선조들의 열정적인 정서와 치열한 예술혼을 함께 느낄 수 있어 더욱 중요하다 하겠다.

참고문헌

국립제주박물관『고려 철화 청자』2018.

김재열「고려 백자의 연구」서울대학교 석사학위논문, 1987.

서유리「고려 철화 청자의 발생과 특징」명지대학교 석사학위논문, 2007.

서지영「고려 흑자 생산지와 생산품의 특징」『고려도자신론』학연문화사, 2009.

용인대학교 전통문화연구소『고려 백자』2009.

이다혜「한국 전통 금채자기의 제작기법 재현 연구」중앙대학교 석사학위논문, 2014.

전승창「고려 후기 화금청자 연구」『삼성미술관 Leeum 연구논문집』5, 삼성문화재단, 2009.

조주연「고려 전기 백자의 특징과 성격 연구」홍익대학교 석사학위논문, 2005.

최문정「고려시대 辰砂靑磁 연구」이화여자대학교 석사학위논문, 2000.

호림박물관『철, 검은 꽃으로 피어나다』2017.

호림박물관『흑자, 검은 빛을 머금은 우리 옛 그릇』2010.

호암미술관『철화 자기전-움직이는 색과 힘-』2005.

황현성「한국 銅畵磁器의 과학기술적 연구」중앙대학교 박사학위논문, 2008.

大阪市立東洋陶磁美術館『高麗靑磁の鐵繪と鐵彩』1987.

7. 천하제일 고려 비색翡色청자의 비밀

고려청자의 아름다움은 형태와 무늬, 색상의 3가지 요소를 가장 우선으로 하는데, 이는 다른 도자의 감상에서도 으뜸으로 여긴다. 즉, 청자는 유려한 곡선과 균형을 갖춘 형태, 그 위에 표현된 자연을 담은 서정적 무늬, 마지막으로 형태와 무늬가 더욱 돋보이도록 하는 높고 깊은 가을 하늘을 품은 비색을 갖추어야 우수성을 인정받는다. 특히, 이들 요소 가운데 색상은 천하제일 '비색청자翡色靑瓷'라는 별칭을 가지고 있을 정도로 고려청자의 형태와 무늬를 더욱 아름답게 비추어주면서 그 자신 또한 깊고 그윽한 아취를 품고 있어 무늬가 없어도 스스로 빛을 발하는 고려청자의 상징적 요소이다.

고려 비색청자의 아름다움은 고려의 기록보다는 당시 세계의 중심 가운데 하나였던 중국에서도 찬사를 아끼지 않았던 천하의 명품이었다. 비색에 대해 가장 먼저 기록한 사람은 1123년(인종 1) 인종의 즉위를 축하하고 그 전해(예종 17년)에 돌아가신 예종의 죽음을 위로하기 위해 송나라 사절로 왔던 서긍徐兢이다. 그는 개경에 한 달 정도 머무르는 동안 고려에서 보고 느낀 내용을 귀국하여 글과 그림으로 기록한 『선화봉사고려도경宣和奉使高麗圖經』이라는 견문록을 작성하였는데, 이곳에 비색청자에 대한 내용이 적혀 있다. 즉, "도기의 색은 푸른데 고려인은 비색이라 부른다陶器色之靑者 麗人謂之翡色"고 기록하고 있어 고려인 스스로도 독특한 비색의 아름다움에 대해 문화적 자긍심이 매우 높았음을 알려주고 있다.

『선화봉사고려도경』은 1124년(송 휘종 24) 완성되어 송 휘종(1100~1125)에게 진상되었는데, 휘종이 이 책을 보고 크게 기뻐할 정도로 고려의 사정이 잘 정리되었다. 그러나 3년 뒤인 1126년(송 흠종 1) 금金의 침략으로 송의 수도 개봉開封이 함락될 때 정본이 유실되어 1167년(송 효종 3) 서긍의 조카인 서천徐蕆이 집에 보관하고 있던 책자를 바탕으로 다시 간행하였다.

이때 그림을 복구하지 못해 그림이 없는 도경이 되어 많은 아쉬움이 남는다. 한편, 이와 같이 사신들이 귀국하여 기록을 남기는 것은 방문 국가의 역사와 문화를 이해하고 정리하는 긍정적인 측면도 있으나 원래의 목적은 상대국의 지형과 지리, 문화 등을 검토하여 정치와 외교, 국방 등의 국가 전략을 수립하는데 있다. 이는 오늘날에도 외교관들과 외국을 방문하는 공직자들이 적극 갖추어야 할 자세라고 생각된다.

그리고 고려청자의 아름다운 색상을 정리한 또 다른 대표적인 기록은 태평노인太平老人이 지은 『수중금袖中錦』(소매 속에 간직할 귀한 것)이라는 책 가운데 천하제일을 정리한 부분이다. 태평노인은 "건주建州의 차와 촉蜀 지방의 비단, 하북河北의 정요定窯 백자, 절강浙江의 칠漆, 고려 비색秘色 등을 천하 제일로 정리하면서 다른 곳에서 따라 하고자 하여도 도저히 할 수 없는 것들이다."고 기록하고 있다. 백자는 하북성 정요 생산품을 으뜸으로 여기면서 청자는 고려 비색을 제일로 인식하고 있었던 것이다. 이는 고려청자가 중국 청자와 다른 독특한 세련미와 완성도를 지니고 있는 것에 대한 격찬과 함께 자연을 담은 깊고 그윽한 아름다움에 대한 찬사가 중국에서도 끊이지 않았음을 알려준다. 『수중금』은 일반적으로 송대에 간행된 것으로 알려져 있으나 내용 가운데 원곡元曲(원나라 때 만들어진 희곡 문학)의 내용이 있어 원대에 간행되었음을 알 수 있다. 따라서 고려 비색 등 천하제일의 내용이 송나라 때 작성되어 원나라 때 간행되었을 가능성도 있으나 원나라 때 작성되었을 수도 있다. 그러나 원나라 때도 고려에 해당되므로 고려 비색청자가 천하제일로 꼽고 있을 정도로 제작기술이 매우 뛰어났음을 알려주는 사실에는 변함이 없다.

고려 비색청자는 고려 사람들이 만든 독창적인 색상으로 우리 민족이 추구하는 이상적인 색이라고 할 수 있다. 고려는 중국에서 청자 제작기술을 받아들였지만 중국의 비색秘色과는 다른 독자적인 색을 만들어 그 아름다움을 완성하였다. 비색청자의 푸르름은 빙렬水裂이 없이 깊고 차분한 느낌을 주는 것으로 맑고 투명하여 음각이나 양각 등의 무늬가 선명하게 드러나 무늬와 장식을 간결하고 단아하게 보이게 하는 효과가 있다. 이와 같이 맑고 투명한 유약은 흑백으로 그려진 상감청자의 무늬를 선명하고 밝게 보이도록 하는 요소이기도 하다. 고려청자가 우아하고 세련된 조형미를 완성하게 된 데에는 맑고 투명한 절대적 조건인 비색이 있었기 때문이다. 유약 아래에 무늬를 그리는 철화鐵畫나 퇴화堆花 등의 기법도 유약이 맑고 투명하지 않았다면 선명하게 표현할 수 없었을 것이다.

한편, 고려의 대문장가 이규보李奎報(1168~1241)는 그의 시에서 다음과 같이 고려 비색청자에 대해 극찬하고 있다.

"나무를 베어 남산이 빨갛게 되었고 / 불을 피워 연기가 해를 가렸지 / 푸른 자기 술잔을 구워내 / 열에서 우수한 하나를 골랐구나 / 선명하게 푸른 옥빛이 나니 / 몇 번이나 매연 속에 파묻혔었나 / 영롱하기는 수정처럼 맑고 / 단단하기는 돌과 맞먹네 / 이제 알겠네 술잔 만든 솜씨는 / 하늘의 조화를 빌려 왔나 보구려似借天工術 / 가늘게 꽃무늬를 놓았는데 / 묘하게 화가의 솜씨와 같구나 / 쟁그랑하고 내 손에 들어오는데 / 가뿐히 우상같이 빠르네 / 유공柳 公權(당나라 때의 서예가)의 은 술잔을 부러워 말게나 / 하루아침에 변화하여 잃어버렸다오 / 깨끗하기는 시가詩家에 있는 게 알맞고 / 공교하기는 괴상한 물건인가 싶다 / 주인이 좋은 술 있으면 / 너 때문에 자주 초청하는구나 / 세 잔이니 네 잔이니 말을 말고 / 내가 흠뻑 취하게 해다오"

이규보는 영롱한 색상과 견고함, 아름다운 무늬 등 아취를 갖춘 청자 술잔을 예찬하면서 열에서 하나를 얻을 정도로 우수한 청자를 제작하는데 어려움이 있음을 밝히고 있다. 그러면서 이는 천공술天工術, 즉 하늘의 조화를 바라지 않고는 탄생할 수 없다는 감탄사를 남기고 있다. 이는 명품 비색청자가 탄생하기까지의 어려움을 간단하지만 명료하게 정리한 내용으로 전성기 비색청자 생산에 많은 어려움이 있었음을 알려주고 있다.

고려 비색청자가 어떤 과정을 거쳐 생산되었는지에 대해서는 아직 정확하게 풀리지 않고 있다. 다만 중국의 청자 제작기술을 그대로 받아들여 고려청자를 처음 생산하였던 중서부 지역의 대규모 벽돌 가마에서는 초벌이 생산되지 않고 있다. 그러나 전통을 바탕으로 중국의 신기술을 받아들여 나중에 청자를 생산하였던 강진을 비롯한 남부지역의 소규모 진흙 가마에서는 초벌구이가 확인되고 있어, 과학적으로 명확하게 입증되지 않았으나 비색청자의 탄생에 초벌구이가 일정한 역할을 한 것으로 이해되고 있다. 초벌初燔을 통해 그릇에 남아 있는 수분을 완전히 제거한 다음 유약을 바르면 날 그릇에 유약을 입힌 것보다 유층이 고르고 안정되게 용융되는 효과가 있기 때문이다. 그러나 초벌구이만으로 비색청자의 모든 것을 밝히기에는 한계가 있다. 그리고 그릇을 재벌再燔하는 것은 한 번에 완성하는 것에 비해 많은 땔감과 인력이 소모되기 때문에 단번單燔에 비해 생산비가 많이 소요되는 단점이 있다.

강진 사당리에서는 비색청자가 등장하는 12세기 중기에 운영된 43호 요장에서 완벽한 초벌칸을 갖춘 가마가 확인되어 전성기 청자가 생산되던 시기에는 초벌구이가 정착되었음을 알려주고 있다. 이와 같은 초벌칸 구조는 고려청자에 많은 영향을 미쳤던 중국 절강성을 중심으로 분포하는 월주요越州窯에서는 확인되지 않은 구조로 남부지역 청자 가마의 독창적 구조로 이해되고 있다. 또한, 용운리 63호 등

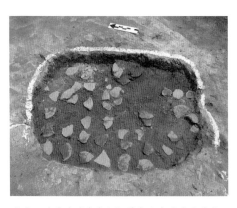

사진 115 | 강진 사당리 43호 청자 요장 가마 초벌칸

고려 전기에 운영되었던 요장에서 초벌 칸은 확인되지 않았으나 초벌구이가 출토되고 있어 비색청자와 초벌구이가 밀접한 관련이 있음을 알 수 있다.

초벌과 비색청자와의 관계를 더욱 확실하게 입증하는 것이 최근 강진 사당리 23호 요장에서 확인된 초벌구이 전용 가마이다. 이 가마는 세계유산 잠정목록으로 등재되어 있으며 국보와 보물로 지정된 대부분의 고려청자를 생산한 곳으로 알려진 사당리에서도 고려청자박물관 주변의 핵심 지역에서 확인되어 비색청자의 비밀을 풀어줄 열쇠로 인식되고 있다.

국내에서는 최초로 확인된 초벌구이 전용 가마는 벽돌과 기와를 이용하여 타원형으로 축조하였는데 형태가 만두와 비슷하여 중국에서는 '만두형 가마'로 알려져 있다. 가마는 통풍구(가마 내부에 공기가 들어가는 통로)와 연소실(불을 때는 곳), 번조실(자기를 굽는 곳), 연도부(연기가 빠져나가는 곳) 등의 시설이 완벽하게 남아 있다. 특히, 연소실과 번조실 바닥에서 초벌 조각이 다량 출토되고 있어 초벌을 전문적으로 번조하였음을 뚜렷하게 알려주고 있다.

이러한 만두형 가마는 중국의 경우 북송대에 운영된 하남성 보풍현寶豊縣 청량사淸凉寺 여요汝窯와 남송대의 절강성 항주杭州 노호동요老虎洞窯 등 한정된 곳에서만 확인되고 있으며, 모두 황실에 청자를 공급하였던 공요貢窯(세금으로 도자기를 납부하였던 가마)로 해석되고 있다. 따라서 중국 송대 황실용 청자를 생산하였던 핵심 요업기술을 지닌 세력과 인적 교류가 없이는 나오기 힘든 구조로 사당리 요장

사진 116 | 강진 사당리 23호 청자 요장 만두형 초벌 가마

사진 117 | 청자양각연꽃모양향로(개성 출토)

사진 118 | 청자양각연꽃모양향로
(중국 淸凉寺 汝窯 출토)

이 중국 황실용 청자 요장과 직접 연결되었음을 알 수 있다. 이는 단순한 요업 기술적 측면뿐만 아니라 고려와 송의 문화교류가 매우 왕성하였으며, 청자 제작에서도 적극적이며 밀접한 기술교류가 있었음을 알려준다. 이러한 활발한 기술교류와 고려 장인의 각고의 노력으로 천하제일 비색청자가 탄생할 수 있었던 것이다.

황실을 위한 요장의 가장 큰 특징 가운데 하나는 실패한 청자를 버린 폐기장의 규모가 매우 크다는 것이다. 황실을 위한 그릇이므로 약간의 실수도 있어서는 안되므로 철저한 선별 과정을 거쳐 선정되었다. 만두형 가마 주변에서 이와 같은 과정을 거쳐 청자를 폐기한 대규모의 청자 선별장이 확인되었다. 이곳에서는 엄청난 수량의 청자 조각에 비해 가마에서 청자를 구울 때 사용하는 갑발 등의 요노구가 확인되지 않고 있어 가마에서 1차 선별한 다음 이곳에서 다시 철저하게 2차 선별하였음을 잘 보여주고 있다. 이곳 출토품은 기린과 참외 등 동물과 식물의 형상을 본뜬 상형 청자를 비롯하여 청자 막새기와와 매병, 향로, 베개 등 다양한 비색청자 조각들이 출토되고 있다. 왕실을 위한 의례품과 위세품의 성격을 갖는 특수 용기를 비롯한 다양한 고급 용기 등이 이 일대에서 번조되었음을 알 수 있다. 그리고 비색청자가 생산되었

사진 119 | 청자사각형받침(개성 인종 장릉 출토) 사진 120 | 청자사각형받침(중국 **越州窯** 출토)

던 전성기에는 조형적 측면에서도 중국과 많은 교류가 이루어져 여요나 월요
越窯에서 생산되었던 그릇들과 비슷한 향로 등의 청자들이 사당리에서 확인
되고 있다. 따라서 만두형 가마가 확인된 사당리 23호 요장 일대가 고려 황실
을 위해 최고급 명품 비색청자를 만들기 위해 운영되었음을 쉽게 알 수 있다.

　선인들께서 극찬했던 전성기 고려청자의 모든 것을 갖춘 강진 사당리에서
확인되는 초벌칸을 갖춘 완벽한 가마와 초벌 전용의 만두형 가마, 청자 선별
장, 그리고 고려만의 천하제일 비색청자는 당시 세계에서 유이唯二하게 청자
를 만들었던 중국과 고려의 보편적 요소와 함께 고려만의 독창성과 진정성,
완결성 등을 보여주고 있어 세계유산 등재를 위한 문화자원으로 손색이 없

사진 121 | 강진 사당리 23호 청자 요장 사진 122 | 강진 사당리 요장 출토 청자
만두형 초벌 가마 주변 폐기장

사진 123 | 강진 사당리 청자 요장 앞바다의 가을

다. 비색청자에 담긴 수수께끼를 밝혀 줄 사당리 일대에 대한 체계적인 발굴 조사와 연구를 지속적으로 추진하여 이의 비밀을 하나씩 밝히고 세계문화 유산 등재를 추진하는 토대가 더욱 단단하고 높게 쌓였으면 한다. 이와 함께 효율적인 보존관리와 활용계획이 잘 갖추어져 실행되어야 하겠다.

그런데 비색청자에 대해 청자 생산지인 강진 사람들은 청아한 가을 하늘 자체의 아름다움이 비색일 수 있으나 강진 사당리 앞 바다에 비치는 가을 하늘을 비색으로 인식하고 있어 이채롭다. 다음 가을에는 강진 사당리 청자 요장뿐만 아니라 바닷가를 찾아 창공의 하늘뿐만 아니라 바다도 꼭 바라보며 비색의 깊은 멋에 빠져보길 바란다.

참고문헌

강진청자박물관『열에서 골라 하나를 얻었네-揀選十取一-』2009.

강진청자박물관『청자의 발색 특징』2010.

고려청자박물관『강진 사당리 청자 요지의 최근 발굴 성과 연구』2020.

국립중앙박물관『천하제일 비색청자』2012.

민족문화유산연구원『강진 사당리 43호 고려 청자요지 발굴조사 보고서』 2015.

조선관요박물관『청자의 색형-한국·중국 청자 비교전-』2005.

해강도자미술관『고려의 색, 청자의 빛』1999.

大阪市立東洋陶磁美術館『高麗翡色靑磁』1987.

1. 청자, 일상의 삶을 장식하다

인류가 처음 그릇을 만들기 시작하면서부터 단단하고 편리한 그릇을 만들려는 의지는 끊임없이 도자 발전을 촉구하였다. 또한, 유약은 그릇의 표면에 얇은 유리질 피막을 형성하여 수분의 흡수를 방지하고 표면을 마치 옥과같이 매끄럽고 광택이 나도록 하였다. 유약의 발명은 위생과 미감을 함께 갖추고 있어 목칠기와 금속기보다 자기를 더욱 일상적 실용품으로 선호하도록하였다. 도자는 공예품이기 때문에 작품성과 예술성도 중요하지만 일상생활용기이므로 그 쓰임새가 편리하여야 한다. 모든 공예품은 인체의 형태와 가장 비슷하게 만들고 있는데, 도자의 경우 발과 대접은 두 손을 모은 형태로안의 내용물을 감싸 보호하며, 잡았을 때 손에 착 달라붙는 맛이 있어야 한다. 따라서 유색과 형태, 무늬 등의 시각적 아름다움을 갖추고 있으며, 심리적으로 안정되고 쓰임새가 편리한 청자를 가장 좋은 청자로 평가할 수 있다.

이와 같은 장점을 두루 갖춘 청자가 만들어지던 시기가 바로 고려 문화가 가장 발달하였던 12세기이다. 이 시기는 비색이 완성되고 형태가 정제되며 상감기법이 등장하는 등 고려청자의 전성기로 가장 다양한 종류의 청자가 만들어져 고려적 풍모를 대변하고 있다. 동물이나 과일, 사람 모양을 본떠 만든 상형청자가 많이 제작된 것도 이 시기의 특징이다. 또한, 초기 청자는 차문화의 영향으로 완 등 차도구를 중심으로 그릇을 만들고 있으나 사회가 안정되고 수요층이 다양해지면서 실생활 용품이 중심을 이루며 발전하였다. 따라서 음식문화에 필수적인 밥과 국을 담는 대접(발), 반찬과 다과를 담는 접시의 수요가 폭발적으로 증가하였으며 이외에 음식문화를 보조하는 잔과 합, 호, 병 등이 널리 확산되었다. 음식기의 조합이 중심을 이루고 있음은 생활유적뿐만 아니라 청자를 생산하는 요장, 유통과정에서 침몰된 해저유적 등에서도 확인되고 있다. 이들 반상기飯床器는 시대와 식재료 등의 변화에 따라 크기(용량)가 달라지고 있는데, 행남사에서 생산하였던 밥그릇의 경우 1940년대 700cc(액체 기준)였으나 현재는 1/3로 줄어 230cc로 생산되고 있어 이를 뒷받침하고 있다. 즉, 그릇의 변화가 사회 문화적 요소도 크지만 식생활과 식재료 등에 의해서도 변화되고 있음을 알 수 있다.

반상기 이외에도 일상생활의 여유와 아름다움을 추구하기 위한 장식용 청자 등이 등장하여 고려인의 삶을 더욱 풍요롭게 하였다. 이와 같이 완벽한 균형미와 세련된 조형미를 갖춘 다양한 용도와 형태의 그릇이 만들어져 일상생활을 윤택하게 하였으나 국력이 쇠퇴하는 고려 후기가 되면 다시 단순화되어 대접과 접시를 중심으로 대량 생산되고 있다. 그릇의 종류가 음식용 중심으로 재편되면서 실용성은 강화되었지만 기형이 둔중해지며, 빛깔은 탁해지고, 무늬도 도식화되거나 간략하게 변화된다. 이는 왕실용으로 만들었던 '정릉正陵'이 쓰인 청자에서 보이는 거친 태토와 어두운 유색, 반복적이며 도식화된 문양 등에서 쉽게 이해될 수 있다.

고려청자의 아름다움과 우수성은 수도였던 개경에서 출토된 유물을 통해 충분히 알 수 있다. 그러면 청자의 성지聖地인 강진을 끼고 있는 전라남도 지역 사람들은 일상의 삶에서 어떤 청자를 사용하였을까? 일상적인 삶을 대표하는 유적은 국가의 공적 업무를 보는 다양한 관청과 사적인 공간인 일반 건축 등이 있다. 관청은 일상적인 업무를 보는 여러 관아와 적으로부터 국가를

방어하는 성곽이 가장 대표적이다. 전
라남도에서 확인된 가장 대표적인 관
아 유적은 원元의 침입에 대항하였던
삼별초가 건립한 진도 용장성龍藏城
(사적 제126호)으로 궁성의 역할을 하
여 수도적 면모를 보여주고 있어 매우
특징적이다. 그리고 전라도의 가장 핵
심적 위치에 있었던 나주목의 금성관
錦城館(보물 제2037호)이 널리 알려져
있으며, 이외에 중국과의 교역로에 위
치하며 바다의 오아시스 역할을 하였
던 흑산도에서도 관아가 확인되었다.
성곽과 관련된 유적은 강진에 위치한

사진 124 | 진도 용장성

사진 125 | 진도 용장성 출토 진단구

사진 126 | 진도 용장성 배수로 출토 청자

사진 127 | 진도 용장성 출토 청자의자

전라병영성全羅兵營城(사적 제397호)이 있는데 고려시대 유적은 일부에서만 확인되었다. 한편, 장흥댐을 만들면서 확인된 장흥군 유치면 대리 일대에 위치하였던 유치향有恥鄕은 관아뿐만 아니라 일반 건축물이 함께 확인되어 고려 사람들의 삶을 이해하는데 많은 자료를 제공하였다.

나주 금성관은 나주목의 객사인데 관사 또는 객관이라고도 한다. 객사는 고려와 조선시대 모든 고을에 설치하였던 것으로 외국 사신이 방문했을 때 묵으면서 연회도 가졌던 공간이다. 나주 금성관 역시 고려와 조선시대에 운영되었으며 주변에 다양한 부속 시설이 분포되어 있다. 이곳에서는 신라 하대에 유입된 중국 청자를 비롯하여 고려청자, 그리고 조선의 분장청자와 백자 등이 출토되어 오랫동안 운영되었음을 알 수 있다. 고려청자는 여러 건물에서 출토되었는데, 반상용 기인 대접과 접시를 중심으로 장구 등 다양한 기물이 출토되어 전라도의 중심 고을이었던 나주목의 위상을 잘 보여주고 있다. 특히, 이곳에서는 공민왕의 비인 노국대장공주의 능호인 정릉正陵이 새겨진 청자가 2점 출토되어 주목된다. 정릉이 쓰인 청자는 공주가 돌아가신 1365년(공민왕 14)부터 공민왕이 돌아가신 1374년(공민왕 23) 사이에 제작된 그릇이다. '정릉'명 청자는 이제까지 13점이 확인되었는데, 금성관에서 2

점이 출토된 배경은 개경으로 공납하는 과정에 나주목에서 빼돌렸거나 하부 행정 조직인 대구소(현재 강진군 대구면)에 직접 요구하였던 것으로 추정된다. 이는 고려 후기 허물어진 국가 체제의 실태와 대구소를 관할에 두었던 나주목의 위상을 함께 보여주는 자료라고 할 수 있다.

사진 129 | 나주 금성관 출토 '正陵'명청자

강진에 위치한 전라병영성은 1417년(태종 17년) 축조하여 1895년(고종 32년) 갑오경장까지 500여 년간 전라도와 제주도를 포함한 53주 6진을 총괄한 육군 지휘부로 알려져 있다. 그러나 발굴조사 결과 이곳에서는 10세기부터 14세기까지의 대접과 접시, 병, 합, 연적, 화분 등 다양한 청자가 출토되어 고려시대부터 상당한 격식을 갖춘 군사적 요충지로 활용되었음을 알 수 있었다. 특히, 고려 후기를 대표하는 특징적 청자인 간지干支가 새겨진 청자들 가운데 하나로 1332년(충혜왕 2) 제작된 '임신壬申'이 새겨진 청자대접이 출토되어 주목된다. 간지명 청자는 고려 후기 공납체제가 허물어지자 공납용 청자의 수량을 파악하고 품질을 보장하며, 개인적인 사용을 금지하기 위해 만든 것으로 개성을 비롯하여 관아와 사찰 등 매우 한정된 곳에서 확인되고 있다. 따라서 청자 생산의 중심지인 대구소와 인접한 이곳에 상당한 위격을 갖춘 관아가 있었음을 알려주는 유물이다. 또한, 나주 금성관과 마찬가지로 공납 과정의 청자를 빼돌렸거나

사진 128 | 강진 병영성 출토 '壬申'명청자

가까운 곳에 위치한 대구소에 직접 요구하여 사용하였을 가능성도 있다. 즉, 법과 제도보다 가까운 곳에 위치한 상위 관청의 위력이 대단하였던 것이다.

사진 130 | 신안 흑산도 출토 청자상감번개무늬접시

흑산도는 서남해의 도서 연안 지역 뿐만 아니라 중국과의 교역로에 위치하여 일찍부터 관아가 설치 운영되었다. 이는 1123년(인종 1) 고려를 방문하였던 송宋의 사신 서긍徐兢이 남긴 『선화봉사고려도경宣和奉使高麗圖經』이 기록에서도 알 수 있다. 이곳에서는 건물지와 담장, 계단, 보도, 배수 시설 등이 확인되었다, 특히, 일부 건물은 높은 위치에 적갈색점토를 사용하여 바닥을 정지한 다음 그 위에 전돌을 깔았으며, 치석된 장방형 축대와 윗부분을 잘 다듬은 대형의 주춧돌, 조경적 측면을 고려하여 하얀 조약돌을 이용한 배수시설 등을 갖추고 있어 이곳이 상당한 위격을 갖추었음을 잘 보여주고 있다. 유물은 다양한 기와와 자기류, 도기류 등이 출토되었는데, '능성군공와초제팔대陵城郡公瓦草弟八隊' 등이 새겨진 기와가 출토되어 능성군(현재 화순군 능주면 일대)에서 관아를 축조하는데 중요한 역할을 담당하였음을 알 수 있다. 고려청자는 양질과 조질이 함께 확인되며, 음식기인 대접과 접시, 잔을 기본으로 병과 장구 등의 크고 특수한 기종도 확인되고 있어 일상생활을 영위하면서 여가를 즐겼던 것으로 추정된다. 한편, 중국 자기와 동전 등이 함께 출토되고 있어 국제 교류에서 거점 역할을 하였던 흑산도의 위상을 잘 보여주고 있다. 그리고 주변에 무심사라는 절과 제사유적 등이 분포하고 있어 흑산도가 안전 항해를 위한 기도처와 긴 여정에 지친 사람들에게 정신적 안식처 역할도 하였음을 알 수 있다.

장흥에서 확인된 유치향 일원의 유적은 '유치향有恥鄕'과 '사심별장事審別將' 등이 새겨진 기와가 출토되었으며, 또한 이곳에 유치향의 관아를 중심으로 일반 주거 공간뿐만 아니라 학문과 사유의 공간인 별서別墅 등이 분포하였음을 알려주었다. 이곳에서 출토된 청자는 10세기부터 14세기까지 고루 확인되고 있어 관사가 고려시대에 지속적으로 운영되었음을 알 수 있다. 특히, 이들 청자는 대부분 이곳과 가까운 강진 지역 요장 생산품과 동일하여 청자의 생산과 유통 구조를 이해하는데 많은 자료를 제공하였다. 청자는 음식 기인 완과 발, 대접, 접시, 잔, 병을 중심으로 최고급 양질청자로 만든 도철문 향로와 용형향로, 철화장구 등이 확인되어 이 일대가 관아를 비롯하여 유력 자들이 거주하였던 여러 건물들이 입지하였음을 알려 주고 있다. 무엇보다 이곳에서 출토된 청자들은 대구소와 가까운 측면도 있으나 '향鄕'이 기존에 알려진 특수집단이 아닌 규모나 역할 등에 의해 결정된 행정 명칭이며 관원

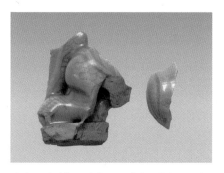

사진 131 | 장흥 유치향 출토 청자용형향로 뚜껑

사진 132 | 장흥 유치향 출토 청자향로 몸체

사진 133 | 청자용형향로

과 관사를 갖춘 일반 행정체계와 동일하였음을 보여주고 있어 고려사 연구에 큰 의미를 지니고 있다. 한편, 주변에 위치한 신월리에서 확인된 별서 유적은 고려 사람들의 일상생활뿐만 아니라 고려의 도시 구조와 건물의 역할을 이해하는데도 중요한 역할을 하였다.

전라남도 생활유적에서 출토되는 양질의 고려청자는 유적이 갖는 위격에 따른 결과일 수도 있으나 청자 생산의 핵심지인 대구소가 인접하고 있어 더욱 가능하였다고 판단된다. 이는 수도였던 개경과 강화에서 출토되는 청자의 품격과 비슷한 성격의 청자들이 다른 지역에 비해 많이 출토되고 있음에서도 쉽게 알 수 있다. 강진에서 생산된 청자들이 가까운 힘 있는 관아와 권세가들에게 공급되었다는 것은 청자 생산에 이들 지방 세력이 일정 부분 관여하였으며, 이러한 결과에 의해 양질청자를 사용할 수 있었다고 판단된다. 더욱이 이러한 특권은 권력 이외에 지역의 문화적 역량이 이를 발전시키는데 일조하였던 측면도 있었다고 판단된다. 즉, 고려청자의 발전에 미친 영향이 많았기에 이들 청자를 삶의 한 방편으로 향유할 수 있었던 것이다.

참고문헌

강화역사박물관『고려 황도 강화』2020.

경기도자박물관『유적 출토 고려 청자-고려 청자의 생산·유통·소비-』2009.

경산시립박물관『옛 부엌 살림, 맛과 멋을 담다』2017.

국립강화문화재연구소『강화 고려 도성 학술기반 조성 연구』2017.

국립문화재연구소『개성 고려 궁성』2009.

국립중앙박물관『고려 왕실의 도자기』2008.

리창언『고려 유적 연구』백산자료원, 2003.

목포대학교박물관『진도 용장성 왕궁지 발굴조사 종합보고서』2019.

목포대학교박물관『남도 고려 조선을 품다』2019.

박용운『고려시대 사람들의 식음 생활』경인문화사, 2019.

장남원 외『고려시대의 일상 문화』이화여자대학교 출판부, 2009.

해강도자미술관『삶과 문화를 담은 도자기』2006.

浙江省博物館『長物爲件』浙江人民美術出版社, 2018.

2. 맑고 향기롭게 몸과 마음을 닦고 염원을 빌다, 향도구

향香은 고대 인도나 중동 등 더운 지방에서 발생한 것으로 처음에는 몸에서 나는 냄새를 제거하거나 벌레를 쫓고 악취를 없애기 위한 실용적인 용도로 사용되었으나, 동방으로 전래되면서 본래의 기능보다 점차 신과 교감하고 소통하기 위한 종교 의식과 제례 등에 사용하여 상징적인 의미가 더욱 부각되었다. 특히, 불교에서는 향의 종류가 매우 많은데 이는 향이 부처님의 다양한 설법 내용에 비유되며, 장엄을 통해 번뇌를 내실히기 위한 목적이 추가되었기 때문이다. 우리나라는 고구려 안악 3호분 벽화를 통해 불교 공인 이전부터 향로香爐가 사용되었음을 알 수 있는데, 본격적인 사용은 불교가 전래되면서 시작되었다. 이후 점차 사용이 증가하여 중요한 법회나 의식 때 반드시 필요한 존재가 되었다. 또한, 집안에 향을 피워 놓으면 부정을 막고 나쁜 기운이 소멸된다고 믿었으며, 신과 통하는 것으로 인식되어 조상과 신명에게 제사를 드리거나 기도할 때 정성의 의미로 향을 피웠다. 한편, 정신을 맑게 하여 마음을 안정시키고 집중력을 높이는 효과가 있어 심신수양의 한 방법으로 향을 피우거나 몸에 차기도 하였다. 이집트에서는 종교 의례의 경우 태우는 향을 주로 사용하였으며, 몸에는 바르는 향을 사용하였는데 미용에도 이용하였다. 유럽에서는 예수께서 탄생할 때 동방박사들이 유향乳香을 지참하였으며, 천주교의 경우 현재도 전례典禮 때 향을 피우고 있어 신성함을 상징하고 있다.

향은 향기로움을 지닌 물건을 태워 사용하는 것이 일반적이지만 이외에 몸에 바르는 도향塗香과 향유香油, 향수香水, 향나무를 작게 깎아 주머니에 넣어 몸에 지니는 향낭香囊, 향나무를 조각품으로 만들어 실내를 장식하는 방법 등을 통해 신체와 실내, 땅에 있는 더러운 냄새를 없애는 목적 등으로 사용하였다. 향은 재료와 만드는 방법, 형태, 사용법에 따라 종류가 다양한데,

무엇보다 인체와 밀접한 관계를 맺고 있어 맡기 좋고 향력香力이 균일하여 몸에 이로워야 한다. 향은 어떤 재료로 만드느냐에 따라 향이 결정되기 때문에 만드는 재료가 가장 중요하다. 향은 생산 지역과 문화, 인식 등에 따라 동물과 식물, 광물 등 매우 다양한 재료로 만드는데 가장 선호하는 재료는 침향沈香과 단목檀木이다. 침향은 향나무가 오랫동안 물속에 있어 나무의 정수精髓만 남아 있는 것으로 천상의 향으로 불리며 약효가 뛰어나고 방충 효과도 좋아 옛날부터 귀하게 여겼다. 단목은 동남아에서 자생하는 나무로 붉은색을 띠는 자단목紫檀木과 흰색을 지닌 백단목白檀木이 대표적이다. 자단목은 원대元代 무역선인 신안선에서도 매우 많은 수량이 확인되어 단목이 향목으로 매우 선호되었음을 입증하고 있다. 침향과 단목은 작게 잘라 향으로 태우기도 하였으나 귀한 약재로 쓰이기도 하였다. 또한, 고급 가구를 만들거나 불보살 등을 조각할 때 사용하였으며, 염주念珠나 부채로 만들기도 하였다. 이외에 나무 진樹脂으로 만든 유향乳香과 안식향安息香, 용뇌향龍腦香, 그리고 동물의 분비물로 만든 사향麝香과 용연향龍涎香 등이 널리 알려져 있다. 또한, 간단하게 나무 잎이나 꽃을 말려 이용하기도 하였다. 고려에서는 이들 가운데 침향과 용뇌향, 사향 등을 많이 사용하였다.

만드는 방법에 의한 분류는 크게 목향木香과 연향練香으로 나눌 수 있는데, 목향은 향나무를 잘게 깎아서 쓰는 것으로 예전에는 자주 볼 수 있었으나 현재는 국립현충원 같은 곳에서만 볼 수 있다. 목향은 향로의 아래 부분에 향재香灰를 채운 다음 숯을 올리고 그 위에 놓고 사르는 방법이 일반적으로 큰 향완과 장방향 향로 등에 이용하였다. 연향은 향나무를 가루로 만들어 사향이나 용연향 등 동물성 원료를 꿀과 섞어 반죽한 것으로 우리가 흔히 사용하는 선향線香이 대표적이다. 형태에 따른 분류는 선향과 환향丸香, 말향末香(가루향), 향전香篆 등으로 나눌 수 있다. 선향은 가루향에 접착제를 사용하여 만든 가늘고 긴 막대형 향으로 단면이 둥근 것과 네모진 것이 있으며, 불을 붙여 향로에 꽂아 위에서 아래로 타도록 한다. 환향은 수액을 건조시키거나 가루향에 접착제를 이용하여 구슬처럼 둥글고 작은 알갱이 형태로 만든 향으로 향로의 아래 부분에 재를 채운 다음 숯을 올리고 그 위에 다시 재를 놓고 사르거나 숯 위에 바로 올린 다음 사용하였던 것으로 추정된다. 말향은 분말 형태의 가루 향으로 주로 뚜껑이 있는 향로에 사용되었는데, 향로의 아래 부분에 재를 채운 다음 숯을 올리고 다시 재를 놓고 그 위에서 태웠던 것으로 판단된다. 향전은 틀에 넣고 찍어낸 향을 말한다.

사용 방법은 크게 몸에 바르는 도향塗香과 태워서 쪼이는 훈향薰香으로 나눌 수 있다. 도향은 가루향을 깨끗한 물에 혼합하여 몸에 바르는 것으로 우리나라에서는 현재 거의 찾아볼 수 없으나 일본에서는 지금도 불교 의식 전에 가루향을 청향淸香이라 하여 손에 바르고 입에 댄 채 깊이 들이켜 몸속까지 깨끗하게 하는 의미로 사용하고 있다. 훈향은 심신수양 등을 위해 서재나 다실茶室 등에도 사용하지만 의례에서 초에 불을 켜고 향을 피우는 것을 가장 먼저 실시하고 있음에서 알 수 있듯이 우리 주위에서 쉽게 볼 수 있다. 이는 의례의 대상들에 대한 은덕의 찬탄이며 예의로 이들의 가피로 축복을 받을 수 있다는 믿음도 담겨있다. 불교에서 초와 향은 자신을 녹여가며 맑고 향기로움을 주는 진리의 불로 내면의 욕심을 모두 태워 청정함을 주고 해탈解脫하여 중생을 제도濟度하는 의미가 담겨 있다. 이에 불교에서

사진 134 | 청자사자형향로(국보 제60호)

는 향을 해탈향이라고도 하며, 부처님의 사자使者로 인식하여 부처님께 설법을 청하는 의미도 지니고 있다.

향을 피우는 도구는 향로를 비롯하여 향을 담는 향합香盒과 향로 안에 재香灰를 쌓고 정리하는 순가락香匙, 향을 집어 숯香炭에 올리는 젓가락香箸, 순가락과 젓가락을 담는 병香瓶이 있으며, 이들 도구를 모두 보관하기 위한 상자香箱가 있다. 이 가운데 향로는 모든 의례가 향을 피우는 것에서 시작하여 향을 끄는 일로 끝나기 때문에 중요한 예기禮器로 관리되었다. 향로는 향과 함께 삼국시대에 유입되어 향완香垸, 훈로薰爐, 화완火垸 등으로

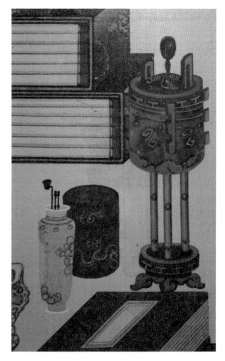

사진 135 | 향도구(19세기 책거리 8폭 병풍 부분)

사진 136 | 청자기린형향로(국보 제65호)

사진 137 | 청자구룡형향로(보물 제1027호)

사진 138 | 금동사자형병향로(군위 인각사 출토, 보물 제2022호)

사진 139 | 청동현향로
(청주 사뇌사)

불렸으며, 도자와 금속, 돌, 나무 등으로 만들었
다. 보통 손잡이가 있는 병향로柄香爐와 손잡이가
없는 거향로居香爐, 걸어서 사용하는 현향로懸香爐로 나누고 있다. 거향로는
가장 일반적인 향로로 제단 등에 놓고 사용하는데 박산형과 방형, 장방형, 원
형, 동물 모양의 상형象形, 고배형 등이 있다. 병향로는 손에 들고 다니기 좋
도록 20~30㎝ 가량의 손잡이가 달려 있는 것을 말하며, 왕실 행차나 법회 등
을 인도할 때 사용하였다. 재를 깔고 숯을 놓고 다시 재를 간 후 고운 가루향
이나 말린 꽃을 태웠던 것으로 추정된다. 현향로는 실내나 실외에 걸 수 있
도록 만든 것으로 타원형의 몸체와 향공香孔이 있는 반구형의 뚜껑, 몸체 측
면에 연결된 구름형의 고리로 구성된 고려만의 독창적인 향로이다. 재를 깔
고 숯을 놓거나 다시 재를 덮은 다음 목향이나 환향을 넣었던 것으로 추정된
다. 한편, 중국과 일본에서는 확인되고 있으나 국내에서는 근래 천주교 미사
에서 볼 수 있는 훈로薰爐가 있는데, 중국에서는 이동이 가능하여 향을 넣은
주머니와 같은 의미의 향낭香囊이라 부른다. 형태는 원구형으로 고리에 끈을
달아 이동하면서 사용하거나 실내나 수레 등에 매달아 장식으로도 사용하였
다. 아무리 돌려도 내부의 사발은 항상 수평을 유지하고 향이 쏟아지지 않는
구조로 내부에 숯을 놓고 작게 자른 목향이나 환향을 넣어 사용한다. 용도와
위치에 따라 현향로 또는 병향로의 역할을 하였다. 한편, 이들 향로는 다시

용도에 따라 불보살에게 향을 공양하기 위해 불단에 안치하는 예배용과 청정한 공간을 유지하고 심신수양을 위한 개인적 목적을 위해 실내에 놓거나 걸어두는 완향용玩香用, 법회나 행사 때 행렬을 선도先導하는데 사용하는 의식용으로 나눌 수 있다.

사진 140 | 銀製透刻葡萄花鳥文香囊 전경과 내부
(당唐, 중국 西安 何家村 窖藏 출토)

 고려는 삶을 즐기는 생활의 일부분이 될 정도로 향을 좋아하였던 송대宋代 문인들의 영향을 받아 왕이 신하들에게 향을 선물할 정도로 일찍부터 향문화가 발전하였다. 차와 술을 마시거나 문학과 예술을 논하는 장소 등 일상생활에서 아름답고 기품 있는 향로와 그윽한 향내는 실내를 정결하게 하고 심신을 정청하게 하는 역할을 하였던 것이다. 또한, 국가 의례와 개인적 제의에 빠지지 않았으며, 불교를 신봉하고 도교를 선호하였기 때문에 향문화 또한 자연스럽게 삶의 일부분이 되었다. 이에 향문화의 발전과 함께 다양한 유형의 향로가 만들어졌는데, 전통 향로를 계승 발전시키고 중국의 요소도 받아들이는 한편 새로운 향로를 제작하기도 하였다. 특히, 청동향완이 크게 유행하였으며, 청자의 발전과 함께 다양한 청자향로가 만들어져 오늘날까지 명성을 날리고 있다. 청자로 만든 향로는 현재까지 병향로와 현향로는 확인되지 않으며, 모두 거향로만 확인되는데 가장 대표적인 유형은 동물 모양의 뚜껑을 갖춘 상형象形 향로와 상상의 동물인 기봉夔鳳과 도철饕餮을 생긴 도철문향로이다.

사진 141 | 청자용형향로

상형향로는 상서로운 짐승 얼굴을 한 세 개의 다리를 갖춘 넓고 둥근 몸체火爐와 동물의 형상을 한 뚜껑을 덮는 구조이다. 그리고 몸체 외측면과 구연이 밖으로 벌어진 넓은 전에는 음각으로 신선의 세계인 구름을 새기고 있다. 몸체에서 향을 피우면 뚜껑에 있는 동물의 입을 통해 향이 빠져나가도록 하였다. 뚜껑의 동물들은 대부분 위엄과 용맹, 상서로움과 부귀영화 등을 상징하는 사자, 원앙, 오리, 거북 등의 현실적인 동물과 용, 기린, 어룡魚龍, 구룡龜龍과 같은 상상의 동물

이 등장한다. 상형향로는 대부분 재를 깐 다음 숯을 놓고 다시 재를 깐 후 아주 고운 가루 향이나 말린 꽃 등을 넣어 태웠던 것으로 판단된다. 이들 상형향로는 매우 정제된 단정한 모습과 독특한 세련미, 비색을 머금은 자태에서

사진 142 | 청자원앙형향로

사진 143 | 청자사자형향로(태안 대섬 해저유적 출수)

사진 144 | 청자어룡형향로

사진 145 | 청자투각만자문향로

절정기 청자의 뛰어난 조형미를 충분히 느낄 수 있는 명품들이 대부분이다. 한편, 태안 대섬 해저유적에서 출수된 향로 2개는 암수의 사자가 한 쌍을 이루고 있는데, 이와 같이 조합을 이루어 확인된 사례는 현재까지 유일하다. 큰 행사나 공간에 사용하기 위해 특별히 짝을 이루어 제작하였던 것으로 추정된다.

청자투각칠보문향로는 뚜껑만 다를 뿐 상형향로와 유사한 구조로 고려청자를 대표하는 명품 가운데 하나이다. 향이 빠져나가는 뚜껑과 향을 태우는 몸체, 그리고 이를 지탱하는 받침으로 이루어진다. 각각 다른 모양을 기능적

사진 146 | 청자투각칠보문향로(국보 제95호)

으로 결합하여 완성한 뛰어난 조형물로 음각과 양각, 투각, 퇴화堆花, 상감, 첩화貼花 등 다양한 기법을 조화롭게 이용하여 부귀다남富貴多男과 무병장수無病長壽를 기원하는 전보錢寶를 투각 장식하였다. 그리고 다리에 조각된 토끼는 불교의 본생담 설화와 관련이 있다.

청자양각연화형향로는 개성에서 뚜껑이 결실된 상태로 출토되었는데, 연꽃 모양의 몸체와 연꽃 받침, 그리고 받침대와 몸체 사이의 연결 부위로 구성되었다. 받침대와 몸체 사이의 연결 부위는 용머리 모양의 막대 장식과 넝쿨무늬 등을 양각하였다. 특히, 연꽃 모양 청자향로는 송 황실을 위한 청자를 만든 것으로 알려진 여요汝窯에서 비슷한 유형이 출토되어 이의 영향이 컸던 것으로 여겨진다. 그리고 송宋의 사신으로 고려에 왔던 서긍徐兢이 남긴 『선화봉사고려도경宣和奉使高麗圖經』에 '산예출향狻猊出香'이라는 기록이 있는데 이는 천하제일 비색翡色으로 만든 고려 청자향로에 대한 예찬으로 몸체는 활짝 핀 연꽃이며 사자 모양의 뚜껑을 갖춘 향로를 말한다. 이와 유사한 조형을 갖춘 청자사자형향로가 호림박물관에 소장되어 있는데 '산예출향'의 자태를 잘 보여주고 있다.

사진 147 | 청자연화형향로(개성 출토)

사진 148 | 청자사자형향로

사진 149 | 청자양각도철문
방형향로

사진 150 | 청자양각도철문
원형향로

사진 151 | 청자양각도철문
원형향로

청자도철문향로는 원형과 방형, 장
방형 향로에서 확인되는데, 대부분 다
리에 매미 무늬가 있으며, 양측에 대칭
으로 귀가 달려 있다. 또한, 그릇 외측
면에는 상상의 동물인 기봉夔鳳과 도
철饕餮이 양각되었다. 전체적인 형태
와 문양이 중국 고대 청동기의 영향을
받았음을 알 수 있는데, 이는 고려가
예제禮制를 정비할 때 송의 제도를 받
아들이면서 제기들을 함께 수용하였
기 때문이다. 크기가 작은 원형과 방
형 향로는 재 등을 채운 다음 불에 태
운 선향을 꽂아 사용하였으며, 크기가
큰 장방형 향로는 큰 규모의 제의나
법회에서 숯을 놓고 목향이나 환향을
넣어 향을 피우는 용도로 사용하였다.
이들 도철문향로는 대부분 비율이 일

사진 152 | 청자양각도철문방형향로(보물 제1026호)

사진 153 | 청자양각괴수문원형향로
(동해 삼화동 고분 출토)

정하고 조화를 이루며 사용하기에 편리한 구조로 균형이 잘 잡힌 가지런한 아름다움을 보여 주고 있어 고려청자의 우수함을 쉽게 느낄 수 있다.

상형향로와 도철문향로는 왕실이나 불교 사찰, 도교 사원 등에서 주로 사용하였는데, 상형향로의 경우 장흥 신월리 등 일반 생활유적에서도 확인되고 있어 상류층에서 심신수양 등을 위한 완향용玩香用으로도 사용하였음을 알 수 있다.

향완은 손잡이가 없고 구연이 밖으로 벌어져 넓은 전이 달린 사발 모양의 원통형 몸체에 아래로 가면서 나팔 모양의 높은 받침을 갖춘 고배형 향로를 말한다. 특히, 향완은 고려의 특징적 향로로 은입사 기법을 이용하여 다양한 무늬를 새긴 청동향완은 많이 남아 있으나 청자향완은 남아 있는 사례가 많지 않다. 주로 불단에 안치하는 예배용으로 사용하였으며, 가루향보다는 그릇의 크기에 따라 선향이나 향목을 사용하였을 것으로 판단된다.

청자로 만든 향도구는 이외에 향합香盒이 대표적인데 합은 다양한 용도로

사진 154 | 청자상감범자문향완　　　　　　사진 155 | 청자양각연판문향완

사용되고 있어 특정한 형태나 크기는 알 수 없다. 다만 '상약국尙藥局'이 쓰여진 합과 같은 작은 합은 왕실에서 사용하였던 것으로 약재뿐만 아니라 작은 환향이나 가루향을 넣었을 가능성이 있으며, 목향이나 큰 환향은 청자철화모란넝쿨무늬합처럼 부피가 큰 합에 담아 보관하였다. 향로 안에 재를 쌓고 정리하는 숟가락香匙도 특정할 수는 없으나 청자 숟가락이 전하고 있어 향도구로 사용하였을 가능성도 있다.

사진 156 | 청자음각'尙藥局'명운룡문합
(보물 제1023호)

몸에서 나는 냄새를 없애고 한정된 공간을 향기롭게 하는 역할에서 탄생한 향문화는 향과 색에 불과한 무형의 물질이었으나 인간의 상상력과 사유, 철학, 종교 등이 가미되면서 다양한 의미와 역할을 담는 중요한 위세품으로 발전하였다. 향을 사르는 것은 지상과 천상을 연결하는 신성한 의례 행위로 천지신명에 대한 경의와 제례를 시행하는 집단의 정치적 이상향을 실현하고 경건하면서도 엄숙한 권위를 상징하였다. 이 가운데 가장 핵심적 역할을 하였던 도구는 향로였다. 따라서 천하제일의 기술을 자랑하는 고려청자도 자

사진 157 | 청자철화모란넝쿨무늬합

사진 158 | 청자음각운룡문숟가락

연스럽게 다양한 향로를 만들어 고려 향문화 발전을 견인하는데 중요한 역할을 하였다. 향도구는 기본적으로 지극한 정성과 최고의 기술로 만들고 있어 청자 향로 역시 우아하고 정교하게 만들뿐만 아니라 사용하기 편리한 장점을

갖추고 있다. 또한, 심신수양을 위해 실내에 비치하는 완향용玩香用 향로는 집 안을 장식하는 중요한 도구로 아름다움과 함께 주인의 품위를 나타내기 때문에 한 치의 틈도 없어야 한다. 이런 특징은 현재 남아 있는 청자 향로에서 쉽게 알 수 있다. 고려청자 특유의 아름다운 비색과 더불어 청정하고 세련된 조형성으로 고려만의 독특한 창조성과 솜씨를 그대로 보여주고 있다.

오늘 우아하면서 세련된 향도구와 아름다운 꽃과 서화書畵를 갖춘 나만의 공간에서 그윽한 향기로움과 함께 삼매경三昧境에 빠져보는 것은 어떨지?

참고문헌

구민정「고려시대 향완 연구」동아대학교 석사학위논문, 2004.

국립중앙박물관「고려시대 향로」2013.

권순형「고려 전·중기 향과 문화 생활」「한국문화연구」25, 이화여자대학교 한 국문화연구원, 2013.

김영미「마음을 담은 그릇, 신안 향로」국립중앙박물관, 2008.

문종근「고려 전기 청자 향로 연구」고려대학교 석사학위논문, 2010.

이용진「한국 불교 향로 연구」동국대학교 박사학위논문, 2011.

이용진「고려시대 불교 향로의 전통성과 독창성」「동악미술사학」13, 동악미 술사학회, 2012.

이화여자대학교박물관「향-영원 그리고 향유-」2009.

國立故宮博物院「天香茄楠-香玩文化特展-」2018.

東京藝術大學美術館「香り-かぐわしき名寶-」2011.

富田章 外『香りの器-高砂コレクション-』求龍堂, 2021.

3. 청자 탄생과 발전의 원동력, 차도구

음다문화는 단순히 차를 마시고 담소하는 것에서 벗어나 학문과 사상을 논하고 시서화詩書畵의 창작과 감상을 비롯하여 가무와 예악 등을 함께 즐기는 문화 예술의 동반자로 상류층과 식자층의 필수적인 문화적 요소로 발전하였다. 또한, 불교에서는 선을 닦는 하나의 방편으로 다선일미茶禪一味라 하여 널리 일상화되었다. 좋은 차와 함께 차를 마시는데 필요한 차도구는 문방구와 함께 이를 사용하는 사람들의 권위와 품격, 아취 등을 나타내는 요소로 발전하여 다양한 모습으로 변천되었다. 또한, 음주문화와 함께 손님을 접대하고 학문과 문화, 예술 등을 논하는데 중요한 요소로 발전하여 청자의 발전에 큰 영향을 미쳤다. 이를 잘 표현하고 있는 나라가 일본으로 다완을 직접 만들려는 귀족층의 욕망에 의해 임진왜란에서 일본은 가장 큰 전리품으로 조선의 도자 장인을 납치하였으며, 이후 일본은 세계적인 자기 생산지 가운

사진 159 | 연차도攆茶圖(남송南宋 전傳 유송년劉松年)

사진 160 | 도기주전자(삼국시대, 광주 동림동 유적 출토)

데 한 곳으로 자리 잡았으며 차문화와 차도구가 비약적으로 발전하였다.

우리 조상들이 차를 즐겨 마신 이유는 대략 세 가지로 설명할 수 있다. 첫째는 약용藥用의 기능이 있어 건강에 이롭기 때문이며, 둘째는 정신을 밝혀주어 사색의 공간을 넓혀주고 마음의 눈을 뜨게 해주기 때문이다. 셋째는 다도茶道를 통해 사람으로 하여금 예의를 갖추도록 하였기 때문이다. 차를 마시는 문화 또는 풍습은 일찍부터 있었으나 본격적으로 차문화가 발전하고 정립된 시기는 신라 하대로 중국의 당唐에 유학한 선승禪僧들과 유학생들이 선진문화의 하나인 음다문화를 함께 유입하면서 불교계와 식자층을 중심으로 널리 확산되었다. 이 시기 당은 차 무역의 성행과 차 관련 관청의 정비와 함께 육우陸羽가 『다경茶經』을 완성하는 등 차문화가 성행하고 정립되는 시기였다. 이런 중국의 차문화를 적극 유입하여 널리 확산시킨 세력이 바로 당나라에 다녀 온 유학승과 유학생들이다. 특히, 유학승들은 당 중기부터 그 종풍이 크게 흥성하고 있던 선종禪宗을 수용하여 신라 하대의 불교계를 주도하였다. 이들에 의해 선종이 확산되고 9세기 구산선문이 개창되면서 이들이 선호하였던 차문화도 더욱 유행하고 중국 자기의 유입도 확대되었다.

육우의 『다경』에 의하면 찻잎을 따서 만들고 끓이는 과정에 많은 차도구가 필요한데 이와 같은 도구 가운데 가장 기본적인 것이 차를 마시는데 사용하는 찻잔이다. 당시 중국에서 사용한 찻잔은 주로 완碗이었다. 이 시기 중국에서는 주로 가루차인 말차抹茶를 마셨는데 이를 마시는 그릇을 완이라 하였다. 완은 차문화의 가장 핵심적인 요소로 가볍고 단단하여 액체인 차를 편리하게 마시며, 조형적 아름다움을 갖추고 있어 이를 즐기고 돋보이도록 하기 위해 정성들여 만들었다. 또한, 다완은 차의 색상과도 어울려 그 품격을 한층 높여주는 역할을 하였다. 중국에서는 남청북백이라 하여 남쪽의 월주요越州窯 청자와 북쪽의 형주요邢州窯 백자가 유명하였는데, 육우는 형주의 백자완을 으뜸으로 하는 자들도 있으나 월주 청자완을 따르지 못함을 지적하면서 월주요 청자를 최상이라고 하였다. 신라에서도 이를 반영하듯 청자완이 수입품의 대부분을 차지하며 백자완은 일부 출토되고 있어 이를 뒷받침하고 있다. 그리고 완이 수입품의 중심을 이룬 것은 당시 중국에서 유행하던 음다법의 영향도 크다. 차를 마시는 방법은 매우 다양한데 이 시기는 찻잎을 쪄서 이를 눌러 일정한 모양의 떡처럼 만든 덩이차를 구워 작은 맷돌로 갈아 뜨거운 물에 타서 거품을 내어 먹는 방식이 가장 유행하였다. 오늘날 말차와 같은 방식으로 사발에 가루를 넣고 물을 부어 찻솔로 저어 거품을 내어 마시는 방법으로 입이 넓게 벌어진 완이 가루를 저어 마시는데 적당하였기 때문이다. 완을 비롯한 차도구는 청자 이외에도 중국처럼 금과 은, 금동, 옥, 유리 등도 사용하였던 것으로 추정된다. 이는 상류층의 무덤에서 이들 유물이 함께 출토되고 있어 쉽게 유추할 수 있다.

차를 마시는데 가장 기본적인 도구인 다기는 도자기나 나무, 금속, 옥, 유리 등 다양한 재질로 만드는데, 현재 전하는 대부분의 전통 다기는 무기물의 특성을 갖춘 도자기가 대부분이다. 도자기는 차를 담고 끓이며 마시는 등 가장 단순한 일차적인 실용성에 그 기능이 있으나 정체성을 갖춘 풍골風骨과 매력을 지닌 운치韻致, 덕성을 갖춘 격조格調, 정신이 깃든 성령性靈 등을 지닌 멋과 매력을 갖추고 고유한 품격이 깃들어 있어야 좋은 다기로 인정받는다. 그리고 유약과 태토가 완전히 일체를 이루면서 입에 닿는 부드러운 질감과 유려한 색상을 띠며 차의 미감에 알맞도록 만들어져야 한다. 따라서 좋

사진 161 | 장흥 신월리 5호 토광묘 차도구 출토 상황

은 다기란 풍류를 갖추고 멋스러우며 사용하는 사람의 품격을 높여주어야 한다. 또한, 차분하고 정갈한 분위기와 소박하고 질박하며 자연스러운 멋이 있어야 한다. 한편, 시대적 변화와 욕구, 다양성 등은 다기에도 반영되어 끊임없는 변화와 발전을 추구하였다. 따라서 다기의 기능과 용도, 크기, 구조 등은 당시 차문화의 형태와 변화, 용도 등에 따라 사용에 편리하도록 만들어져 그 시기 차문화의 모습이 그대로 담겨 있다.

신라 하대에 차문화의 성행과 함께 수입되었던 중국 청자가 새로운 왕조인 고려에 더욱 확산되면서 마침내 자체적으로 청자를 만들어 공급하는 계기를 마련하였다. 즉, 고려의 국가 체제가 안정되고 지배층이 늘어나면서 문화가 성숙되며 경제가 윤택해지자 수입 자기만으로는 수요를 감당하기 힘들게 되었기 때문이다. 수요에 비해 공급이 부족하자 수요에 맞춘 그와 비슷한 제품을 구하고자 하는 열망은 마침내 자체적인 청자를 생산하게 하였다. 고려는 자체적으로 청자를 만들기 시작하면서 차와 관련된 다양한 다기들이 등장하였다. 점력이 있는 흙을 이용하여 어떤 형태와 모양이라도 만들 수 있는 도자의 특성과 유약을 입혀 위

사진 162 | 청자상감국화문 잔과 받침

생성과 미적 아름다움을 갖춘 청자가 등장하면서 다기는 이전 시기에 비해 더욱 발전되고 아름다운 자태를 뽐내게 되었다. 또한, 체제의 안정과 문화의 성숙으로 차문화 역시 더욱 발전하였는데, 왕궁에서는 종묘사직과 강산해악江山海嶽, 불교 의례 등의 헌다의식獻茶儀式이 거행되어 왕실에서 사용하는 우아한 다기도 많이 만들어졌다. 이러한 상류층의 차문화는 사회 전반에 널리 확산되어 민간에서도 음다문화가 발전하는 계기가 되었다. 국가적 다례茶禮를 담당하였던 '다방茶房'과 차를 마시는 '다점茶店', 차를 전문적으로 재배하던 '다소茶所' 등이 있어 전국적으로 차문화가 시행되었으며, 이런 분위기가 청자 생산을 자극하는 가장 결정적인 요인 가운데 하나가 되었다. 다기의 대부분을 차지하는 청자는 고려시대 대표적 요장窯場인 강진을 비롯하여 해남과 부안에서 대량으로 생산되어 뱃길을 통해 전국에 유통되었다. 요장에서 확인되는 청자 가운데 가장 많은 비중을 차지하는 유물은 음다용기인 완과 잔을 비롯한 다양한 다기류이다. 특히, 다완은 다른 그릇에 비해 제작에 정성을 들여 성형도 단정하며 그릇 안쪽 바닥면에 받침 흔적이 없도록 특별하게 만들었다. 다완 이외에도 찻잎을 가는 맷돌茶磨과 절구茶臼, 다연茶碾, 차를 보관하는 찻통(합)과 차를 덜었던 수저, 물을 저장하는 병, 찻물을 데우거나 따르는 주전자, 끓인 물을 식혀주거나 준비된 차를 따르는 귀때발, 찻잔을 놓았던 상, 남은 찻물을 버리거나 찻잔 등을 씻는데 사용한 항, 잎차를 마실 때 찌꺼기를 버렸던 타호唾壺 등의 행다行茶용기가 확인되고 있다. 차와 직접 관련된 도구 이외에도 다실을 장식하였던 꽃병과 향로 등 다양한 그릇들이 청자로

사진 163 | 차맷돌(청주 사뇌사)

사진 164 | 청자차절구茶臼 발과 봉

사진 165 | 청자차절구 봉(강진 월남사 출토)

사진 166 | 자기다연茶碾

사진 167 | 청자다연 연조碾槽(강진 용운리 10호 청자 요장 출토)와 연알碾輪(강진 삼흥리 청자 요장 출토)

제작되어 음다문화를 더욱 풍성하고 돋보이도록 하였다. 한편, 청자를 사용할 경제력이 없었던 계층들은 청자완을 모방한 도기완을 사용하고 있어 당시 음다문화의 열풍을 짐작할 수 있다. 이와 같이 음다문화는 청자의 유입과 확산, 그리고 고려청사의 탄생과 비약적 발전에 절대적 영향을 미쳤다.

중국에서 유입되어 우리의 풍토와 문화에 맞는 제다製茶와 음다를 개발하여 우리 고유의 문화로 발전한 차문화는 이에 맞추어 우리의 정서를 대변하는 다양한 다기를 발전시키는 배경이 되었다. 자연과 함께 호흡하고 자유분방함을 표현하고자 했던 우리 심정을 담은 청자 차도구가 이를 잘 보여주고 있다. 차도구의 대부분을 차지하는 도자기는 그 시대의 문화와 기술, 사상, 이념 등을 가장 잘 반영하는 미술품으로 왕조의 흥망성쇠를 뚜렷하게 보여주는 특징을 갖고 있다. 그리고 생산자와 주문자, 사용자의 삶과 미의식이 반영되어 있어 이들의 솜씨와 품격도 엿볼 수 있다. 도자로 만든 다기는 무엇보다 아름다운 조형성을 갖추어야 한다. 보기에 좋아야 차 맛도 좋기 때문이다. 또한, 예외적인 경우도 있으나 대칭성을 갖추고 안정감을 지닌 균형미가 있어야 우수한 다기라 할 수 있다. 다기는 실생활과 밀접한 관계를 가진 그릇이므로 시대 환경과 문화 습관이 변화하면서 조형과 풍격도 달라지지만 균형을 갖춘 안정적인 조형미는 언제나 갖추어야 할 일차적 조건이다. 바탕흙이 치밀하고 고와야 하며, 무늬도 번잡하지 않고 단아하여야 한다. 유약은 청자와 백자 등 재질에 맞는 유려한 색상을 갖추고 고르게 녹아 있어야 한다. 그러나 이들 모든 조건을 완벽하게 갖추었다고 하더라도 너무 화려하거

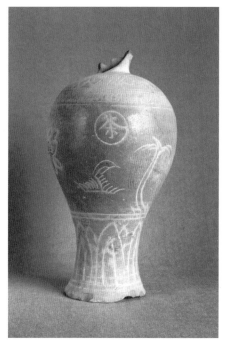

사진 168 | 청자상감연꽃버들무늬'茶'명매병

사진 169 | 청자상감퇴화초화문 주전자와 받침

사진 170 | 청자상감파도물고기무늬귀때注口발

사진 171 | 청자상감연꽃넝쿨무늬소형상
(강진 사당리 청자 요장 출토)

사진 172 | 청자항

사진 173 | 청자음각연화문'ㅇ'명타호

사진 174 | 청자상감모란국화문병
(국보 제114호)

사진 175 | 청자사자형향로(태안 대섬 해저유적 출수)

사진 176 | 청자음각'尙藥局'명 운룡문합(보물 제1023호)

사진 177 | 청자음각운룡문숟가락

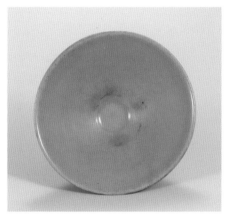 

사진 178 | 청자다완

사진 179 | 도기해무리굽완(강진 용운리 63호 청자 요장 출토)

나 크기가 맞지 않는 등 차도구가 지니는 정신성과 고유한 품격을 갖추고 있지 않으면 좋은 다기가 될 수 없다.

우리 고유의 차도구가 갖추고 있는 아취雅趣와 아름다운 조형미, 좋은 유태釉胎 등의 요소도 다기의 품격을 높여 주는 중요한 요소이지만 무엇보다 이를 사용하는 사람의 마음에 들어야 가장 좋은 다기라고 할 수 있다. 따라서 좋은 다기란 객관적인 다양한 품격도 중요하지만 그릇을 사용하는 사람에게 맞는 주관적인 요소도 매우 중요하다. 한편, 좋은 다기를 감상하고 소장하기 위해서는 차문화뿐만 아니라 전통 미술에 대한 전반적인 이해가 있어야 깊이 있는 경지에 이를 수 있다. 차가 지닌 아름다운 품성과 고귀한 향기는 품격을 갖춘 다기들을 통해 우리의 정신세계를 풍요롭고 따뜻하게 하여준다. 그래서 차를 아끼고 사랑하는 만큼 다기도 아끼고 사랑해 주어야 하며, 좋은 다기를 사용하여야 차가 지닌 맛과 멋을 제대로 음미할 수 있다.

전라남도는 차와 관련된 문화적 요소가 가장 많이 분포하고 있는 지역이다. 차가 식생하기 좋은 곳으로 문헌 기록도 다양하며 강진과 보성에는 대단위 차밭이 조성되어 있다. 다성茶聖 초의선사가 해남 대흥사를 중심으로 활동하면서 우리나라 차문화의 중흥을 이루었으며 그 맥이 지금도 면면히 계승 발전되고 있다. 무엇보다 차문화와 불가분의 관계인 청자 생산지가 강진과 보성, 장흥, 해남 등에 집약되어 있어 음다문화의 모든 것을 완벽하게 갖춘 유일한 곳이라고 할 수 있다. 그러나 문화는 연구와 감상으로 그치면 정체하고 도태된다. 이들 전통을 체계적으로 계승하고 발전시켜 실생활에 활용하여야 진정한 문화로 거듭나는 것이다.

참고문헌

강경인 외『한눈에 보는 청자』한국공예·디자인문화진흥원, 2017.

강진청자박물관『차와 도자의 만남』2014.

경기도박물관『차 즐거움을 마시다』2014.

경기도자박물관『茶香多色-차문화 속 청자 이야기-』2020.

국립광주박물관『高麗飮-청자에 담긴 차와 술 문화-』2021.

노무라野村미술관『다도와 한국의 전통 차문화』아우라, 2013.

박동춘『고려시대의 차문화 연구』이른아침, 2021.

윤용이『아름다운 우리 찻그릇』이른아침, 2011.

이귀례『한국의 차문화-우리 차의 역사와 정신 그리고 규방다례-』열화당, 2002.

호림박물관『書架의 풍경-책거리·문자도-』2020.

호림박물관『따르고 통하다, 高麗注子 통하고 만나다, 茶半香初』2021.

裵紀平『中國茶畫』浙江撮影出版社, 2014.

國家文物局『惠世天工-中國古代發明創造文物展-』中國書店, 2012.

國立故宮博物院『芳茗遠播-亞洲茶文化-』2015.

廖寶秀『茶韻茗事-故宮茶話-』國立故宮博物院, 2010.

吳曉力『盛世淸尙-宋代茶文化展-』中國茶葉博物館, 2019.

中國茶葉博物館『品茶說茶』東方出版社, 2013.

根津美術館『井戸茶碗-戰國武將が憧れたうつわ-』2013.

東京國立博物館『茶の湯』2017.

三井記念美術館『茶の湯の名碗-高麗茶碗-』2019.

西村昌也 編『東アヅアの茶飮文化と茶業』關西大學 文化交渉學教育研究據
　　点, 2011.

4. 세상의 향과 맛, 멋을 품은 주기酒器

술은 일부를 제외한 대부분의 민족이 고유의 재료와 방법으로 만들고 있는데, 처음에는 신들을 위한 신비한 마법의 음료로 인식되기도 하였다. 따라서 여러 기능 가운데 가장 중요한 용도가 하늘과 조상, 자연 등을 대상으로 다양한 제의에 사용하는 신성함을 지닌 성물聖物이었다. 이외에 질병을 치료하는 약용의 기능을 비롯하여 생로병사와 관혼상제, 희로애락, 그리고 일상생활까지 슬프거나 기쁘거나 겪거하거나 인간들이 모이는 대부분의 모임에는 노래하고 춤추며 술을 마시는 행위가 빠지지 않아 술은 반드시 필요하였으며 술의 종류와 성격, 주법도 필요에 따라 다양하였다. 또한, 술을 마시는 그릇도 술의 종류와 사회 문화의 변천과 함께 변화 발전하였다. 신성한 술을

사진 180 | 나전누각인물문상자(고려 또는 원元)

사진 181 | 문회도文會圖(송宋)

담는 주기는 제사에서도 중요한 역할을 담당하였으며, 음주의 보급에 따라 세시歲時와 사계四季에 맞게, 풍치와 접대의 취향에 맞추어 다채롭게 만들어졌다. 청자의 발전은 차문화와 함께 음주문화가 가장 큰 영향을 미쳤다고 할 수 있다. 이는 술자리를 통해 자신의 권위와 부귀를 과시하고자 하는 인간의 욕망이 청자를 통해서도 표현되었기 때문이다.

　술은 많이 마시면 취하여 정신을 흐리게 하여 패가망신을 넘어 국가의 존 망을 비롯하여 자신과 다른 사람에게 씻을 수 없는 막대한 피해를 주는 부정적 음료이지만 삶에 원동력을 주어 즐거움을 배가시키고 심신의 고통을 억제하고 슬픔을 달래주며, 사람들을 자연스럽게 친하게 하는 사교의 기능 등 긍정적 역할도 있어 인류의 삶과 불가분의 관계를 맺고 있는 애증의 양면을 지니고 있다. 사람들은 술을 통해 일상의 지루함과 평범함에서 벗어나 슬픔과 시름을 잠시 접어두고 즐거움과 행복의 길을 찾았다. 그리고 소

사진 182 | 청자상감넝쿨무늬시문주전자

사진 183 | 청자상감국화문시문병

금과 함께 식품의 저장에도 널리 이용되어 식생활을 풍요롭게 하는 역할도 하였다. 술은 사람에게 유익하여 '백약의 으뜸'으로 불리며 노인을 봉양하고 제사를 받들며 예의를 행하는데 술 이상 좋은 것이 없다고 할 만큼 인간에게 반드시 필요한 물품 가운데 하나였다. 계절과 세시에 따라 마시는 술이 달랐는데 설날에 도소주屠蘇酒를 들고 이명주耳明酒를 마시며 어른들께 이를 바치는 것도 질병을 쫓고 건강과 장수를 바라던 뜻에서 비롯된 것이다. 또한, 사람들의 멋있는 삶에는 반드시 즐거운 흥이 내면에 남아 있다. 정신과 육체적 활동이 미적 아름다움으로 표현되는 것도 신명나는 흥에서 비롯된다. 술을 마시면 시를 짓고 노래와 춤을 즐기는 등 예술 활동에 민감한 것도 바로 이러한 풍류적 서정이 지닌 흥취 때문으로 많은 시인 묵객이 술을 찾아 천하를 주유한 이유이다.

술의 역사는 매우 유구하여 인류가 사냥과 채집을 시작하였던 구석기 시대부터 있었을 것으로 판단된다. 과일은 조그만 상처에도 과즙이 발생되며 껍질에 붙어 있는 천연 효모가 쉽게 번식하여 술이 되기 때문이다. 또한, 젖이 오래되면 자연 발효되어 술이 되는 등 우연한 기회에 탄생하였던 것이다. 부정적인 폐단에도 불구하고 사회가 발전하고 인구가 증가하면서 술의 수요는 계속 늘어나 인공적인 발효와 다양한 원료를 찾도록 하였다. 특히, 농경문화의 발달로 곡물의 생산량이 늘어

나자 이를 발효하여 술을 빚는 방법이 개발되어 널리 유통되는 계기가 되었다. 고려는 시문詩文 등에 남아 있는 다양한 기록으로 보아 청주와 탁주를 비롯하여 황금주, 죽엽주竹葉酒, 이화주梨花酒, 국화주菊花酒, 초화주椒花酒, 창포주菖蒲酒, 오가피주五加皮酒, 송주松酒, 예주禮酒, 자주煮酒, 화주花酒, 파파주波把酒, 방문주方文酒, 춘주春酒, 천일주千日酒, 천금주千金酒, 녹파주綠波酒, 녹주綠酒, 부의주浮蟻酒, 유하주流霞酒, 구하주九霞酒 등 술의 종류가 다양화되고 매우 발전된 시기였다. 이들 술은 기록의 부재로 제조법을 몰라 정확한 맛은 알 수 없으나 이름에서 우리 고유의 풍미가 느껴지는데, 대부분 조선으로 이어져 현재로 계승되고 있다. 또한, 중국 원元의 영향으로 증류주의 한 종류인 소주가 들어와 조선시대에 더욱 발전하여 지금까지 사랑받고 있다. 고려에 많은 영향을 미친 원은 일본 정벌을 계획하면서 개성과 안동에 병참 기지를 만들었는데, 이후 이들 지역은 소주의 명산지가 되었다. 그러나 술의 제조에는 많은 곡물이 필요하고 사치와 향락이라는 부정적인 요인 때문에 이를 금지하는 정책이 자주 등장하였다. 특히, 가뭄 등의 영향으로 기근이 있을 때는 더욱 철저한 단속이 실시되었으나 빠질 수 없는 쾌락에 더하여 타락으로 몰아가는 지나칠 수 없는 유혹을 떨치지 못하는 인간들로 인해 계속 생산되고 유통되어 오늘에 이르고 있다.

우리 민족은 예의를 중히 여겨 비록 취하고자 마시는 술이지만 심신을 바르게 하고 예의를 갖추도록 하였는데 이를 주례酒禮 또는 주도酒道라 하였다. 어른을 공경하여 연장자에게 먼저 술잔을 올렸으며, 즐겁게 마시되 함부로 하지 않고 엄하지만 어른과 소원해지지 않도록 하였다. 또한, 어른은 식탁에서 대접하지만 낮은 사람에게는 좌상坐床에서 마주앉아 마시도록 하였다. 어른이 술을 권할 때는 일어서서 나아가 절을 하고 두 손으로 공손히 술잔을 받은 다음 제자리에 돌아가 함부로 마시는 것을 삼가며 윗몸을 뒤로 돌려 술잔을 가리고 마셨다. 어른이 들기 전에 먼저 마시면 안 되며, 어른이 주는 술은 감히 사양하지 않았다. 윗사람에게 술을 권할 때는 두 손으로 따라 올리는데, 오른손으로 술병을 잡고 왼손은 오른팔 밑에 대며 옷소매 또는 옷자락이 음식에 닿지 않도록 조심하였다. 술을 못하는 사람은 마지못해 술잔을 받았을 때에는 점잖게 입술만 적시고 잔을 놓아야 한다. 끼니 때 손님에게 반주상을 올리는 것은 상례로 주인은 손님에게 술을 권하고, 손님은 주인에게 밥을 권하는데 그만큼 손님 대접에 술을 우선으로 하였기 때문이다. 이때 잔은 반드시 비우고 되돌려주는데 가급적 빨리 돌려주어 자기 앞에 술잔이 둘 이상이 되지 않도록 하였다.

사진 184 | 청자상감버들무늬
'乙酉司醞署'명매병

고대부터 국가 제사를 비롯한 다양한 의례에 사용하기 위해 술을 관리하였던 관아가 설치되었는데 이는 고려에서도 확인된다. 이들 관청 가운데 청자에 이름이 적혀 있어 매우 밀접한 관계였음을 알 수 있는 곳이 양온서良醞署와 사온서司醞署이다. 양온과 사온의 '온'은 술을 빚는다는 의미가 있는데, 이들 기관은 술과 감주를 담당하였던 관아로 983년(성종 2) 양온서의 존재가 처음 확인되며 직제로 확립되는 시기는 문종대(1046~1083)이다. 이후 장례서掌醴署로 개칭하였다가 1098년(숙종 3) 다시 양온서로 고쳤으며, 1279년(충렬왕 5)에는 선송주색宣送酒色(왕실에서 하사하는 술을 전하는 일을 맡은 관아)을 없애고 그 기능을 흡수하였다. 1308년 충선왕이 즉위하여 사온서로 개칭하면서 직제의 개편을 단행하였다. 1356년(공민왕 5) 다시 양온서가 되었

사진 185 | 청자상감버들무늬'良醞'명편병

으며, 같은 왕 11년에 사온서, 18년에 양온서, 21년에 사온서로 되는 등 잦은 개편과 함께 조선시대로 이어졌다. 양온서와 사온서는 술을 담아 운반하였던 그릇인 청자 병과 항아리 등에서 명문이 확인되고 있어 술과 청자의 불가분의 관계를 잘 보여 주고 있다. 특히, 사온서가 새겨진 매병에는 그릇을 만든 시기인 을유년(1345년; 충목왕 원년)이 함께 적혀 있어 학술적으로 매우 중요한 자료를 제공하고 있다. 그리고 송의 사신 서긍이 기록한 『고려도경』에 "왕의 술을 양온이라고 하였다."는 내용이 있어 이들 관아가 왕실을 비롯한 국가 소용의 술을 관리하였음을 뒷받침하고 있다.

술은 지위의 높고 낮음과 부귀의 많고 적음에 관계없이 누구나 즐기고자 하였던 음료로 청자뿐만 아니라 나무와 질그릇 등 다양한 재질로 만들어 사용되었다. 청자로 만든 주기는 국가 의례와 왕실을 비롯한 귀족층을 위해 만들어져 사용하기에 편리하면서 아름다움과 기품을 갖추었다. 이를 통해 위엄과 명예를 드러내고 맛과 멋이 더해져 흥을 돋우는데 중요한 역할을 하였다. 특히, 주기에 사용되었던 청자에는 술이 갖는 의미와 풍류를 노래한 시들이 많이 남아 있어 서정적 풍류를 즐겼던 고려인의 일상을 엿볼 수 있다. 이 가운데 대표적 시 한 수를 적어 본다.

細鏤金花碧玉壺
푸르고 아름다운 술병에 금꽃을 아로새겼으니
豪家應是喜提壺
호사로운 집안에서 이 술병을 사랑했을 것이리라.
須知賀老乘淸興
옛날 하지장이 기분 좋을 적 늦은 봄
抱向春深醉鏡湖
강호에서 이 병을 안고 실컷 취했으리.

사진 186 | 청자양각상감연꽃넝쿨무늬 시문병

이 시는 청자양각상감연꽃넝쿨무늬병의 몸통 양면에 시선詩仙 이태백 (701~762)을 발견하고 도교에 심취하였으며 풍류인으로 유명하였던 하지장 賀知章(659~744)의 주흥酒興을 칠언절구로 노래하고 있다. 그릇 전체에 연꽃과 넝쿨무늬를 가득 채워 화사한 기품을 느낄 수 있는 조롱박 모양의 병으로 술이 주는 깊은 맛과 자연을 품은 그릇의 그윽한 멋이 더해져 흥거움을 돋우고 있다. 섬세하게 표현된 연화문이 그릇 전체에 시문되고 있어 전성기 고품격 상감청자의 조형미를 잘 보여주고 있다. 청자에 적혀 있는 이들 시문들은 고려청자의 아름다움과 쓰임새뿐만 아니라 고려의 문학을 이해하는데도 중요한 자료를 제공하고 있다.

사진 187 | 청자음각상감모란연화문 주전자와 받침 (태안 마도 1호선 출수)

사진 188 | 청자상감연꽃넝쿨무늬소형상 (강진 사당리 청자 요장 출토)

청자음각상감모란연화문주전자와 받침은 강진에서 생산하여 바닷길로 운반하던 중 태안 해저에 침몰된 마도 1호선에서 출수된 것으로 이와 같이 주전자와 받침이 조합을 이루는 청자는 받침에 따뜻하거나 찬 물을 넣어 술과 차 등의 온도를 유지하기 위한 기능을 지니고 있다. 즉, 주전자에 들어 있는 술이 적정한 온도를 유지할 수 있도록 받침의 물을 계속 바꾸어 고유의 향과 맛을 잃지 않도록 하였다. 주전자는 일상생활에 꼭 필요한 용기로 처음에는 술을 따르는 그릇으로 사용되었으나 차 문화의 유행에 따라 다기로도 사용되었던 것으로 추정된다. 그리고 강진 사당리 청자 요장에서 출토된 청자음각상감연당초문상은 일인용 상으로 당시 차와 술자리의 화려한 상차림을 잘 보여 주는 명품 청자로 손색이 없다. 한편, 주기는 술을 옮기거나 따르는 병과 주전자 등의 짐주기酙酒器와 주기에서 가장 기본 도구인 잔과 배盃 등의 음주기가 있는데, 이들은 술의 종류와 용도 등에 따라 다양하게 선택되어 사용되었다. 또한, 음주기는 미적 아름다움도 중요하지만 무엇보다 인간의 가장 예민하고 섬세한 감각 기관인 입술에 닿는 촉감을 만족시켜야 가장 좋은 잔과 배라고 할 수 있다.

사진 189 | 청자상감넝쿨무늬'三盃詩'명잔

청자 주기는 각종 제사와 의례에서 국가와 가문의 위엄과 명예, 기품을 상징하는 중요한 역할을 하였다. 그러나 주기의 가장 큰 기능은 역시 술이 갖는 깊은 향과 맛을 더욱 멋들어지게 마시고 정겨운 흥에 취할 수 있도록 하는 것이다. 또한, 그릇의 조형적 아름다움과 술잔에서 느낄 수 있는 촉감 역시 고려인들의 일상을 더

사진 190 | 청자상감넝쿨무늬'中白玉盃'명잔

사진 191 | 청자상감국화문 잔과 받침

욱 즐겁고 넉넉하게 하였을 것이라 상상해 본다. 주기가 주는 아름다운 미와 술이 품어내는 깊고 그윽한 향기와 미각에 취해 선경仙境에 들어가 본다.

참고문헌

고경희「고려 청자 주주자酒注子 양식 변천 연구」고려대학교 석사학위논문, 2011.

고려청자박물관『매병에 담긴 역사 이야기』2017.

고려청자박물관『청자 주자 특별전-흥과 향에 취하다』2018.

국립광주박물관『高麗飮-청자에 담긴 차와 술 문화』2021.

국립해양문화재연구소『매병 그리고 준-향기를 담은 그릇-』2013.

호텔 프리마『여홍餘興과 유풍遺風-작은 주병전酒瓶展-』2012.

호림박물관『따르고 통하다, 高麗注子 통하고 만나다, 茶半香初』2021.

國家文物局『惠世天工-中國古代發明創造文物展-』中國書店, 2012.

奈良縣立橿原考古學研究所附屬博物館『美酒發掘』2013.

'近世考古學の提唱'50周年記念大會實行委員會『近世の酒と宴』'近世考古學の 提唱'50周年記念大會資料集, 2019.

茶道資料館『酒飯論繪卷-ようこそ中世日本の宴の席へ-』2018.

大和文華館『天之美禄 酒の美術』2021.

靜嘉堂文庫美術館『酒器の美に醉う』2018.

5. 학문의 아취, 예술적 품격을 더한 문방구

상류층에게 요구되는 가장 필수적인 덕목 가운데 하나는 학문 연마이다. 또한, 학문을 논하는데 빠지지 않는 것이 시서화詩書畵이며 이를 위해서는 문방구가 반드시 필요하며 중요한 역할을 하였다. 문방구는 기능성과 편리함도 중요하지만 장식의 역할도 맡고 있어 소유자의 문학적 아취와 자긍심, 그리고 신분적 우월함 등을 표현하였다. 따라서 다양한 품격의 물품을 개발하고 발전시키고 있는데, 고려청자도 이를 구현하는데 중요한 역할을 하였다. 가장 대표적인 문방구는 군자가 항상 곁에 두어야 하는 네 가지 벗(문방사우)이라는 종이紙와 붓筆, 먹墨, 벼루硯 등이다. 이는 동양문화의 진수라고 해도 지나친 말이 아니다. 이외에 먹을 벼루에 가는데 필수적인 물을 제공하였던 연적 등이 학자들의 사랑을 받아 다양한 실물과 함께 문학과 회화 작품에도 자주 등장한다.

문방사우 가운데 가장 먼저 등장하는 종이는 식물성 섬유를 원료로 하여 만드는 재질 특성 때문에 자기와는 관계가 없으나 종이를 보관하였던 지통紙筒은 청자로도 제작하였다. 지통(종이통)은 필통보다 높이와 지름이 크며 주로 두루마리 종이를 담아두고 있어 대부분 원통형으로 만들고 있다. 또한, 규모가 크기 때문에 나무나 대나무로 된 것이 많으며 청자 등의 자기로 만든 것은 많지 않다. 청자 종이통은 선문대학교박물관에 소장되어 있는 청자상감연국화문지통이 널리 알려져 있다. 이 지통은 무엇보다 '정릉

사진 192 | 청자상감연꽃국화문'正陵'명종이통紙筒

正陵'이라는 글씨가 쓰여 있는데, 정릉은 1365년(공민왕 14) 돌아가신 공민왕의 비인 노국대장공주魯國大長公主의 무덤 이름이다. '정릉'명 청자는 역사적 배경으로 보아 1365~1374년에 제작된 것으로 판단되며, 강진 사당리와 용운리 청자 요장에서만 확인되고 있다. 따라서 강진이라는 생산지와 사용한 장소, 만든 시기 등을 알 수 있는 매우 중요한 학술적 자료이다.

붓은 동물의 털로 만드는데 이를 지탱하고 묶어주는 붓대를 자기로 만들고 있다. 그러나 붓대는 대부분 대나무나 나무로 만들고 있어 청자에서는 아직 확인되지 않고 있다. 붓과 관련하여 청자로 만든 것 가운데 가장 널리 알려진 것은 국립중앙박물관 소장의 투각연꽃넝쿨무늬붓꽂이筆架가 있다. 거친 파도를 헤치고 날아가는 두 마리의 용과 활짝 핀 연꽃을 표현하고 있는데, 용은 초자연적이며 신성한 존재로 권위를 상징하며 연꽃은 고려의 국교였던 불교를 상징하고 있어 당시의 시대상과 장식의장을 잘 표현하고 있다. 이 붓꽂이는 희소성뿐만 아니라 아름다운 조형과 색상, 투각·음각·양각·철화 등의 다양한 장식기법이 완벽하게 조화를 이룬 매우 뛰어난 명품으로 이를 사용하였던 사람의 학문적 풍모와 위세를 느끼기에 부족함이 없다. 필가는 붓을 꽂아 보관하는 도구로 크고 작은 여러 붓을 보관하는 실용성도 있으나 좋은 붓을 감상하는 기능도 있었다. 이외에 청자로 만든 붓과 관련된 물품은 사용한

사진 193 | 분채자붓대粉彩瓷筆(청淸)

사진 194 | 청자투각연꽃넝쿨무늬붓꽂이筆架
(보물 제1932호)

붓을 씻는 필세筆洗를 비롯하여 마른 붓을 보관하였던 필관筆管과 필통筆筒 등이 있으나 남아 있는 것들은 대부분 조선시대 백자들이다. 붓과 관련된 청자 제품이 많지 않은 것은 주변에서 쉽게 재료를 구할 수 있고 쓸 때 가벼운 나무나 대나무를 주로 이용하였기 때문으로 추정된다.

사진 195 | 백자청화산모양 붓씻는그릇筆洗(조선)

먹과 관련된 청자는 먹을 갈았던 벼루와 먹을 갈기 어려운 야외 등에서 사용하기 위해 먹물을 보관하였던 먹 항아리墨壺 등이 있다. 문방사우 가운데 반영구적으로 사용되어 문인들에게 가장 사랑받았던 벼루는 먹과 불가분의 관계로 연마硏磨의 특성 때문에 대부분 재질이 단단한 돌로 만들고 있어 청자 벼루는 남아 있는 사례가 많지 않다. 벼루는 연전硯田이라고도 불렸는데, 이는 농부가 밭을 갈 듯 문인들은 벼루로 글 농사를 짓는다는 의미를 지니고 있기 때문이다. 청자 벼루는 퇴화두꺼비형벼루(보물 제1782호)가 널리 알려져 있는데, 이 벼루는 태안 대섬 해저유적에서 대접과 접시, 완, 발우, 주전자, 향로 등의 청자와 함께 출수되었다. 대섬 해저유적에서는 강진에서 개경의 유력자에게 보내는 내용이 적힌 목간이 함께 출수되어 이들 청자가 강진에서 생산되었음을 입증하고 있다. 그리고 먹을 사용할 때 이를 놓았던 먹 받침墨床과 먹물이 튀는 것을 막아주는 벼루 병풍硯屏도 있으나 청자에서는 아직 확인되지 않고 있다. 특히, 벼루 병풍은 중국과 일본에서는

사진 196 | 백자청화필관筆管(명明)

사진 197 | 백자투각십자문대나무형필통筆筒(조선)

사진 198 | 청자퇴화점문두꺼비
형벼루(태안 대섬 해저유적 출수,
보물 제1782호.)

사진 199 | 청자원숭이형
묵호墨壺(개성 부근 출토)

사진 200 | 백자 안료 합과 절구

사진 201 | 백자청화먹받침墨床
(일본 에도시대江戶時代)

사진 202 | 청자상감육학문판

사진 203 | 백자화문벼루병풍硯屛
(일본 현대)

사진 204 | 행원아집도杏園雅集圖(명明 사환謝環)

많이 확인되고 있어 청자판板의 기능을 재고할 필요가 있다. 이제까지 청자판을 건축재의 일부로만 보았으나 명明의 사환謝環(1346~1430)이 그린 행원아집도杏園雅集圖에 보이는 것처럼 도자판을 목재에 결구하여 벼루 병풍으로 사용하고 있음을 알 수 있다. 따라서 일본 오사카大阪시립동양도자미술관 소장의 청자상감육학문판처럼 회화성을 갖추고 있는 청자판은 벼루 병풍으로 사용되었을 가능성이 많다. 벼루 병풍은 먹물이 튀는 것을 방지하는 실용성도 있으나 서재를 장식하는 역할도 하였을 것으로 판단된다.

문방사우 이외에 가장 사랑받았던 도구는 먹을 갈 때 사용할 물을 담았던 연적이다. 연적은 물을 담는 특성으로 인해 자기로 많이 만들었는데, 대부분 동식물의 형상을 본떠 만들고 있어 작품성이 매우 높다. 오사카시립동양도자미술관 소장의 동자와 동녀 모양의 연적은 매우 유명하며 일본에서 고려청자의 우수성을 널리 알리고 있다. 동녀형연적(일본 중요미술품)은 고려시대에 유행한 청자 정병을 양손으로 안고 있으며, 한쪽 무릎을 세우고 앉아 있다. 연꽃 형태로 만든 정수리의 머리 묶음을 입수구入水口로 만들었으며, 동녀가 안고 있는 정병의 주둥이에 구멍을 뚫어 출수구出水口가 되도록 하였다. 물이 들어가는 입수구의 뚜껑은 연꽃 봉오리로 만들어 집어넣도록 하였다. 무늬는 가는 음각선으로 매우 섬세하면서 정교하게 표현하고 있는데, 윗옷의 윗부분과 뒷부분, 정병은 간략한 구름무늬를 시문하고 있으며 아래 부분은 넝쿨무늬를 시문하고 있다. 소녀의 눈동자에는 엷은 철채를 찍어 생명감을 더하고 있다. 사랑스럽고 귀여운 모습의 소녀상으로 조용한 표현이 돋보이는 고려적인 미감이 넘치는 명품으로 유약의 용융 상태도 매우 좋다.

고려의 대문호 이규보(1168~1241)는 『동국이상국집東国李相国文集』에 '푸른 자기磁器 연적자硯滴子'라는 아래의 시에서 동자형연적의 아름다움을 찬미하고 있는데, 이를 입증하는 연적이 오사카시립동양도자미술관 소장의 동녀와 동자형연적이다.

사진 205 | 청자동녀형연적
(일본 중요미술품)

사진 206 | 청자동자형연적

사진 207 | 청자동자형연적
(보령 원산도 해저유적 출수)

어느 한 청의동자靑衣童子	幺麽一靑童
고운 살결 백옥 같구나	緻玉作肌理
허리 굽실거리는 모습 공손하고	曲膝貌甚恭
얼굴과 눈매도 청수淸秀하구나	分明眉目鼻
종일토록 게으른 태도 없어	競日無倦容
물병 들고 벼룻물 공급하네	提瓶供滴水
내 원래 풍월 읊기 좋아하여	我本好吟哦
날마다 천 수千首의 시 지었노라	作詩日千紙
벼루 마르매 게으른 종 부르면	硯涸呼倦僕
게으른 종 거짓 귀먹은 체하였네	倦僕佯聾耳
천 번 불리도 대답이 없어	千喚猶不応
목이 쉰 뒤에야 그만두었지	喉嘎乃始已
네가 옆에 있어 준 뒤로는	自汝在傍邊
내 벼루에 물 마르지 않았다오	使我硯日泚
네 은혜 무엇으로 갚을 쏜가	何以報爾恩
삼가 간직하여 깨지 않으려 하노라	慎持無碎棄

고려 전성기 비색청자는 매우 귀엽고 아름다운 작은 작품들이 소량 전하고 있다. 이들 청자는 사람과 동물, 과일 등의 모습을 본떠 만든 주전자와 문방구, 화장 용기 등에서 주로 확인되는데 동자형 연적도 이들 가운데 하나이다. 이 연적은 오리를 안고 한쪽 무릎을 세워 단정하게 앉아 있는 동자상의 모습을 하고 있다. 무늬는 가는 음각선으로 동자의 머리카락과 상의의 소매 접히는 부분 등 세밀한 부분까지 매우 정성들여 만들었다. 윗옷에 시문된 무늬는 아래 부분만 당초문을 시문하였으며, 동자와 오리의 눈동자, 동자의 머리 세 곳에는 철채鐵彩를 더하여 생동감을 주고 있다. 물이 들어가는 입수구는 밑바닥을 뚫어 만들었으며, 손에 안고 있는 새의 입에서 물이 나오도록 하였다. 유사한 사례가 없는 매우 희소한 전성기 비색을 갖춘 고품격 명품 청자로 조형성이 뛰어나고 유색이 아름다우며 우아함을 갖추고 있는 매우 우수한 작품이다. 한편, 강진에서 출발하여 개경 또는 강화(임시 수도)로 향하던 보령 원산도 해저유적에서 비슷한 연적이 출수되어 강진에서 생산하여 왕실(왕궁)을 비롯한 최상류층에서 사용하였던 것으로 판단된다.

이외에 문인들의 서재에는 글을 쓸 때 종이를 반듯하게 펴 주었던 문진文鎭과 자신의 존재를 알려주는 인장印章을 비롯하여 주위를 장식하였던 꽃병과 화분, 정신을 맑게 하려는 목적으로 향을 피웠던 향로 등이 청자로 제작되어 사용되었다. 그리고 청자 의자도 서재 주인의 품격을 높여 주고 있는데, 반드시 의자의 기능만 있는 것이 아니라 팔걸이로도 사용

사진 208 | 청백자첩화문진文鎭
(송宋, 후쿠오카福岡 하카다博多 유적 출토, 일본 중요문화재)

사진 209 | 청자원숭이형인장

사진 210 | 청자두귀병

사진 211 | 청자투각칠보문향로(국보 제95호)

사진 212 | 청자상감꽃새무늬의자

되었다.

　문방구의 장식성을 높이고 서재를 아름답게 장식하였던 청자 기물들은 문
인들의 품위와 아취를 대변하고 상징하는 역할을 하여 자신에게 가장 어울
리는 고품격의 양질청자를 선호하였다. 문방 취미의 유행과 함께 널리 사랑
받았던 청자 문방구는 생활 양식과 미감이 반영되어 더욱 발전하였다. 이는

현재 남아 있는 청자 문방구들이 대부분 높은 품질을 지니고 있음에서도 쉽게 알 수 있다. 따라서 이들 문방구는 당시의 문화와 예술, 사회상 등을 이해하는데 많은 자료를 제공하고 있다.

참고문헌

국립민속박물관『문방사우 조사 보고서』1992.

국립중앙박물관『조선시대 문방제구』1992.

호림박물관『문방구 특별전-소박함·멋스러움·예스러움-』2005.

호림박물관『서가의 풍경-책거리·문자도-』2020.

浙江省博物館『長物爲伴』浙江人民美術出版社, 2018.

大阪市立東洋陶磁美術館『高麗の水注』1983.

大阪市立東洋陶磁美術館『高麗時代の水注』2010.

大阪市立東洋陶磁美術館『朝鮮時代の水注』2016.

大阪市立東洋陶磁美術館『文房四寶-靜閑なる時を求めて-』2019.

6. 정성으로 빚고 마음을 담아 하늘에 고하다, 제기

　제사는 자연신이나 조상신 등의 신령에게 국가의 안녕을 기원하거나 돌아가신 조상을 추모하는 등 지배 이념의 확립과 조상 숭배를 위해 실시하는 구복求福 의식을 뜻한다. 따라서 하늘과 땅 등 초현실적 자연의 힘을 빌려 왕권의 위상을 확립하고 사회 통합과 자손 번영 등을 도모하였다. 모시는 대상에 따라 천신天神에게 지내는 제사는 사祀, 지기地祇에게 지내는 제祭, 인귀人鬼에게는 향享, 공자에게는 석전釋奠으로 부르는 등 명칭이 달랐다. 또한, 하늘에 대한 제사는 원구단圓丘壇, 땅과 곡신신의 제사는 사직단社稷壇, 농사신에게는 선농단先農壇, 누에신에게는 선잠단先蠶壇 등 모시는 신에 따라 각각의 단을 마련하였다. 왕실의 조상은 종묘宗廟, 공자에게는 문묘文廟, 집안의 조상은 가묘家廟 등에서 제사를 지냈는데, 현재는 이러한 구분 없이 모두 제사라 이름하고 있다. 한편, 천자는 하늘에 제사를 지내고, 제후는 땅과 산천에 제사를 지낸다는 기준에 의해 왕은 중요한 제사를 직접 주관하였으며, 이외의 제사는 왕을 대신해서 중앙의 관리나 지방의 수령이 실시하였다.

　인류는 일찍부터 우주와 자연 등에서 겪는 다양한 변화와 현상에 경이로움을 느꼈는데, 특히 천재지변 등의 고난을 겪을 때는 더욱 큰 공포감을 품어 초월자나 절대자를 상정하고 안식과 안락을 기원하는 제의를 실시하였다. 따라서 원시시대와 고대에는 제사장이 집단을 이끌거나 중요한 역할을 하는 제정일치의 사회를 이루었다. 이러한 행위는 사회가 안정되면서 점차 체계화되어 국가 경영과 관련한 제례로 갖추어져 조상 숭배와 함께 의례로 등장하였다. 우리나라는 삼국시대 이전의 기록은 간략하게 남아 있으나 발굴조사를 통해 제사와 관련된 다양한 유물이 확인되어 일찍부터 자연숭배를 중심으로 제사를 시행하였음을 알 수 있다. 고대국가 체제가 갖추어지는 삼국시대에 중국의 제도를 받아들여 비로소 고유의 제사 의례가 정착되었다.

사진 213 | 청자'순화삼년
淳化三年'명두형豆形접시
(배천 원산리 청자 요장 출토)

사진 214 | 청자'순화사년淳化四年'명항아리(국보 제326호)

　고려의 제사는 성종(981~997) 때 정비되기 시작하여 원구와 태묘太廟, 사직 등의 제례가 모습을 갖추었다. 이는 황해도 배천 원산리 초기 청자 요장에서 왕실 사당인 태묘에 사용하기 위해 만들었던 순화淳化 3년(992, 성종 11)과 4년이 쓰인 제기가 확인되어 이를 뒷받침하고 있다. 이후 예종(1105~1122)은 송宋의 제도와 절충하여 고려적인 예제를 확정하였다. 고려의 국가 제사에서 중요한 것은 종묘와 사직, 문묘, 그리고 도교의 초제醮祭와 산천제山川祭, 성황제城隍祭 등이 있는데, 민생과 직접 관련된 도교적 제사가 더 빈번히 시행되고 비중도 높았으며, 연등회와 팔관회 등의 불교 의례도 실시되었다. 이와 같은 다양성은 고려가 불교를 사상적 주체로 표방하였으나 유교와 도교를 받아들여 서로 어우러진 다원적인 사회 체계를 구축하였음을 알려준다.

　고려의 국가 제사는 중요도에 따라 대사大祀와 중사, 소사 등으로 나누어 규모와 일시 등을 정하였다. 이외에 국가의 정책과 이념에 속하지 않은 제사는 잡사雜祀와 음사淫祀로 규정하였다. 대사는 원구, 방택方澤, 사직, 태묘, 별묘別廟, 제릉諸陵, 경령전景靈殿 등이 있으며, 중사에는 적전籍田, 선잠, 문묘 등이 있고, 소사에는 풍사風師, 우사雨師, 뇌신雷神 등이 있다. 잡사는 성황과

사진 215 | 청자상감상준

사진 216 | 청자상감상준
(강진 사당리 청자 요장 출토)

사진 217 | 청자분장상준

산천제 등의 제사를 비롯하여 사묘祠廟의 신명神明 등이 기록되어 있다. 한편, 문묘 등의 유교 제례가 있었으나 철저히 적용되지는 않았다. 제천례祭天禮는 제후국에서는 행할 수 없었지만 고려는 천명사상에 의해 환구와 방택 등의 제사를 거행하였다. 제례에 사용된 그릇은 제사의 중요성과 규모 등에 의해 종류와 수량이 변화하는데, 대사에 사용된 제기의 종류와 수량이 가장 많았다. 중사는 대사에 비해 제사 규모가 축소되고 제사 형식도 대사에 비해 간소하였다. 제기의 종류에는 변화가 거의 없으나 수량이 적으며, 희생 또한 변화한다. 소사는 중사에 비해 제사 형식이 간략하며 제기의 수량도 적고 희생 역시 변화하고 있다. 특히, 이들 제사는 신분에 따라 각각 시기와 절차 등에 차이가 있었다.

조선은 건국하면서 제례와 관련된 제도 정비를 통해 유교 이념을 세우려하였기 때문에 제기의 형태와 무게, 크기 등을 구체적으로 기록하였다. 특히, 조선시대는 성리학의 성행과 함께 '주자가례'에 따라 가묘를 설치하여 조상에 대한 제사가 사회적 관습으로 정착되어 갔으며, 왕실에서는 '국조오례의國朝五禮儀'에 맞추어 체계적인 제례를 실시하였다. 조선시대의 제사 문화는 사회 전반에 중요한 부분으로 인식되었으며, 이러한 전통은 지금도 종묘와 성균관 등에서 지내는 제례에 전승되고 있다.

제기는 제사를 지내기 위해 특별히 제작된 것으로 일상생활 용기와는 용도와 형태 등에서 다른 특징을 지니고 있다. 옛날에는 제기를 마련하기 전에 살림에 쓰는 그릇을 만들지 않았으며, 남에게 빌리지 않고 팔지도 않았다. 또한, 살림 그릇과 혼동해서 쓰지 않았을 정도로 매우 소중하고 귀하게 여겨 실내를 장식하거나 귀한 손님이 왔을 때 접대 용도로 사용되어 소유자의 권위를 상징하기도 하였다. 제기는 나무로 만든 것도 있으나 재질상 금속과 도자로 만든 것이 많이 남아 있다. 제기는 제례를 담당하는 집단이나 개인에게 매우 중요하면서 소중한 그릇이다. 그러나 제사라는 목적에 맞게 화려하지 않으면서 엄숙함을 갖추어야 하였기 때문에 제기 제작자는 조형적 안목과 탁월한 기술이 필요하였다. 제기의 종류는 보簠, 궤簋, 변籩, 두豆, 준樽, 뢰罍, 이彝, 작爵, 잔盞, 찬瓚, 세洗, 이匜, 로爐, 정鼎, 형鉶 등 매우 다양한데, 그릇의 크기와 형태, 무늬 등에 따라 술과 곡식, 과일, 떡, 생선, 육포, 나물, 국물 등을 담아 제례에 사용하였다. 제기의 형태는 중국의 제도를 받아들여 만들고 있어 대부분 중국 고대 금속기와 비슷하다.

사진 218 | 청자상감희준(양산 가야진 출토)

사진 219 | 청자상감희준(강진 사당리 청자 요장 출토)

사진 220 | 청자상감보(양산 가야진 출토)

사진 221 | 청자상감궤

사진 222 | 청자상감작

청자 제기는 청자의 비약적 발전에도 원인이 있으나 사회 경제적 필요성에 의해서도 만들어졌다. 청자로 만든 제기는 금과 은 등의 금속에 비해 만들기 쉽고 제작비용이 적게 들어 사치를 금하는 근검절약의 측면과 무기를 제작하는데 필요한 청동 등의 금속 원류를 확보하기 위한 수단으로 금속기 사용이 규제되자 이를 대체하기 위한 수단으로 널리 확산되었다. 그러나 쉽게 파손되는 특성을 갖고 있어 금속 제기는 꾸준하게 선호되었다. 청자 제기는 이를 생산하였던 요장뿐만 아니라 실제 사용하였던 생활유적에서도 꾸준하게 출토되고 있다. 특히, 생활유적에서 출토되는 제기는 제사만을 위한 특수한 형태와 일상생활에서 사용되는 잔탁盞托과 향로, 귀대접 등의 그릇이 함께 확인되어 제사에 다양한 용기들이 사용되었음을 알려주고 있다. 잔탁은 일반적으로 술잔과 잔 받침으로 이해되고 있는데 제사에서도 술잔으로 쓰였음을 알 수 있다. 또한, 일반적으로 다양한 장소에서 널리 쓰였던 향로 역시 제례용기의 필수품으로 사용되었음을 알 수 있다.

청자로 만든 제기 가운데 동물의 형태를 본 떠 만든 상형 제기는 액체를 담는 용기인 준樽과 결합한 코끼리 형태의 상준象樽과 소 형태로 만든 희준犧樽이 널리 알려져 있다. 이들 그릇은 고려시대에는 원통형 그릇 외면에 소나 코끼리를 그려 의미를 상징하였으나 조선시대에 오면 그릇의 형태를 소와 코끼리 모양으로 만들고 있다. 상준과 희준은 술을 담는 용기로 사용되었는데 희준에는 명수와 예재醴齊 즉 감주甘酒를 담았으며, 상준에는 명수와 앙재醠齊라 하여 막걸리를 담아 사용하였다. 보簠는 겉은 네모지고 안은 둥근데, 벼와 기장 등 마른 제수를 담아 상 중앙에 진설하였다. 궤簋는 겉은 둥글고 안쪽은 모난데, 기장과 메기장 등 마른 제수를 담아 상 중앙에 진설한다. 작爵은 술을 올리는데 사용하였으며 모양이 새雀와 비슷한 것에서 이름이 유래되었다. 입술의 한쪽이 뾰족한 배 모양이며, 다리는 3개로 구성되어 있다. 이匜는 제관들이 손을 씻는데 사용하는 용기로 한 쪽에 귀때가 달려 있어 손 위에 물을 붓도록 되어 있으며 받침을 갖추고 있다. 일상생활에서 귀대접으로 불리며 차도구로 많이 쓰이고 있다. 말은 기우제를 지낼 때 필수적인 것으로 대부분 철기나 도기로 만들고 있으나 이례적으로 청자로 제작되었다. 지상과 하늘을 연결하는

사진 223 | 청자상감유노수금문이

사진 224 | 청자퇴화문말(장흥 천관사 출토)

영적 동물로 날개를 달아 천마로도 등장하여 가뭄 때 비를 바라는 간절한 마음을 하늘에 전하는 역할을 하였다.

청자 제기는 쉽게 파손되는 재질적 특성으로 남아 있는 사례가 많지 않지만 고려인의 염원을 천지신명께 전하는 소중한 도구로 그릇 이상의 의미를 지니고 있다. 또한, 화려하지 않지만 위엄을 갖춘 그릇으로 시대의 조형미를 반영하고 있어 제기가 쓰였던 시기의 문화를 이해하는데 중요한 역할을 하고 있다.

참고문헌

구혜인 『조선시대 왕실 제기 연구』 이화여자대학교 박사학위논문, 2018.

국립고궁박물관 『조선의 국가 의례, 오례』 2015.

국립고궁박물관 『종묘』 2014.

국립민속박물관 『한국의 제사』 2003.

국립전주박물관 『전북의 도자 제기·명기』 2020.

국립중앙박물관 『흙으로 빚은 조선의 제기』 2016.

김효진 「용인 서리 요지 출토 고려 백자 제기 연구」 고려대학교 석사학위논문, 2010.

김종임 「조선 왕실 금속 제기 연구-종묘 제기를 중심-」 『미술사학연구』 4, 한국미술사교육학회, 2016

장성욱 「고려시대 도자 제기 연구」 홍익대학교 석사학위논문, 2007

한형주 외 『조선의 국가 제사』 한국학중앙연구원 출판부, 2009.

호림박물관 『하늘을 땅으로 부른 그릇-분청사기 제기전-』 2010.

7. 희로애락과 이상향을 청자에 넣고 가락에 담다, 악기

언어는 주어진 약속에 의해 인간의 희로애락喜怒哀樂을 담지만 음악은 소리와 가락으로 사람의 감정을 표현하는 수단이다. 남녀노소와 양의 동서를 떠나 누구나 공감하고 감흥을 함께 나눌 수 있는 매체는 음악과 무용이다. 특히, 음악은 신체에 의한 발성뿐만 아니라 악기라는 도구를 통해 이를 표현하고 심화하여 인간의 이상향을 실현하고 고취하는데 큰 역할을 담당하였다. 평상심의 유지와 일상의 탈출, 철학적 사유, 기쁨과 즐거움의 고양, 사랑의 달콤함, 아픔의 위로, 죽음의 애도, 분노의 표출, 제례의 권위와 장엄, 종교의 이상향까지 인간의 모든 감정을 표현할 수 있으며 이를 통해 누구나 소통할 수 있는 매력을 지니고 있다. 또한, 음주가무飮酒歌舞라 하여 음악은 술, 무용과 함께 의례를 비롯하여 여흥과 여가에 반드시 등장하는 핵심적 요소 가운데 하나이다. 음악은 예악禮樂이라는 이름으로 민심을 선도하는 정치적 도구로 매우 중요하게 활용되었다. 예를 통해 자연의 이치를 알리고 사회 질서를 보전하여 일상생활을 바르게 실천하도록 하였으며, 음악으로 민심을 화합하여 백성의 마음을 다스렸던 것이다. 이러한 상징성과 중요성으로 인해 음악 정책은 고대로 갈수록 최고 통치권자가 직접 관장하였다.

음악은 감정 표현을 위해 성악과 기악을 결합한 예술로 인간 본연의 다양한 내면의 세계를 소리와 가락으로 구체화하여 정립한 것이다. 화성과 음계의 유기적 조합을 통해 사람의 감정과 생각 등 복잡한 심리를 언어와 문화,

사진 225 | 토우장식장경호
(신라, 경주 계림로 30호분 출토, 국보 제195호)

종교, 지역 등을 초월하여 타인의 머리와 마음속에 직접 전달할 수 있는 매체가 바로 음악인 것이다. 인간은 음악이라는 도구를 통해 감정을 교류하고 추구하고자 하는 인격을 형성하여 사회 전반에 영향을 미치고 정신적 통로를 구축하여 이상향을 추구하고 있다. 따라서 음악은 인류가 지향하는 방향성과 미래를 결정짓는 중요한 요소 가운데 하나이다. 그리고 음악은 모든 인간 사회에 스며들어 있는 자연스러운 예술적 행위로 의례와 소통, 오락 등 다양한 목적에 따라 발전하고 사용되었다. 또한, 민족과 시대, 문화, 종교, 지역 등에 따라 여러 모습으로 나타나고 있으나 서로 소통하고 이해하며 받아들일 수 있는 인류의 보편적 무형문화유산이다.

인간의 미묘하면서 복잡한 감정과 이상을 가락에 담아 이를 풀어내는 악기들 가운데 청자로 만든 것은 현재 장구와 피리, 범종만 확인되고 있다. 이외에 악기를 연주하는 장면이 무늬로 표현된 상감청자 병이 있어 고려인의 음악 사랑을 느낄 수 있다. 청자 악기 가운데 가장 많이 확인되는 것은 장구로 전라남도의 대표적 청자 요장인 강진과 해남뿐만 아니라 전국의 많은 요장에서도 확인되고 있다. 한편, 이들 장구는 일상생활과 밀접한 관청과 궁궐 등의 생활유적에서도 출토되고 있으나 사찰과 제사유적 등에서도 확인되고 있어 장구가 여흥을 위한 역할뿐만 아니라 신을 위한 도구로도 사용되었음을 입증하고 있다. 장구는 양편의 머리가 크고 허리가 가늘다고 하여 요고 또는 세요고라고도 부른다. 장구의 몸통은 대체로 나무를 이용하고 있으나 이외에 사기나 도기도 이용하고 있다. 가장 좋은 것이 나무에 칠을 입힌 것이며 다음이 자기와 도기의 순서로 품질을 나누고 있다. 그러나 고려청자 장구는 대부분 청자 전성기에 만들어져 조형성이 우수하여 특별히 제작되었음을 알 수 있다. 장구가 출토되는 유적도 궁성과 관아, 사찰, 제례 등의 위격을 갖춘 곳이 많아 위세품으로 만들었음을 알 수 있다. 연주는 몸통의 양쪽에 댄 가죽을 쳐 소리를 내는데, 오른손은 채를 잡고 두드려 '채편'이라 하며 왼손은 손바닥으로 치고 있어 '북편'이라 한다. 북편은 두터운 흰 말가죽을 쓰고 채편은 얇은 보통 말가죽을 사용하여 채편이 북편보다 높고 맑은 소리가 난다. 소리의 높낮이는 조이개(축수)를 움직여 조정한다. 장구는 삼국시대에도 있었으며 현재도 전통 국악의 모든 연주와 가곡, 가사, 시조, 잡가, 민요,

사진 226 | 청자철화모란넝쿨무늬장구(완도 해저유적 출수)

사진 227 | 청자장구(나주목 관아지 출토)

사진 228 | 도기요고(진도 명량대첩로 해저유적 출수)

사진 229 | 화순 쌍봉사 철감선사 징소탑 부분(국보 제57호)

사진 230 | 청자철채넝쿨무늬장구(진도 용장성 출토)

무악, 산조, 농악 등 사용하지 않은 곳이 없을 정도로 중요하면서도 친근감 있는 악기이다. 청자 장구는 일반적으로 채편과 북편을 연결하는 중앙의 가느다란 조롱목이 현재의 장구보다 좁고 길쭉하며, 양면의 머리는 공명 효과를 고려하여 한쪽이 크고 반대는 좀 더 작게 만들고 있다. 청자 장구는 남아 있는 수량이 많아 무늬가 없는 것을 비롯하여 음각과 상감, 철채, 철화, 흑자 등 다양한 시문 기법이 확인되고 있다. 무늬는 대부분 모란문과 국하문, 당초문 등으로 풀과 꽃을 소새로 활용하고 있다. 또한, 성형은 채편과 북편을 함께 만든 일체형과 진도 용장성 출토 장구처럼 조롱목을 반으로 나누어 채편과 북편을 각각 따로 만든 분리형이 있다.

청자 피리는 장구에 비해 남아 있는 사례가 많지 않으며 청자 전성기에 강진과 부안 등 한정된 요장에서 만들고 있다. 미국 메트로폴리탄박물관이 소장하고 있는 청자상감운학국화문피리는 청자 피리 가운데 가장 명품으로 비

색의 유약과 간결하면서 유려한 무늬
가 매우 선명하게 시문되어 있다. 피
리의 위와 아래 부분에는 백상감의 번
개무늬를 돌렸으며, 연주를 위한 구멍
둘레는 흑상감으로 원을 돌렸다. 이외
는 흑백상감의 국화와 학, 백상감 구
름문을 몸통 전체에 시문하여 전성기
청자의 자태를 뽐내고 있다. 피리는 3
만5천 년 전에 독수리 뼈로 만든 것이
독일 남부의 동굴에서 발견되어 인간
의 목소리를 제외한 인류 최초의 악기
로 추정되고 있다. 우리나라에서는 북
한의 함경북도 나선시 굴포리 서포항

사진 231 | 청자상감운학국화문피리

유적에서 출토된 역시 뼈로 만든 청동기시대 피리(북한 준국보)가 가장 빠
르다. 새의 다리뼈를 잘라 만든 것으로 길쭉한 몸통에 한 줄로 일정한 간격
을 두고 13개의 구멍이 뚫려 있다. 피리는 고구려에서 발전하여 중국의 수隨
문제文帝(581~604)가 궁정에서 사용하기 위해 일곱 가지의 대표적인 음악을
선택하여 칠부기七部伎를 제정할 때 고구려 음악인 고려기高麗伎가 포함되어
상당한 평가를 받았음을 알 수 있다. 이때의 피리는 서역에서 수입되었으나
토착화되어 향토 피리라는 의미로 '향피리'라 불렸으며, 고려에서는 중국화
된 피리가 유입되어 '당피리'라 하였다. 조선 후기에는 선비들의 단아한 풍류
에 적합한 음량이 작고 음색이 부드러운 가느다란 '세細피리'를 만들어 현재
이들 세 종류의 피리가 사용되고 있다. 피리는 음률의 강약과 높고 낮음을
사람의 목소리처럼 자유자재로 변화시킬 수 있어 우리 음악에서 필요로 하
는 표정 깊은 선율을 만드는데 적합한 악기로 중요하게 취급되고 있다.

사진 232 | 청자음각넝쿨무늬종
(강진 사당리 청자 요장 출토)

청자로 만든 종 역시 명품 청자의 대명사인 강진과 부안 청자 요장에서만 소량 확인되고 있으며 유색과 문양, 형태 등 조형성이 매우 뛰어나다. 강진 사당리 요장 출토 청자종(이용희 기증품)은 윗부분의 경우 음각당초문을 돌렸으며, 직사각형의 유곽乳廓 안에는 연꽃 봉우리로 표현한 9개의 종

유鐘乳를 붙여 성형하였다. 종은 고통 속에 살아가는 땅 아래 중생들의 해탈을 기원하면서 울리는 상징적 의미가 있어 사찰에서 주로 사용하고 있으나 시간이나 긴급한 사항 등을 알리기 위한 목적으로 일반에서도 만들고 있다. 또한, 처음에는 악기로 만들었으나 사찰에서 주로 사용하면서 부처를 향한 찬양과 공덕, 자비, 구원, 진리, 깨달음의 의미를 담은 장엄의 소리 법음구法音具 역할로 의미가 변화하였다. 청자 종은 깨지기 쉬운 재질이기 때문에 사찰에서 사용하는 일반적 기능인 시간과 의식을 널리 알리는 역할은 없었을 것으로 판단된다. 크기도 작아 실내에서 가볍게 쳐 독경讀經할 때 음율音律을 맞추거나 참선하면서 졸음과 방심 등을 쫓는 경계의 방편으로 사용하였을 것으로 추정된다. 한편, 중국에서는 훈塤과 편경編磬 등의 청자 악기가 확인되고 있어 고려에서도 이를 만들었을 가능성이 있어 향후 새로운 청자 악기의 확인도 기대된다.

악기를 연주하는 모습이 표현된 청자는 이제까지 모두 3점이 확인되고 있다. 먼저 국립중앙박물관 인물문 매병은 야외에서 거문고를 타면서 소나무와 가락에 맞추어 춤을 추는 한 마리 학을 바라보는 문인을 표현하고 있어 일상을 초월하여 자연을 관조하는 군자의 풍모를 엿 볼 수 있다. 소나무도 연주에 심취한 듯 나선형으로 표현하고 있어 더욱 흥미롭다. 이화여자대학교

사진 233 | 청자상감인물문매병

사진 234 | 청자상감인물문매병
(부안 유천리 청자 요장 출토)

박물관 인물문 매병은 부안 유천리 요장 출토품으로 풀과 꽃, 학을 사이에 두고 비파와 피리 또는 퉁소로 보이는 악기를 연주하는 일상의 모습을 보여주고 있어 고려 문인들의 정감 있는 친근한 생활상을 느낄 수 있다. 하버드박물관 인물문 청자 파편은 병 또는 호로 추정되는 기종으로 일부만 남아 있어 주변 무늬를 알 수 없으나 책상 위에 거문고를 놓고 있어 실내에서 밖의 경치를 그윽하게 감상하면서 연주하고 있는 것으로 추측된다. 청자에 표현된 거문고와 비파는 가야금과 함께 우리 민족의 대표적 현악기

사진 235 | 청자상감인물문병

로 중국의 영향을 받아 고려 문인들이 가장 좋아하는 악기였으며, 이런 바람이 청자 무늬에 반영되어 풍류에 아취의 격을 더했던 것이다. 즉, 선비들의 술병이나 꽃병으로 사용되면서 아름다운 선율을 상상하도록 하였던 것이다. 특히, 거문고는 연주 기능 이외에도 마음을 수양하는 군자의 악기이자 천상天上의 악기로 가장 많이 애용되었으며, 다양한 기록과 그림 등에서 확인되고 있어 그 상징적 의미를 쉽게 알 수 있다. 그리고 학과 소나무가 함께 등장하고 있는데, 이는 불로장생과 함께 곧고 굳은 고고한 기상을 지닌 이상적인 군자를 상징하고 있어 그 의미가 더 깊다

한편, 조선 후기에 만든 백자 연적은 악기는 아니지만 생황笙簧의 모습을 매우 잘 표현한 명품이다. 대나무에는 산화동酸化銅을 발랐으며 몸통에는 청화靑華를 칠해 한껏 멋을 부리고 있다. 생황을 연주하기 위해 입술이 닿는 부분을 연적의 주둥이出水口로 표현하는 등 사실적인 모습을 지닌 조선시대 상

형象形 연적 가운데 가장 뛰어난 작품 중 하나이다. 생황은 삼국시대부터 연주되었으며 국악기 가운데 유일한 화음 악기이다. 길이가 다른 여러 개의 대나무 관이 봄날 아지랑이가 피어오르면서 따사로운 햇빛을 받아 대지에 만물이 돋아나는 모양을 하고 있어 살아있는 대나무 악기笙라는 의미를 지니고 있다. 거문고처럼 보편적이지 않았으나 문인들의 풍류에 애호되는 악기 가운데 하나였다.

청자는 재질이 갖는 특성으로 소중하게 다루어야 하는 민감성 때문에 악

사진 236 | 백자동화생황형연적(조선)

기로 많이 제작되지 않았지만 대부분 청자 전성기에 정성을 들여 만들고 있다. 따라서 전성기에 제작된 아름답고 우아한 청자가 다양한 용도에서 고려 사람들의 풍요로운 삶에 기여하였음을 청자 악기와 청자에 표현된 악기의 연주 모습에서도 엿볼 수 있다. 아름다운 선율이 바람을 타고 너울을 넘어 우리 곁으로 소리 없이 다가오고 있다.

참고문헌

국립대구박물관『깨달음을 찾는 소리 소리로 찾은 진리』2017.

국립중앙박물관·국립국악원『우리 악기, 우리 음악』2011.

박지영「고려시대 도자기 장구 연구-완도 해저 출토 청자 장구를 중심으로-」
  『해양문화재』1, 국립해양유물전시관, 2008.

송방송『증보 한국음악통사』민속원, 2007.

전통예술원『한국 중세 사회의 음악 문화』민속원, 2002.

이종민「고려 청자 장구 연구」『시각문화의 전통과 해석』예경, 2007.

하남역사박물관『요고』2018.

8. 자연의 아름다움을 생활에 옮기다, 화기花器

꽃꽂이를 비롯한 화예문화花藝文化는 사람이 보고 즐기기 위해 꽃과 나뭇가지를 꽃병이나 화반花盤에 꽂거나 화분에 기르는 공간 조형 예술이다. 꽃은 아주 오랜 옛날부터 사람의 주변을 꾸미는데 이용되었다. 아름다운 자연을 곁에 두고 가까이에서 즐기는 것은 눈과 마음에 즐거움을 주고 삶에 생기를 주기 때문이다. 또한, 식물은 오랫동안 인간에게 예술 창작의 원천이 되어 자연에서 자란 꽃과 나무를 인위적으로 재배하여 실내로 옮겨 감상하면서 그림과 음악, 시 등 다종다양한 작품을 남겨 인간의 삶을 풍요롭게 하였다. 그리고 식물의 물성은 원래 그대로인데 인간들이 형태와 색상, 특성 등을 검토하여 의미(꽃말)를 부여하고 생로병사, 희로애락, 관혼상제 등 다양한 용도에 감정을 이입하여 사용하였다. 그만큼 꽃을 비롯한 식물은 우리 생활과 밀접하고 친근한 요소인 것이다.

식물을 심미적 대상과 예술적 소재로 바꾸는데 매우 중요한 요소 가운데 하나가 꽃 그릇들이다. 이들 화기는 돌과 금속을 이용한 사례도 있으나 도자기가 가장 많이 사용되었다. 화병과 화반은 사계절 꽃을 꽂고 가지를 잘라 비례 형태를 맞춘 것이며, 화분은 나무의 뿌리와 초본 식물을 다듬고 연결해 옮겨 심는 그릇으로 이들 모두 인위적으로 조화된 미적 표현을 중시한다. 화병은 중국의 경우 송宋과 원元을 거치면서 매우 발전하였으며, 화훼의 품종이 증가하면서 이를 재배하는 기술도 성숙하여 더욱 발전하였다. 여기에 왕성한 도자 공예의 발전은 꽃 문화를 더욱 널리 확산시키는 역할을 하였으며 고려에도 영향을 주었다. 그리고 문인들은 꽃을 재배하며 꽃과 나무 등에 대한 심미관을 중히 여겼으며, 전문가의 등장은 화분의 정교함을 더욱 돋보이게 하였다. 그림과 같은 정교한 분재를 가꾸거나 운치 있는 병에 꽃을 꽂는 것을 우아하며 청량한 성품을 연마하는 고상한 일로 여겼다.

식물에 인공을 가하여 실내로 끌어들인 목적은 자연숭배와 신수사상神樹思想이 배경으로 식물을 영적인 대상으로 간주하면서 시작되었다. 따라서 숭배하는 대상에게 아름다운 식물을 바치는 실용적인 목적에서 출발하여 곁에 두고 이를 즐기며 감상하는 욕구로 발전하였다. 꽃을 그릇에 담아 즐기게 되었으며, 인간의 조형적인 영감과 예술적인 능력은 변화와 조화의 묘미를 찾게 되어 꽃 자체의 아름다움만이 아닌 인간의 마음과 조형 능력을 통한 자연의 표현, 즉 예술로 발전시켰던 것이다. 그러므로 기록과 뚜렷한 유물은 없으나 꽃 문화는 선사시대부터 있었으며, 이후 불교 전래와 함께 꽃을 공양하는 문화가 함께 받아들여져 형식미를 갖추면서 더욱 발전하였다.

사진 237 | 청자병

우리나라의 자연관은 모든 것이 우주로 돌아간다는 공空 사상으로 공백의 미를 으뜸으로 여겼기에 꽃을 꽂는 형식도 우주관이 바탕이 된 원형圓形과 방형方形, 각형角形의 외형을 주로 하면서 반드시 필요한 것 이외에는 없애고 공간을 살렸으며 지나친 격식이나 형식에 얽매이는 것을 꺼렸다. 이와 같이 우리 민족의 꽃 문화는 전통의 자연숭배 사상과 외래문화인 불전佛前공양을 바탕으로 발전하였다. 고구려 쌍영총 벽화에 꽃이 꽂혀 있는 화병이 확인되며, 안악 2호분에는 수반에 꽂힌 연꽃이 그려져 있어 화병과 수반이 이미 등장하였음을 알려주고 있다. 신라의 막새기와에도 화병이 확인되며,『삼국유사』에 실린 「헌화가獻花歌」를 통해 사랑과 존경 등의 표시로 꽃을 꺾어 바치는 풍속이 있었음을 알 수 있다.

사진 238 | 청자상감풀꽃새무늬병

고려시대의 꽃 문화는『고려사』와 『고려사절요』등에 누각을 짓고 풍악을 연주하며 꽃을 꽂았다거나 연회 때 꽃 계단을 꾸몄다는 기록 등이 있어 꽃을 감상하였음을 쉽게 알 수 있다. 또한, 시가詩歌를 보면 꽃을 꽃병과 수반을 비롯하여 머리와 모자, 옷 등에 장식하여 아름답게 치장하였음을 알 수 있다. 이와 같이 꽃을 꽂는 풍습이 널리 확산되어 꽃 그릇도 다양하게 제작되었다. 현재 남아 있는 고려청자를 통해 꽃 문화가 매우 활발하였음을 알려주고 있다. 청자는 꽃을 꽂고 가꾸는 도구였지만 청자에 그려진 다양한 꽃무늬를 통해서도 발달하였던 꽃 문화를 엿볼 수 있다. 여러 차례의 전란으로 고려시대 그림이 많지 않아 꽃 문화의 정확한 실상은 알 수 없으나 이외에도 고분에 그려진 벽화 등을 통해서도 화병과 화반, 화분 등이 널리 사용되었음을 알 수 있다.

고려는 불교의 융성과 청자의 발전으로 다양한 꽃 그릇이 등장할 수 있는 계기가 마련되었으며, 화예花藝의 영역을 더욱 넓히도록 하였다. 이는 사찰을 장엄하였던 불화와 벽화, 경전에 그려진 그림 등을 통해 알 수 있다. 특히, 관경변상도觀經變相圖와 수월관음도水月觀音圖 등의 불화를 통해 부처님께 공양하였던 공화供花 의례와 그릇 등을 통해 알 수 있는데, 수월관음도에 그려진 정병의 버드나무는 중생을 구제하는 대자대비한 관음보살의 표상이며, 재앙을 쫓는 종교적 의미를 충실히 표현하고 있을 뿐 아니라 정병이 꽃 그릇

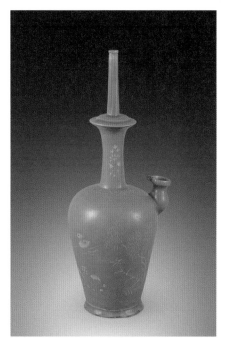
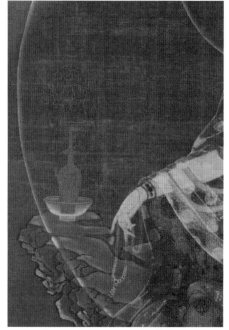

사진 239 | 청자상감연지蓮池원앙무늬정병(국보 제66호)　　사진 240 | 수월관음도 부분(일본 중요문화재)

의 기능도 하였음을 알려주고 있다. 따라서 예술로서의 꽃 문화는 고려시대에 본격적으로 발생하고 발전하였다고 할 수 있다. 또한, 왕실이나 귀족층에서도 꽃 문화에 심취하여 우아하면서 화려한 귀족문화를 꽃피웠으며, 청자는 반드시 필요한 도구로 등장하였다. 왕실에서는 왕이나 왕비, 태자의 책봉의례를 비롯하여 연군신의례宴群臣儀禮와 연등회와 팔관회, 기로연耆老宴, 국왕의 하사품 등에 꽃을 사용하였다. 그리고 왕이 하사하는 꽃과 술을 전달하는 것을 담당하였던 선화주사宣花酒使를 비롯하여 선화주사에게 꽃을 받아 수혜자에게 직접 꽃을 꽂아 주었던 권화사勸花使, 꽃과 술의 운반을 감독하거나 꽃을 간직하였던 압화사押花使, 꽃을 가지고 있는 사람을 영솔하거나 꽃을 거두는 업무를 담당하였던 인화담원引花擔員 등이 있어 화에 장식이 분업화되어 매우 발전하였음을 알 수 있다.

조선시대는 무엇보다 꽃 문화와 관련되어 꽃꽂이와 분재盆栽, 분경盆景 등을 다룬 다양한 서적이 등장하여 꽃을 배경으로 하는 사상과 철학이 정리되었다. 이들 기록은 식물의 성장뿐만 아니라 재배 기술, 꺾어진 꽃들이 병 속에서 오랫동안 생명을 유지할 수 있는 과학적 내용까지 소개하고 있다. 특히, 서유구(1764~1845)의 『임원십육지(林園十六志)』에는 화예에 사용되는 그릇과 꽃의 조화관계, 조형미 등에 대한 이론과 함께 기술적인 내용까지 자세하게 소개하고 있어 현대에 이용하여도 손색이 없을 정도이다.

조선시대는 고려시대에 비해 많은 회화작품이 남아 있어 선조들의 꽃 문화를 이해하는데 다양한 자료를 전하고 있다. 화조도와 풍속화, 불화, 책거리, 병풍, 문자도文字圖 등에 그려진 꽃 그림은 현대 화예에서도 기본으로 다루는 직립과 경사, 변형, 자유형 등에 이르는 다양한 양식을 선보이고 있다. 특히, 왕도 참석하는 2품 이상의 관료로 70세 이상을 위한 잔치였던 기로연耆老宴을 기록한 그림을 보면 백자 항아리 한 쌍에 색상 등을 서로 대비시키거나 조화시키면서 꽂혀있는 나뭇가지가 있는데, 항아리의 용도와 함께 오늘날 꽃꽂이 요소를 잘 보여주고 있다.

조선시대는 유교가 전래되면서 시각적 아름다움에 큰 의미를 부여하지 않고 지조와 덕성 등 인간의 내면을 상징하거나 가치관을 지닌 꽃을 사랑하고 교훈적인 내용이나 선학들이 좋아했던 꽃을 아끼는 풍조가 발전하였다. 또한, 초화와 나무 등에 품격을 정하고 정원이나 꽃꽂이 등의 작품 구성에 이러한 경향을 반영하였다. 궁중에서는 낳은 수량의 가화假花를 확보하여 장식하였으며 화장花匠이라는 전문 관리가 있었다. 그리고 궁중 의례에 꽃을 올리고 나누며 꽂고 관리하는 임시 관리인 분화관分花官도 있었다. 특히, 조선시대에도 고려청자처럼 백자가 꽃 문화 발전에 필수적인 역할을 하여 이를 더욱 풍요롭게 하였다. 한편, 조선의 도자 장인들은 임진왜란 때 일본으로 강제로 이주되어 일본 도자문화가 발전하는데 결정적 역할을 하였으며, 이러한 일본 도자문화의 발전은 차와 함께 꽃꽂이 문화를 활성화시켰다.

현대는 산업의 발달로 사람들이 도시로 집중되면서 생활환경이 악화되어 도시 공간에서 자연이라는 핵심적 요소를 배제시켰을 뿐만 아니라 녹지 공간의 부족을 초래하게 되었다. 또한, 실내 공간에 머무는 시간의 증가로 실내에 자연의 생기와 아름다움을 도입하고자 하는 본능적인 욕구가 발생하게 되었다. 따라서 꽃 문화는 현대 사회의 메마른 정서를 순화하고 아름다움에 대한 미적 욕구를 충족시킬 수 있는 계기를 마련해 줄 수 있는 중요한 역할을 하고 있다. 그리고 실내에 식물을 두면 미세먼지를 줄이는데 효과도 있어 실용적인 장점도 있다. 이러한 배경으로 꽃 문화의 도입과 아름다운 꽃 그릇의 필요성도 점차 증가하고 있다. 현재의 꽃 그릇은 조형적 우수성도 중요하지만 실용적 미를 갖추는 등 다양한 아름다움을 느끼고 체험할 수 있도록 도와주며, 꽃과의 조화뿐만 아니라 실내 환경의 일부로 역할하고 있다.

병은 술과 물을 담고 운반하며 따르는 가장 기본적인 용기지만 꽃꽂이에도 가장 널리 사용된 그릇이다. 화병은 중국의 경우 남북조시기에 불교가 성행하면서 예불할 때 꽃을 공양한 것에서 출현하였다. 이후 송에 이르면 살아 있는 꽃을 병에 꽂는 것이 일상화되고 대중화되면서 꽃을 담는 화병은 다양하게 발전한다. 고려에서도 병은 꽃꽂이에 가장 일반적으로 사용되었으며, 꽃꽂이와 자기의 발전으로 형태와 크기, 장식 등에 따라 매우 다양한 모양으로 제작되었다. 이들 가운데 준樽이라고도 불렸던 매병은 주둥이가 작고 입술이 뒤집혀 있으며, 목이 짧고 어깨는 풍성하며, 몸통이 가느다란 매우 특징적인 병이다. 원래 일상생활에서 술이나 꿀, 참기름 등 귀중한 액체류를 담았던 그릇이었으나 후대에 매화를 많이 꽂았기 때문에 매병이라 불리게 되었다. 매병은 큰 몸통으로 인해 두껍고 무겁게 만들고 있어 완성까지 많은 공력이 필요한 그릇이다. 또한, 빼어난 형태와 옥과 같은 윤기가 있으며 맑은 색상을 지니고 있어 날렵한 꽃가지를 더욱 돋보이게 한다.

사진 241 | 청자상감구름학무늬매병
(보물 제1869호)

사진 242 | 제사알례알존자第四嘎礼嘎尊者
(원元)

정병淨瓶은 금속기의 형태를 기본으로 하지만 청자로 만든 경우도 많이 남아 있다. 정병은 원래 깨끗한 물을 담는 물병이라는 의미로, 불교에서 부처님과 보살에게 정수를 바치는데 쓰이거나 관욕灌浴 의식 등에 사용되었다. 또한, 관음보살이 지니고 다니는 물건 중의 하나이며, 스님이 반드시 몸에 지니는 십팔물十八物 가운데 하나이다. 그러나 꽃을 꽂는 용도로도 사용되었는데, 서정적인 무늬와 함께 어울려 더욱 아름다운 자태를 뽐내고 있다.

꽃꽂이는 빋침으로 쓰는 형내에 따라 화반花盤과 화병 꽃꽂이가 있다. 화반 꽃꽂이는 쟁반이나 대접, 항과 같은 낮고 넓은 그릇에 꽃을 꽂는 것이다. 화반은 목과 몸통이 길고 입술이 좁은 병에 비해 입술이 넓고 몸통이 낮아 물을 담는데 편리하다. 내면 바닥에 꽃과 가지를 지지하는 도구를 놓고 식물을 풍성하게 장식할 수 있어 병과 함께 꽃꽂이에 사용된 대표적 그릇이다. 따라서 화반 꽃꽂이는 병 꽃꽂이보다 더 다양한 모양을 만들 수 있는 장점이 있

사진 243 | 청자상감국화문반   사진 244 | 청자음각모란문반

다. 화반은 입술이 직립하거나 살짝 밖으로 벌어지는 접시와 같은 유형과 입술이 안으로 숙여지는 항과 같은 유형으로 구분된다.

화분은 꽃과 다른 식물을 옮겨 심어 가꾸는 그릇으로 일반적으로 원형이 널리 알려져 있지만 방형의 화분도 많이 만들었다. 방형의 화분은 그 동안 대부분 향로로 인식되었으나 중국의 경우 방형의 화분과 화반이 많아 고려에서도 이를 화분으로 사용하였을 가능성이 높다. 특히, 자연을 노래하는 서정적인 장

사진 245 | 청자상감모란국화문화분

사진 246 | 청자양각풀꽃새무늬화분
(진도 명량대첩로 해저유적 출수)

사진 247 | 청자상감화분곤충문잔
(나주 송월동 유적 출토)

면이 그려진 방형의 그릇들은 향로보다 화분으로 이해하는 것이 더 좋을 것 같다. 또한, 이들 방형의 그릇들은 형태가 비슷하지만 양쪽에 귀가 달려 있는 것과 귀가 없는 두 유형이 있는데, 귀가 있는 유형은 원형 등의 다른 향로에서도 확인되고 있어 향로의 가능성이 높으나 귀가 없고 서정적인 무늬가 있는 방형 그릇들은 화분으로 볼 필요가 있다. 진도 명량대첩로 해저유적에서 출수된 청자양각풀꽃새무늬화분도 귀가 없으며 사면에 연꽃과 버들, 날짐승 등의 자연적 요소를 표현하고 있어 화분으로 사용하였던 것으로 판단된다. 한편, 화분은 받침이 별도로 있는 사례도 확인되어 화려한 장식미를 더하여 준다.

사진 248 | 청자투각꽃무늬화분받침(보령 죽도 해저유적 출수)

사진 249 | 청자상감모란문 화분과 받침

청자로 만든 화기는 대부분 크기가 크고 무늬가 아름다우며 유약의 색상이 뛰어난 명품으로 제작되고 있다. 따라서 만들기가 매우 어렵고 이에 맞는 주변 장식도 필요하여 대표적인 위세품으로 사용되었다. 특히, 지니고 있는 사람들의 성품과 품위를 대변하고 있어 많은 시인 묵객들에게 사랑받았다. 자연을 품어 아름답고 멋지게 가꾸는 것도 좋지만 아름다운 몸가짐과 마음이 꽃보다 더 아름답다 할 수 있겠다. 또한, 꽃과 꽃 그릇을 함께 감상하면서 만물의 아름다움을 마음속 깊이 느끼고, 나아가 자연을 보호하면서 더불어 살아가는 방법을 깊이 생각하는 하루하루가 되었으면 한다.

사진 250 | 꽃 그릇과 과일器皿折枝圖(안중식·조석진)

참고문헌

국립해양문화재연구소『매병 그리고 준-향기를 담은 그릇-』2013.

김소영「고려시대 청자 화분 연구」홍익대학교 석사학위논문, 2015.

동양미술사학회『花卉와 器』2021.

박성미「조선 전기 도자 화분 연구」이화여자대학교 석사학위논문 2017.

사공영애「고려시대 화훼문화와 화기-화병과 수반을 중심으로-」『한국중세고
　　　고학』5, 한국중세고고학회, 2019.

유진현「고려 방형 청자의 명칭과 용도에 관한 시론적 고찰」『동원학술논문
　　　집』14, 한국고고미술연구소, 2013.

國立故宮博物院『瓶盆風華-明清花器特展-』2014

國立故宮博物院『百卉清供-瓶花與盆景畫特展-』2018.

京都文化博物館『いけばな-歷史を彩る日本の美-』2009.

9. 아름다움을 위한 그릇, 화장 용기

　화장은 품격과 권위, 우아함을 지닌 진정한 아름다움을 갖춘 신과 같은 인격체가 탄생할 수 있도록 도움을 주고자 등장하였다. 따라서 권력과 명예, 경제력을 갖춘 세력일수록 화장을 통해 권위를 갖추고자 하였다. 이러한 욕망 때문에 시간을 거슬러 올라갈수록 화장은 여자보다 남자의 전유물이었다. 화장은 신체를 청결하게 하거나 미화하는 행위로 아름다운 부분을 돋보이게 하고 약점이나 추한 부분은 수정하거나 위장하는 것을 말하는 것으로 가화假化와 가식假飾의 의미를 내포한다. 고려시대에는 화장化粧이 아닌 화장化裝으로 표기하였다. 그리고 야용冶容이라는 낱말이 있는데, 이는 본래의 아름다움을 표현하기보다 억지로 아름답게 꾸민다는 분장의 의미를 내포하고 있다. 이외에도 장식粧飾과 단장端粧 등의 용어가 있다. 또한, 피부를 손질하는 담박한 멋내기는 담장淡粧이라고 하며, 색채를 곁들여 멋들어지게 치장하면 농장濃粧, 짙고 요염하게 꾸밀 때는 염장艶粧, 혼례 등의 의식을 위한 꾸밈은 응장凝粧, 몸과 옷을 함께 치장하였을 때는 성장盛裝이라고 한다. 얼굴을 가꾸는 것은 미용美容이라고 하는데, 이와 같이 다양한 낱말이 쓰였던 것은 선조들의 미의식이 발달하였으며, 화장 기술이 매우 높았음을 알 수 있다.

　화장은 아름답고자 하는 인간의 욕망에 의해 발생하고 발전하였으며, 이외에 신분과 계급, 종족, 성별을 구별하기 위한 미화 수단 등으로 사용되었다. 신체의 보호와 방어, 보온 등의 실용성을 지니고 있으며, 종교 의식과 의료 행위의 일부로 사용되었다. 또한, 죽은 사람을 보존하기 위한 수단으로도 이용되었다. 이와 같이 화장은 종교와 의학, 약학, 과학 등과 혼합되는 등 인간에게 가장 보편적이고 초기적인 장식 수단의 하나였다. 고대사회에 이미 상당히 발전하였던 화장술은 문명이 발달하면서 보다 합리적인 수단과 방법에 의해 더욱 발전하여 하나의 문화로 성립되었다. 화장의 변화는 매우 느리게 진행되었는데, 이는 화장의 직접적 대상이 살아 있는 사람이며, 화장품의 과학적 발달이 근대에 이르러 등장하였기 때문이다.

고대의 화장술과 화장품에 대한 기록은 다양하게 남아 있어 많은 내용을 알 수 있다. 고구려 사람들은 모일 때 모두 비단과 금으로 장식하였으며, 특히 관리들은 두건을 쓰며 일반인들은 절풍折風을 썼다는 기록이 있어 신분과 직업 등에 따라 각기 다른 치장을 하였음을 알 수 있다. 또한, 악기를 연주하거나 춤을 추는 사람들의 이마에 연지로 화장한 사실이 수산리와 쌍영총 벽화 고분 등에서 확인된다. 백제 사람들도 머리와 옷치장이 신분에 따라 달랐으며, 엷고 은은한 화장을 좋아하였던 것으로 추정된다. 신라는 고구려와 백제에 비해 기록이 비교적 많이 남아 있다. 여인들은 가체加髢를 사용하였는데 금은주옥과 오색비단으로 꾸몄다고 한다. 특히, 신라의 가체는 중국의 가체보다 장발이고 미발美髮이어서 중국 여인들이 매우 탐냈다고 한다. 이 때문에 선물로 여러 차례 보내졌으며 교역품으로 수출되기도 하였다. 이러한 사실은 당시 신라의 화장 기술이 우수하였음을 알려준다. 그리고 신라는 백분白粉의 사용과 제조 실력이 매우 높아 널리 사용하였으며, 연지를 만들어 볼과 입술을 치장하였다. 연지 이외에 미묵眉墨을 이용하여 눈썹을 그리기도 하였다. 향수와 향료를 만들어 남녀노소 귀천에 관계없이 널리 애용하였는데, 기본적으로 향로에 향료를 살라 연기를 옷에 배게하거나 주머니에 담아 옷고름 혹은 허리춤에 찼다고 한다. 이와 같이 신라에서 화장술과 화장품이 발전할 수 있었던 것은 신라인들의 남다른 미의식, 즉 영육일치사상靈肉一致思想이 형성되어 있었기 때문이다. 불교의 성행도 발전의 배경이 되었는데, 불교는 향을 신성시하고 의례에 반드시 향을 사용하며, 목욕재계를 중시하고 있어 향의 일상화와 목욕의 대중화가 이루어졌다. 신라인들은 목욕을 자주하여 몸을 깨끗이 하여야 마음도 정결해진다는 청결관념이 강하였으며,

마음의 죄악을 씻는 신성한 의식수단으로 인식하였다. 불교는 특정인이 아닌 모든 중생을 위한 종교로 기능하여 남녀노소는 물론 신분의 귀천이 없었기 때문에 품질의 높고 낮음은 있으나 향수와 향료는 모든 신라인이 애용하였다.

고려는 신라의 정치제도와 문화전통 등을 계승하고 있어 화장술과 화장품 역시 기본적으로 신라의 것을 계승 발전시켰다. 그 결과 고려의 화장 문화는 외적으로는 사치스러워지고, 내적으로는 탐미주의 색채가 농후해졌다. 목욕은 청결관념이 더욱 강조되어 宋中 사신 서긍徐兢이 남긴『고려도경高麗圖經』에 의하면 남녀가 한 개울에서 어울려 목욕하고, 하루에 서너 차례 목욕할 정도로 깨끗한 신체를 간직하고자 노력하였다. 그리고 흰 피부로 가꾸기 위해 전신목욕이 성행하고 부유층에서는 갓난아이에게 복숭아 꽃물에 목욕시키기도 하였다. 여자들은 난탕蘭湯, 즉 향수에 목욕하기도 하였다. 또한,『고려도경』에는 귀부인들이 향유香油 바르기를 좋아하지 않았으며, 분은 바르되 연지를 즐겨 바르지 않았고, 눈썹은 넓게 그렸으며, 검은 비단으로 만든 너울을 쓰고, 감람橄欖 빛깔의 넓은 허리띠를 두르고 채색한 끈에 금방울을 달고, 비단 향낭은 여러 개를 패용할수록 자랑스럽게 여겼다고 기록되어 있다. 서긍의 이 기록은 신라의 엷고 우아한 화장이 다소 중국화되었지만, 기본적으로 거의 변화 없이 고려에서도 유지되었음을 알려주고 있다. 대부분의 여인들은 평상시에는 화장하지 않고 연회나 나들이 때에만 화장하였으나, 부분적으로 신라의 화려하고 사치스러운 경향이 더욱 깊어져 이에 대한 반발도 적지 않았다. 일부이지만 신체와 머리, 옷에 향료를 뿌리거나 발랐으며, 갖가지 장신구를 패용하고 다양한 화장품을 겹겹이 진하게 바르기도 하여 일부 사찰에서는 이러한 차림의 신자들에게 출입을 금지시킨 사례도 있다. 한편, 서긍은 고려의 남자들도 항시 안면용 액상液狀의 화장품을 사용하였음을 알려주고 있다. 이외에 머리 염색이 널리 확산되어 이용되었음을 알려주는 고려 후기의 글이 남아 있다. 그리고 공장工匠에 소장梳匠과 경장鏡匠이 배치되었음을 기록하고 있는데, 이는 화장의 기본 도구인 빗과 거울을 공식적으로 생산하여 널리 유통시켰음을 알려주는 것으로 화장이 보편화되었음을 알 수 있다.

조선은 고려의 사치스러운 풍조에 대한 반대 작용으로 근검절약이 강조되고, 사치스러운 화장에 대한 금지령이 여러 차례 내려지고 있어 고려에 비해 매우 담박하였다. 또한, 임진왜란과 병자호란 등의 전란으로 인한 경제적 곤란도 담박한 화장을 요구하였다. 따라서 삼국시대에 생성되어 고유의 미의식으로 자리잡았던 영육일치사상이 조선에 이르러 크게 변화한다. 즉, 신체가 정결하여야 마음도 정결하다는 사상, 내면의 미와 외면의 미가 동일하다는 사상으로 바뀐 것이다. 얼굴에 눈썹을 그리고 분과 연지를 바르지만 본래의 생김새를 바꾸지 않도록 하였으며, 화장한 모습이 화장 전보다 확연하게 달라 보이면 야용이라고 경멸하였다. 깨끗한 옷에 정결한 신체를 간직하기 위하여 아침에 일어나면 세수하고 빗질하였으며, 외출 후에는 반드시 손발을 씻는 등 청결하면서도 단정한 몸가짐을 위하여 노력하였다. 그리고 외모를 보면 내면을 알아볼 수 있다고 하여 올바른 마음가짐을 강조하였다. 즉, 지智·덕德·체體의 합일을 추구하였다.

이와 같이 아름답고 청결한 몸과 마음을 가꾸기 위한 화장품을 담았던 그릇들도 사용하는 사람들의 의식과 내면의 세계를 반영하기 때문에 특별히 주문하고 각별하게 애용되었다. 청자로 만든 화장 용기 역시 대부분 매우 섬세하고 단정하게 만들어 고려청자의 우수성을 잘 보여 주고 있다. 용인대학교박물관 소장의 청자음각앵무문합은 뚜껑 윗면에 두 마리의 앵무가 있으며, 경사진 가장자리에는 초문이 단정하게 음각기법으로 시문되어 있는데, 합의 몸통 내부에 실제 화장품의 내용물이 남아 있어 매우 중요한 자료를 제공하고 있다. 코리아나화장박물관 소장의 청자상감국화문모자합은 몸통을 이루는 합 내부에

사진 251 | 청자음각앵무문합

사진 252 | 청자상감국화문모자합

다시 작은 합 네 개가 들어있어 용도별 또는 재질에 따라 화장품을 나누어 넣었음을 알려주고 있다. 뚜껑 윗면은 중앙에 커다란 국화무늬를 배치한 다음 검은 점열문을 돌려 세 개의 문양대로 나누어 국화무늬를 시문하였다. 뚜껑의 드림새와 이와 맞닿는 몸통의 상면에는 번개무늬를 돌렸으며, 몸통 빈개무늬 아래에는 구슬무늬를 돌려 장식성을 높이고 있다. 몸통 내부의 작은 합들도 국화와 구슬무늬를 시문하고 있어 뚜껑과 조화를 이루고 있다.

청자상감모란문병과 청자음각넝쿨무늬주전자는 앙증맞게 만든 매우 작은 병과 주전자로 화장용 기름이나 향수를 담았던 용기이다. 작은 그릇에 매우 정교하면서 섬세하게 무늬를 시문하고 있다. 특히, 청자음각당초문주전자는 어깨부분 세 곳에 작은 귀가 달려

사진 253 | 청자상감모란문병

사진 254 | 청자음각넝쿨무늬주전자

있어 뚜껑 손잡이의 구멍과 함께 결구하도록 되었으나 손잡이는 남아 있지 않다. 청자철화모란문반은 얼굴을 씻는데 사용하였던 매우 큰 세숫대야이다. 몸통이 매우 크지만 단정하게 만들었으며 무늬도 유려하게 시문하였다. 철화대반 가운데 그릇의 형태와 무늬, 유약의 색상 등 조형성이 가장 뛰어난 작품 가운데 하나이다.

사진 255 | 청자철화모란문반

화장과 함께 몸에 걸치거나 옷에 달아 아름다움을 더욱 돋보이도록 목걸이와 귀걸이 등의 장신구를 사용하였는데, 이들 장신구의 재료는 대부분 금속과 나무가 쓰였다. 그러나 매우 특별하게 청자로 만든 구슬이 강진 사당리 청자 요장에서 확인되어 청자가 매우 다양한 용도로 사용되었음을 알려주고 있다. 이들 구슬은 모두 둥근 모양으로 만들었으나 크기가 다르고 구멍의 위치가 달라 단순한 형태가 아닌 변화 있는 목걸이에 사용하기 위해 제작되었음을 쉽게 알 수 있다.

사진 256 | 청자구슬(강진 사당리 청자 요장 출토)

화장을 위해서는 기본적으로 거울이 사용되었는데 유리 거울이 등장하기 이전에는 대부분 구리로 거울을 만들었다. 또한, 경제적 여유가 있는 계층에서는 나무나 구리, 철 등으로 만든 거울걸이를 함께 사용

사진 257 | 철제거울걸이와 구리거울

하였는데, 호림박물관 소장 거울걸이는 유려한 곡선과 섬세한 장식을 더하여 이상적인 조형미를 갖추고 있어 고려 금속공예의 아름다움을 잘 보여주고 있다.

청자상감투각귀갑문상자는 1939년 4월 장흥군 용산면 모산리 포곡마을 고분에서 출토되었는데 이곳은 고려시대 장흥부가 위치하였던 관산읍 인근에 있어 지역 권세가의 무덤임을 알 수 있다. 장흥부는 고려청자의 성지聖地인 대구소(현재 강진군 대구면)가 위치한 탐진현을 거느리고 있었으며 산 하나를 경계로 대구소와 이웃하고 있다. 따라서 장흥부는 고려청자를 성 밖보다 더 쉽게 취할 수 있는 조건을 갖추고 있었던 곳으로 이 상자는 그러한 장흥부의 위상을 잘 보여주고 있다.

상자 안에는 청동 거울, 은제 침통 이외에 내부 받침 아래의 몸통에 곧 비상할 것 같은 금으로 만든 학 20여 마리가 2~3단으로 서로 엇갈려 곱게 포개져 있었으며 금비녀도 있었다고 한다. 그리고 청자상감국화문모자합과 청자

사진 258 | 청자상감투각귀갑문상자(장흥 모산리 고분 출토)

상감국화문유병이 상자 안에서 확인되어 화장 용기와 화장을 위한 거울, 장신구 등을 담았던 화장 상자였음을 쉽게 알 수 있다. 청자 상자는 모서리의 모를 죽인 장방형으로 약간의 틀어짐이 있으나 매우 기교적이고 정연한 작품이다. 뚜껑은 수평으로 네 모서리에 경사면을 주고 있으며, 경사면의 투각 반원문 안에는 인동당초문을 시문하였다. 뚜껑의 네 측면에는 투각 번개무늬를 두르고 있으며, 윗면에는 백상감의 선으로 외부를 구획한 다음 그 안에 역시 백상감 윤곽을 두른 투각 거북 등껍질 무늬를 전면에 시문하였다. 상자의 뚜껑을 열면 그 아래에 청자 받침이 있으며 중앙에 칸막이를 두어 두 부분으로 구획하고 바닥 전면에는 넝쿨무늬를 투각하였다. 상자의 몸통은 구연부의 경우 2줄의 백상감 선을 돌렸으며, 아래에는 백상감 번개무늬를 돌렸다. 그 사이에는 뚜껑에 시문하였던 거북 등껍질 무늬를 역시 백상감 윤곽선 안에 투각하였다. 몸통 내부도 중앙에 두 부분으로 나누는 판이 있으며, 판에는 음각과 투각으로 꽃과 잎을 시문하고 있다.

내부 받침에 놓여 있던 청자상감국화문모자합은 중앙에 있는 원형 합 주위에 4개의 합을 돌리고 있다. 중앙의 합은 뚜껑 윗면에 백상감 2중원을 돌린 다음 흑백상감의 국화당초무늬를 시문하고 그 주위에는 구슬무늬를 돌리고 있다. 아래에는 4곳에 국화무늬를 시문하였다. 주위에 있는 4개의 삼엽형 합은 동일한 기형과 크기로 뚜껑 윗면에는 흑백상감의 국화당초무늬를 시문하고 구연에는 백상감의 번개무늬를 시문하였다. 몸통에는 입술을 따라 백상감의 번개무늬를 돌렸으며 그 아래에도 백상감의 구슬무늬를 돌리고 있다. 이 상자는 청자뿐만 아니라 고려를 대표하는 우수한 공예품 가운데 하나로 1978년 우리나라를 널리 알리기 위해 미국에서 순회 전시하였던 한국미술오천년전을 다녀오기도 하였으며, 국립중앙박물관의 도자 공예 청자실에 상설 전시되어 그 자태를 뽐내고 있다.

사람은 품위를 갖춘 우아한 외모도 중요하지만 내면의 아름다움이 무엇보

사진 259 | 화장품 만들기(코리아나화장박물관)

다 중요하다. 따라서 청자 화장 용기 역시 이러한 주인의 심성을 표현하는 도구로 애용되었기 때문에 화려하지 않고 단정하며 섬세하게 만들어진 명품들이 남아 있다. 이들 청자들은 시문 기법과 문양 구성, 유색 등이 모두 고아한 정취와 정교한 아름다움을 지닌 우수한 작품으로 장인들의 혼과 시대적 정신을 담고 있는 고려를 대표하는 걸작품이다. 따라서 청자를 보고 아름다움을 느끼고 자랑스러워하는 것도 중요하지만 이를 창조적으로 계승하는 것도 우리의 중요한 사명이라 하겠다.

참고문헌

야마무라 히로미 지음, 강태웅 옮김 『화장의 일본사-미의식의 변천-』 서해문집, 2019.

전완길 『한국 화장 문화사』 열화당, 1987.

코리아나 화장박물관 『한국의 화장 도구』 2011.

紅ミュージアム 『紅ミュージアム常設展示圖錄』 2021.

10. 건물의 권위와 장엄, 수호를 상징하는 청자 건축재

우리나라를 대표하는 전통 문화유산의 보고寶庫 국립중앙박물관의 정원 연못(거울못)에는 청자 기와로 지붕을 화려하게 장식한 청자정이라는 정자가 있어 아름다운 풍광과 함께 박물관의 품격을 높여주고 있다. 청자 기와에 대한 기록은 1157년(의종 11) 궁궐의 태평정 안에 있는 관란정과 양이정에 청자 기와를 덮었는데, 매우 화려하고 사치스럽게 장엄되었다는 내용이 있어 청자 기와도 여기에 일조하였음을 쉽게 알 수 있다. 특히, 궁성인 개경 만월대에서 청자 기와가 출토되고 있어『고려사』의 기록을 뒷받침하였다. 기와를 비롯한 청자 건축재는 건물을 장식하는 부재로 단단하고 침식되지 않으

사진 260 | 청자정(국립중앙박물관)

며 높은 열에도 잘 견디는 성질이 있어 건축재로 적극 활용되었다. 특히, 지붕을 장식하는 기와는 반영구적이며 방수 효과가 높고 경관이 좋아 건축재로 많이 생산되었다. 실용적인 기능 이외에도 건물의 장엄과 권위, 벽사辟邪, 길상吉祥의 의미를 지니고 있다. 청자 기와는 형태와 사용 위치에 따라 평와와 와당瓦當(막새), 연목와椽木瓦, 연봉와蓮峰瓦, 잡상와雜像瓦 등 다양하게 제작되었다. 기와 이외에도 자판瓷板을 비롯하여 난주欄柱와 전塼, 환기창, 연통, 변기, 배수구 등이 있으나 고려청자에서는 환기창과 연통, 변기, 배수구 등은 현재까지 확인되지 않고 있다. 이와 같은 특성을 갖는 청자 건축재는 개성 만월대와 강진 월남사, 장흥 천관사, 고창 선운사, 남원 실상사, 강화 선원사 등 가장 위엄을 갖추었던 궁궐과 사찰을 중심으로 한정되어 확인되며 출토 수량도 많지 않다. 이것으로 보아 청자 건축재는 건물의 핵심적 부분인 전각의 앞부분과 용마루, 내림마루, 추녀마루 등 특정 부분을 장식하여 권위를 상징하였던 것으로 추정된다. 중국에서도 청자 기와와 비슷한 유리 기와는 대부분 궁궐과 사찰, 사당 등의 중요 건축물에 사용하고 있으며, 종류도 평와와 와당, 잡상, 연봉, 자판 등 고려와 비슷하여 기능이 고려와 동일하였던 것으로 판단된다.

청자 기와는 청자 건축재의 대부분을 차지하는 매우 특징적인 유물이다. 이들 청자 기와는 건물의 권위와 장엄, 수호 등을 상징하는 것으로 일반적으로 왕실과 관련된 전각에 주로 사용되었으며, 사찰에서는 대웅전 등 핵심적인 건축물에 사용하였다. 기와는 지붕에 얹는 부재로 비와 눈에 의한 누수를 방지하여 목재의 부식을 억제하며 건물의 경관을 장식하는 역할을 하였다. 또한, 기와는 제작과 사용이 엄격히 제한되어 권위와 재력의 상징이기도 하였다. 기와는 건축물의 상부에 위치하여 하늘과 땅, 그리고 신과 인간의 세계를 구분짓는 장치로 인식되었다. 옛 사람들은 하늘과 맞닿은 건축물의 경계선을 다양한 문양이 새겨진 기와로 장식하였다. 기와에 건축물의 위엄을 높이고 재앙을 피하며, 복을 바라는 주술적인 의미를 담았다. 이를 위해 만든 것이 무서운 형상의 동물과 도깨비 문양의 기와였다. 이렇게 무서운 형상으로 만들어야 건축물에 들어오는 나쁜 기운을 물리칠 수 있다고 여겼다. 특히, 기왓골의 끝을 메워 보호하고 장식하는 수막새는 벽사辟邪의 의미를 담아 더욱 무섭게 만들었다.

청자 기와를 생산하였던 요장은 강진 삼흥리와 용운리, 부안 유천리와 진서리, 고양 원흥동, 용인 서리 등이 있으나 대부분 고품격 양질청자를 핵심적으로 제작하였던 강진 사당리에서 확인되고 있다. 사당리 요장에서는 가장 많은 청자 기와가 확인되었으며 유형도 다양하여 이곳에서 대부분 생산하여 공급하였던 것으로 추정된다. 특히, 사당리에서는 양각과 음각, 반양각 기법 등을 이용하여 모란문과 당초문, 연화문, 모란당초문 등 다양한 무늬를 시문

사진 262 | 청자와당(강진 사당리 청자 요장 출토)

사진 263 | 청자음각모란무늬'大平'명기와
(강진 사당리 청자 요장 출토)

한 평와와 와당이 확인되고 있어 이곳이 청자 기와의 중심 생산지였음을 뒷받침하고 있다.

평와는 가장 기본적인 기와로 암기와와 수키와가 있으며, 와당은 암막새와 수막새가 있다. 따라서 이들 기와가 가장 많이 생산되고 유통되었으나 유적에서는 만월대와 장흥 천관사, 고창 선운사 동불암에서만 확인되고 있어 향후 조사와 연구가 많이 필요한 부분이다. 수막새나 수키와가 흘러내리지 않도록 고정하는 못을 장식하였던 연봉형 기와는 대부분 연꽃이 봉우리를 머금고 있는 형태로 만들고 있다. 철이나 도자로 만든 못 위에 꽂아 못이 보이지 않도록 가리는 장식적인 효과와 비가 스며드는 것을 방지하는 실용적인 기능을 갖춘 특수 기와의 일종이다. 따라서 이들 연봉와는 못에 쉽게 꽂을 수 있도록 아랫부분에 구멍이 뚫려 있다. 또한, 연봉와는 현재 사찰에서만 주로 확인되고 있어 불교를 상징하는 역할도 함께 내포하고 있으며 금동으로도 제작되었다. 다른 청자 건축재와 달리 조선시대에도 백자로 계속 만들어 양산 통도사 대웅전(국보 제290호)과 서산 개심사 대웅전(보물 제143호), 강화 전등사 대웅전(보물 제178호) 등에 현재도 남아 있다. 연봉와는 강진 삼흥리와 부안 진서리, 용인 서리 요장 등에서 확인되고 있다.

사진 264 | 청자연봉형기와
(강진 삼흥리 청자 요장 출토)

사진 265 | 연봉형기와 사용 사례
(강화 전등사 대웅전, 보물 제178호)

연목 기와는 서까래 기와의 일종으로 보 또는 도리에 걸친 원형의 긴 연목 끝에 부착하여 목재의 부식을 막고 건물을 장식하는 용도로 사용되었다. 연목은 지붕의 처마 끝에 노출되어 빗물에 부식될 염려가 많아 일찍부터 일반적인 기와를 사용하여 막음하거나 주칠 또는 단청을 실시하여 보호하였다. 연목와는 대부분 수막새 모양으로 제작되지만 뒷부분에 수키와를 부착하지 않는다. 또한, 연목에 쉽게 부착할 수 있도록 중심부에 못 구멍이 뚫려 있다. 즉, 원형의 통나무에 부착되는 연목와는 수막새와 비슷하지만 대

사진 266 | 청자연목와(남원 실상사 출토)

부분 주연부가 생략되고 중심 자방子房에 원형 또는 방형의 구멍이 뚫려 있다. 이외에 주변 가장자리에 구멍을 뚫어 고정한 사례도 확인된다. 이들 연목와는 삼국시대부터 제작되었는데 특히 백제에서 성행하였다. 신라통일기와 고려시대까지 제작되었으나 조선시대에 단청으로 대체되었다. 한편, 서까래 기와는 연목와 이외에 방형의 부연 끝에 사용하는 부연와附椽瓦도 있어 앞으로 청자 부연와가 확인될 가능성도 있다. 청자 연목와의 생산지는 현재까지 강진 용운리 10호 요장이 유일하며, 사용처는 남원 실상사와 천안 천흥사에서 출토되었을 뿐이다.

잡상 기와는 궁전과 관아, 사찰의 중심 건물正殿에 주로 사용되는데, 팔작지붕과 우진각지붕은 추녀마루 끝에, 맞배지붕일 때는 내림마루 끝에 일렬로 배치하였다. 잡상은 새를 비롯한 여러 가지 동물 형상으로 제작되었으며, 권

위와 장엄, 길상, 벽사(주술)를 상징하며, 건물을 수호하는 의미를 담고 있다. 따라서 멀리서도 특별한 격식을 지닌 건물임을 쉽게 알 수 있도록 꾸몄다. 청자로 만든 잡상은 현재 남원 실상사에서 출토된 철화 새모양 기와 1점만 알려져 있으며, 날개와 몸통의 아랫부분만 남아 있어 정확한 형상은 알 수 없다.

사진 267 | 청자새모양기와(남원 실상사 출토)

아래에 구멍이 있어 못을 이용하여 지붕에 고정할 수 있도록 하였다. 한편, 새는 지상과 하늘을 연결시켜주는 신령스러운 존재로 인식되어 무덤의 부장품으로도 많이 사용되었으며, 마을 앞에 솟대로 세워져 신성한 영역을 상징하면서 마을의 안녕과 풍요를 이루어주는 수호신 또는 경계신 역할을 하

사진 268 | 새모양기와 사용 사례(臺北 孔子廟)

였다. 또한, 새는 농사에 필요한 물을 가져오며 홍수를 막아 풍농을 가져다주는 곡영신穀靈神으로 인식되었다. 고대에는 갑옷과 투구, 큰 칼 등의 문양으로 등장하여 권력자들의 상징물로 많이 사용되었다. 이처럼 다양한 의미를 갖는 새와 관련된 의미와 신앙은 오늘날까지 계속 이어지고 있다.

청자로 만든 자판은 건물에서 장식 또는 구조構造 용도로 사용되는 얇고 납작한 판으로 벽을 장식하거나 바닥의 전塼으로 사용되었다. 전은 삼국시대부터 기와와 함께 무덤이나 건축물 등에 많이 사용되었는데, 특히 전에 새겨진 길상과 벽사를 상징하는 무늬와 글씨 등은 그 시대의 종교와 사상, 문화, 건축, 회화 등 시대상을 반영하고 있다. 청자 자판은 구울 때 휘는 것을 방지하기 위해 중앙부가 두텁고 주변 가장자리를 얇게 성형하고 있다. 형태는 장방형을 중심으로 사다리꼴이 확인되며 크기와 두께가 다양하다. 모서리는 곡면으로 성형하거나 각을 죽여 부드럽게 하였다. 무늬는 앞면에 주로 음각과 상감기법으로 운학문과 모란문, 국화문, 운룡문, 유노수금문 등을 시문하고 있다. 후면과 옆면은 유약을 바르지 않아 건물 벽에 쉽게 부착할 수 있도록 하였다. 이들 자판은 장식적으로 도안화된 것과 그림처럼 회화풍이 강한 것으로 구분된다. 또한, 여러 매를 연결하여 사용한 것과 1매를 독립적으로 사용하여 효과를 볼 수 있는 것들도 있다. 청자판이 출토된 유적은 현

사진 269 | 청자상감모란문판

사진 270 | 청자음각연화문판(강진 월남사 출토)

재 강진 월남사와 강화 선원사만 알려져 있다. 월남사에서는 방형의 청자음각모란문이 매우 많이 확인되고 있으나 선원사에서는 청자상감당초문이 시문된 자판 2점이 출토되어 강진 청자를 쉽게 사용하였던 월남사의 위상을 느낄 수 있다. 청자판은 강진 사당리와 부안 유천리 요장에서 주로 확인되며 강진 용운리 요장에서도 일부 출토되었다.

사진 271 | 청자철화모란넝쿨무늬난주

청자 난주欄柱는 건물의 툇마루나 누각 등의 가장자리를 일정한 간격으로 마시 세운 나무 기둥인 난간을 화려하게 장식하고 비바람으로부터 보호하였던 것으로 현재까지 만월대에서만 확인되고 있어 매우 한정적으로 사용되었음을 알 수 있다. 난주를 생산하였던 요장은 아직 확인되지 않고 있으나 품질과 품격, 무늬 등으로 보아 강진에서 생산하여 공급하였던 것으로 판단된다.

청자 건축재는 일상생활 유적의 경우 궁성이었던 개성 만월대만 알려져 있으며, 사찰 유적도 강진 월남사와 장흥 천관사, 고창 선운사, 남원 실상사, 강화 선원사 등 5곳에서만 확인되고 있다. 이는 조사의 한계로 청자 건축재의 출토 수량이 한정된 결과일 수도 있으나 청자 요장에서 출토되는 수량에 비하면 매우 적다. 따라서 핵심적인 건물의 특정 부분에 한정적으로 사용하였음을 쉽게 알 수 있다.

와당은 요장에서는 확인되지만 유적에서 출토된 사례가 없으며, 평와는 개성 만월대와 장흥 천관사, 고창 선운사 동불암에서만 확인되고 있다. 선운사는 출토 수량으로 보아 용마루와 내림마루, 추녀마루 등 장식성 기와가 배치되는 곳을 중심으로 일부 사용되었던 것 같다. 고창 선운사 동불암에서는 자기로 만든 못이 확인된 청자 수키와와 연봉와가 함께 출토되어 정면 부분에 평와와 연봉와를 이용하여 장식하였던 것으로 추정된다. 즉, 지붕 전체를 청자 기와로 장식하지 않고 가시적인 효과가 높은 일정 부분에만 덮었던 것으로 추정된다. 장흥 천관사에서는 청자음각모란무늬기와가 1점 출토되어 용마루 중앙에 상징적인 의미로 사용되었던 것으로 추정된다. 남원 실상사에서는 연봉와와 연목와, 새모양의 잡상와가 출토되었으나 일반적인 평기와는 출토되지 않았다. 연봉와와 연목와가 중심을 이루고 있어 부속 기와를 이용하여 핵심적인 건물의 정면 또는 사면의 특정 부분만 장식하였던 것으로 판단된다. 청자 자판은 강진 월남사와 강화 선원사에서만 확인되고 있다. 사찰에서 위격이 높은 건물의 경우 정면은 출입문을 설치하여 개방하기 때문에 자판은 정면 보 사이의 빈 공간이나 옆면과 뒷면에 부착하여야 한다. 그러나 뒷면은 대부분 가시可視 공간이 협소하고 보는 사람이 많지 않아 정면의 일부분 또는 옆벽에 장식하였을 가능성이 크다. 즉, 수량이 한정되어 많은 공간을 장식할 수 없는 현실을 감안하면 정면 또는 옆벽의 일부에 장식하여 건물의 권위를 높이고 화려하게 장엄하였을 것으로 판단된다.

청자 건축재는 청자 요장에서의 출토 수량으로 보아 궁궐과 사찰 등 권위와 장엄을 필요로 하는 건축물에 주로 사용되었을 것으로 판단되지만 유적에서 출토되는 수량은 매우 한정되어 있다. 따라서 가장 핵심적인 전각의 정면과 용마루, 내림마루, 추녀마루 등 일부만을 장식하여 권위를 상징하였던 것으로 추정된다. 청자 건축재는 고려의 화려한 생활 풍속과 수준 높았던 청자의 품질을 상징적으로 보여주는 유물로 고려의 우수한 문화 예술을 이해하는데 매우 중요한 자료이다.

참고문헌

고려청자박물관『고려시대 청자 건축재-태평정과 양이정-』, 2020.

궁민순「고려 청자 도판」『고고미술』145, 한국미술사학회, 1980.

김성구『옛기와』대원사, 1992.

최순우「강진 사당리 요지 출토 고려 靑磁塼」『고고미술』89, 한국미술사학회, 1967.

충청문화재연구원『천안 천흥사지天興寺址』천안시, 2021.

韓盛旭「寺利出土の靑瓷建築材」『東アジアにおける宗敎文化の總合的硏究』佛敎大學アジア宗敎文化情報硏究所, 2008.

世界のタイル博物館『世界の裝飾タイル』靑幻舍, 2007.

INAXミュ-ジアムブッ企劃委員會『染付古便器の粹-淸らかさの考察-』INAX出版, 2007.

INAXミュ-ジアムブッ企劃委員會『やきものを積んだ街かど-再利用のデザイン-』INAX出版, 2011.

1. 천상과 현실, 미래를 이어주는 청자 태호

우리 조상들은 생명을 귀히 여겨 태胎 역시 신체의 일부라 인식하여 소중하게 다루었다. 뱃속의 아이와 어머니를 하나의 공동체로 연결해줬던 생명줄인 태는 탯줄의 줄인 말로 두 사람 모두에게 서로의 분신이자 생명의 근원을 상징한다. 태를 통해 아이는 엄마로부터 신체적 정신적 자양분을 받아 인격체로 성장할 수 있다. 태는 새 생명을 창조하는 영양의 공급원이자 하늘에서 점지한 자식을 만나게 되는 천상에서 지상으로의 생명의 통로였던 것이다. 그래서 태는 세상 모든 것의 바탕, 즉 모든 것의 근원을 의미하기도 한다.

우리 조상들은 아기를 잉태하기 위해 천지신명께 좋은 아기를 점지해 달라고 간절하게 기원하였다. 또한, 뱃속의 태아도 현재의 자신과 똑같은 인격체로 여겨 태아에 대한 교육을 중요시하였다. 따라서 태는 매우 신성시되었으며, 사람이 현명할지 어리석을지, 잘될지 못될지가 모두 탯줄에 달려 있다고 할 정도로 중요하게 인식되었다. 태에는 사람의 일생을 좌우하는 기운이 서려 있다고 믿었는데, 왕실에서는 국운과 직접 관련이 있다고 믿어 정성스럽게 태호胎壺(항아리)를 만들어 아무리 멀더라도 전국의 명산 길지吉地를 찾아 좋은 날을 선택하여 소중하게 묻었으며 특별하게 관리하였다. 특히, 왕위를 계승할 원자元子나 원손元孫의 태는 길지 중에서도 가장 좋은 땅을 택하여 묻었다. 그리고 왕손의 태는 항아리에 담아 3일간 달빛에 씻고 물로 백여 번을 닦아낼 정도로 세심하게 다루었다. 조선시대에는 태를 조상의 신주처럼 귀중히 여겨 왕실뿐만 아니라 일반에서도 태를 소중하게 여기는 풍속이 널리 확산되어 태를 불에 태우거나 말려 항아리에 담아 묻거나 다른 사람들의 눈을 피해 강물에 흘려보냈다. 이는 태를 정결하게 보호하고 보존하기 위한 것으로 믿었기 때문이다. 또한, 탯줄을 한지에 곱게 싸고 명주실로 꼼꼼히 묶은 뒤 안방 높은 곳에 걸어 두었으며, 아이가 아프면 건조된 태를 잘게 썰어 닦여 먹이기도 하였다.

이와 같이 태가 지닌 생명력과 경외심에 대한 믿음이 매우 깊었기 때문에 좋은 항아리에 태를 담아 좋은 땅을 찾아 이를 묻는 장태 풍습이 발전하였다. 남자는 길지를 만나면 총명하여 학문을 좋아하고, 벼슬이 높으며 병이 없어진다고 하였다. 여자는 얼굴이 예쁘고 단정하여 흠모의 대상이 된다는 것이다. 좋은 땅은 반듯하고 우뚝 솟아 위로 공중을 받치는 형상을 으뜸으로 하였는데, 왕실의 태를 묻었던 태실胎室이 대부분 이러한 곳에 위치하고 있어 이를 뒷받침하고 있다. 태를 담았던 태호는 경제력을 갖춘 왕실과 상류층은 상품의 청자를 사용하였으나 그렇지 못한 일반층은 도기(질그릇)를 사용하여 묻었다. 특히, 왕실에서는 길지를 선택하여 태실을 별도로 만들고 그 안에 태호를 안치하여 매우 정성들여 소중하게 묻었음을 쉽게 알 수 있다. 좋은 장소와 좋은 날의 선택은 관상감觀象監에서 담당하였으며, 태의 호송과 태실에 대한 공사는 선공감繕工監에서 하였다. 이후 태실에 모신 태의 주인공이 왕이 되면 '태봉胎封'으로 높여 또 하나의 왕릉으로 특별하게 관리하였다. 태는 태아에게 생명력을 부여한 것으로 국왕과 직결된 태는 곧 국가의 흥망성쇠와 연관된다고 인식하였기 때문이다. 태봉으로 가봉하면 태실의 내부와 주위에 새롭게 석물石物을 추가하는 등 권위를 갖추었으며, 매년 춘추로 이를 살펴보고 관리하였다. 또한, 태실을 중심으로 사방 300보(540m) 안에는 금표禁標를 세위 경작을 금지하여 길지의 기운이 훼손되지 않도록 하였다.

　조선 왕실에서는 아기가 태어나면 태를 즉시 항아리에 담아 점지해 놓은 방에 두었다가 길일을 택하여 깨끗이 씻은 다음 다시 항아리에 넣어 밀봉하였다. 먼저 동전의 글씨가 위에 오도록 항아리 바닥 중앙에 깔고 세척한 태를 그 위에 놓는다. 그리고 기름 종이와 남색 비단으로 항아리 입구를 덮고 빨간 끈으로 단단히 밀봉한 다음 더 큰 항아리에 넣는데, 먼저 항아리 밑에 솜을 깔고 태항아리를 넣고 다시 그 주위의 공간을 솜으로 메운다. 솜을 항아리 입 높이까지 가득 채운 뒤 초주지草注紙로 다시 그 위를 덮는다. 안의 작은 태항아리가 움직이지 않게 고정시킨 뒤 다시 겉 항아리 입에서 손가락 하나 길이쯤 떨어지는 정도까지 솜을 채운 뒤에 감당甘糖으로 둥글게 띠를 만들어 항아리 입에 넣고 화기火氣로 밀폐하고 다시 그 위에 마개를 막아 완전히 밀봉한다. 그리고 빨간 끈으로 항아리 사면을 매고 빨간 패에 '모년 모월 모일 모시 중궁전 아기씨 태야某年某月某日某時中宮殿阿只氏胎也'라 써서 달아맨다. 넓적한 독 안에 넣고 삭모전槊毛氈을 두르고 뚜껑을 닫았다. 또한, 태어난 아이의 생일 사주와 태를 묻는 날의 사주를 적은 돌로 만든 책판형의 태지胎誌를 태실에 함께 넣었다. 고려시대는 11~12세기 무렵부터 왕이나 왕위를 이을 태자에 한정하여 태실을 조성하였다. 태실의 입지는 늦어도 인종대(1122~1146)에는 확립되었는데 풍수지리적으로 돌혈突穴에 해당되는 곳으로 산 정상부에 토광을 파고 그 안에 이중태호二重胎壺가 매납된 방형의 태함을 안치한 다음 반구형의 봉토封土를 조성하였다.

　태호는 좁게는 호(항아리)만을 의미할 수 있으나 반드시 뚜껑을 갖추고 있어 호와 뚜껑의 조합 관계로 이해할 필요가 있다. 뚜껑은 뚜껑을 목적으로 만든 전용품도 있으나 경제력을 갖추지 못한 계층에서는 대접이나 접시를 뚜껑으로 대신 사용하였다. 이런 경우도 나주 장산리처럼 호와 뚜껑을 모두 청자로 사용한 계층과 강진 사당리와 같이 호는 유약을 바른 시유도기를 사용하고 뚜껑은 청자를 사용하는 계층, 그리고 강화 대산리에서 보는 것처럼 유약이 없는 무시유 도기에 청자 뚜껑을 덮는 등 경제력에 따라 다양한 조합을 이루고 있다. 이를 통해 장태 문화가 다양한 계층에 널리 확산되었음을 알 수 있다. 태를 매장하기 위해 사용된 고려청자는 일부만 확인되며, 대부분 조선 초기 왕실에서 사용된 분장청자가 중심을 이루고 있다. 특히, 조선 왕실의 분장청자는 내·외항아리를 갖추며 특별하게 제작되어 분장청자의 아름다움을 잘 보여주고 있어 태호에 대한 연구뿐만 아니라 분장청자의 연구에도 많은 자료를 제공하고 있다.

사진 272 | 강화 대산리 출토 태호

사진 273 | 강진 사당리 출토 태호

고려시대에 태호로 사용된 청자는 일부만 알려져 있는데, 이는 가장 큰 소비지인 수도 개경(현재 개성)에 대한 정보의 부재일 수도 있다. 즉, 북한의 학술적 자료를 충분하게 받아들일 수 없는 현실성도 중요한 요인일 수 있다. 강화 대산리에서 출토된 태호는 타날판을 두드려 격자문이 시문된 경질의 무시유 도기 호와 함께 내외면에 상감국화문을 시문한 다음 규석 받침을 받쳐 만든 14세기 중반 무렵의 청자 접시를 뚜껑으로 사용하고 있다. 그리고 강진 사당리 출토 태호는 강진 사당리 40호 청자 요장 주변에서 확인되었다. 호는 단지 형태이며 짙은 회록색의 유약을 바른 시유 도기로 외면에는 집선문이 타날되어 있고 내면에는 동심원문의 타날 흔적이 남아 있다. 바탕 흙에 가는 모래 가루가 섞여 있으며, 바닥은 편평하고 내화토 비짐을 받쳐 구웠다. 뚜껑으로 사용된 접시는 측면이 사선을 이루며, 입술은 안으로 내만內彎하고 있다. 무늬는 매우 간략하게 내면에는 여지문茘支文이, 외면에는 국화문이 백상감되어 있으며, 굽바닥에 모래를 받쳐 구웠다. 간략한 상감무늬와 모래를 받쳐 번조하고 있어 14세기 후반에 만들었음을 알 수 있다. 강화 대산리와 강진 사당리에서 확인된 태호는 만든 시대를 정확하게 알려주는 자료가 적은 고려 도기 연구에 좋은 자료가 되고 있다. 즉, 도기 항아리를 덮고 있는 청자 뚜껑을 통해 도기들의 편년을 추정할 수 있기 때문이다.

나주 장산리에서 출토된 태호는 앞의 두 사례에 비해 시기는 늦지만 호와 뚜껑 모두 청자로 조합을 이루고 있어 위의 주인공에 비해 위세가 있었음을 알 수 있다. 호는 몸통의 경우 곡선으로 둥글게 만들었으며, 몸통 중앙에서 최대 지름을 이루고 있다. 무늬는 상감기법으로 간략하게 시문하였는데 어깨에는 연판문을 돌렸으며, 몸통에는 간략한 연화문과 버들문을 각 두 곳에 대칭으로 배치하고 그 사이에 보다 작은 연꽃 봉우리를 그리고 있다. 굽안바닥에 그릇을 구울 때 높은 온도로 그릇이 터지는 것을 방지하기 위해 대칼로 누른 흔적이 남아 있으며 내면에는 물레 흔적이 있다. 굽은 '八'자형이며 굽바닥에 모래를 받쳐 번조하였다. 뚜껑으로 사용된 청자대접은 무늬가 없다. 굽은 대마디 모양을 띤 죽절형竹節形이며, 굽안바닥에는 역시 그릇을 구울 때 터지는 것을 방지하기 위한 대칼 누름 흔적이 있다. 내저면과 굽바닥에 바탕 흙(태토) 비짐을 받쳐 포개구웠는데 연질이다. 죽절형의 굽 형태와 바탕 흙 비짐,

사진 274 | 나주 장산리 출토 태호

사진 275 | 영암 서남리 영암읍성 출토 태호

굽안바닥 다짐, 간략한 무늬 등이 14세기 말기에 제작되었음을 알려준다.

최근 영암읍성에서 출토된 태호는 둥근 몸체에 입술 부분이 외반된 도기호와 뚜껑으로 사용한 청자화형접시가 조합을 이루고 있다. 도기호는 평저의 바닥을 갖고 있으며, 입술 내부와 몸체에 자연유가 부분적으로 용융되어 있다. 청자화형접시는 외부에서 눌러 아홉 잎의 꽃모양을 나타낸 초기 청자의 대표적 유형으로 일찍부터 장태문화가 널리 확산되었음을 알려준다. 또한, 청자화형접시는 11세기 전반 영암의 관할 지역이었던 해남 신덕리 청자 요장에서 생산하여 영암에 공급하였던 것으로 사용 흔적이 없어 특별히 태호의 뚜껑으로 사용되었음을 알 수 있다. 영암 읍성에서는 조선시대 태호도 여러 점 확인되어 이곳이 장태의 길지였던 것으로 추정된다.

조선시대는 분장청자가 성행하는 전기의 사례가 많은데, 대부분 특별히 제작된 왕실용이 알려져 있다. 태호는 성종대(1457 탄생, 1469~1494 재위) 이후 백자로 변화하면서 점차 쇠퇴 소멸한다. 예종(1450 탄생, 1468~1469 재위)은 세조의 둘째 아들로 형인 의경세자(1438~1457)가 일찍 죽자 그의 아들인 월산대군(1545~1489)과 자산대군(성종)이 너무 어려 단종(1452~1455)과 같은 전철이 되풀이되지 않도록 세자로 책봉되었다. 이후 세조(1455~1468)에 이어 즉위하였으나 재위 1년 2개월 만에 20세의 나이로 요절한다. 예종의 뒤를 이를 제안대군(1466~1525)이 어려 다시 의경세자의 둘째인 성종이 즉위한다. 이는 결과적이지만 폭군의 상징인 연산군(1476~1506)과 연관되며,

사진 276 | 성종 태실(창경궁)

사진 277 | 세조 태지와 태호

두 아들의 요절과 함께 조카를 죽음으로 몬 세조의 업보로 회자되기도 한다. 예종의 태호는 내측의 작은 태항아리는 백자를 사용하였으며, 외항아리는 분장청자를 사용하였다. 예종의 태항아리는 외항아리의 뚜껑 위에 포

사진 278 | 예종 태호

사진 279 | 성종 폐비 윤씨 태호

개어 덮을 수 있도록 따로 만든 또 하나의 뚜껑이 있어 특징적이다. 내·외항아리 모두 호와 뚜껑에 작은 고리가 있어 묶기 쉽도록 하였다. 외항아리는 상감기법으로 몸통 전체에 무늬를 시문하여 매우 정성을 들였음을 쉽게 알 수 있다.

비운의 여인으로 널리 알려진 연산군의 어머니 폐비 윤씨(1455~1482)는 성종의 계비이자 연산군의 어머니이다. 윤씨의 태실은 왕비가 된 후 2년이 흐른 1478년(성종 9) 가봉되었다. 이를 통해 일반 양반층에도 장태가 성행하였으며, 왕비가 된 후 새롭게 태실이 조성되고 특별하게 관리되었음을 알 수 있다. 윤씨의 태호는 내측의 작은 태항아리는 무시유 도기호를 사용하였으며, 뚜껑은 깨진 인화상감의 분장청자 저부를 사용하고 있어 특징적이다. 이는 호의 입술이 작아 대용의 뚜껑을 사용하였을 가능성도 있으나 왕실용은 대부분 특별히 정성을 들여 제작하고 있는 사례에 비해 이례적이다. 외항아리는 몸통 전체에 귀얄분장을 하였으며, 4곳에 고리를 붙여 만들었다. 귀얄분장 태호는 윤씨의 태호가 유일하며, 뚜껑도 독특하게 장식되어 이채롭다. 특히, 왕비의 태호 가운데 이와 같이 완벽하게 남아 있는 사례가 많지 않아 윤씨의 삶을 새롭게 되돌아보게 한다.

일본의 오사카大阪시립동양도자미술관에 소장되어 있는 상감국화문호는 1462년(세조 8) 태지와 함께 출토된 월산대군의 태호로 알려져 있다. 내항아리와 뚜껑은 유실되고 외항아리만 남아 있다. 낮은 구연에서 당당하게 완만한 곡선을 이루면서 어깨와 연결되고, 몸통에는 인화상감으로 시문한 잔

잔한 국화문이 정
연하게 새겨져 있
어 왕실을 위해 정
성들여 만들었음을
알 수 있다. 특히,
광주 충효동 분장
청자 요장(사적 제
141호)에서 비슷한
파편이 출토되어
충효동에서 생산하

사진 280 | 월산대군 태호

사진 281 | 청자상감인화문호
(광주 충효동 분장청자 요장 출토)

여 공납하였던 것으로 추정된다.

　태지가 출토되지 않아 왕실보다는 최상류층 양반가의 태호로 추정되는 고
려대학교박물관 소장의 태호는 1970년 고려대학교 구내에서 건축 공사를 하
면서 발견되었다. 내·외 항아리 모두 뚜껑이 있으며, 내항아리 안에는 태와
태를 쌌던 것으로 추정되는 유기물, 그리고 동전 2개가 놓여 있었다. 외항아
리는 크고 풍만하며, 태를 담았던 내
항아리는 홀쭉하다. 외항아리는 어깨
부터 번개문과 연판문, 국화문을 돌렸
으며, 아래 부분에도 어깨와 같은 연
판문을 돌렸다. 내항아리는 뚜껑에 육
각형 무늬가 있으며, 몸통에는 외항아
리처럼 국화문을 전면에 가득 시문하
였다. 뚜껑들도 호처럼 전면에 무늬를
시문하고 있어 분장청자의 전성기에
만들었음을 알 수 있다. 이 항아리들

사진 282 | 청자상감인화국화문태호(국보 제177호)

은 매우 세련되며 전면에 무늬를 가득 시문하고 있어 태의 주인공이 왕실에 버금가는 위세를 지녔던 양반 가문의 일원이었음을 알려주고 있다.

조상들께서 어머니와 자식을 이어주는 생명줄이자 천상과 현실, 미래의 염원을 담았던 탯줄을 귀하게 여겼던 것은 그 만큼 생명을 소중하게 여기고 태아를 하나의 인격체로 보았기 때문이다. 태가 지닌 생명력과 경외심에 대한 깊은 믿음은 좋은 그릇에 태를 담아 묻는 풍습을 가져왔다. 따라서 태호는 대부분 아름다운 조형성을 갖춘 예술적 자산들이 많다. 그러나 예술적 조형보다 더 중요한 것은 생명 존중에 대한 소중한 염원을 담고 있는 정신적 유산임을 잊지 않아야 하겠다.

참고문헌

경기문화재연구원『조선 왕실 장태 문화』2021.

국립고궁박물관『조선 왕실 아기씨의 탄생-나라의 복을 담은 태항아리-』2018.

국립문화재연구소『서삼릉 태실』1999.

국립문화재연구소『조선 왕실의 안태와 태실 관련 의궤』민속원, 2006.

심현용『고려시대 태실에 관한 고고학적 시론』「강원사학」27, 강원사학회, 2015.

심현용『한국 태실 연구』경인문화사, 2016.

윤석인「조선 왕실 태항아리 변천 연구」『고문화』75, 한국대학박물관협회, 2010.

이귀영 외『조선 왕실의 태실 의궤와 장태 문화』한국학중앙연구원 출판부, 2018.

홍성익「조선시대 태실의 역사고고학적 연구」『영남학』27, 경북대학교 영남문화연구원, 2015.

2. 삶을 기록하여 역사를 보완하는 청자 묘지

묘지墓誌란 묘 안이나 그 주변 땅 속에 묘의 주인공과 묘에 대하여 적은 기록으로 재료는 단단하거나 오래 보존할 수 있는 속성을 지닌 돌이나 도자 등을 사용하였다. 중국은 반드시 돌을 사용하고 있으며 국내는 고려시대까지 돌에 새긴 지석이 많았으나 조선시대에는 돌과 함께 도자로 만든 묘지를 많이 사용하였다. 형태도 정방형이 기본인 중국과 달리 평면형과 입체형 등 매우 다양하게 제작되었다. 묘지는 일반적으로 장례 기간에 준비하고 묘를 만들 때 묻었다. 장례 이후에 만드는 경우 대부분 그동안 묘지가 없음을 송구스럽게 여겼다는 내용을 기록하고 있다. 자손이 조상의 묘를 개장 또는 천장할 때, 잃었던 묘를 찾았을 때도 묘지를 만들고 있다. 그리고 묘지 끝에 기록되는 연월일은 묘지를 제작한 날이 아닐 경우, 묘지를 지은 날을 가리키는 경우가 많다.

묘지의 글씨는 기본적으로 해서체楷書體로 쓰고 있으며, 내용은 제목을 시작으로 묘주의 본관과 이름, 신분, 시호諡號, 태어나고 죽은 날, 선조의 이름과 신분, 중요한 발자취, 배우자를 포함한 가족 친인척, 묘의 소재와 방향, 묘지에 쓸 내용을 기록하거나 묘지를 만든 날, 묘지를 지은이 등을 기록하고 있다. 따라서 이를 분석하면 유실되거나 망실된 개인과 가문의 역사 등을 복원하거나 보충할 수 있다. 또한, 당시 역사와 문화, 풍습, 장법葬法, 정치, 경제, 사회, 인물, 문학, 학맥, 예술, 서예, 금석문 등 매우 넓고 다양한 분야의 연구에 좋은 자료가 된다. 한편, 묘지를 만드는 가장 근본적인 이유는 땅에 세운 비석은 여러 이유로 훼손되거나 망실될 수 있으나 묘지가 있으면 묘가 분실되거나 파괴되어도 이를 근거로 묘주를 쉽게 확인할 수 있기 때문이다. 그러므로 묘지는 묻힌 이에 대한 존경과 배려를 담고 있으며, 부모와 조상에 대한 효와 예의 측면을 포함하고 있다. 묘지는 가족이나 문중, 제자, 친구 등 묘주와 가까운 사람이 짓는 경우가 가장 많았다. 그러나 저명한 학자와 고위 관리는 그에 맞는 관료와 학자, 또는 후학이 서술하여 문장도 화려하고 길며 판의 수량도 많고 글씨는 명필이 참여하기도 한다. 또한, 자신의 묘지를 스스로 짓는 경우自誌도 확인된다.

묘지는 중국 위진시대(220~420)에 황제의 무덤을 만들 때 지나친 인력과 물자의 낭비를 방지하기 위해 석실과 비석, 동물 등의 석물을 금지하면서 비석 대신 묻은 것에서 비롯된 것으로 알려져 있다. 국내는 삼국시대의 경우 무덤 내부 벽에 기록하는 경우도 있으나 대부분 돌과 도자로 만들어 묻고 있다. 우리나라에서 가장 이른 시기의 지석誌石은 고구려의 동수冬壽 지석(357) 과 모두루牟頭婁 지석(5세기 중엽)이 대표적이다. 백제는 무령왕릉의 매지권 (국보 제163호; 무령왕 525년, 무령왕비 529년)을 묘지로 보기도 하며 가장 널리 알려져 있다. 신라는 영주 태장리 어숙지술간묘於宿知述干墓의 묵서(6 세기 중후반)와 경주 천군동 성터에서 발견된 배처숭裵處崇 묘지(895)가 있다. 이것으로 보아 고대에는 묘지 제작이 확산되지 않았음을 알 수 있다. 한편, 발해의 묘지는 낙사계諾思計 묘지명(748)과 정혜공주(737~777) 묘지명 (787), 정효공주(757~792) 묘지명(797 년 무렵) 등이 있다. 이들은 중국식 기재 방식으로 기록하고 있으나 문체와 정서, 분위기는 고구려를 계승하고 있어 특징적이다. 고려는 수도였던 개경 주변에서 가장 많은 묘지가 확인되고 있으며, 왕실과 관인 등의 묘와 승려들의 승탑에서 출토되었다. 재질은 청자도 일부 확인되고 있으나 대부분 돌을 사용하여 사각형의 판으로 만들고 있

사진 283 | 청자乙巳○三月十五日 金瓚壽 置表'가 쓰여진 묘지(광주 매곡동 출토)

다. 또한, 여러 판으로 구성된 조선시대와는 달리 대부분 크게 만들어 내용이 한 판으로 구성되어 있으며, 외형과 기재 방식은 발해를 계승하고 있다. 문양은 신선과 십이지, 구름, 연화, 넝쿨 무늬 등 자연을 소재로 하여 새기고 있는데, 이는 동북아의 전통적 문양으로 불교적 성격을 지니면서 불로장생과 영혼불멸 등을 상징하고 있다.

조선시대의 묘지는 고려시대보다 문장 내용이 풍성하고 길며, 형태와 형식 등이 매우 다양하다. 특히, 왕족과 사대부뿐만 아니라 전기에는 하급 무관, 임진왜란 이후에는 중인과 상인, 서민들의 묘지도 확인되고 있다. 이와 같이 묘지가 널리 확산되었던 계기는 『주자가례』의 보급과 확대가 큰 역할을 하였으며, 15세기 후반 『경국대전』과 『국조오례의』 등의 완성으로 각종 상례의 규정이 엄격하게 적용되면서 묘지 제작이 필수 요소로 등장하였기 때문으로 판단된다. 그리고 가장 뚜렷한 변화는 고려와 달리 도자로 만든 묘지가 주류를 이루는 점이다. 도자 묘지는 조선 초기부터 등장하는데 분장청자로 만든 묘지는 현재 1417년(태종 17)의 '영락십오년永樂十五年'명 묘지(일본 개인 소장)가 빠르다. 국내 소장품에서는 1435년(세종 17)의 상감'선덕십년宣德十年'명 묘지(이화여자대학교박물관 소장)가 가장 이르며, 이외에 1439년의 상감'정통사년正統四年'명 김명리金明理 묘지(보물 제1830호), 1440년(세종 22)의 상감 '정통오년'명 어문반형魚文盤形 묘지(보물 제577호), 1448년(세종 30)의 상감'정통십삼년'명 사각 묘지(보물 제1450호), 상감 '정통십삼년'명 묘지(보물 제1428호), 1466년(세조 12)의 진양군晋陽郡 영인令人 정씨鄭氏 묘지(국보 제172호), 1467년(세조 13)의 상감 '성

사진 284 | 청자상감'宣德十年'명묘지

사진 285 | 청기 상감'正統四年'명묘지(보물 제1030호)

사진 286 | 청사상감'正統五年'명묘지(보물 제577호)

사진 287 | 청자상감'正統十三年'명묘지와 인화문사각편병
(보물 제1450호)

사진 288 | 청자상감'正統十三年'명
묘지(보물 제1428호)

사진 289 | 진양군 영인 정씨 묘지
(국보 제172호)

화삼년成化三年'명 마흥목馬興牧 처 신반新反 진씨陳氏 묘지'(부산시 유형문화재 제136호), 1489년(성종 20)의 '장수長水 황씨黃氏 철화병형 묘지'(대전시 유형문화재 제56호) 등이 널리 알려져 있다.

15세기 제작된 분장청자 묘지는 대부분 사대부 가문에서 사용하고 있으나 형태가 매우 다양하다. 이는 묘지의 격식이 아직 갖추어지지 않았던 시대적 상황을 반영한 결과로 추정된다. 묘지의 크기는 고려와 달리 대형은 거의 사라지고 대부분 30㎝ 이내로 20㎝ 내외가 많은데, 이는 제작과 운반이 쉽고 경비가 저렴하며, 석실묘와 석곽묘가 사라진 대신 새로운 묘제인 회격묘의 등장으로 대형 묘지가 필요하지 않았기 때문이다. 한편, 석제 묘지도 계속 사용되었는데, 특히 왕과 왕비의 묘지는 대형의 석제로 제작되었다. 조선시대 묘지는 소형으로 비좁은 광내壙內보다는 대부분 곽외槨外에 묻었다. 그러나 묘역에서 일정한 장소에 묻어야 한다는 규정은 없었다. 또한, 보관 시설은 석재와 도자로 만든 용기가 많이 확인되고 있으나 나무로 만든 함이 많았을 것으로 추정된다.

필문畢門 이선제李先齊(1390~1453) 선생의 생애를 기록한 '경태오년景泰五年(1454, 단종 2)'명 묘지는 1998년 6월 김포공항을 통해 일본으로 무단 반출되었다가 광산 이씨 도문중의 적극적인 협조와 국외소재문화재재단의 헌신적 노력에 의해 2017년 9월 일본인 소유자가 이를 기증하여 20년 만에 국내로 환수되어 후손들 품으로 돌아와 국립광주박물관에 소장되어 있다. 필문 선생은 1419년(세종 1) 문과에 급제한 후 집현전 학사와 형조참의, 병조참의, 강원도 관찰사, 예조참의, 호조참판, 공조참판, 예문관제학, 세자빈객 등을 역임하였으며,『태종실록』과『고려사』,『신농본초神農本草』등의 편찬에 참여한 조선 전기 호남을 대표하는 대학자였다. 벼슬을 그만두고 향리에 돌아와 후진 양성과 함께 향약을 시행하여 미풍양속을 이루고자 진력하였다. 광주목이 무진군으로 강등되었을 때에 복호에 앞장섰고 광주목으로 환원된 다음 이를 기념하여 광주읍성에 새로 신축한 누각을 희경루囍慶樓로 명명하고 시도 남기고 있다. 그의 학덕과 정신을 기리기 위해 광주시는 풍향동 서방 사거리에서 시작하여 학동 남광주 사거리까지를 필문대로로 지정하여 선양하고 있다.

필문 선생 묘지는 조선 초기 민간의 상장례喪葬禮가 정비 보급되기 이전에 제작된 것으로 각각 2개의 장방형과 좁은 태토판을 붙인 위패형의 독특한 형

사진 290 | 청자상감'景泰五年'명이선제묘지(보물 제1993호)

사진 291 | 청자상감'成化'명묘지
(광주 충효동 분장청자 요장 출토)

태로 만들어 조선 초기 묘지 제작의 과도기적 상황을 잘 보여주는 학술적 의미를 지니고 있다. 이 묘지는 1589년(선조 22) 이른바 '정여립(1546~1589) 모반사건'으로 발생한 기축옥사己丑獄事에 연루되어 기록이 제대로 전해지지 않은 필문 선생의 가계와 이력, 활동 등을 기록하고 있어 역사적 사료적 가치가 크다. 화려함이 없는 단순하고 간략한 위패형으로 만들었으나 비슷한 사례가 없을 만큼 독창적인 양식을 보여주고 있어 예술성과 희소성을 갖추고 있다. 위패형의 형태와 연꽃 문양은 고려의 불교적 요소로 조선의 유교적 예법이 혼합된 15세기의 묘지 제작 환경과 상장 의례 등을 알려주는 역사성을 지니고 있다. 당시 묘지에 유행하였던 서체를 알 수 있어 서지학적으로도 좋은 자료를 제공하고 있다.

광주 충효동 무등산 요장(사적 제 141호)에서 이와 비슷한 모양으로 1465(세조 11)~1487년(성종 18) 사이에 만든 '성화成化(명 헌종 연호)'명 초벌 묘지 파편이 확인돼 충효동 일대의 요장에서 필문 묘지가 제작되었던 것으로 추정된다. 묘지 내용에 의해 만든 시기도 정확해 도자사 연구에 기준적 역할을 하고 있다. 그리고 필문 선생 묘지는 2018년 6월 27일 보물 제1993호 분청사기상감'경태오년景泰五年'명 이선제 묘지로 지정되었으며, 보물 지정과 환수를 기념해 국립광주박물관에서 '필문 이선제 묘지 20년만의 광주 귀향' 특별전(2018년 9월 10일~12월 10일)을 열기도 하였다. 이 묘지는 보존 상태가 양호하며 후손들과 국외소재문화재재단, 기증자의 정성과 노력, 헌신 등을 통한 문화재 환수의 아름다운 모범 사례로 필문 묘지의 학술적 가치를 더욱 높여주고 있다.

참고문헌

국립민속박물관『한국의 상장례』1990.

국립중앙박물관『고려 묘지명-다시 보는 역사 편지-』2006.

국립중앙박물관『삶과 죽음의 이야기 조선 묘지명』2011.

국외소재문화재재단『이선제 묘지 귀향 이야기』2018.

김세진「조선시대 자기제 지석 연구」충북대학교 석사학위논문, 2009.

김용선『고려 금석문 연구-돌에 새겨진 사회사』일조각, 2004.

온양민속박물관『조선시대 지석의 조사 연구』1992.

3. 사후에도 왕실의 삶과 권위를 상징하였던 청자

사람은 시간의 길고 짧음은 있으나 반드시 죽음의 세계에 이른다. 사후 세계를 위한 장례 방식은 지역과 민족, 종교, 문화 등에 따라 다양한 방법이 있으나 매장이 가장 보편적이다. 이 경우 살아 있을 때와 같은 생활을 영위할 수 있도록 일상생활 용기를 중심으로 다양한 부장품을 함께 매장한다. 따라서 생전 가장 아끼던 물건과 땅을 다스리는 신에게 자신이 묻힌 자리를 사고 하늘까지 무사히 가기 위한 화폐, 죽은 사람이 일상에서 사용하였던 생활 용기인 대접과 접시 등이 기본적으로 매장된다. 이외에 병 또는 주전자 등이 있으며, 청동기와 칠기 등도 부장되는데 신분과 재력에 따라 품질이 결정된다. 고려는 부장품뿐만 아니라 신분에 의해 무덤의 규모와 봉분의 크기를 제한하고 있어 왕릉은 대체로 일정한 양식이 있다. 왕과 왕비의 무덤인 능은 대부분 편평한 천장을 갖춘 앞트기식 돌방무덤橫口式石室墳 구조를 갖추고 있다. 입구는 잘 다듬은 장대석으로 문기둥과 문지방을 설치하고 있다. 돌방 중앙에 관이 놓일 대臺를 설치하고 목관을 놓는데 주변에 벽돌을 깔기도 한다. 천장은 대형 장대석으로 덮고 있으며, 사방 벽과 천장에 벽화를 그리고 있다. 천장 상부에는 8~12매의 보호석을 두른 봉토를 만들고 보호석 외곽은 다시 난간을 돌리고 그 사이에 돌로 만든 동물을 배치한다. 그리고 능 앞에는 제례공간인 정자丁字 모양의 제각을 두고 있다. 이런 구조는 고구려 석실분을 계승한 양식으로 도굴에 쉽게 노출되는 구조적 결함이 있다. 따라서 고려 왕릉은 대부분 도굴된 상태로 출토품이 매우 빈약하다. 도굴에 의해 정확한 성격은 파악할 수 없으나 능에 부장된 유물은 당대 최고품으로 매장풍습뿐만 아니라 심미안과 문화상 등을 유추할 수 있는 좋은 자료를 제공하고 있다. 또한, 출토 유물은 무덤 주인공의 생활을 재현하는데 중요한 자료를 제공하고 있어 고려 왕실의 일상생활을 유추하는데도 도움을 주고 있다. 무엇보다 이들 왕릉에서 출토되는 청자는 대부분 청자의 성지聖地인 강진에서 생산되어 매납된 것으로 강진 청자의 생산과 유통을 이해하는데도 필수적인 역할을 하고 있다.

고려의 왕릉은 태조(918~943) 현릉을 비롯하여 많은 능이 조사되었으나 대부분 도굴된 상태로 확인되어 학문적 역할에 한계가 있다. 이 가운데 인종(1122~1146) 장릉과 명종(1131~1202, 1170~1197 재위) 지릉, 희종 (1181~1237, 1204~1211 제위) 석릉(사적 제369호), 원덕태후(?~1239) 곤릉 (사적 제371호)에서 출토된 청자들이 학술적 자료를 제공하고 있는데 이들도 대부분 도굴되고 일부만 남아 있어 아쉬움을 주고 있다. 이외에 독특하게 노국대장공주(?~1365)의 정릉에서는 능 이름인 '정릉正陵'이 새겨진 청자가 확인되고 있어 고려 왕실의 장례문화를 연구하는데 도움을 주고 있다. 능에서 출토되는 청자는 시대를 대표하는 미술품으로 매납 시기가 정확하며 재질적 특성상 오랜 시간이 지나도 형태가 변하지 않아 청자의 변천을 비롯한 고려의 문화 예술을 이해하는데 다양한 자료를 제공하고 있다. 특히, 고려청자는 국가의 흥망성쇠와 함께 조형이 변화하고 있어 고려 사회의 변천을 이해하는데도 중요하다. 한편, 최근 강화에 소재한 희종 석릉과 원덕태후 곤릉, 순경태후(?~1236) 가릉(사적 제370호; 1237년 축조) 등이 발굴조사되면서 연구의 중요성과 함께 다양한 자료를 제공하고 있다.

장릉은 제17대 인종의 능으로 1146년(의종 즉위년) 축조되었다. 출토유물은 시책謚册을 비롯하여 대접과 접시, 합, 과형병, 사각받침대 등이 있는데 모두 전성기의 순청자이다. 이들 가운데 청자참외형병瓜形瓶은 몸체부에 골을 주어 참외 모양으로 성형한 장식의장이 매우 뛰어난 최고급 양질청자로 그 중요성이 인정되어 국보 제94호로 지정되었다. 이외에 모서리의 각을 죽인 다음 꽃모양으로 성형한 사각받침대方形臺가 특징적이다. 상하에 단을 주어 그릇을 쉽게 포갤 수 있도록 하였으며 상면 중앙부를 낮게 하였다. 이러한

사진 292 | 개성 인종 장릉 출토 유물

사진 293 | 개성 인종 장릉 출토
청자참외형병(국보 제94호)

사진 294 | 개성 인종 장릉 출토 청자사각형받침

유형의 그릇은 중국의 경우 금속기에서도 확인되며 사각형뿐만 아니라 원형
으로도 만들고 있다. 공양구나 차도구의 일종으로 차 또는 술과 함께 준비하
였던 떡이나 과일 등 다과를 담았던 용기로 추정된다.

지릉은 제19대 명종의 능으로 1202년(신종 5) 처음 축조하였으나 몽고 병
사들의 파괴로 1255년(고종 42) 새롭게 수축하였다. 따라서 지릉 출토 청자

사진 295 | 개성 명종 지릉 출토 청자

사진 296 | 개성 명종 지릉 전경

는 능을 수축하면서 매납하였던 것으로 판단된다. 한편, 명종의 장례는 당시 무인정권의 실세인 최충헌(1149~1219, 1201~1219 집정)의 주장으로 왕의 예법으로 실시하지 못한 역사적 아픔을 간직하고 있다. 지릉에서는 청자음각모란문타호와 청자상감여지문대접, 청자양각운학문대접, 청자양각모란문화형접시, 청자음각연판문완, 청자소문접시, 청자양각문접시, 청자상감국화문화형접시, 청자상감국화문접시, 청자상감화지문팔각접시 등의 청자가 출토되었다. 이들 가운데 특징적인 청자는 잎차를 마실 때 찌꺼기를 버렸던 타호唾壺로 강도江都 시기에도 차문화가 왕성하였음을 보여주고 있다.

석릉은 제21대 희종의 능으로 1237년(고종 24) 축조하였다. 유물은 대부분 도굴되어 부장품의 전모를 명확하게 파악할 수는 없었다. 석릉 출토 청자

사진 297 | 강화 희종 석릉 출토 청자

사진 298 | 강화 희종 석릉 출토 음각'○'명청자

의 기종은 대접과 접시가 가장 많으며 이외에 잔과 합, 병, 호, 항, 잔받침 등이 있다. 이들은 순청자가 중심을 이루며 상감청자와 퇴화청자가 일부 공존하고 있어 12세기 전성기 청자의 여운을 간직한 청자가 대부분으로 비색의 전통이 13세기 전반까지 전승되고 있음을 보여주고 있다. 이들 가운데 특징적인 청자는 굽 안바닥에 음각'○'문이 있는 양인각국당초문대접이다. 음각'○'문 청자는 강진 사당리 8·23·27호 청자 요장에서만 확인되어 생산지가 뚜렷하고 생산시기도 1226~1250년으로 밝혀져 석릉의 축조 시기와도 일치하고 있어 청자 연구에 중요한 자료를 제공하고 있다.

사진 299 | 강화 원덕태후 곤릉 출토 청자

곤릉은 제22대 강종(1211~1213) 비인 원덕태후의 능으로 1239년(고종 26) 축조하였다. 출토품은 도굴로 인해 소량 확인되었는데, 청자는 청자삼족상형향로의 동체火爐와 청자음각연화문매병뚜껑, 청자상감역상감당초문병뚜껑, 화형접시, 청자상감양인각모란연화당초문대접 등이

사진 300 | 강화 원덕태후 곤릉 청자 출토 상태

석실 폐쇄석 앞에서 주로 출토되었다. 이들 청자는 뚜껑과 동체가 조합을 이루는 그릇들이 모두 짝을 이루지 않고 단독으로 출토되어 이들이 서로 분리되어 매납되었음을 알 수 있다. 이는 왕릉뿐만 아니라 일반 무덤에서도 확인되는 매장풍습으로 대부분 조합을 이루지 못한 불완전한 상태로 출토되고 있다. 이들은 짝을 이루지 못하고 출토되었으나 그 시대의 최고급 청자의 모습을 잘 보여주고 있다. 즉, 12세기 전성기 청자의 여운을 간직한 청자가 대

부분으로 단아하고 수려한 비색翡色의 전통이 13세기 전반까지 전승되고 있음을 알려주고 있다.

사진 301 | 청자상감'正陵'명연꽃넝쿨무늬대접

사진 302 | 나주 지역 출토 '正陵'명청자

정릉은 제31대 공민왕(1351~1374)의 비인 노국대장공주의 능으로 1365년(공민왕 14) 축조하였다. 정릉과 관련한 청자는 능의 이름인 '정릉'이 쓰인 상감청자가 널리 알려져 있다. 이들 '정릉'명 청자는 역사적 배경으로 보아 공주가 돌아가신 1365년부터 공민왕이 돌아가신 1374년(공민왕 23) 사이에 만든 것으로 판단된다. 이처럼 능호가 새겨진 청자는 '정릉'명이 유일하여 노국공주에 대한 공민왕의 각별한 사랑과 배려가 깃든 그릇임을 쉽게 알 수 있다. 그러나 태토와 유색, 기형, 문양 등이 매우 거칠어 고려의 국운이 기울어져 가는 청자 쇠퇴기를 이해하는데 매우 중요한 자료이다. 또한, 이들 청자는 강진 용운리 14호와 사당리 117번지 일대에서만 확인되어 제작지가 정확하게 밝혀져 양질청자의 대표적 생산지였던 강진의 위상이 고려 후기까지 지속되었음을 알려수고 있다. 한편, '정릉'명 청자는 정릉 이외에도 강화 선원사와 나주 금성관, 나주 옥산리, 일본 다자이후大宰府 관세음사 등에서도 출토되고 있다. 이처럼 다양한 출토지는 당시 문란했던 공부수취貢賦收取 체제와 왜구 창궐에 의한 결과로 판단된다. 또한, 나주에서의 출토는 당시 이 지역의 정치·행정적 중심지로 청자 생산지인 대구소를 거느리고 있던 나주의 정치적 위상과도 관련이 있었던 것으로 판단된다. 즉, 왕실 소용의 의례 용기를 우월적 지위를 이용한 정치적 강요에 의해 수취하여 사용하였던 것으로 추정된다.

고려 왕릉에서 출토되는 청자는 목적과 시기에 따라 능 축조시의 부장품과 제례품, 추가장에 의한 후대의 부장품, 축조 이후 제례의 산물 등으로 구분할 수 있다. 즉, 고려 왕릉은 축조 후 왕과 왕후를 합장하기 위한 추가장이 실시되거나 거란과 몽고의 침입 등 외란에 의해 능을 옮기거나 다시 축조하는 사례도 있었으며, 풍수와 도굴 등으로 인한 수축과 개축, 이축 등이 있었다. 또한, 무덤 축조 이후에도 기일과 왕실의 필요에 의해 제의가 실시되면서 지속적으로 청자가 사용·폐기되고 있어 봉분 주변에서 부장품 이외의 청자가 출토되고 있음도 유의하여야 한다. 즉, 축조 시기와 다른 시기의 청자가 출토될 가능성이 많은데, 이들 상이한 시기의 청자는 문헌자료와 발굴조사 등을 통해 역사 문화적 사실을 정확히 이해하여야 그 성격을 밝힐 수 있다.

고려 왕릉은 석실분이라는 구조적 특징으로 도굴에 쉽게 노출되어 부장품 확인이 쉽지 않다. 또한, 대부분의 국왕이 검약을 강조하는 유서를 남기고 있어 원래부터 부장품이 간단하였을 가능성도 있다. 이처럼 빈약한 부장품은 이를 통한 실생활 재현에 매우 어려움을 주고 있다. 능에서 출토되는 청자 부장품과 제례 용기는 대접과 접시가 대부분인데, 특히 접시의 수량이 많아 일상생활 용기가 중심을 이루고 있음을 알 수 있다. 이외에 받침을 포함한 잔, 매병을 비롯한 병, 타호를 포함한 호, 주전자, 향로, 방형대 등이 확인된다. 따라서 다양한 종류의 청자들이 함께 매납되었으나 도굴 등으로 부분적으로 출토되고 있을 가능성이 있다. 왕릉을 축조하거나 수축하면서 매납한 청자는 그 시기가 정확하여 청자의 변천을 파악하는데 매우 중요한 역할을 한다. 특히, 희종 석릉과 원덕태후 곤릉 출토품은 12세기 전성기 청자가 13세기대로 계승되고 있음을 알려주는 매우 중요한 자료로 이후 명종 지릉 출토품과 함께 고려 후기 청자의 성격 규명에도 큰 도움을 주고 있다. 또한, '정릉'명 청자는 왕명에 의한 특별한 용기임에도 불구하고 태토와 유약, 기형, 문양, 번법 등 모든 면에서 품질이 저하되고 있어 왕조의 쇠퇴를 청자를 통해서도 느낄 수 있다. 반대로 인종 장릉 출토품은 宋의 서긍徐兢이 『고려도경高麗圖經』에서 극찬한 비색청자의 모습을 그대로 보여주고 있다.

고려 왕릉은 강화에 일부 있으나 대부분 개성 주변에 분포하고 있으며, 이들 왕릉에서 출토된 유물은 일제 강점기에 수습된 것이 많아 정확한 실상을 파악하는데 어려움이 많다. 또한, 1945년 분단 이후 출토된 유물들과 현장인 개성에 쉽게 접근할 수 없는 한계점도 고려 왕릉에서 출토된 청자를 이해하는데 어려움을 주고 있다. 그리고 무엇보다 왕릉에서 출토된 청자들에 대한 생활사적인 접근이 요구된다. 의례적이고 상징적인 유물들도 있으나 부장된 청자는 일상생활 용기가 중심을 이루고 있으므로 이들 청자를 통해 고려 왕실의 일상생활과 문화 양상을 이해하는 연구가 반드시 필요하다. 왕릉 출토 고려청자를 통해 강진 청자의 실상과 남도인들의 예술성을 보다 깊이 이해하고 응용할 수 있는 힘이 축적되었으면 한다.

참고문헌

강화역사박물관『고려 황도 강화』2020.

국립강화문화재연구소『강화 고려 도성 학술기반 조성 연구』2017.

국립강화문화재연구소『고려 왕릉의 조영과 관리』2018.

국립강화문화재연구소『고려시대 능묘의 조영과 문화』2019.

국립중앙박물관『고려 왕실의 도자기』2008.

인천광역시립박물관『江都, 고려 왕릉전』2018.

4. 남도인의 사후 세계를 더욱 아름답게 장식하다

고려 사람들은 사후死後 세계를 인식하고 현실에서의 생활이 죽음 이후에도 지속되기를 염원하여 무덤을 조성하고 부장품을 매납하였다. 무덤은 사후 세계의 관문이자 죽은 이의 마지막 쉼터로 시대와 지역, 문화, 민족에 따른 특징이 뚜렷하여 당시의 시대상과 가치관 등을 엿볼 수 있는 중요한 자료이다. 따라서 무덤의 축조 방법과 출토 유물은 당시 사람들의 매장 풍습과 피장자의 신분, 사회적 역할 등을 살필 수 있는 자료를 제공하고 있다. 그러나 고려시대의 부장품은 불교의 윤회사상과 내세를 인정하지 않는 유교의 영향으로 이전 시기에 비해 질적·양적으로 빈약한 실정이다. 고려는 976년(경종 1)과 1083년(문종 37) 신분에 따라 무덤의 규모를 제한하고 있다. 경종 때는 관리들의 품계에 따라 1품은 방方 90보步, 2품은 80보로 높이는 모두 1장丈 6척尺이며, 3품은 70보에 1장, 4품은 60보, 5품은 50보 등으로 세밀하게 규정하고 있으나 6품 이하는 모두 30보에 8척으로 한정하고 있다. 서인들에 대한 규정은 없지만 6품 이하의 규모보다는 작았을 것으로 판단된다. 문종 때는 6품 이하 관인들을 6품과 7~9품으로 세분하고 새롭게 서인을 추가하였다. 한편, 990년(성종 9) 효를 강조하면서 효자와 효손 등을 표창하였는데, 이 가운데 부모의 묘를 조성하여 정성을 다해 제사를 받드는 자에게 벼슬을 내리고 있다. 이는 신분 향상을 위한 수단으로 인식되어 서인들에게 분묘 조성을 확산시키는 계기로 작용하였다. 경종과 문종 때의 규정은 기본적으로 매장을 원칙으로 하였으며, 고려 전기부터 서인들에게도 무덤을 허용하였음을 알 수 있다. 그러나 서인들에게 무덤 축조를 허용한 것은 관리들의 지위를 확고히 하고자 한 것으로 품관의 마지막 단계인 7품~9품까지는 30보인데 서인은 5보로 규모가 매우 작아 이를 쉽게 짐작할 수 있다. 그리고 발굴조사에서 확인되는 석곽묘와 토광묘의 규모와 부장품에 큰 차이가 없어 서인들이 축조한 무덤은 대부분 석곽묘와 토광묘였음을 알 수 있다.

고려시대는 지방의 경우 대체로 석곽묘와 토광묘가 함께 축조되다 12세기 중엽 이후 석곽묘는 감소하고 토광묘가 증가한다. 또한, 일상생활 용품을 중심으로 자기와 동기, 철기가 주로 부장되었는데 후기로 가면서 수량이 점차 줄어들었다. 이 시기는 대외적으로는 여진과의 전쟁을 겪고 있으며, 대내적으로는 이자겸(?~1126)과 묘청(?~1135)의 난 등이 일어나면서 사회가 매우 혼란하였다. 그리고 천재지변과 전염병이 겹쳐 발생하고 있어 이전보다 많은 사망자가 발생하였다. 많은 사망자의 발생은 석곽묘에 비해 상대적으로 쉽게 축조할 수 있는 토광묘의 확산을 가져왔다. 이후에도 전염병이 계속 발생하였으며, 거란과 여진, 몽골, 홍건적, 왜구 등과 지속적인 전란을 치르고 있어 축조가 쉬운 토광묘가 더욱 선호되었던 것으로 판단된다. 한편, 경제적 여유를 가진 서민층이 증가하였으며, 성리학의 도입으로 화장을 금지하는 『주자가례』의 영향도 컸던 것으로 추정된다. 유교에서는 죽더라도 조상 숭배와 무덤을 통해 삶이 계속 유지되는 것으로 인식하여 시신의 보존과 매장을 중요시하였다. 이와 같이 국가와 사회적으로 매장을 장려하였지만 시신의 처리는 개인의 성향이나 경제적 상황이 큰 영향을 미쳤다. 고려시대 장례는 크게 단장單葬과 복장複葬으로 나눌 수 있다. 단장은 죽은 다음 시신을 바로 매장하는 장법이다. 복장은 사망→화장→매장 또는 가매장→유골 수습→안치→매장 등 여러 과정을 거쳐 장례를 치르는 것으로 화장하거나 유골을 수습하여 다시 매장하기 때문에 일반적으로 경제력이 필요한 장법이다. 그리고 서인들은 유골을 안치한 다음 매장하지 못한 사례도 있었으며, 경제력이 있는 계층에서도 종교적 신념 등으로 매장하지 않는 일도 있었다.

무덤은 죽은 사람을 안전하게 보호하기 위한 것으로 사망자와 관련이 있는 유물을 우선적으로 부장하고 있다. 이에 일상생활의 핵심인 식사와 다과, 음주 등을 위한 도자기가 가장 많이 부장되었는데, 도기는 호와 병, 청자는 발과 접시, 청동은 합과 발, 숟가락이 많이 확인된다. 호와 병은 술과 물 등을 저장하거나 운반하는데 사용하였으며, 발과 접시, 합은 음식을 담았던 용기이다. 이와 같은 부장품의 구성은 묘의 주인이 마지막으로 받는 의례로 피장자의 선호 음식을 반영하여 선택되었다고 판단된다. 따라서 기본적 반상용기인 발과 접시, 병이 가장 많이 출토되는데, 이는 청자를 생산하는 요장窯場에서도 확인되는 특징이다. 또한, 도자 부장품은 신분과 재력에 따라 다양한 품질이 매납되고 있다. 양질의 고품격 청자로 모든 것을 갖춘 유형, 대접과 접시 등 소형 기종은 양질청자를 사용하고 병과 주전자 등 대형 기종은 조질청자를 갖춘 유형, 대접과 접시는 조질청자를 사용하고 병과 주전자 등은 도기로 갖춘 유형, 조질청자로 모든 것을 갖춘 유형, 발과 병 등을 필요에 따라 금속으로 부장한 경우 등이 있다. 이들은 무덤의 규모와 축조 재료, 시대적 변화 등에 의해 다양하게 나타난다. 즉, 제작이 힘들고 가격이 비싼 대형 기종과 성형이 쉽고 저렴한 작은 그릇들이 피장자의 사회 경제적 여건에 따라 양질청자와 조질청자, 도기가 서로 겹치지 않도록 취사선택되어 조합을 이루어 일괄 출토되고 있다. 그리고 동전과 철제 낫, 철제 가위 등이 확인되는데, 이는 묘지를 땅 신에게 매입하여 시신이 안전하게 보호되기를 바라는 기원과 무덤 주변의 삼림과 초원을 벌채 소각하여 사악한 기운을 물리치고자하는 염원을 반영한 것이다. 한편, 경제력이 없거나 신분이 낮아 무덤을 조성할 수 없었던 계층도 있어 도자를 부장한 무덤은 적어도 하급 관리나 경제력을 갖춘 서인들로 판단된다.

전라도 지역에서 확인되는 분묘는 왕실을 비롯한 최상류층에서 축조하였던 석실분은 확인되지 않으며 석곽묘와 토광묘가 중심을 이루고 있다. 전라도 부장품의 가장 큰 특징은 우선 청자병과 대접, 접시, 청동 숟가락이 조합을 이루어 피장자의 발치에서 확인되는 경우가 많다. 그리고 청자유병과 구리거울 등은 피장자의 가슴 부분에서 주로 확인되며, 동곳(상투를 튼 다음

사진 303 | 장흥 신월리 8호 토광묘 도자 출토 상황

사진 304 | 장흥 신월리 7호 토광묘 청자 출토 상황

사진 305 | 장흥 신월리 5호 토광묘 도자 출토 상황

머리가 풀어지지 않도록 고정시키는 장식물)은 피장자의 머리 부분에서 많이 확인되고 있다. 청자는 대부분 사용에 의한 마모 흔적이 확인되고 있어 생전에 사용하였던 것을 매납하였던 것으로 판단된다. 따라서 부장품을 별도로 제작하여 매납하였던 최상류층을 제외한 계층에서는 일상생활에 사용하였던 청자 가운데 선호도가 높고 상태가 양호한 것을 선택하여 매납하였음을 알 수 있다. 한편, 무덤에 부장되는 병과 주전자 등은 대부분 입술 또는 주구注口 부분을 깨뜨려 매납하고 있으며, 향로와 주전자, 매병 등 뚜껑이 있는 그릇들은 뚜껑과 동체를 각각 분리 매납하여 온전하게 조합을 이루어 출토되는 사례가 많지 않다.

전라도의 고려 분묘는 크게 4시기로 구분할 수 있는데, 먼저 1기는 석곽묘가 중심을 이루는 9세기 중반~10세기 전후 시기로 아직까지 청자가 생산되지 않아 도기를 주로 매납하고 있다. 도기 가운데 병이 중심을 이루며, 청동 허리띠도 확인되고 있다. 유물은 대부분 피장자의 머리맡이나 가슴 부분에 놓고 있으며, 현재까지 발밑에 놓는 사례는 확인되지 않았다. 2기 역시 석곽묘가 중심을 이루는 시기로 10~11

세기이다. 가장 많이 확인되는 유물은 청동 용기이며, 이외에 해무리굽 완과 병, 대접, 접시 등 청자의 매납이 등장하는 시기이다. 따라서 2기는 청동 용기가 널리 사용되었으며 청자는 아직 보편화되지 않았음을 알 수 있다. 또한, 도기를 비롯하여 동과 철 등 다양한 재질의 부장품이 상·중·하 위치에 관계없이 매납되었다. 3기는 석곽묘와 토광묘가 함께 축조되는 12~13세기로 청자의 전성기이다. 이 시기는 청자의 매납이 성행하여 청동기와 함께 부장품의 중심을 이루며 도기는 일부 확인되고 있다. 또한, 청동 용기의 비율이 이전 시기에 비해 현저히 낮아지며, 동곳과 청동 숟가락의 비율이 상대적으로 많아지는데 숟가락은 거의 필수품으로 여겨질 만큼 수량이 많다. 매납 위치는 상·중·하 모두 확인되지만 발치에 놓는 사례가 증가한다. 12세기부터 13세기 전반은 정치, 경제, 사회, 문화 등이 안정된 시기로 청자의 기량이 절정에 이르러 비색의 고품격 양질청자들이 제작되고 있는데 전라도 지역 무덤 출토품도 이러한 시대적 배경을 잘 반영하고 있다. 4기는 토광묘가 주로 사용되는 시기로 13세기 후반~14세기이다. 이 시기의 무덤은 수량이 급격히

사진 306 | 장흥 신월리 5호 토광묘 출토 청자

사진 307 | 무안 청계리 고분 출토 청자

줄어들며, 현재까지 석곽묘는 확인되고 있지 않다. 이 시기는 몽고의 침입이 본격적으로 시작되어 전라도 지역까지 많은 피해를 주었던 시기이다. 이후 몽고의 정치적 간섭과 경제적 수탈, 일본 원정 등으로 정치 경제적으로 매우 힘들던 시기이다. 또한, 왜구의 본격적 침입으로 강진의 청자 요장이 타격을 받아 장인들이 전국적으로 확산되며 품질이 저하되는 시기이다. 따라서 무덤의 조성이 줄어드는 것은 당연한 결과이며 이는 다른 지역에서도 확인되는 현상이다. 이 시기의 청자는 실용성과 기능성이 강조되면서 품질은 더욱 퇴화되어 기벽이 두터워지며 기형은 커지고 있다. 문양은 간략화되거나 집단문양이 도식화, 양식화되고 있으며 유색도 점차 어두운 색조로 변해가고 있어 매우 퇴화되고 있음을 알 수 있다.

고려청자의 성지聖地인 강진에서 생산되어 강진의 고분에서 출토된 청자 가운데 가장 널리 알려진 것이 구룡형정병(일

사진 308 | 고흥 남계리 고분 출토 청자

본 중요문화재)이다. 이 병은 장흥 모산리 고분에서 출토된 청자상감투각귀갑문상자와 함께 전라남도 고분에서 출토된 청자의 백미로 꼽히고 있다. 정병은 금속기를 기본으로 하지만 청자로 만든 경우도 많이 남아 있다. 정병은 깨끗한 물을 담는 병을 의미하며, 부처님과 보살에게 정수를 바치거나 관욕灌浴 의식 등에 사용되었다. 또한, 관음보살이 지니는 물건 중의 하나이며, 스님이 반드시 지참하는 십팔물十八物 가운데 하나로 꽃병으로도 사용되었다. 구룡형정병은 일반적인 정병과 달리 9마리의 용을 형상화하여 만든 명품 중의 으뜸으로 일본에서 가장 사랑받는 도자 가운데 하나이다. 즉, 입수구入水口와 출수구出水口, 환대環臺의 윗면, 어깨 부분에 세밀하게 표현된 9마리의 용을 붙여 만든 매우 이례적인 정병으로 어깨와 동체에는 머리와 연결되는 몸을 옅은 부조浮彫로

사진 309 | 강진 고분 출토 청자구룡형정병 (일본 중요문화재)

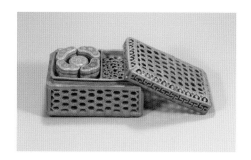

사진 310 | 장흥 모산리 고분 출토 청자상감투각귀갑문상자

표현하고 있다. 또한, 파도 속에서 힘차게 역동적으로 상승하는 모습이 긴박감을 주고 있어 금방이라도 승천할 기세이다. 눈은 철화로 그렸으며, 비늘과 파도는 칼날을 눕혀 윤곽을 그린 다음 얕은 선각 기법으로 정밀하게 묘사하여 그 섬세함을 충분히 느낄 수 있다. 부분적으로 불완전 용융된 곳이 있으

나 전성기 비색翡色을 간직하고 있는 고품격 양질청자로 손색이 없다. 승반
承盤과 함께 출토되었으나 현재 승반은 남아 있지 않아 아쉬움을 주고 있다.
정병에 구현된 아홉 마리의 용은 석가모니 부처님께서 탄생할 때 아홉 마리
의 용이 물을 뿜어 목욕을 시켰다는 일화九龍吐水에 그 연원이 있어 불교 국
가였던 고려의 시대적 상황과 무덤의 주인공, 정병을 만들었던 장인의 독실

사진 311 | 진도 용장리 고분 출토 청자

사진 312 | 함평 보여리 고분 출토 청자

사진 313 | 강진 용상리 고분 출토
청자상감용문매병

사진 314 | 광주 동운동 고분 출토
청자상감연꽃무늬매병

한 신앙심을 엿볼 수 있는 자료이기도 하다.

전라남도의 고려 무덤에서 출토된 청자들은 이 지역 고려인들의 위상과 역할 등을 보여주는 중요한 자료이다. 무엇보다 청자 생산의 핵심적 역할을 하였던 지역의 현실을 반영한 고품격 양질청자 등이 여러 곳에서 확인되고 있어 전라남도의 정치적 영향력과 함께 아름다움을 가까이에서 감상하고자 했던 남도인의 지역 정서를 충분히 반영한 결과로 판단된다. 즉, 생산도 중요하지만 소비자의 탁월한 안목이 명품 청자를 만들 수 있는 중요한 요소가 되었던 것이다. 또한, 고려청자는 국가의 흥망성쇠와 함께 조형이 변화하고 있어 시대적 변화에 따른 무덤 부장품의 양상은 고려 사회의 변화를 이해하는데도 매우 중요하다.

참고문헌

강진청자박물관『고려시대 분묘 출토 청자 유물 특별전』2007.

국립강화문화재연구소『고려시대 능묘의 조영과 문화』2019.

국립강화문화재연구소『고려시대 분묘 유적 자료집』Ⅰ·Ⅱ·Ⅲ, 2019·2020·2020.

김병수『호남지역의 고려 분묘 출토 청자 연구』목포대학교 석사학위논문, 2007.

김인철『고려 무덤 발굴보고』백산자료원, 2003.

목포대학교박물관『장흥 신월리 유적』2007.

이종민「고려 분묘 출토 도자 연구」『호서사학』46, 호서사학회, 2007.

주영민『고려시대 지방 분묘의 특징과 변화』혜안, 2013.

창녕박물관『歸天』2012.

현문필「고려시대 고분 출토 청자 연구」동국대학교 석사학위논문, 2006.

5. 불가佛家의 장법葬法, 청자 사리舍利 용기

사리 용기는 석가여래와 선사禪師들의 유골을 다비茶毘한 다음 발생하는 사리를 봉안하기 위한 용기이다. 이들은 사찰의 역사와 전통을 상징하는 불탑과 승탑僧塔(부도) 등에 안치된다. 따라서 매우 신성한 용기로 그 시대의 가장 우수한 최상의 재료와 뛰어난 기술을 구사하여 장엄미를 갖추기 때문에 당대의 문화적 수준을 판단하는 중요한 하나의 기준이 되고 있다. 또한, 사리는 석가여래를 상징하기 때문에 한국과 중국, 일본 등에서는 사리 신앙이 발달되어 탑과 사리 용기 제작에 많은 정성을 들였다. 이들은 문헌 기록과 탑의 주인공, 탑지塔誌 등을 통해 조성 연대를 알 수 있기 때문에 탑 연구뿐만 아니라 이곳에서 함께 출토되는 미술품을 연구하는데도 많은 자료를 제공하고 있다. 그러나 시간이 경과하면서 훼손의 정도에 따라 개축과 보수를 실시하여 후대에 추가되는 유물도 있으므로 신중한 검토가 동시에 필요하다.

사리는 일반적으로 외함과 내함, 그리고 그 안에 사리를 넣는 사리병 또는 사리호, 사리합 등이 일조를 이루고 있다. 외함과 내함은 금과 은, 금동, 자기 등의 귀중한 재료로 가마 모양과 전각형, 탑형, 육각당형, 팔각당형, 원형, 방형, 원통형, 석곽형, 석관형, 합, 병, 호, 주전자 등 매우 다양한 형태로 만들고 있다. 이 가운데 석관형과 석곽형은 중국에서 많이 확인되며, 주전자는 일본에서 주로 사용되고 있다. 사리를 직접 담는 사리병과 사리호, 사리합 등은 지역과 시대, 인연, 재질, 따르는 경전 등에 따라 매우 다양하게 제작되고 있다. 재질은 금을 비롯하여 은과 동, 금동, 도금, 아연, 유리, 자기, 목재, 석재, 옥 등 매우 다양하다. 석재는 납석을 옥은 수정, 유리는 녹유리를 대체로 사용하고 있으며 아연은 극히 일부에 지나지 않는다. 그리고 금속과 유리는 대부분 사리 용기로 사용하기 위해 전용으로 제작되었으나 청자를 비롯한 자기는 일반적인 그릇을 변용하여 사용하고 있다. 또한, 사리가 안전하게 보관

될 수 있도록 대부분 뚜껑을 갖추고 있다. 자기로 만든 사리 용기는 황룡사 구층목탑에서 출토된 백자 사리호에서 알 수 있듯이 신라시대는 중국에서 수입한 자기를 한정적으로 사용하였으나 청자 제작이 발달한 고려시대는 금속 등 다른 재질의 사리 용기와 함께 본격적으로 사용되었다. 고려청자는 비색청자라는 이름을 얻을 정도로 미적 가치와 조형적 아름다움이 높은 공예품이었다. 따라서 종교적 장엄미를 표현하는데 매우 적절한 용기로 제의용으로 쓰인 향완, 정병 등과 함께 많은 청자가 사리 용기로 선택되어 불교 문화를 풍성하게 하였다. 청자 등 자기로 만든 사리 용기의 전통은 조선시대의 분장청자와 백자에 전승되었으며 현재까지 이어지고 있다.

청자 사리 용기가 출토된 곳은 현재까지 개성 불일사 오층석탑과 1388년(우왕 14)에 세운 원주 영전사지 보제존자 승탑(보물 제358호), 공주 신원사 오층석탑(충청남도 유형문화재 제31호), 문경 신현리 삼층석탑, 칠곡 송림사 오층전탑(보물 제189호), 밀양 영원사지 승탑, 순천 동화사 삼층석탑(보물 제831호), 순천 선암사 삼층석탑(보물 제831호), 1301년(충렬왕 27) 무렵 세운 순천 송광사 자정국사(?~1301) 묘광탑, 1009년(목종 12)에 세운 영암 성풍사지 오층석탑(보물 제1118호), 영암 청풍사지 오층석탑, 영암 용암사지 삼층석탑(보물 제1283호) 등이 알려져 있다. 사리 용기는 다양한 형태가 있으나 청자는 대부분 뚜껑이 있는 합과 호 형태가 많아 기존의 일상생활 용기를 사리기로 변용하여 사용하였음을 알 수 있다. 청자 사리 용기는 크게 4가지 유형으로 구분되며 기타 특수한 사례 등이 있다.

1유형은 어깨부와 입술부가 내만內彎하는 호형壺形의 몸체와 손잡이가 있는 뚜껑을 갖추고 있다. 이 유형은 황룡사 구층목탑에서 확인된 중국 백자호와 청동호에서 그 시원을 찾을 수 있다. 특히, 뚜껑에 보주형寶珠形 손잡이가 있는 순천 동화사 청자호는 인도의 탑파 양식인 스투파에서 기원한 것으로 초기에는 스투파형 사리 용기가 사용되다가 점차 보주형으로 변화된 것으로

사진 315 | 순천 동화사 삼층석탑 사리장엄구

사진 316 | 개성 불일사 오층석탑
청자사리호

사진 317 | 공주 신원사 오층석탑 사리장엄구

사진 318 | 순천 선암사 삼층석탑 사리장엄구
(보물 제955호)

사진 319 | 일본 오사카大阪 金剛寺 승탑
청자사리주전자

추정된다. 공주 신원사 사리기는 청자 주전자를 이용하였으나 주둥이와 손잡이 부분을 제거하여 전체 모양을 호처럼 만들고 있어 사리 용기로 호를 선호하였던 것으로 추정된다. 그런데 이와 같은 청자 주전자를 사리 용기로 사용한 사례는 일본 오사카부大阪府 가와치 나가노시河内長野市 금강사金剛寺에서도 확인되고 있어 이채롭다. 이외에 개성 불일사와 순천 선암사, 영암 용암사지 출토 사리호가 1유형에 속한다. 모두 불탑 출토품이며 동화사 사리호에 양각연판문이 있을 뿐 대부분 무늬가 없는 순청자이다. 내·외 사리 용기로 사용되었으며, 시기는 대체로 고려 전기인 10~11세기이다.

2유형은 몸체가 호 또는 완이며 접시형의 뚜껑을 갖추고 있다. 모두 4곳에서 출토되고 있는데, 특히 영암 지역에서 세 사례가 확인되고 있어 특징적이다. 이 유형은 9세기대의 구례 화엄사 오층석탑 도기합에서 그 시원을 찾을 수 있다. 대부분 청자에서 확인되며 금속기는 원주 영전사지 보제존자(나옹화상, 1320~1376) 부도 출토 동합이 있다. 영암 성풍사지와 영암 청풍사지, 영암 용암사지, 문경 신현리 석탑 등에서 확인된다. 모두 불탑 출토품으로 문양이 없는 순청자이며 외 사리기로 사용되었다. 사용 시기는 고려 전기인 10~12세기이다.

사진 320 | 영암 성풍사 오층석탑 사리장엄구

사진 321 | 영암 청풍사 오층석탑 청자사리합

사진 322 | 영암 용암사 삼층석탑 사리장엄구

사진 323 | 문경 신현리 삼층석탑 사리장엄구

사진 324 | 칠곡 송림사 오층전탑
청자상감국화문사리합(보물 제325호)

사진 325 | 순천 송광사 자정국사 묘광탑
청자상감국화문사리합(유형문화재 제18호)

3유형은 높이가 낮은 원통형 몸체와 원통형 뚜껑을 갖춘 전형적인 합이다. 이 유형은 가장 오랫동안 보편적으로 사용된 기형으로 금속제에서 기원하며 고려시대에 가장 많이 사용되었다. 9세기 울주 청송사지 삼층석탑 청동합을 비롯하여, 10세기의 평창 월정사 구층석탑 청동합, 12세기대 경주 분황사 모전석탑 은제합 등이 있다. 이후 금속제는 청자가 사용되면서 확인되지 않다가 조선시대에 재등장하는데 자기와 금속기가 함께 확인되기도 한다. 청자 사리 용기는 모두 13세기 이후의 상감청자이며 외 사리기로 사용되었다. 칠곡 송림사 석탑 출토 사리합(보물 제325호)과 순천 송광사 자정국사 묘광탑 출토 사리합(유형문화재 제18호)이 알려져 있다. 크기와 형태가 서로 유사하다.

4유형은 일반적인 대접으로 출토 상황이 정확하지 않아 확실한 용도는 알 수 없다. 원주 영전사지 보제존자 부도에서 한 사례가 확인되었다. 이처럼 대접 또는 발이 사리 장엄구로 사용된 사례는 조선시대에도 계속 전승되고 있다. 한편, 밀양 영원사지 승탑에서 출토된 일괄 청자 노한 유일한 사례로 사리 장엄구로 다량의 청자가 사용된 곳은 이곳뿐으로 청자 연구에 중요한 자료를 제공하고 있다.

청자 사리 용기에 시문된 무늬는 1유형과 2유형은 순천 동화사의 청자양각 연판문호을 제외하고는 모두 문양이 없다. 3유형과 4유형은 모두 상감기법으로 시문하였는데 모란당초문과 운학문, 국화문, 연판문, 선문 등이 확인된다.

사진 326 | 원주 영전사 보제존자탑 사리장엄구

사진 327 | 밀양 영원사 승탑 사리장엄구

밀양 영원사 승탑 출토품은 매우 이례적인 사리 용기로 청자상감유노매죽수금매병과 청자상감운봉문대접, 청자상감운봉연당초문대접, 청자상감국화문팔각접시, 청자상감국화문원형접시 등이 출토되었는데 종속 문양은 연판문대와 여의두문대, 당초문대, 연주문대, 선문대, 국화문 등이 있다. 이들 그릇이 사리 용기로 제작된 것이 아니기 때문에 특별한 문양은 확인되지 않는다. 그러나 이들은 대부분 자연을 소재로 시문하고 있어 불교 이념과 일치한다고 할 수 있다. 또한, 고려는 불교를 국교로 채택하고 있어 이를 반영하는 보편적 문양의 그릇을 사리 용기로 사용하였다고 할 수 있다.

위와 같이 청자 사리 용기는 1유형과 2유형은 고려 전기인 10~12세기의 순청자로 제작되었으며, 3유형과 4유형, 기타 유형은 13세기 이후의 상감청자에서 확인되고 있다. 따라서 청자 사리 용기는 대체로 1·2유형에서 3·4유형으로 변화되고 있음을 알 수 있다. 또한, 3·4유형은 사리 용기의 가장 보편적 기형으로 조선시대 분장청자와 백자에도 계승되고 있다. 매우 이례적인 밀양 영원사 유형의 사리장엄은 14세기 한 사례만 확인되었다.

청자 사리 용기가 탑에서 출토된 위치는 모두 9곳이 확인되는데 1층 탑신 상면이 3곳으로 가장 많으며, 이외에 기단 하면 석실과 상층 기단 상면, 상대석과 탑신 중간, 1층 탑신 하면, 1층과 2층 탑신, 5층 옥신 상면 등에서 출토되었다. 따라서 1층과 관계되는 곳에서 가장 많이 출토되었음을 알 수 있는데, 특히 1층 상면에 사리공이 있는 사례는 문경 내화리 삼층석탑과 광주 장운동 오층석탑, 남원 만복사지 오층석탑 등에서도 확인된다. 그리고 청자 사리 용기는 일상생활 용기를 변용한 것으로 특별한 유형은 없으며, 기능을 알 수 있는 사리 용기는 내 사리기가 일부 있으나 대부분 외 사리기이다. 밀양 영원사 출토 일괄 청자는 안에 담겼던 내용물을 알 수 없어 정확한 용도를 알 수 없으나 승탑의 주인공이 평상시 사용하였던 그릇들을 장엄구로 함께 매납하였던 것으로 추정된다. 사리 용기는 기종과 크기에 따라 내부에 넣는 내용(구슬, 곡식, 경전, 소탑 등)과 수량 등에 차이가 있으며, 이를 통해 정확한 기능을 파악할 수 있다. 그러나 오랜 시간이 경과하면서 내용물이 부식되거나 열화되어 정확한 성격을 파악하는데 어려움이 있다. 그리고 고려청자 이외에 남양주 수종사 부도에서 중국 용천요에서 생산된 사리호(보물 제259호)가 확인되어 특징적이다.

청자 사리 용기는 전국에서 모두 12곳이 확인되었는데, 특히 전라남도지역은 6곳으로 순천과 영암에 집중 분포하고 있다. 또한, 가장 많이 확인되는 1·2·3유형 모두가 확인되고 있어 고려시대 청자 사리 용기가 지속적으로 사용되었음을 알 수 있다. 이는 청자 제작이 왕성하였던 지역적 특징을 반영한 것으로 청자가 발전하면서 사리 용기로도 많이 사용된 결과라고 할 수 있겠다. 즉, 청자의 비약적 발달과 함께 청자 문화의 중심지인 강진과 인접한 전라남도 지역에서 가장 많은 청자 사리 용기가 시기별로 고루 확인되는 것은 자연스러운 결과라고 할 수 있다.

참고문헌

국립익산박물관『사리장엄-탑 속 또 하나의 세계-』2020.

국립중앙박물관『불사리 장엄』1991.

불교중앙박물관『佛』2007.

불교중앙박물관『僧, 求道者의 길』2009.

통도사성보박물관『불사리 신앙과 그 장엄』2000.

한성욱「청자 사리 용기의 연구」『고려청자와 종교』강진청자자료박물관, 2002.

大阪府河內長野市『大阪府指定有形文化財 金剛寺開山堂 保存修理工事報告書』2008.

6. 청자와 함께 염원한 현세의 행복과 내세의 안녕, 불교

인간은 현세에서는 행복하기를 기원하며, 사후에는 극락정토에 가기를 염원한다. 이를 위해 자신의 의지와 수행, 공덕 등을 쌓으면서 무척 노력하지만 이에 못지않게 기대는 것이 종교인데, 고려시대는 불교가 국교로 신봉되어 왕실을 비롯하여 대부분의 사람들이 불교에 귀의하여 이를 기원하였다. 불교 사원은 많은 사람들의 귀의처로 권위를 쌓아갔으며 위엄을 갖추어 나갔다. 따라서 사찰은 왕궁과 관청, 호족층 등과 함께 최고급 청자의 가장 큰 소비지 가운데 하나였다. 사찰에서는 예배의 직접적 대상인 불보살과 나한상, 불보살을 모신 전각의 위엄을 장식하였던 화병과 화분, 스님들의 일상 음식 용기로 독특하게 제작된 발우, 각종 법요法要와 제례 등에 사용된 향로(향완)와 정병, 종, 악기, 그리고 부처님과 스님들의 사리를 담았던 사리 용기, 전각의 겉모습을 장식하였던 건축재 등이 청자로 제작되어 널리 사용되었다.

사진 328 | 청자나한상
(강화 국화리 출토, 국보 제173호)

청자 불보살과 나한상은 예배의 직접적 대상이므로 조형의 우수함도 매우 높아야 하지만 이보다 성형과 번조 과정의 어려움으로 실패할 확률이 많으며, 비용도 많이 들어 남아 있는 사례가 많지 않다. 그런데 강진의 백련사 용혈암에서 많은 불보살과 나한상이 출토되어 강진의 명성과 함께 그 아름다움으로 보는 이들에게 경이로움을 안겨주었다. 용혈암 출토 청자 불보살과 나한상은 같은 위치에서 출

토되었으며 비슷한 모습을 갖추고 있어 같은 시기에 만들었음을 알 수 있다. 특히, 이곳에서는 많은 나한상이 확인되었는데 이는 외적의 침입이나 기우제와 관련된 신앙 행위가 많았던 백련사의 활동 시기와 역사적 배경 등을 검토하였을 때 몽골에 대항하던 시기에 국난극복을 위해 제작하여 예배하였던 것으로 이해된다. 또한, 용혈암은 백련결사를 주도하였던 백련사 1세 원묘국사 요세(1163~1245)와 2세 정명국사 천인(1205~1248), 4세 진정국사 천책(1206~?) 등이 주석하고 있어 고려의 핵심 사찰 가운데 하나였던 백련사에서 그 위상이 상당하였음을 쉽게 알 수 있다. 따라서 이들 상들은 뛰어난 조형미와 유려한 유색, 역사적 배경 등으로 보아 13세기에 제작되었던 것으로 판단된다.

스님들의 일상 음식용기인 발우鉢盂는 일반적으로 3~4개의 그릇이 포개져 하나의 조합을 이루고 있어 포개기 쉽도록 그릇의 크기에 차이가 있다. 불교

사진 330 | 청자발우(태안선 출수)

사진 331 | 청자구룡형향로
(보물 제1027호)

사진 332 | 청자양각연화형향로
(강진 월남사 출토)

에서는 식사를 발우 공양으로 부르고 있으며, 지혜와 깨달음의 그릇이라 하여 반드시 지참하여야 하는 필수품 가운데 하나였다. 또한, 스승이 입적할 때 자신의 깨달음을 계승할 수제자를 택하여 법을 전달하는 수단으로 가사와 발우를 넘겨주고 있어 발우가 갖는 의미가 매우 깊었음을 알 수 있다. 청자 발우는 최근 강진에서 생산하여 개경으로 항해하던 태안선에서 다량으로 출수되어 수요층이 많았음을 알 수 있다. 즉, 불교 국가였던 고려 사회의 실상을 잘 보여주는 것으로 개경에서 수행하는 스님들이 매우 많았음을 알 수 있다.

부처님께 올리는 공양물 가운데 으뜸인 것이 향과 꽃으로 이를 합해 향화香華라고 한다. 향은 자신을 태워 주변을 맑게 해주고 삿된 냄새를 없애 몸과 마음을 청정하게 해주는 역할을 하며, 삶의 여유와 휴식, 경건함을 주는 생활문화로 왕실과 귀족뿐만 아니라 서민층에서도 사용되었다. 또한, 향기가 부처님 세계까지 널리 퍼진다고 하여 사바세계와 해탈세계를 이어주는 연결 수단으로 알려져 있다. 그리고 등불조차 미치지 못하는 어두운 곳에도 향기를 나눠주는 베품의 공덕을 갖추고 있어 희생과 화합, 공덕을 상징하며, 중생들에게 깨달음의 향기를 전해주고 있어 해탈향解脫香이라고 하여 부처님께 설법을 청하는 의미가 있다. 따라서 향을 피웠던 향로(향완)는 화병(화분)과 함께 모든 전각에 반드시 갖추었던 장엄물로 대부분의 사찰에서 확인되고 있다. 강진 월남사에서는 직사각형의 도철문향로 등 다양한 청자향로가 출토되었는데, 그 가운데 청자양각연화형향로가 형태와 색상, 문양 등에서 단연 돋보이는 조형성을 갖추고 있어 월남사의 위상을 상징적으로 알려주고 있다.

정병은 금속기 형태를 기본으로 만든 용기로 깨끗한 물을 담는 물병이라는 의미로 불교에서 부처님과 보살에게 정수를 바치는데 쓰이거나 관욕灌浴 의식에 사용되며 꽃을 꽂는 화병의 역할도 하였다. 또한, 관음보살이 지니고 다니는 물건 중의 하나이며, 스님이 반드시 몸에 지참하는 열여덟 물건 十八物 가운데 하나이기 때문에 불가에서 널리 사용되었다.

사진 333 | 청자상감모란문정병

종은 치거나 흔들어 소리를 내는 도구로 시간을 알리거나 의식과 행사의 시작을 비롯하여 위급한 상황, 기쁜 일과 슬픈 일 등을 알리는 신호용으로 널리 쓰였다. 또한, 많은 상징적 의미를 지니고 있어 땅 아래의 고통받는 중생들의 해탈을 기원하거나 지은 죄를 정화하는 효과가 있으며, 영혼과 소통하는 도구로 알려져 천국과 하늘의 소리를 상징한다고 보았다. 불교에서도 부처님의 진리와 자비를 온누리에 퍼지도록 하며, 예불 시작 전에 이를 불보살에게 알리는 신성한 역할을 하는 등 실용적 용도로도 널리 쓰여 크고 작은 종이 전각 내·외부에 있었다. 청자 종은 대부분 도구로 몸체를 쳐 소리를 내는 유형으로 소규모로 제작되고 있어 실생활보다 상징적 의미의 장엄용으로 사용되었던 것 같다. 한편, 종은 모양과 재료, 장식 등에 최고의 기술과 정성을 집약하여 만들었으며, 몸체의 무늬는 종교의 상징적 의미를 표현하고 있어 그 시대의 뛰어난 예술성을 쉽게 엿볼 수 있다. 청자 종도 남아 있는 사례가 많지 않으나 모두 조형성이 뛰어나 종이 지니고 있는 예술성과 상징성 등을 충분히 엿볼 수 있다.

사진 334 | 청자종(강진 사당리 청자 요장 출토)

사진 335 | 청자철화국화넝쿨무늬장구

청자 악기는 장구가 가장 널리 알려져 있으며 일부 피리 등이 확인되고 있다. 사찰에서는 주로 장구가 확인되고 있어 불가에서도 제례와 의식 등에 악기가 사용되었음을 알 수 있다. 불교에서는 말로 표현할 수 없는 해탈과 열반의 환희를 음악의 힘을 빌려 묘사하고 있는데, 부도와 범종 등에 표현된 주악상奏樂像을 통해서도 쉽게 알 수 있다. 또한, 부처님을 경배하고 각종 제례에도 음악이 등장하고 있어 불교에서도 악기가 널리 이용되었음을 알 수 있다. 이는 현재까지 전통이 계승되고 있는 범패에서도 알 수 있다.

국내의 제사 유적에서 반드시 확인되는 말은 대부분 도기나 철로 만들고 있으나 청자로 만든 사례는 장흥 천관사와 생산지인 강진 용운리 요장 출토 품뿐이다. 말은 12간지의 하나로 상상의 동물인 용과 함께 하늘을 날 수 있는 신령스러운 동물로 알려져 있다. 따라서 고대부터 지상과 천상을 연계하여 주는 매체로 인식되어 대부분의 제사에 필수적으로 사용되었다. 한편, 불교에서는 현재도 망자를 천상의 세계로 인도하는 영물로 인식하여 그림을 그려 천도재 등에 사용하고 있다. 또한, 원하는 바를 이루어주는 여의륜

사진 336 | 청자퇴화문말(장흥 천관사 출토)

보살로 인식되어 사찰에서 많이 확인되고 있으나 청자로 만든 말이 출토된 사찰은 현재까지 장흥 천관사 출토품이 유일하여 강진과 가까운 장흥에서도 양질청자가 일상적으로 사용되었음을 알 수 있다. 또한, 장흥은 청자를 전문적으로 생산하였던 대구소가 있는 탐진현을 관할하는 장흥부가 위치한 곳으로 대구소와 밀접한 관련이 있다.

사리 용기는 석가여래와 선사들의 유골을 다비한 후 발생하는 사리를 봉안하기 위해 사용한 용기로 사찰의 역사와 전통을 상징하는 불탑과 승탑(부도) 등에 안치된다. 따라서 매우 신성한 용기로 가장 우수한 재료와 뛰어난 기술을 구사하여 장엄미를 갖추기 때문에 당대의 문화적 수준을 판단하는 하나의 기준이 되고 있다. 또한, 문헌 기록 등은 주인공과 조성 연대를 알 수 있기 때문에 탑 연구 등에도 많은 자료를 제공하고 있다. 이들 청자 사리 용기는 특별히 제작된 것은 매우 희소하며 대부분 기존에 제작된 청자를 사용하고 있는데, 전라남도에서는 순천 동화사 삼층석탑(보물 제831호)과 순천 선암사 삼층석탑(보물 제831호), 순천 송광사 자정국사 묘광탑, 영암 성풍사지 오층석탑(보물 제1118호), 영암 청풍사지 오층석탑, 영암 용암사지 삼층석탑(보물 제1283호) 등에서 출토되었다.

청자 건축재는 건물을 장식하는 부재로 반영구적이며 방수 효과가 높고

경관성이 좋아 건축재로 많이 생산되었다. 실용적인 기능 이외에도 건물의 장엄과 권위, 벽사辟邪의 의미를 지니고 있다. 기와는 지붕에 얹는 부재로 전라남도에서는 장흥 천관사에서 1점이 확인되었는데, 이는 매우 귀중한 청자 기와를 상징적으로 소량 사용한 것으로 다른 지역 사찰에서도 확인되는 양상이다. 청자 건축재의 가장 특징적 현상은 강진 월남사에서 출토된 청자판板이다. 건물의 장식과 구조용으로 사용되는 얇고 납작한 판으로 길상과 벽사를 상징하는 문양과 글씨 등을 그리고 있다. 청자판은 현재까지 궁성이었던 개성 만월대를 비롯하여 강화 선원사, 파주 혜음원 등 한정된 곳에서만 확인되고 있다. 특히, 만월대 이외 유적에서는 1~2점 정도 출토되고 있으나 월남사에서는 음각모란문만 확인되었지만 매우 많은 수량이 출토되고 있어 그 위상을 쉽게 짐작할 수 있다. 청자판은 건물 정면의 경우 출입문을 설치하기 때문에 포와 포 사이에 부착하였을 가능성이 있다. 그리고 건축 후면은 가시 공간이 협소하고 보는 사람이 많지 않아 측벽에 장식하였을 가능성이 많다. 즉, 도판의 수량이 한정되어 많은 공간을 장식할 수 없는 현실을 감안하면 건물 정면이나 측벽에 장식하여 건물의 권위를 높이고 화려하게 장엄하였을 것으로 판단된다. 한편, 강진 사당리 청자 요장에서 출토된 청

사진 337 | 청자음각모란문기와 (장흥 천관사 출토)

사진 338 | 청자음각연화문판 (강진 월남사 출토)

사진 339 | 청자상감나한 문판(강진 사당리 청자 요장 출토)

자상감나한무늬판은 부착이 쉽도록 구멍이 뚫려 있어 나한상이라는 그림
과 함께 단순한 건축용이 아닌 장식용으로 쓰였을 가능성을 제시하고 있다.

고려 후기를 대표하는 청자 가운데 가장 널리 알려진 것이 간지명干支
銘 상감청자이다. 간지명 청자는 국가 체제가 무너지면서 청자의 품질이
떨어지고 공납 청자가 개인적으로 유통되는 것을 막기 위해 그릇 안바닥
에 1329(충숙왕 16)~1389년(공양왕 원년) 사이 기사와 경오, 임신, 계유, 갑
술, 신사, 임오, 정해, 을미, 기사 등의 간지를 새긴 그릇들을 말한다. 따라서
이들 간지명 청자는 대부분 수도였던 개성에서 출토되고 있으며 지방에서
는 매우 한정적으로 확인되고 있다. 전라남도에서는 화순 운주사에서 '정해

(1347, 충목왕 3)'명 청
자가 1점 출토되었으며,
강진 월남사에서 '기사
(1329)'명 청자가 3점 출
토되었다. 그런데 같은
년도에 만든 간지명 청
자가 한꺼번에 3점이 출
토된 사례는 개성에서도
없으며 강진 월남사가
유일하여 고려청자의 성
지인 강진의 지역적 특

사진 340 | '己巳'명상감청자(강진 월남사 출토)

색을 다시 느낄 수 있는 귀중한 자료이다.

한편, 고려시대에는 범자를 새기거나 그린 청자 그릇이 많이 사용되고 있
어 일상에서 불법을 닦고 실천하고자 하였던 고려인의 마음을 대변하고 있
다. 범어는 고대 인도의 산스크리트어를 말하는 것으로 청자 이외에도 불탑
과 청동향완, 동종, 기와 등에도 많이 남아 있어 신앙의 상징으로 범자진언이

사진 341 | 청자상감범자무늬접시

상당히 성행하였음을 알 수 있다.

청자 생산의 성지인 대구소(현재 강진군 대구면)와 인접한 강진 백련사 용혈암에서는 청자 불보살과 나한상이 출토되었으며, 월남사에서는 향로와 자판, '기사'명 등의 각종 청자가 다량으로 출토되었다. 강진과 이웃한 장흥 천관사에서는 매우 희소한 기와와 말 등의 청자가 확인되어 천관보살天冠菩薩 주석처였던 사격寺格을 충분히 짐작할 수 있었다. 이는 개성 이외 지역에서는 확인되지 않은 현상으로 이 지역이 개경과 같은 높은 수준의 청자 문화를 향유하였음을 알려주고 있다. 이는 전라남도가 청자의 생산뿐만 아니라 소비에서도 중요한 역할을 하였으며, 또한 청자를 연구하는데 생산과 유통, 소비를 함께 검토할 수 있는 유일한 곳으로 예술성뿐만 아니라 학문적으로도 독보적인 자료를 제공하고 있음을 말하고 있다. 한편, 최자崔滋(1188~1260)가 이인노李仁老(1152~1220)의 『파한집破閑集』을 보충하여 1254년(고종 41)에 간행한『보한집補閑集』에 따르면 남원의 귀정사歸正寺 사장寺莊에 도공陶工이 있어 안융安戎 태수가 술 단지[罇]와 항아리[缸]를 구하니 시를 지어 그에게 보냈다는 내용이 있어 사찰에서도 요장을 직접 운영하였음을 알 수 있다. 앞으로 사찰에서 직접 운영하였던 요장들에 대한 조사 연구가 필요하겠다.

참고문헌

강정미 「경남 지역 사지 출토 고려청자 연구」 동아대학교 석사학위논문,
　　　2008.

강진청자자료박물관『고려청자와 종교』2002.

국립경주박물관『관음보살과 정병』2009.

국립해양문화재연구소『海底萬鉢, 바다에서 만난 鉢盂』2021.

김현경 「고려시대 청자 불구 연구」 홍익대학교 석사학위논문, 2019.

불교중앙박물관『佛』2007.

불교중앙박물관『法, 소리없는 가르침』2008.

불교중앙박물관『僧, 求道者의 길』2009.

윤용이 「고려 청자와 불교」『여산 유병덕 회갑기념 논총』원광대학교 출판국,
　　　1990.

이종민 「고려시대 사지 출토 자기의 기종과 성격」『흙으로 빚은 우리 역사』용
　　　인대학교박물관, 2004.

정재은 「강화 선원사지 출토 고려청자 연구」 동국대학교 석사학위논문, 2007.

통도사성보박물관『통도사 금강계단과 도량장엄 의식구』2009.

한아영 「고려시대 청자 불상 연구」 충북대학교 석사학위논문, 2020.

7. 청자로 불로장생과 이상향을 기원하다, 도교

1123년(인종 1) 인종의 즉위를 축하하기 위해 고려를 방문하였던 송宋의 사신 서긍徐兢이 기록한 『고려도경高麗圖經』을 보면 도교가 고려 왕실을 비롯하여 상류층에서 매우 왕성하게 신앙되었음을 알 수 있다. 한국의 도교는 민간 신앙으로 일상생활 속에 널리 스며들었으나 다른 종교와 달리 특별하게 교단을 형성하지 않아 현재는 그 존재가 미미하다. 그러나 유儒·불佛·선仙이라 불리면서 정신세계에 큰 영향을 미쳐 다양한 문화적 요소로 활용되고 있으며, 민간신앙과 일상생활, 천도교를 비롯한 자생적 종교, 기복신앙, 세시풍속 등에 이르기까지 그 흔적이 매우 넓게 남아 있다.

도교는 중국 춘추전국시대(기원전 770~221) 제자백가諸子百家 가운데 노자老子와 장자莊子의 사상에 기원하고 있다. 질병치료와 심신수련, 신에 대한 기도 등을 통해 불로장생을 목적으로 하고 있으며, 벽사와 제액, 부귀와 명예 등을 추구하였던 현세적 종교이다. 도교는 노장사상을 바탕으로 하는 도가의 영향을 받았지만 실제로 많은 차이가 있다. 즉, 전통적인 신선사상에 음양오행과 유교의 주역, 의학, 불교 등의 사상과 체계가 반영되어 후한後漢(25~220) 때에 처음 생겨났다. 이후 체계적인 교리와 조직을 구성하면서 종교로서의 모습을 갖추게 된 것은 남북조시대의 북위北魏(386~534)부터이다. 또한, 도교는 하늘과 땅, 물 등을 숭배한 토착신앙에서 출발한 종교로 많은 신들이 존재하며 시대에 따라 생성되거나 소멸되기도 하였다. 초기에는 노자를 신격화하여 태상노군太上老君이라 부르며 최고의 신으로 섬겼으나, 불교가 전래되면서 그 영향을 받아 도교의 신들도 체계를 갖추어 원시천존元始天尊이 최고신으로 신앙되었다. 송대에는 옥황상제가 그 자리를 차지하게 되면서 천계天界에서 태상노군의 지위는 더욱 약화되었으나, 민간에서는 여전히 인기가 높아 원시천존 등과 함께 삼청三淸의 하나로 모셔졌다. 한편, 사람들은 예로부터 하늘과 땅, 물을 신성시하였는데, 이와 같은 오래된 관념은 훗날 도교에도 수용되어 하늘의 해와 달, 북두칠성 등을 비롯한 별자리 신과 후토后土와 같은 땅의 신, 용으로 상징되는 물의 신 등이 신봉되었다. 우리나라에서도 이러한 토착적인 숭배 관념을 바탕으로 도교적 신들이 등장하여 이들을 대상으로 국가와 왕실의 안녕, 기우제 등을 지내거나 선박의 안전 운항 등을 기원하는 제사를 시행하였다.

도교의 중요한 요소인 신선사상은 일찍부터 우리나라에 큰 영향을 주었는데, 체계적인 도교의 유입은 당唐 고조高祖(618~626)가 고구려 영류왕 7년(624) 도사道士를 파견하여 천존상天尊像을 보내고 노자가 지은 『도덕경道德經』을 강론하게 한 것에서 출발한다. 또한, 고구려는 보장왕 2년(643) 연개소문(?~665)이 천하의 도술을 모두 갖추어야 한다고 건의하여 당으로부터 숙달叔達 등의 도사를 초청하는 등 국가적 차원에서 도교가 크게 성행하여 유교나 불교보다 중요시되었다. 백제와 신라도 비슷한 시기에 도교를 받아들였으나 그 역할이 크지 않았다. 신라에서는 김유신(595~673)과 그의 증손인 김암 등이 도교적 방술에 능통했다는 기록이 있으나, 하대下代에 당을 다녀온 유학생들에 의해 유입된 수련적 도교가 중요한 역할을 하였다. 이후 고려시대까지 도교는 불교·유교와 함께 큰 역할을 하였는데, 특히 고려시대는 의례를 중심으로 매우 성행하였다. 한편, 도교의 원류를 우리 고유의 신선사상에서 찾기도 하는데, 이는 조선 중기에 수련적 성격의 도교에 관심을 지닌 지식인들의 민족의식과 연관된 것으로 현재까지 그 명맥을 이어오고 있다. 신선사상은 속세를 떠나 신선세계에서 장생불사한다는 사상으로 기원전 4~5세기경부터 유행하여 진시황(기원전 259~210)을 비롯하여 많은 사람들이 심취하였다. 우리나라의 신선사상은 고대의 제천의식에서 비롯되었으며 단군신화를 비롯한 많은 건국신화에서 이를 엿볼 수 있다. 제천의식은 고대인들의 주요한 종교 행사이자 공동체의 안녕을 위한 가장 기본적 의식이었다. 고대의 권력자들은 해와 달, 별의 변화 등 자연 현상을 국가와 왕실의 운명을 결정하는 중요한 기준으로 여겨 하늘에 제사를 올려 안녕을 기원하였다. 이와 같은 고유의 신선사상과 제천의식 등은 중국에서 도교가 전래될 때 쉽게 토착화될 수 있었던 배경이 되기도 하였다.

고려시대는 국가 차원에서 국가의 안녕과 국왕의 만수무강, 왕실의 복덕, 전쟁 방지, 기우제를 비롯하여 천재지변과 전염병 소멸 등을 비는 의례 중심의 과의科儀 도교가 유행하였다. 도교의 의례인 재초齋醮는 현종(1009~1031) 때부터 실시되었으나 가상 성행한 시기는 예종(1105~1122) 때이다. 예종은 송 휘종대(1100~1125)의 문물제도를 거의 그대로 받아들였는데, 휘종은 도교 사원인道觀 복원궁福源宮을 건립하고 30여 회에 걸쳐 재초를 시행한 도교에 매우 심취한 황제였다. 고려에서는 송의 발달된 문물을 적극 유입하고 도교를 수용하였던 예종이 송에서 도교를 배우고 귀국한 이중약李仲若(?~1122)의 건의를 받아들여 복원궁을 건립하였다. 또한, 예종은 궁중에 원시천존을 모셔두고 매달 재초를 거행할 정도로 도교를 신봉하였다. 따라서 고려시대의 도교는 국가와 왕실의 소재초복消災招福을 비는 의례 중심으로 기록이 남아 있으며, 수련적 도교에 대한 내용은 거의 남아 있지 않다. 이에 제례 의식은 도사들이 진행하였으나 축문에 해당되는 재사齋詞와 청사靑詞는 대부분 문신들이 작성하였다. 그러나 단순히 국가 중심의 의례적 종교였던 것만은 아니며 의학의 발전과 민간 풍습의 형성 등 이후의 일상생활에 미친 영향이 매우 컸다. 한편, 고려시대 지식인들 가운데 일부는 현실 속에 신선세계를 구현하여 은일隱逸의 분위기를 조성하려는 기풍이 있었다. 정원에 가산假山을 조성하여 이를 완상하거나, 산수화를 그리고 감상하며, 자연 속에서 바둑을 두거나, 산수와 신선에 대한 시를 짓고 읽는 것 등을 통해 선계를 체험하였다.

유교 국가를 표방한 조선시대에는 국가적 차원의 제의는 대부분 사라지고 소격서昭格署 한 곳에서만 재초를 거행하게 되었다. 그러나 16세기에 이르면 중국의 제후국이라고 인식하고 있던 신하들이 제후국인 조선의 왕이 하늘에 제사를 지내는 것이 성리학의 명분에 맞지 않다고 주장하여 소격서마저 폐지되었다. 이에 국가적 의례는 소멸되었으나 개인적 수련과 도가 사상을 이해하려는 측면의 연구, 그리고 민간신앙의 역할은 계속 유지되어 오늘날까지 명맥을 이어오고 있다. 즉, 도교적 정체성을 지닌 지식인들은 대체로 한적한 곳에서 개인적 수련에 몰두하였으며, 민간신앙으로 기복 종교의 역할을 주로 수행하였다. 또한, 성곽이나 마을을 수호하는 성황신과 부엌과 불의 신으로 불리는 조왕신 등이 대표적인 민간신앙으로 알려져 있다. 이와 같이 도교의 신들은 한국에 들어와 토착 민간신앙과 무리 없이 어우러지면서 점차 그 일부가 되어 간 것은 매우 자연스런 결과로 판단된다. 한편, 중국의 무속에서 유래한 도교의 점복과 부적 문화 역시 복을 구하고 액을 피하려는 재래의 민간신앙과 결합되어 오늘날까지 많은 사람들이 의지하고 있다.

도교는 스스로 종교적 역할도 수행하였으나 민간신앙과 융합되거나, 천도교와 같은 민족종교에 영향을 주기도 하였다. 그리고 사찰에서는 산신을 모신 산신각과 홀로 수행하여 도를 깨친 성인을 모신 독성각獨聖閣, 북두칠성을 모신 칠성각 등이 토착신앙과 도교적 성격을 수용하여 등장하였다. 또한, 문학과 미술 등에 예술적 영감을 제공하여 많은 작품의 주제와 소재로 널리 활용되었다. 복숭아와 신선, 십장생 같은 도교적 상징들은 불로장생과 행복, 재부를 가져오는 길상의 의미로 차용되어 청자를 비롯한 다양한 공예품의 소재로 적극 사용되었다. 사람을 형상화한 청자 주전자는 두 손에 복숭아를 받쳐 들고 있으며, 연적은 두 손에 정병을 받쳐 들고 있다. 봉황인물형주전자는 봉황 위에 향완을 받쳐 든 인물이 타고 있어 선계仙界에 이르는 과정을 표현한 것으로 추정된다. 이들 인물들이 입고 있는 의복과 머리에 쓴 관 등으로 보아 도교의 제사를 집전하는 도사를 표현하였음을 쉽게 알 수 있다.

사진 342 | 청자인물형주전자
(대구大邱 출토, 국보 제167호)

사진 343 | 청자인물형연적

사진 344 | 청자봉황인물형주전자

그리고 인물형주전자는 대구에서 출토
되었는데 이와 같은 주전자의 파편이
강진에서 출발하여 개경 또는 강화로
향하던 중 침몰하였던 보령 원산도 해
저유적에서 출수되어 이 주전자가 강진
에서 생산되어 수도를 거쳐 지방의 유
력자에게 사여賜與되었음을 알 수 있다.
이와 같이 청자 주전자와 연적 등의 일
상 기물에 도교적 요소를 가미하여 제
작하고 있어 도교가 이 시기에 널리 신
앙되었음을 뒷받침 하고 있다. 곤륜산

은 도교 최고의 여성신인 서왕모가 사는 곳으로 이곳 과수원에서 3천 년마다 열리는 복숭아를 먹으면 불로장생한다는 이야기가 전해진다. 또한, 손오공이 천계에서 먹었던 복숭아도 불로장생을 의미하고 있어 복숭아는 선과로 잘 알려져 있다. 복숭아는 이외에도 귀신을 쫓는 신력을 지닌 것으로 인식되었으며, 물의 신성성을 유지하기 위한 우물 제사에도 사용되기도 하였다. 청자로 정교하게 만든 용과 기린, 봉황, 거북 등은 신령스러운 상상의 동물로 불로장생을 상징하고 있어 도교와 관련하여 많이 등장하고 있다. 특히, 용은 물을 대표하는 신으로

사진 345 | 청자복숭아형연적(보물 제1025호)

기우제의 대상이거나 벽사와 제액을 위해 강과 바다, 우물 제사의 대상이 되었으며, 물 등의 액체를 보관하거나 운반하는 용기에 많이 그려졌다. 따라서 무병장수와 부귀영화, 벽사제액을 상징하는 상상의 동물을 표현한 주전자와 향로, 병 등은 왕실과 도교 등의 제의에 사용되었거나 특수한 계층의 생활용기로 사용하였던 것으로 판단된다.

이들 상형청자 이외에도 도교와 관련된 글씨가 쓰인 청자들이 확인되고 있

사진 346 | 청자구룡형주전자(국보 제96호)

사진 347 | 청자기린형향로(국보 제65호)

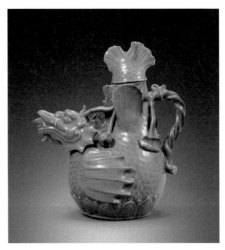

사진 348 | 청자어룡형주전자(국보 제61호)

어 고려 사회를 이해하는데 중요한 자료를 제공하고 있다. '소전燒錢'은 도교
제사를 담당하였던 관청인 소전색燒錢色을 가리키는 것으로 이곳에서 사용
하였음을 알 수 있다. 그리고 고려 궁성인 개성 만월대의 회경전會慶殿 주변

사진 349 | 청자상감'燒錢'명완

사진 350 | 청자상감'天皇前排'명병

에서 '소전'명 잔과 잔받침이 출토되어 왕실에 의해 궁성에서 도교 의례가 시행되었음을 알려주었다. '천황전배天皇前排'에 쓰여진 천황은 도교의 최고 신 가운데 한 분인 천황대제를 의미하며, '칠원전배七元前排'에 쓰여진 칠원은 칠성을 가리키는 것으로 인간의 수명장수 등 길흉화복을 주관하는 북두칠성北斗七星을 의미한다. '십일요전배十一曜前排'가 쓰여진 청자는 '십일요를 위해 진열되었다'라는 의미인데, 십일요는 일, 월, 화, 수, 목, 금, 토를 포함한 11개의 별자리를 가리킨다. '지地'와 '귀鬼'가 쓰인 그릇은 지신과 귀신을 의미하는 것으로 도교 제례에 사용된 그릇임을 알 수 있다.

도교에서 불로장생의 신선이 되는 법은 불사약과 같은 인체 외부의 물질에 의존하는 외단外丹과 꾸준한 수련으로 인체에 생명의 기운을 축적하는 내단內丹으로 나누어진다. 그러나 아무리 불사약을 먹고 각고의 수련을 하더라도 윤리 도덕을 지키지 않으면 신선이 될 수 없고 수명도 그만큼 짧아진다고 한다. 이는 도교가 점차 정신

사진 351 | 청자상감국화문 '七元前排'명접시

사진 352 | 청자상감국화문 '十一曜前排'명접시

사진 353 | 청자상감 '地'명접시

사진 354 | 청자상감 '鬼'명잔

적으로 피폐해지고 있는 현대 사회에 던지는 중요한 논점이기도 하다. 그리고 도교와 관련된 다양한 유습은 우리 역사의 일부분이며 세시풍속과 민간신앙, 문화예술, 심신수련 등 여러 영역에서 오늘도 우리와 호흡하고 있어 종교적 관점과 함께 문화적 초점으로 접근할 필요성이 있다. 무엇보다 기발하고 독특하며 환상적인 청자 기물을 만들 수 있었던 것은 불교와 함께 고려 사회에 널리 성행하였던 도교가 있었기에 가능하였으며, 이러한 요소는 고려청자의 예술성을 더욱 깊고 풍부하게 하는 중요한 원동력으로 작용하였다.

참고문헌

국립문화재연구소『고려도경 숨은 그림 찾기』2019.
국립중앙박물관『한국의 도교 문화』2013.
경기도박물관『고려도경 900년 전 이방인의 코리아 방문기』2018.
경기문화재단『고려와 고려도경』2018.

제5부

해저에 잠든 청자를 찾다

1. 수중 발굴의 효시 신안선, 고려청자를 싣다

우리나라 수중 발굴조사의 첫 걸음을 열게 하였던 신안선新安船은 1975년 8월 고기잡이하던 어부가 그물로 중국 청자화병 등 6점의 유물을 건져 올리면서 세상에 알려졌다. 1976~1984년 문화재관리국(현재 문화재청)이 해군 해난구조대의 지원을 받아 발굴조사를 실시하였다. 유적의 위치는 전라남도 신안군 증도면 방축리 해역(신안 해저유물 매장해역, 사적 제274호)으로 이곳에서는 중국과 일본을 왕래하던 추정 길이 34m의 260톤급 목제 무역선(현재 크기 너비 6.6m, 길이 28.4m, 깊이 3.66m)과 도자기를 비롯한 금속과 목재품 등 22,000여 점의 유물이 출수되었다. 이 가운데 가장 많은 유물은 20,000여 점의 도자기인데 절대 다수가 중국 도자이며, 이외에 7점의 고려청자와 일본 세토瀨戸에서 만든 2점의 유약 바른 도기 등이 인양되었다. 한편, 배 바닥에는 고급 목재인 자단목과 28톤에 달하는 중국 동전이 선적되었는데, 이들은 상품의 역할도 하였으나 배의 무게 중심을 잡는 기능도 하였다. 동전은 800만 개 정도로 중국 신新(8~23)나라 때 발행된 화천貨泉부터 1310년(충선왕 2, 원 무종武宗 지대至大 3)에 주조된 지대통보至大通寶까지 66건 299종이 확인되었다. 그리고 '지치삼년至治三年'이 적힌 목간과 '경원로慶元路'가 새겨진 저울추 등에 의해 신안선이 1323년(충숙왕 10, 원 영종英宗 3) 중국

사진 355 | 신안선

절강성浙江省 경원항慶元港(현재 영파寧波)을 출발하여 일본 후쿠오카福岡로
항해하던 중 침몰하였음을 알 수 있었다. 그런데 뜻밖에도 중국에서 출발하
여 일본으로 항해하던 무역선에서 고려청자 7점이 출수되어 많은 관심과 연
구의 대상이 되었다.

신안선에서는 청자상감운학문대접과 청자상감국화문잔받침, 청자상감모
란국화문잔받침, 청자상감국화문뚜껑, 청자음각연화문매병, 청자상감운학
당초문베개, 청자해치형연적 등 7점의 고려청자가 출수되었으나 이 보다 더
많은 고려청자가 선적되었을 가능성이 있다. 이들 청자 가운데 함께 조합을
이루는 매병과 잔 받침, 뚜껑은 매병의 경우 뚜껑이 유실되었으며, 잔 받침은
잔이 유실되고 받침만 남아 있다. 뚜껑도 잔 등의 몸통은 유실되고 없다. 7점
가운데 4점의 청자가 짝을 잃고 출토된 것은 많은 화물이 유실되었을 가능
성을 알려 준다. 특히, 배 아래에 선적된 고려청자가 유실되었다는 것은 빠

른 바닷물의 영향 등으로 유물이 유실되었을 가능성을 제시하고 있다. 이들 고려청자는 유약과 바탕 흙, 조형 의장 등으로 보아 고려시대 최상품의 양질 청자를 생산하던 전라남도 강진군 대구면 사당리 요장에서 생산되었던 것으로 판단된다. 특히, 시기는 다르지만 강진 사당리에서 생산된 보령 원산도 해저유적 출수품과 신안선 출수품이 무늬 등 비슷한 면이 많아 이를 뒷받침하고 있다. 한편, 생산 시기를 결정하는데 자료가 부족한 고려청자 연구에서 1323년이라는 절대 년대를 갖는 신안선 출수 고려청자는 학술적으로도 매우 중요한 자료이다. 이들 신

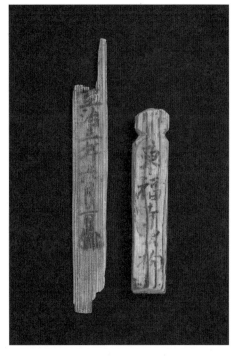

사진 356 | 신안선 출수 지치至治 삼년과 교토京都 동복사東福寺가 적힌 목간

안선 출수 고려청자는 최근 조사된 파주 혜음원지(사적 제464호, 1232년 하한)와 강화 희종 석릉(사적 제369호, 1237년 축조), 강화 원덕태후 곤릉(사적 제371호, 1239년 축조), 보령 원산도 해저유적(1230년대) 등에서 확인된 청자에 비해 유색과 기형이 퇴화되고 있으며, 무엇보다 일본 가마쿠라鎌倉에서 출토된 13세기대 고려청자에 비해서도 퇴화되고 있어 침몰시기인 1323년 무렵에 제작되었음을 알 수 있다. 또한, 상감청자의 경우 그릇 전체에 무늬가 그려진 사례는 대체로 13세기 후반부터 등장하고 있어 신안선 출수 상감청자 역시 13세기 후반 이후에 생산되었던 것으로 판단된다. 그리고 청자상감운학당초문베개는 전면에 빈틈없이 무늬가 그려져 있는데 이처럼 전면에 무늬가 등장하는 것은 14세기 전반에 나타나는 특징이다. 따라서 청자상감운

사진 357 | 신안선 출수 고려청자

학당초문베개처럼 당초문을 역상감과 음각선으로 시문하고 있는 청자상감
운학문완도 14세기 전반에 제작된 것으로 추정된다. 청자상감운학문완은 기
형도 둔중해지고 있어 전성기 청자에 비해 퇴화하였음을 알 수 있다. 이외의
청자상감모란당초문잔받침과 청자상감국화문잔받침, 청자상감국화문뚜껑
도 반복적인 문양 구성과 둔중한 기형을 보이고 있어 14세기 전반에 제작되
었음을 쉽게 알 수 있다.

　일본 가마쿠라 시대에 특별히 선호되었던 청자음각연화문매병은 현재까
지 13세기 중반 이후의 자료가 많지 않아 그 하한이 대체로 13세기 중반으로
편년되고 있다. 그러나 어깨 부분의 선이 처져 있어 전성기 매병에 비해 당

사진 358 | 신안선 출수 고려·중국·일본 도자

당하지 않으며 굽바닥에 받쳤던 거친 내화토 비짐 흔적이 완전히 마모되지 않고 일부 남아 있다. 이것으로 보아 거의 사용하지 않았거나, 제작 시간이 오래 경과되지 않았음을 보여주고 있어 앞으로 검토가 요구된다. 해치형 연적은 일본 쓰시마對馬島에서 출토된 연적과 매우 유사한데 이들은 전성기 상형청자에 비해 조형이 과장되고 흐트러져 있어 시기가 떨어짐을 알 수 있다.

신안선에서는 고려 특유의 제비 꼬리형 청동 수저가 출토되어 고려 사람의 승선 가능성을 알려주고 있다. 또한, 고려청자를 선적하고 있으며 일반적인 중국-일본 항로에서 크게 이탈하여 고려 연안 항로에서 침몰하고 있어 중계무역 또는 일본과의 교역품을 확보하기 위해 중간 기착지로 고려를 경유하였을 가능성을 제시하고 있다. 특히, 신안지역은 다도해多島海로 이루어져

사진 359 | 신안해저유물발굴기념비

있으며 육지와 쉽게 연결될 수 있는 지리적 이점을 지니고 있어 일찍부터 해상교통의 요충지로 중국과의 교역에 중요한 역할을 담당하였던 곳이다. 그러나 고려 기항을 뒷받침하기에는 고려 물품이 너무 적어 태풍에 의한 표류 가능성도 있다. 특히, 고려청자는 배 하부에 선적된 상자에서 확인되고 있어 중국에서 선적되었던 것으로 판단된다. 이 시기 중국 기록에 의하면 중국에 고려청자가 매우 활발하게 유입되었음을 알 수 있다. 따라서 원元에 유입된 고려청자를 일본인들이 수집하였거나, 중국의 중계무역에 의해 신안선에 선적되었을 가능성이 높다. 즉, 신안선에 선적된 고려청자는 선적 상태와 항로 등으로 보아 중계무역에 의해 중국에서 출항하여 일본의 후쿠오카福岡와 교토京都 등을 최종 목적지로 항해하였음을 알 수 있다. 그리고 이 시기 일본의 막부가 설치되어 있던 가마쿠라鎌倉 사람들이 고려청자를 특히 선호하고 있어 직접적인 자료는 없으나 최종 목적지가 가마쿠라였을 가능성도 있다.

이 시기는 가마쿠라뿐만 아니라 일본 열도 각지에서 고려청자를 수용하고 있어 물품의 주인이 각지에 산재하였을 가능성도 있다. 즉, 가마쿠라 시대는 고려청자가 일본 열도에 널리 유통되고 있어 각각의 주문에 의해 선적되었을 가능성도 있다. 신안선이 항해하던 시기 일본은 가마쿠라를 중심으로 고려청자가 적극적으로 유입되었는데, 기종은 매병을 비롯하여 호와 주전자, 베개, 향로, 잔과 잔받침 등 장엄과 권위를 상징하는 특수 유형이 가장 많다. 이외에 발과 대접, 잔 등 일상생활 용기는 소량 확인되고 있다. 또한, 기형이 단정한 양질의 청자가 대부분으로 한정된 수량에 매우 엄선된 고품격의 청자가 유입되었음을 알 수 있다. 신안선 출수품 역시 청자상감운학문완을 제외하면 일반적 기종이 아닌 특수 기종으로 분류할 수 있는 그릇이 중심을 이루고 있어 상류층들의 장엄과 권위를 위한 위세품으로 수입하였음을 알 수 있다. 즉, 가마쿠라에 새로운 무가武家 정권을 수립한 세력층은 그들만의 독창적인 문화를 만들기 위해 선종 불교를 수용하는 등 다양한 문화를 수용하였는데 고려청자도 이들 새로운 문화를 위해 적극 활용되었던 것이다.

참고문헌

국립중앙박물관『신안해저문물』1977.

국립중앙박물관『신안 해저선에서 찾아낸 것들』2016.

국립해양유물전시관『신안선과 동아시아 도자 교역』2006.

국립해양유물전시관『14세기 아시아의 해상교역과 신안해저유물』2006.

국립해양유물전시관『신안선』1·2·3, 2006.

문화재관리국『신안해저유물』자료편 I·II·III·종합편, 1983·1984·1985·1988.

김영미『신안선과 도자기 길』국립중앙박물관, 2005.

한성욱「신안선 출토 고려청자의 연구」『지방사와 지방문화』10-2, 역사문화학

　　회, 2007.

2. 선조들의 불행이 남긴 해저유적 속의 도자 이야기

사진 360 | 군산 야미도 해저유적 발굴조사 전경

사진 361 | 태안선 해저유적 목간과 청자

사진 362 | 태안선 청자 포장 상태

삼면이 바다로 둘러싸인 우리나라는 옛날부터 바닷길을 통한 문화적 접촉이 활발하였으며, 다양한 해상활동은 바다 속에 많은 흔적을 남겨놓았다. 이들 가운데 하나가 재난으로 순식간에 많은 사연을 안고 침몰한 무수한 난파선들이다. 난파선은 침몰 당시의 생활상을 그대로 간직한 채 남아 있는 생생한 역사적 현장으로 해저유적은 우리를 과거로 연결하여 역사의 공백을 메울 수 있는 통로 역할을 하고 있다. 해저유적은 육지와 비교하였을 때 비교적 개발과 파괴가 적어 상대적으로 안전하게 남아 있으며, 당시의 많은 유물과 선상 생활 등을 그대로 보여주고 있기 때문이다. 우리나라에서 해저유적에 대한 관심과 발전의 계기는 1975년 8월 신안 증도 앞바다에서 고기잡이하던 어부의 그물에 중국 자기가 건져 올려지고 1976년부터 1984년까지 발굴조사가 실시되어 많은 유물이 출수되면서 시작되었다. 이후 40여 년 동안 국립해양문화재연구소는 300여 곳의 유물 매장해역을 탐사하였으며, 이 가운데 22곳에 대한 발굴조사를 실시하여 14척의 난파선을 조사하고 12만여 점에 이르는 많은 유물을 수습하였다. 이들 유물의 대부분은 도자기로 도자사 연구와 전시, 교육 등에 다양한 자료를 제공하여 많은 학술적 기여를 하였다. 해저에서 출수된 도자기는 같은 시기의 다양한 그릇이 대량으로 출수되고 있으며, 생산지를 거의 정확하게 알려주고 있다. 또한, 함께 출수되는 목간 등을 통해 생산과 유통 시기, 수요층 등을 파악할 수 있어 청자의 시대적 변화뿐만 아니라 생산과 유통, 소비 등 경제 구조

사진 363 | 태안선 청자철화초화무늬잔 노출 상태

사진 364 | 번조 상태를 유지하고 있는 입도선매 청자 (군산 비안도 해저유적 출수)

를 연구하는데 필수적 자료로 활용되고 있다. 그리고 바닷속 난파선에서 만나는 도자기는 그 시대 사람들이 좋아하던 도자기의 취향과 식생활, 경제와 문화상 등을 고스란히 보여주고 있어 다양한 일상생활을 이해하는 열쇠 역할을 하고 있다. 한편, 군산 비안도 해저유적에서는 구운 상태 그대로인 청자와 실패한 청자를 선별하지 않고 함께 선적하고 있어 당시에도 입도선매 立稻先賣의 상품경제가 있었음을 알려주고 있다. 출수 유물 가운데 도자기가 가장 많은 수량을 차지하는 것은 바닷길이 도자 운반에 적극 이용된 측면도 있으나 형태가 온전하고 무기물로 조성되어 있는 특성도 큰 역할을 하였다. 즉, 다른 유물은 유기물이 대부분으로 바닷물에 의해 유실되거나 시간의 경과로 부식되는 성질을 주로 지니고 있는데 비해 청자는 상대적으로 좋은 조

사진 365 | 군산 비안도 해저유적 출수 청자

건을 갖추고 있었기 때문이다.

자기를 운송하는 중요한 교통수단으로 바닷길이 널리 이용된 것은 항해
술과 조선 기술이 발달하였기 때문이다. 바닷길은 충격에 약한 도자기의 특
성으로 인해 풍랑의 위험에도 불구하고 육로에 비해 많은 수량을 대규모로
안전하게 운반할 수 있어 더욱 많이 이용되었다. 또한, 바닷길은 자기 이외
의 다양한 물품을 운반하고 문화 교류를 촉진하는 주요한 통로 역할을 담당
하여 경제와 문화 발전 등에 큰 기여를 하였다. 바닷길은 새로운 물품의 전
래와 기술의 전파 그리고 이를 통한 새로운 문화를 탄생시키는 중요한 통로
로 청자의 발생도 그 중에 하나이다. 바다를 통한 도자기의 운반은 고려청자
의 기술이 강진과 해남으로 집약되고 사회가 안정되는 고려 중후기 이후에
집중되어 있다. 이 시기는 대체로 고려청자가 비약적으로 발전하여 전성기
비색청자를 생산하는 시기로 이를 필요로 하는 수요층도 확대되었기 때문

에 바다를 이용한 청자의 운반 수량도 자연스럽게 증가되었다. 따라서 바다에서 확인되는 해저유적도 대부분 이 시기에 집중적으로 분포되어 있다. 고려 초기에는 개성 주변의 경기지역 등 다양한 지역에서 청자를 생산하여 자체적으로 수요를 충당하였기 때문에 청자를 대량으로 운반할 필요성이 없었다. 또한, 고려 말기부터 조선 초에는 왜구의 잦은 침입으로 해로에 의한 조

운을 중단하고 육로를 통한 조운을 실시하였다. 이를 반영하듯 초기 청자가 확인되는 곳은 보령 삽시도 해저유적 한 곳뿐이며, 말기 청자는 무안 도리포 해저유적 등 일부에서 확인되고 있다. 도리포는 대량운반과 시간 단축의 이점 때문에 위험

사진 366 | 보령 삽시도 해저유적 출수 청자

사진 367 | 무안 도리포 해저유적 출수 청자

을 무릅쓰고 해로를 이용한 예외적인 사례로 생각된다. 조선시대의 경우 초기는 도자기를 지방으로부터 공납받아 사용하였으나 경기도 광주에 왕실과 중앙 관사가 필요로 하는 백자를 생산하는 사용원司饔院 분원分院이 설치되면서 지방에서 한양으로 도자를 운반할 필요성이 없었다.

해저유적 출수 유물의 대부분을 차지하는 고려청자는 많은 수량을 한꺼번에 운반하며 부피가 크고 무거워 대부분 바닷길을 통해 유통된 결과이다. 특히, 고려는 산이 많고 여름에 강수량이 집중되는 자연 지리적 특성 때문에 세곡과 깊이 부피가 그고 무거운 회물의 운반은 국가의 공식적인 운송수단인 바닷길을 통한 조운로漕運路를 주로 이용하였다. 따라서 고려청자의 운반도 편리한 조운로를 이용하여 대량으로 이송하였는데, 서해안에서 발견되는 200여 개 소의 해저유적이 세곡 운반에 이용되었던 조운로와 거의 일치하고 있어 이를 뒷받침하고 있다. 해안을 끼고 있어 조운로를 쉽게 이용할 수 있었던 강진 청자는 해저유적에서 확인되는 선박의 크기로 보아 생산지였던 대구면 사당리의 미산포구에서 선적되어 서해안의 연안항로를 따라 개경으로 입항하였을 것으로 판단된다. 강진을 출발한 청자 운반선은 대부분 개경이 목적지였지만 일부는 조정의 통제 아래 지방의 거점 포구로 운송되어 지방 관아와 대찰大刹, 최상류층의 수요에 부응하였던 것으로 추정된다.

고려시대는 대부분 육안으로 해안을 확인하면서 항해하는 근접 항로를 채택하였으나 해난 사고가 자주 발생하였다. 이런 해난 사고를 방지하기 위해 가장 위험한 충청도 안흥량安興梁이 있는 태안반도를 남북으로 종단하는 운하 굴착을 시도하였으나 실패하였다. 이는 태안과 군산을 비롯한 서해안 지역에 해저유적이 집중적으로 조사되는 원인이기도 하다. 이와 함께 동해안은 수심이 깊고 펄이 없으며 파도가 높아 해저유적의 확인이 어렵지만 서해안은 이와 반대의 원인을 갖추고 있어 많은 난파선이 확인된다. 그리고 최근 조사된 태안 대섬 해저유적(태안선)에서 운반 책임자의 서명으로 판단되는

사진 368 | 청명상하도淸明上河圖 자기 가게 부분(청淸 진매陳枚 등 모사)

'정鄭'이 쓰인 목간이 출수되어 지역 향리들의 역할이 컸음을 알 수 있었다. 즉, 정씨는 청자 생산의 중심지였던 탐진현(현재 강진군)의 토착 성씨 가운데 하나로 이들에 의해 청자 운반이 실시되었음을 알 수 있다. 이렇게 어려운 이동 과정을 거쳐 목적지에 도착한 청자들은 왕실과 관청 등에 공납되고 일부는 상품으로 유통되었을 것으로 추정된다. 청자의 상품화는 기록에서도 확인되지만 북송北宋의 장택단張擇端이 수도首都인 변경汴京(현재 하남성河南省 개봉開封)의 봄날을 그린 청명상하도淸明上河圖에 자기 가게가 그려져 있어 고려의 개경에도 이와 비슷한 청자 가게들이 있었을 것으로 판단된다.

해저유적은 선조들에게는 생명까지 앗아간 매우 불행한 조난의 현장이지만 현재를 살아가는 우리들에게는 소중한 문화자산을 남겨주어 역사와 문화 예술을 살찌우는데 큰 기여를 하고 있다. 따라서 현재를 살아가는 우리는 해저유적에 담겨 있는 선조들의 삶을 이해하고 여기에 담긴 문화유산이 우리 국민과 인류 전체의 공동 유산이라는 인식을 갖고 이를 잘 보존하여 미래에 물려줄 책임을 지니고 있다.

참고문헌

강진군『청자 보물선 뱃길 재현 기념 국제학술 심포지엄』2009.

경기도자박물관 외『서해 바다 속의 고려청자』2010.

국립해양문화재연구소『고려 뱃길로 세금을 걷다-조운-』2009.

국립해양문화재연구소『바닷속 유물, 빛을 보다-수중발견신고유물-』2010.

국립해양문화재연구소『대한민국 수중 발굴 40년 특별전』2016.

국립해양문화재연구소『해양 출수 고려 도기의 제작과 사용』2021.

국립해양유물전시관『고려 청자 보물선-강진, 태안, 그리고 ……』2008.

문경호『고려시대 조운제도 연구』혜안, 2016.

신종국『고려 침몰선의 성격과 출수 유물 연구』공주대학교 박사학위논문 2020

이준광「고려 청자의 해상운송과 출토 유물 연구」홍익대학교 석사학위논문, 2010.

주영선「고선박의 화물포장과 적재방법에 대한 고찰」목포대학교 석사학위논문, 2010.

한국중세사학회『고려시대 해상활동의 양상과 성격』2011.

한정훈『고려시대 교통 운수사 연구』혜안, 2013.

3. 바다 속에서 찾은 기록과 청자 이야기

해저유적에서 출수되는 고려청자는 대부분 강진과 부안, 해남에서 생산 선적하여 개경이나 강화로 항해하던 중 조난되어 매몰된 것들이다. 특히, 강진 사당리 인근의 미산포구에서 출항한 청자 운반선은 출항한지 얼마 지나지 않아 가장 어려운 관문 가운데 하나인 해남과 진도 사이의 울돌목을 지나야 한다. 울돌목을 통과하더라도 태안반도에 위치한 안흥량을 무사히 통과하여야 출항의 목적지인 개경 또는 강화에 어렵게 도착할 수 있었다.

안흥량安興梁은 선박의 잦은 침몰 때문에 처음 난행량難行梁이라 불렸는데, 이에 대한 두려움을 줄이고 무사 항해를 바라는 염원에서 이름을 안흥량으로 바꾸었을 정도로 조난 사고가 많은 지역이다. 안흥량이 위치한 태안반도는 신라 천년 고도 경주처럼 많은 유적과 유물이 확인되고 있어 '바다의 경주'라는 별칭을 얻고 있어 그 위험성과 함께 해저 문화유산의 보고임을 알려주고 있다. 따라서 고려청자가 출수되는 해저유적의 대부분도 이곳 안흥량 일대에 분포되어 있다. 이들 항로는 매우 위험하지만 눈으로 육지를 보면서 항해하던 시기에는 매우 중요한 길목에 위치하고 있어 반드시 통과하고 극복하여야 하는 길이었다.

해저유적에서 확인되는 선박은 청자 운반선이 가장 많으며, 최근에는 곡물과 젓갈, 꿀, 참기름, 메주 등의 특산품을 청자와 도기에 담아 운반하였던 선박들이 확인되고 있어 도자 자체의 연구뿐만 아니라 도자의 쓰임새, 당시의 식생활 등 새로운 학술적 자료를 제공하고 있다. 특히, 함께 출수되고 있는 목간木簡이나 죽찰竹札은 청자를 비롯한 선적 물품의 성격을 이해하는데 매우 중요한 역할을 하고 있다. 나무나 대나무로 만든 목간은 오늘날의 택배 발송장과 같은 것으로 누가, 무엇을, 언제, 얼마나, 어디로 보내는지 등을 기록하고 있어 함께 실린 청자의 생산 지역과 생산 시기, 소비자, 소비지역 등을 알 수 있어 청자 연구에 절대적 자료를 제공하고 있다.

태안 대섬 인근의 태안선에서 청자와 함께 출수된 목간에서는 '탐진耽津'과 '재경在京'을 비롯하여 '최대경崔大卿'과 '안영安永', '정鄭' 등의 내용이 확인되었는데 이들은 모두 탐진(현재 강진군 대구면 일대)의 토착 세력들로 개경의 물품 수취인 또는 청자 운반의 책임자 등으로 밝혀졌다. 따라서 청자 생산을 위해 탐진현에 설치되었던 대구소大口所와 칠량소七良所가 지역 세력에 의해 통제되고 발전되었음을 알 수 있었다. 특히, 태안선이 운항하던 때는 탐진 최씨의 세력이 강했던 시기로 신분에 따라 수취인을 택상宅上과 호부戶付로 표기하고 있는데 최씨는 이름도 없이 '崔大卿 宅上'으로 표기하고 있어 그 위상을 쉽게 짐작할 수 있다. '최대경'은 조선시대라면 한양漢陽의 유력한 '최대감' 정도로 이해할 수 있는 신분으로 생각된다. 또한, 태안선 출수 청자와 목간을 통해 강진 청자가 국가나 왕실을 위한 공납용뿐만 아니라 유력자들에게도 대량으로 운반되었으며, 최대경으로 상징되는 탐진 세력들에 의해 상품으로도 유통되어 이들의 경제력을 뒷받침하였던 것으로 이해되고 있다.

사진 369 | 태안선 출수 청자와 '崔大卿 宅上' 목간

고창 일대의 곡물 등을 선적하였던 태안 마도 2호선에서는 청자 매병과 죽찰이 조합을 이루어 출수되어 매병의 명칭이 기록상으로 전하는 준樽으로도 불렸음이 실증적으로 확인되었다. 무엇보다 매병 내부에 담긴 내용물을 기록하고 있어 매병의 용도가 꿀과 참기름을 담는데 사용되었으며, 꿀과 참기름이 매우 귀중한 청자 매병에 넣을 정도로 고려시대에도 소중하였음을 알려주고 있다. 또한, 매병은 소비자의 권위와 위엄 등을 상징하는 위세품적 성격을 지니고 있어 이

사진 370 | 태안 마도 2호선 출수 상감청자매병과 죽찰(보물 제1783호)

사진 371 | 태안 마도 2호선 출수 음각청자매병과 죽찰(보물 제1784호)

를 전달받은 수취인의 위상을 알려주고 있어 당시 신분 제도를 이해하는데도 중요한 자료를 제공하고 있다. 청자상감국화모란유로죽문매병靑瓷象嵌菊花牡丹柳蘆竹文梅瓶과 조합을 이루는 죽찰(보물 제1783호)의 앞면에는 '중방도장교오문부重房都將校吳文富'라는 수취인이 적혀있으며, 뒷면에는 '택상진

성준봉^{宅上眞盛樽封}'이라고 쓰여 있어 준에 참기름을 담아 중방에 근무하는 오문부에게 올린다는 내용이다. 청자음각연화절지문매병^{靑瓷陰刻蓮花折枝文}^{梅瓶}과 조합을 이루는 죽찰(보물 제1784호)은 앞면에 '중방도장교오문부^{重房}^{都將校吳文富}'가 적혀있으며, 뒷면에는 '택상정밀성준봉^{宅上精蜜盛樽封}'이라고 적혀 있어 역시 준에 꿀을 담아 올린다는 내용이다. 이를 통해 오문부라는 인물이 매병이라는 위세품과 함께 택상으로 표기될 정도로 위계가 매우 높았음을 알 수 있다.

마도 3호선은 목간을 통해 여수 주변에서 거둬들인 곡물과 전복, 홍합, 상어 등을 당시의 수도였던 강화의 유력자들에게 전달하기 위해 항해하던 배로 밝혀져 유력자들이 개인적으로 선박을 운영하였음을 알 수 있다. 그리고 마도 3호선은 농수산물을 선적하고 있어 청자보다는 이들 물품을 쉽게 운반하기 위해 많은 도기가 이용되었음을 알 수 있었다. 이를 통해 그 동안 청자에 비해 연구가 부족하였던 도기 연구에 많은 자료를 제공하였는데, 특히 목간에 적힌 물품들의 부피와 수량을 통해 이들 도기들의 용량을 알 수 있어 고려의 도량형을 유추할 수 있는 계기가 되었다. 또한, 선상에서 사용하던 청동 용기와 숟가락, 빗, 돌로 간단하게 만든 장기 알 등이 확인되어 선원들의 선상 생활

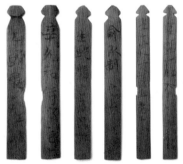

사진 372 | 태안 마도 3호선 출수 도기와 목간

을 알 수 있었다. 청동 유물은 수리하여 사용하였던 흔적도 남아 있어 고려 사람들의 알뜰한 생활도 엿볼 수 있다.

태안반도에 위치한 보령 해저유적(보령 죽도 해저유물 매장해역, 사적 제321호)은 1329년(충숙왕 16) 강진 사당리에서 만들었음을 표기한 '기사己巳'가 새겨진 상감청자가 출수되어 유명한 유적이다. '기사'명

사진 373 | 보령 해저유적 출수 '己巳'명 등 청자

상감청자는 고려 후기를 대표하는 간지명 상감청자 가운데 가장 빠른 것으로 점차 쇠퇴하는 청자의 품질을 유지하고 사사로운 유출을 방지하기 위한 목적으로 명문을 새긴 청자이다. 따라서 이곳에서 함께 출수된 명문이 없는 청자도 1329년 강진에서 공납품으로 생산되어 조운로를 따라 개경으로 운송하던 도중 보령 앞바다에 매몰되었음을 알 수 있다.

한편, 보령 원산도 해저유적에서 굽 안바닥 중앙에 도구를 이용하여 음각 'O'문의 부호를 새긴 청자가 확인되었는데, 이는 강진 사당리 8·23·27호 요장에서 1230년대를 중심으로 13세기 2/4분기에 생산된 특징적 유물이다. 'O'문이 새겨진 청자는 정선된 태토와 수려한 유색, 단아한 조형미, 간결한 문양을 자랑하는 고품격 청자들로 전성기 비색청자가 13세기 전반까지 지속되었음을 알려 주는 자료이다. 또한, 이들 청자는 왕실을 비롯한 최상류층 관련 유적과 큰 사찰 등에서만 확인되고 있어 원산도 해저유적 출수 청자를 통해 당시 상류층의 미의식과 그릇의 조합상 등을 알 수 있다.

해저유적에서 청자와 함께 출수된 목간의 내용을 비롯하여 청자에 적힌

사진 374 | 보령 원산도 해저유적 출수 음각 'ㅇ'명 등 청자

명문과 부호 등은 기록이 많지 않은 고려시대의 역사적 사정을 실증적으로 전달하고 있어 도자사 뿐만 아니라 경제와 식생활 등을 이해하는데 많은 자료를 제공하고 있어 그 의의가 매우 크다고 할 수 있다.

참고문헌

국립해양문화재연구소『대한민국 수중 발굴 40년 특별전』2016.

국립해양문화재연구소『800년전의 타임캡슐-태안 마도 수중문화재 발굴성과-』2010.

임경희·최연식「태안 마도 수중 출토 목간 판독과 내용」『목간과 문자』5, 한국목간학회, 2010.

임경희·최연식「태안 청자 운반선 출토 고려 목간의 현황과 내용」『목간과 문자』창간호, 한국목간학회, 2008.

해강도자미술관『고려 후기 간지명 상감청자』1991.

한국목간학회『태안 해역 출수 목간과 고려시대 사회의 이해』2017.

4. 남도 해저에서 찾은 강진 청자

이순신 장군도 극찬한 곡창지대를 품에 안고 있는 전라남도는 이에 더하여 남해안과 서해안을 끼고 있어 풍요로운 물산을 바탕으로 일찍부터 문화와 예술이 발전하였다. 또한, 바다는 새로운 기술과 문화를 받아들이는 창구 역할을 하였으며, 이를 널리 전파시키는 중요한 교역로 역할을 하였다. 이와 같이 많은 이로움을 갖춘 바다지만 때로는 풍랑을 일으키고 왜구의 침탈을 인도하는 불행을 가져오기도 하였다. 이러한 불행은 많은 침몰선 확인의 계기가 되어 전라남도에서는 신안 방축리(신안선)와 완도 어두리(완도선), 목포 충무동(달리도선), 신안 금산리(안좌선), 진도 명량대첩로, 무안 송석리 도리포 해저유적 등이 조사되었다. 이들 유적 가운데 강진에서 생산된 청자가 출수 유물의 중심을 이루는 유적은 진도 명량대첩로와 신안 금산리, 무안

사진 375 | 진도 명량대첩로 해저유적 전경

도리포 해저유적(무안 도리포 해저유물 매장해역, 사적 제395호) 등이 있다.

진도 명량대첩로 해저유적은 조류가 빠르기로 유명한 울돌목 주변의 진도 고군면에 위치하고 있다. 울돌목(명량해협)은 이순신 장군의 명량대첩을 통해 알 수 있는 것처럼 항해에 어려움이 많은 곳으로 수심이 얕고 암초가 많은데 비해 배가 항해할 수 있는 범위는 좁으며, 밀물 때는 좁은 해협으로 바닷물이 한꺼번에 밀려오기 때문에 매우 위험한 곳이다. 이를 반영하듯 이곳에서는 많은 닻돌과 고대부터 조선시대까지 다양한 시기의 유물이 출수되어 무척 험난한 항로였음을 입증하고 있다. 그러나 남해와 서해를 연결하는 중요한 길목으로 고려시대 강진에서 생산한 청자를 개경으로 운반하기 위해서는 반드시 통과해야 하는 주요한 뱃길이었다.

명량대첩로 해저유적은 이곳에서 고려청자를 도굴한 일당이 붙잡히면서 알려졌다. 발굴조사 결과 청자와 분장청자, 백자, 도기, 소소승자총통小小勝 字銃筒을 비롯한 금속유물, 석환, 닻돌 등이 출수되었다. 이들 유물 가운데 가

사진 376 | 진도 명량대첩로 해저유적 출수 도자

사진 377 | 진도 명량대첩로 해저유적 출수 청자와 소소승자총통

장 많은 것은 청자로 수량의 차이는 있으나 고려 모든 시기의 청자가 확인되었다. 이들 청자는 최상품의 양질청자부터 상품과 중품, 하품이 공존하고 있어 시대별 차이뿐만 아니라 용도별, 소비처별로 다양한 품질의 청자가 선적되었음을 알 수 있다. 이들 청자 가운데 중심을 이루는 것은 강진에서 생산된 고려 중기의 양질청자로 사회가 안정을 이루고 문화가 발전하였던 시기에 청자의 유통도 가장 활발하였음을 알려 주고 있다. 그릇의 종류는 발과 접시, 완, 잔, 호, 유병, 반구병, 매병, 과형병, 장경병, 향로, 필가, 베개, 합, 발우, 다연, 장구 등 매우 다양한데, 일상생활 용기인 발과 접시, 완이 중심을 이루며 위세품 성격의 동물형 향로와 매병 등의 특수 기형은 많지 않다. 이와 같은 구성은 청자를 생산하였던 강진의 청자 요장에서도 비슷하게 확인되어 일상생활 용기를 중심으로 요장이 운영되고 유통되었음을 알 수 있다. 이들 청자 가운데 예술성이 뛰어나며 장식 의장이 돋보이는 유물은 필가筆架와 동물형 향로이다. 필가는 붓을 세우거나 걸쳐놓을 때 사용하는 문방구로 상형의 연꽃 봉오리와 음각과 양각 기법으로 잎사귀와 봉오리의 세부 모

사진 378 | 진도 명량대첩로 해저유적 출수 청자오리형향로

사진 379 | 진도 명량대첩로 해저유적 출수 닻돌

습을 정교하게 장식하였다. 오리와 원앙, 기린의 형상을 한 동물형 향로는 뚜껑에 구멍을 뚫어 몸통에서 피어 오른 향이 동물의 입을 통해 밖으로 퍼져 나갈 수 있도록 구성된 조형성이 매우 뛰어난 청자이다. 특히, 오리형 향로의 뚜껑은 내부 구멍 둘레에 음각으로 꽃의 윤곽을 새겨 넣었으며, 꽃 주변 다섯 곳에도 잎사귀를 음각으로 표현하여 매우 장식적이고 화려한 조형미를 갖추고 있다. 명량대첩로 해저유적은 보령 원산도 해저유적과 함께 강진 청자의 다양성과 우수성을 입증해 주는 매우 중요한 유적으로 평가받고 있다.

　도리포 해저유적은 무안군 해제면 송석리에 위치한다. 발굴조사는 도리포 앞 바다에서 바지락 채취를 하던 어부들에 의해 청자가 인양되면서 시작되

사진 380 | 무안 도리포 해저유적 전경

사진 381 | 무안 도리포 해저유적 출수 청자

었는데, 청자 이외의 유물은 확인되지 않았다. 이 지역은 해류 출입의 입구에 해당되어 물살이 빠르고 물속이 어두워 조사에 어려움이 많았다. 이곳에서 출수된 청자는 638점으로 10여 점을 제외하면 모두 상감청자이다. 기종은 발과 대접, 접시, 잔, 잔받침 등인데 일상생활 용기인 대접과 접시가 대부분이다. 대접은 내저면 형태에 따라 크게 내저원각식과 내저곡면식으로 구분되는데 문양 구성과 출토 비율로 보아 밥그릇과 국그릇으로 조합을 이루어 사용되었던 것으로 판단된다. 무늬는 전성기에 비해 변형 생략되고 있어 고려 후기 퇴되기의 특징을 잘 보여주고 있으니 지유롭고 회화적으로 표현되어 생동감을 느낄 수 있다. 시문은 대부분 도장으로 찍은 인화기법을 사용하였는데, 흑백상감이 백상감보다 문양의 완성도가 높고 유색과 번조 받침도 우수하다. 백상감은 문양 구성이 단순하며 대부분 포개구이의 가장 아래에서 구웠다. 또한, 태토 비짐의 일부는 검은 흙을 사용하였는데, 이는 고려후기 강진 사당리 요장에서 주로 확인되는 번조 방법이다. 도리포 출수 상감청자는 두텁고 투박한 기형과 단순 간략한 문양, 어두운 유색, 거친 번법 등에서 고려 후기 14세기 후반에 제작되었음을 알 수 있다. 그리고 이와 비슷한 번법과 문양 구성 등을 갖춘 청자는 현재 강진 사당리 10호 일대 요장에서만 확인되고 있어 강진 사당리에서 생산하였음을 쉽게 알 수 있다.

신안 금산리 해적유적은 신안군 안좌면 금산리 갓섬 앞 바다에 위치하고 있으며, 선체를 발견한 주민의 신고로 발굴조사를 진행하였다. 이곳에서 인양된 안좌선은 선적 화물을 비운 다음 항해한 듯 선체를 제외하면 밧줄과 돌판, 숫돌, 청자, 도기 등 10여 점의 유물만 출수되어 선상 생활용품으로 판단된다. 고려청자는 선수와 선미 저판 부분에서 상감국화문잔 2점과 접시 2점이 출수되었는데, 잔은 무안 도리포 해저유적에서 출수된 청자상감학문잔과 기형은 같으나 무늬는 백상감으로 시문하였다. 청자는 기형과 제작 기법, 문양, 유색 등의 조형적 특징으로 보아 14세기 후반 강진 사당리 요장에서 생

사진 382 | 신안 안좌선 발굴조사 전경

사진 383 | 신안 안좌선 출수 도자

사진 384 | 목포 달리도선 발굴조사 전경

사진 385 | 목포 달리도선

산되었음을 쉽게 알 수 있다. 그리고 선체 중앙 저판 돛대 받침 부분에서 흑갈유도기호의 구연부가 수습되었으며, 우측 선미船尾 부분 멍에 밑 부분에서 녹갈유도기호의 구연부와 동체부 편들이 수습되었다. 금산리 해저유적의 경우 출수 유물은 많지 않지만 자료가 한정적인 고려 후기 생활사를 이해하는 데 중요한 자료를 제공하였다. 이외에 목포 충무동 달리도 앞바다에서 고려 후기 선박 1척이 청동숟가락 1점, 다량의 도자 파편 등과 함께 출수되었다.

전라남도에서 확인된 해저유적은 사례가 많지 않으나 왜구의 영향으로 육로 운반이 중심을 이루며 해상 운송이 제한적이던 고려 후기의 양상을 보여주고 있어 특징적이다. 즉, 왜구의 위험을 무릅쓰고 바닷길의 편리함을 이용하고자 했던 현실성을 잘 보여주고 있다.

참고문헌

국립해양문화재연구소『고려청자 보물선과 강진』2009.

국립해양문화재연구소『진도 명량대첩로 해역 수중 발굴조사 보고서』Ⅰ·Ⅱ·
　　　Ⅲ, 2015·2018·2021

국립해양문화재연구소『대한민국 수중 발굴 40년 특별전』2016.

국립해양유물전시관『목포 달리도선 발굴 보고서』1999.

국립해양유물전시관『무안 도리포 해저유물』2003.

국립해양유물전시관『신안 안좌선 발굴 보고서』2006.

문경호「강진 고려청자의 유통 구조」『세계유산과 강진 고려청자 요장의 의
　　　의』민족문화유산연구원, 2021.

한성욱「강진 청자의 생산과 유통」『문화사학』34, 한국문화사학회, 2010.

한정훈「고려시대 강진 지역 교통 입지와 청자 유통」『다산과 현대』9, 연세대
　　　학교 강진다산실학연구원, 2016.

5. 바다에서 찾은 해남 청자

　해남은 강진, 부안과 함께 고려청자의 대표적 생산지로 대량 생산을 바탕으로 전국에 청자를 공급하였다. 또한, 해남 유형의 조질청자는 강진과 부안에서 생산된 양질청자에 비해 소비층이 매우 넓어 전국 각지에서 요장이 확인되고 있다. 따라서 해남에서 생산된 청자는 전국을 대상으로 생산되었으며, 국가의 통제 아래 운영되어 소비층이 많은 개경 등 대도시 위주로 공급되었던 것으로 판단된다. 한편, 일본에서도 해남 유형의 청자가 확인되고 있어 널리 유통되었음을 알 수 있다. 그러나 대량 생산과 넓은 유통망에 비해 해남 청자가 확인되는 해저유적은 완도 어두리(완도선)와 군산 십이동파도선,

사진 386 | 군산 십이동파도 해저유적 전경

사진 387 | 군산 십이동파도선 출수 도자

태안 마도 1호선 등 매우 한정되어 있다.

군산 십이동파도 해저유적은 군산시 옥도면 연도리에 위치한다. 발굴조사
결과 선박 1척을 비롯하여 도자기 8,000여 점, 석제 닻장, 밧줄, 철제 솥, 청동
숟가락 등이 출수되었다. 출수품 가운데 가장 많은 수량을 차지하는 청자는
대접과 완, 접시, 병, 호 등의 일상생활 용기로 접시와 대접이 중심을 이룬다.
문양은 대부분 무문이며 일부 접시와 뚜껑, 유병 등에 음·양각의 초화문과 연
판문이 확인된다. 그릇 전체에 유약을 바른 다음 굽바닥을 닦아내고 백색 내
화토 비짐을 받쳐 포개 구웠다. 유병과 소호, 일부 접시는 포개구이의 가장
위에서 구웠으며, 찻그릇으로 쓰인 완은 내저면에 받침 흔적이 없고 잡물이
없는 단정한 상태를 유지하고 있어 갑번匣燔 또는 포개구이의 최상에서 번조

한 것으로 판단된다. 특히, 완과 유병油瓶은 성형과 유색, 기면 등이 다른 기물에 비해 우수하여 특별히 제작 번조하였음을 알 수 있다. 이들 청자는 해무리굽 청자완에서 변형 해무리굽 청자완으로 변화하는 시기에 생산된 것으로 해남

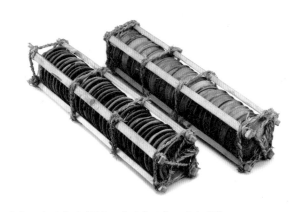

사진 388 | 군산 십이동파도선 청자 포장 꾸러미 재현

군 화원면 신덕리 요장에서 산이면 진산리 요장으로 생산지가 이동하는 과도기에 제작되었음을 알 수 있다. 구체적 시기는 1100년(숙종 5)을 전후한 11세기 후반에서 12세기 초반으로 진산리 20호 요장 등에서 생산된 것으로 추정된다. 그리고 선체 저판에서 청자의 선적 상태가 처음으로 확인되어 도자의 포장과 선적 방법 등을 알 수 있었다. 청자의 포장은 짚과 갈대를 이용하여 상하좌우를 포갰으며, 좌우의 열과 열 사이에는 소나무 등으로 제작한 쐐기를 완충재로 사용하여 운송 중의 파손을 방지하였다. 적재는 가룡목과 나란히 놓인 배열과 외판재 방향으로 배열된 것이 혼합되어 같은 단에서도 가로와 세로의 두 방향으로 선적하여 화물의 안전을 도모하였음을 알 수 있다.

신안선과 함께 우리나라 수중 발굴조사의 이정표를 세웠던 완도 어두리 해저유적(완도선)은 완도군 약산면 어두리 어두지섬 앞바다에 위치한다. 발굴조사 결과 유물은 선박 1척과 청자, 선원 생활품 등 30,701점이 출수되었다. 도자기는 몇 점의 흑유 도기와 연질 도기가 있지만 대부분 청자들이다. 청자는 생활 용기인 대접과 접시, 완, 잔 등이 대부분으로 30,000점 이상이 인양되었다. 이외에 청자반구병 103점과 매병 11점, 장구 3점, 유병, 호, 발

사진 389 | 완도선

사진 390 | 완도선 출수 청자

등이 있다. 이들 청자는 일상생활에서 사용하기 위한 거친 조질이 대부분으로 그릇 종류별로 대량 인양되어 당시의 생활과 문화를 연구하는데 중요한 역할을 하였다. 또한, 그릇 제작지가 해남군 산이면 진산리 일대(사적 제310호) 청자 요장으로 밝혀져 도자의 제작과 수급, 이동 등 다양한 학술 정보를 제공하였다. 도자기 이외의 유물은 금속제품이 18점으로 솥과 청동그릇, 숟가락, 국자 등이며 토제품은 시루 등 2점이다. 목제품은 9점으로 함지와 어로 도구(조새), 나무 망치 등이며, 석제품은 숫돌 1점이 있다.

완도선은 해저유적이 대부분 개경으로 향하는 바다에서 확인되는 것에 비해 해남에서 출항하여 동쪽으로 항해하는 바다에서 확인되어 개경 이외의 지역에 청자를 공급하기 위해 출항하였음을 알 수 있다. 따라서 당시 대도시였던 동경東京(현재 경주)이나 일본과의 무역에서 중심 역할을 하였던 금주

사진 392 | 태안 마도 1호선 모형

金州(현재 김해) 등으로 항해하던 중 침몰된 것으로 판단된다. 완도선은 12세기 고려 도자 연구와 자료가 부족한 우리 배 변천 과정을 밝히는데 많은 학술 정보를 제공하였으며, 신안선과 함께 우리나라 수중 고고학 발전에 중요한 역할을 하였다.

태안 마도 1호선은 목간과 죽찰에 의해 1207년(희종 3)과 1208년 수령현(현재 장흥)과 죽산현(현재 해남), 회진현(현재 나주) 등에서 공물로 거둔 곡물과 식재료 등을 싣고 개경으로 항해하던 중 태안 마도 앞바다에서 침몰하였음을 알 수 있었다. 발굴조사 결과 청자와 도기, 청동 숟가락, 빗, 철제 솥, 선체, 대나무 반盤, 대나무 바구니, 벼, 조, 메밀, 콩깍지, 생선뼈, 포장재 등 489점의 유물이 출수되었다. 이 가운데 중심을 이루는 도자기는 300여 점이 출수되었으며, 목간과 죽찰은 73점이 확인되었다. 화물의 발신자는 지방향리들이며, 수신자는 개경에 있는 김순영金純永과 권극평權克平, 윤방준尹邦俊 등으로 무인정권의 실력자들이다. 마도 1호선은 완도 어두리와 군산 십이동파도 해저유적이 청자 운반을 위한 전용 선박이었던 것에 비해 곡물과 식재료를 중심으로 선적되고 있어 특징적이다. 또한, 청자는 양질의 강진 청자와 함께 해남 청자가 함께 확인되어 고려 청자 연구에 새로운 자료를 제공하였다.

유물의 중심을 이루는 청자는 대접과 접시, 잔 등 일상생활 용기를 중심으로 주전자와 그릇 받침, 화분, 항아리, 정병 등이 출수되었다. 규석과 모래 섞인 거친 내화토 비짐을 받쳐 구웠으며, 무늬는 음각과 양각, 상감, 철화 기법

사진 393 | 태안 마도 1호선 출수 철화청자

등을 이용하여 국화당초문과 모란당초문, 연화당초문, 모란절지문, 국화문, 앵무문, 연판문, 초화문, 파도문, 번개문 등을 시문하였다. 품질에 큰 차이가 있는 양질의 강진 청자와 조질의 해남 청자가 함께 확인되어 다양한 계층과 용도를 위해 선적되었음을 알 수 있다. 특히, 해남에서 선적한 화분과 항아리, 정병은 신분과 권위를 상징하는 위세품 기능을 갖는 그릇들로 철화로 초화문을 그려 장식하고 있어 특별히 제작되어 개경의 유력자들을 위해 선적되었음을 알 수 있다. 이들 청자들은 대부분 선체 상부에서 출수되었는데, 그릇 종류에 따라 꾸러미로 포장하고 있어 군산 십이동파도와 태안 대섬에서 확인된 포장 방법과 동일함을 알 수 있다. 그리고 무엇보다 함께 출수된 목간과 죽찰에 의해 해남에서 13세기 전반까지 청자를 생산하였으며, 철화청자도 이 시기까지 생산 소비되었음을 알려주어 도자사 연구에 큰 기여를 하였다.

군산과 완도, 태안 해저유적에서 출수된 해남 생산의 청자들은 해남 청자의 연구뿐만 아니라 고려 도자의 변천과 생산, 포장, 적재, 유통 등을 연구하는데 귀중한 자료를 제공하였다. 또한, 마도 1호선에서는 선적 시기와 장소, 수취인 등이 기록된 목간과 죽찰 등이 함께 출수되어 그 의의를 더욱 높여주었다.

참고문헌

국립해양문화재연구소『고려 난파선 해남 청자를 품다』 2019.

국립해양문화재연구소『대한민국 수중 발굴 40년 특별전』 2016.

권용선「'산이 유형 청자'의 유통과 소비」 목포대학교 석사학위논문, 2012.

문화재관리국『완도 해저유물 발굴보고서』 1985.

민족문화유산연구원『해남 청자의 현황과 성격』 2019.

역사문화학회『해남 화원 초기청자 가마터의 성격과 해양 교류』 2011.

이송희「완도 해저 출토 자기를 통한 녹청자 연구」 이화여자대학교 석사학위논문, 2000.

정보람「군산 십이동파도선 출수 고려청자 연구」 충북대학교 석사학위논문, 2022.

6. '고려난파선, 해남청자를 품다' 특별전에서 다시 발견한 해남 청자의 멋과 가치

바람과 흙, 물, 불, 그리고 장인들의 정성이 빚은 해남 청자와 이를 운반하였던 바닷길을 소개하는 '고려난파선, 해남청자를 품다'(2019.7.9.~10.13) 특별전이 국립해양문화재연구소 목포해양유물전시관에서 전시되었다. 특별전은 천 년 전 해남지역에서 제작된 청자의 생산에서 바닷길 운송과 유통, 그리고 다양한 소비 양상까지 종합적으로 소개한 첫 전시라는 점에서 매우 흥미로웠다. 특히, 지난 40여 년간 바다와 육지에서 이뤄진 해남 청자에 대한 발굴조사와 연구 성과를 일반 관람객들과 공유하였다. 그동안 강진으로 대표되는 비색청자의 빛에 가려 주목받지 못했던 해남 청자의 아름다운 멋과 가치, 역사적 의의 등을 새롭게 발견할 수 있는 뜻 깊은 전시였다.

특별전은 1부 서남해 바닷길, 해남청자를 품은 고려난파선, 2부 해남청자

사진 394 | 해남 청자 전시 모습

의 바닷길 유통, 3부 고려의 소박한 그릇, 해남청자, 4부 고려 사람들의 삶에 스머든 해남청자 등 4가지 주제로 구성되었다. 1부와 2부에서는 해남 청자가 출수된 군산 십이동파도선과 완도선, 태안 마도 1호선 등을 소개하고, 이 3척의 고려 난파선에서 출수된 해남 청자 2,500여 점을 선보였다. 이어 3부와 4부에서는 해남지역을 비롯한 시흥과 용인, 인천, 부산 지역의 청자 요장 출토품, 그리고 고려시대 생활 유적과 무덤, 제사 유적 등 생산지와 소비지 유적에서 출토된 해남 유형의 청자를 한눈에 볼 수 있었다.

예로부터 서남해 바닷길은 육로보다 화물 운송이 편리하고 빨리 이동할 수 있어 많은 선박들이 항해하였다. 특히, 고려와 조선시대에는 지방에서 거둬들인 세곡과 특산품, 수공예품 등을 조운선漕運船으로 운송하여 국가 재정의 중요한 기반으로 삼았다. 그러나 바닷길 항해는 장점만 있는 것이 아니었다. 바다는 빠른 조류와 안개, 암초, 풍랑 등 거친 해양 환경과 기상 악화 등의 위험이 도사리고 있으며, 이로 인한 불의의 해난사고로 많은 선박들이 바닷속으로 사라졌다. 오늘날 그 흔적들은 바닷속에 고스란히 남아 마치 타임캡슐처럼 침몰 당시의 생생한 역사와 문화를 전해준다.

사진 396 | 군산 십이동파도선 출수 청자꽃모양접시

사진 397 | 완도선 출수 청자철화매병

서남해 바닷길에서는 1983년부터 지난해까지 완도 어두리와 군산 십이동 파도, 태안 마도, 진도 명량해협, 영광 낙월도 해역 등에서 해남 청자 4만여 점과 이를 선적한 완도선과 십이동파도선, 태안 마도 1호선 등 난파선 3척이 발굴조사되었다. 특별전에서는 수중 발굴조사 이후 15년 동안의 보존 복원 과정을 마치고 공개되는 해남 청자 운반선 '군산 십이동파도선'(11~12세기) 을 비롯하여 '완도선'(11~12세기)의 실물을 직접 만날 수 있었다.

13세기 고려 난파선인 '태안 마도 1호선'에서는 청자 320여 점과 곡물류, 젓 갈, 지역 특산품 등이 실려 있었다. 수천 점에서 수만 점이 선적된 다른 난파 선에 비하면 청자 수량은 매우 적다. 그러나 마도 1호선에서는 청자의 제작 지역과 시기가 기록된 화물표(목간)가 발견되었다. 제작 시기는 1207~1208 년(희종 4), 그리고 화물의 선적 지역은 회진현(현재 나주시 다시면 일대)과 수령현(현재 장흥군 장흥읍 일대) 등과 함께 죽산현竹山縣이 적힌 목간이 함

사진 398 | 태안 마도 1호선 출수 청자

께 확인되었다. 죽산현은 오늘날 해남 진산리 청자 요장이 위치한 해남군 산이면이 속한 지역의 옛 이름이다. 따라서 마도 1호선의 발견은 적어도 13세기 초까지 해남지역에서 청자를 생산하였다는 것을 입증하여 주고 있다.

고려 난파선의 청자는 대부분 3~4단으로 적재되어 있었으며, 포장 재료는 소나무와 새끼줄, 볏짚, 갈대 등이다. 소나무는 원통형 나뭇가지를 그대로 사용하거나, 거칠게 깎아 도자기 꾸러미의 지지대로 이용하였다. 군산 십이동파도선의 소나무 지지대는 양쪽 끝에 홈이 있는데, 새끼줄이 단단하게 엮이도록 한 흔적이라고 할 수 있다. 포장 방법은 그릇의 형태에 따라 조금씩 다르다. 일상생활용 그릇은 꾸러미를 엮어 선적하였는데, 접시는 50~60개, 대접은 30~40개 단위로 포개었다. 도자기 꾸러미 사이에는 짚이나 갈대를 넣고 세로와 가로 단위로 3~4단씩 쌓아올렸다. 청자유병은 나무막대를 가운데 두고, 병 2개씩 목 부분을 교차하여 묶어 포장하였다.

우리나라 최남단 땅끝 '해남'은 서해와 남해로 바닷길이 열려있는 천혜의 땅이다. 고려시대에는 강진과 버금가는 많은 청자 요장이 운영되었던 최대 규모의 청자 생산지였으며, 10세기부터 13세기까지 명맥을 유지한 고려의 대표적 청자 생산지로 생산품은 고려 각지에 유통되었다. 소박한 멋의 녹갈색 빛을 머금은 해남 생산의 그릇들은 당시 고려에서 크게 유행하였으며, 바닷길을 통해 각지의 소비지로 유통되었다. 해남 청자 요장에서는 1992년과 2017~2018, 2020~2021년에 이루어진 발굴조사로 많은 유물이 출토되었으며, 역사적 문화적 중요성을 인정받아 사적 제310호(해남 진산리 청자요지)와 전라남도 기념물 제220호(해남 화원면 청자요지)로 지정되어 보호 관리하고 있다.

해남지역의 초기 청자는 한국식 '해무리굽 청자완'을 중심으로 음다문화飮茶文化와 일상생활에 필요한 그릇들이 주로 생산되었다. 그러다가 11세기 후반에 이르면 종류도 다양해지고 형태와 색상, 무늬, 제작 기법 등이 고려만의 독창적인 기술로 새롭게 변화하고 발전하였다. 12~13세기 청자는 종류와 장식 기법, 무늬가 더욱 다양해져 고려 문화의 아름다움과 풍성함을 뒷받침하였다. 해남 청자는 고려청자의 다양한 색상 중에서 녹갈색을 띠는 특징이 있어 녹청자로도 불린다. 고려 장인들은 철분이 많은 바탕 흙胎土 위에 나무재로 만든 잿물(회유灰釉)을 발라 자연스러운 흙빛과 녹갈색이 감도는 독특한 색을 만들어냈다. 해남 청자에도 색깔 있는 안료를 사용하여 무늬를 장식하였는데 이때 등장한 것이 철화기법이다. 해남의 철화청자는 고려 사람들의 미감이 고스란히 담겨 있다. 강진의 고품격 비색청자와 화려한 상감청자와 달리 녹갈색이나 황갈색을 띠지만, 철화무늬의 자유로운 선과 강렬한 색상의 대비는 해남 청자만의 색채와 매력을 대표한다. 철화청자는 철사鐵砂 안료로 무늬를 그린 것으로 11세기 중후반부터 12세기 무렵에 크게 유행하였으며, 13세기까지 생산되었음이 태안 마도 1호선 발굴조사 결과 밝혀졌다.

사진 399 | 해남 신덕리 20호 청자 요장 출토 흑유병

사진 400 | 해남 진산리 74호 청자 요장 출토 청자와 흑자

주로 활짝 핀 모란과 국화, 풀잎, 넝쿨무늬 등을 자유롭고 생동감 있게 표현
하여 녹갈색 청자와 조화를 이루고 있다.

해남 청자는 단순한 그릇을 넘어 고려 사람들의 삶과 문화를 담아내고 있
다. 식생활 그릇에서부터 차와 술, 제사, 종교, 의례, 그리고 무덤의 부장품
에 이르기까지 많은 유적에서 확인되고 있다. 이러한 흔적은 해남 주변의 월
출산 제사유적과 장흥 대리 생활유적, 장흥 신월리 무덤 등에서 확인되었다.
그리고 1208년(희종 4) 고려 수도 개경으로 항해하던 '태안 마도 1호선'에는
해남산의 청자 정병과 화분, 항아리 등이 실려 있었다. 해남 청자의 소비 지
역과 계층이 매우 폭 넓었던 것을 알 수 있다. 이들 출토품 가운데 가장 주목
받는 유물 가운데 하나인 장구는 두 개의 울림통이 달린 타악기로, 주로 한
면은 손으로 치고 한 면은 채로 친다. 고려시대에는 아악과 당악, 향악 등에
서 중요한 악기로 사용되었다. 고려 초기부터 청자와 백자로 만들어졌으며,

사진 401 | 해남 진산리 17호 청자 요장 출토 도자

다른 기종과 달리 전면全面에 무늬를 가득 장식하였다. 특히, 청자 장구는 해남 진산리와 신덕리를 비롯하여 초기 청자를 생산한 경기 시흥 방산동과 용인 서리, 중기 청자를 생산한 강진과 경기도 여주 부평리, 경상도 부산 녹산동 요장까지 폭 넓게 확인되었다. 서남해 해저 유적에서는 완도 어두리와 진도 명량해협, 태안 마도 등에서 여러 점 출수되었다. 영암 월출산과 부안 죽막동 제사유적, 남원 실상사와 경주 불국사, 장흥 대리 생활

사진 402 | 완도선 출수 청자철화모란넝쿨무늬장구

유적 등에서도 출토되어 고려시대 다양한 의례에서 장구를 활용하였다는 것을 알 수 있다.

한편, 해남은 강진, 부안과 함께 고려시대 대표적인 청자 요장으로 최근 이들 지역에서는 2022년에 열리는 제46차 세계유산위원회에 '한국의 청자 요지' 등재를 추진하고 있다. 이러한 분위기 속에서 '해남 청자'를 주제로 특별전이 개최됨에 따라, 1994년 세계문화유산 잠정 목록에 등록된 이후 답보 상태에 있던 청자 요지의 유네스코 세계유산 등재 범위가 해남 청자까지 확대되어 전문가들과 지역 주민들의 관심이 한층 높아지고 있다.

해남과 강진, 부안이 함께 추진하고 있는 '한국의 청자 요지' 세계문화유산 등재 추진은 청자의 아름다움과 이를 생산하였던 요장을 더욱 효율적으로 활용하고 관리하는데 매우 중요한 토대가 될 수 있으리라 사료된다. 또한, 이를 운반하였던 바닷길을 함께 조명할 수 있어 학문적 발전에도 중요한 역할을 하리라 생각된다. 세계문화유산은 국제연합(유엔) 교육·과학·문화기구(유네스코)의 세계유산협약에 의해 규정된 문화와 자연, 기록, 무형, 복합 유산 가운데 하나로 선조로부터 물려받아 후손들에게 넘겨주어야 할 우리들의 삶과 영감의 원천을 간직한 소중한 문화자원을 말한다. 이들은 다른 무엇으로도 대체할 수 없는 독특함과 다양성을 지니고 있으며, 소재지와 상관없이 역사와 예술, 학문적으로 탁월한 보편적 가치를 간직하고 있어야 한다. 세계유산의 등재는 총회에서 선출한 위원국으로 구성된 세계유산위원회에서 전문기구의 평가를 근거로 결정하지만, 정부간 위원회라는 특성상 국가별 외교력과 정치력에 의해 지정되기도 한다. 이는 균형 잡힌 세계유산 등재를 위한 전략의 일환으로 기존의 제한된 개념을 넘어 자연과 인간의 공존, 문명간의 조화와 교류, 인류의 창의성이 담긴 유산들의 가치를 폭 넓게 인정하기 위해서다. 한편, 새로운 유산을 발굴하고 기존 유산의 충실한 보존을 위해 회원국들의 신청 수량을 제한하고 있으며, 검토하는 전체 수량 역시 한정하고 있다. 또한, 신청을 위해서는 회원국들이 작성한 세계유산 잠정목록 등재의 절차를 반드시 지켜야 한다. 등재 이후에는 보존 상태와 보호 활동 등을 세계유산위원회에 정기적으로 보고하여야 하며, 이를 토대로 유적의 상태를 평가하고 문제가 있을 경우 조치를 취하도록 결정한다.

고려는 중국에 이어 세계에서 두 번째로 청자를 생산한 세계 도자사에서 기념비적 업적을 이루었으며, 비색의 완성과 상감청자의 독보적 발전을 이루어 인류 도자문화를 풍성하게 하였다. 이처럼 세계 도자사의 기린아였던 고려청자의 대표적 생산지인 해남과 강진, 부안은 세계문화유산으로 지정되는데 손색이 없다고 생각된다. 이런 이유로 우리 정부는 '강진 고려청자 요지(사적 제68호)'를 세계문화유산 신청에 앞서 반드시 필요한 절차인 잠정목록 등재를 1994년 완료하였다. 그러나 강진만의 등재보다는 해남과 부안을 함께 등재하는 것이 고려청자 문화의 우수성과 다양성, 독창성 등을 더욱 뚜렷하게 부각시킬 수 있다는 강진군의 판단으로 세 군이 함께 추진하는 계기가 되었다. 세계문화유산의 등재는 문화 자원적 효과가 엄청나 고려청자 요장을 세계적 명소로 알려 지역 발전에 기폭제가 되리라는 것은 명약관화한 사실이다. 조상의 얼과 혼이 담겨 있는 '고려난파선, 해남청자를 품다' 특별전이 계기가 되어 '한국의 청자 요지'가 세계문화유산으로 등재될 수 있기를 기원한다.

참고문헌

강진청자박물관『강진 청자의 교류와 소통』2012.
국립해양문화재연구소『대한민국 수중 발굴 40년 특별전』2016.
국립해양문화재연구소『고려 난파선 해남 청자를 품다』2019.
한울문화재연구원『강진 도요지 세계유산 등재 기본 계획』강진군, 2018.

제6부

대항해시대와 고려청자

1. 멀고 험난한 중국의 육로에서 만난 고려청자

고려청자는 바닷길 이외에도 일찍부터 열려 있던 육로를 이용하여 중국 대륙에 널리 유통되었다. 압록강을 건너 요동遼東으로 나아가 요하遼河를 건너 대릉하변大凌河邊의 요령성遼寧省 조양朝陽을 거쳐 서북으로 나가는 내몽고內蒙古 적봉赤峰, 남쪽 북경北京으로 나아가는 육로 또한 사신과 상인들이 통행하던 행로로 이는 고려청자의 운송로이기도 하였다. 특히, 몽골이 13세기 후반 중국 전역을 정복하고 동유럽까지 진출하여 유라시아를 통합한 대원大元 제국이 형성되면서 고려와 중국 북방 대륙은 더욱 가까워지게 된다. 고려는 40여 년간의 끈질긴 대몽항쟁對蒙抗爭을 치른 후 원과 강화조약講和條約을 체결하면서 원 황실의 부마국이 되어 자연스럽게 원의 정치문제에도 개입하고 황실의 문물을 소유하기도 하며, 고려의 우수한 공예품과 불교 경전, 불화 등을 원에 공급하기도 하였다. 또한, 국경 개방으로 많은 사람과 문물 등의 교류가 활발하게 진행되었다. 이처럼 교류가 확대되면서 중국에 왕래하는 고려인과 중국에 사는 고려인도 많아지게 되었다. 고려와 중국의 사서인 『고려사』와 『원사』의 기록을 보면 중국에 거주하는 고려인이 10만 명은 넘었을 것으로 추정된다. 따라서 중국에 있는 고려 사람을 대상으로도 고려청자의 수요가 적지 않았음을 알 수 있다. 더욱이 고려 왕족이 원 황실의 측

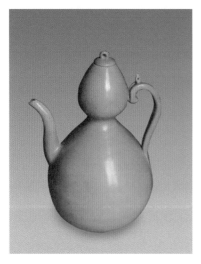

사진 403 | 청자표주박형주전자,
北京 豊台區 烏古論窩論墓 출토

근이 되면서 고려청자는 원 황실에도 그 수요가 확대되었다. 이러한 배경을 바탕으로 고려청자는 당시 자연스럽게 중국 대륙으로 진출하여 아낌없는 찬사를 받으며 원의 광대한 교역로를 따라 북경을 중심으로 티베트西藏를 비롯하여 멀리 북방 몽골 초원의 길을 따라 원의 발상지로 중도中都였던 현재의 몽골 카라코룸까지 전파되었다. 또한, 원 이전에도 고려와 교역하였던 요遼 나라 영역의 요양시遼陽市 부근과 중국의 영역이었던 러시아 연해주에서도 고려청자가 확인되고 있어 당시 활발하였던 고려의 대외 교류를 알려주고 있다.

고려는 원 황실의 측근으로 동서양을 연계하면서 다양한 문화를 유입하여 국제사회의 중심지였던 원의 수도인 대도大都(현재 베이징北京)와 더욱 가까워져 다양한 기술문명과 직접 교류를 활발하게 실시하였다. 도자 생산에 있어서도 분업화된 대량생산 체계를 갖추고 있던 중국 경덕진景德鎭의 생산 체제를 도입하여 대량생산을 시작하였다. 그리고 새로운 중국적 문양과 기형

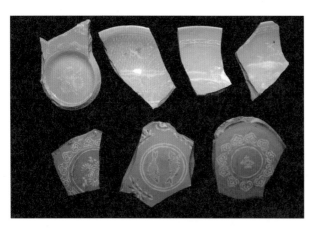

사진 404 | 청자편, 北京 宣武區 右安門北 출토

을 받아들이는 등 적극적인 대외문화 수용과 국제사회 수요에 부응한 장식의장의 개혁을 단행하였다. 그 결과 자기의 종주국인 중국에서도 고려청자가 도자 명품의 하나로 자리 잡을 수 있게 하였다.

당시 고려청자는 원나라 황실에 헌납되는 조공품朝貢品 가운데 하나이기도 하였지만 원에 건립된 고려 불교 사원에서 펼쳐지는 다양한 법회法會의 의식 용기와 원에 거주하는 고려인들의 일상용기로도 수요가 많았다. 따라서 북경에 거주하는 고려 사람들의 종교 의식과 생활용기로 쓰인 고려청자의 수요도 상당하였다. 중국의 수요가 급증함에 따

사진 405 | 청자상감모란구름무늬매병, 河北省 石家庄市 后太保 史氏墓 출토

라 대량생산이 가능하도록 조립식 성형成形을 채용하고 분업 체제로 개선한 상감청자는 중국 땅에서 출토되는 고려청자의 대부분을 차지한다. 이는 중국에서 일본으로 향하던 도자기를 실은 무역선인 신안선과 중국의 여러 유적에서 출토된 고려청자에서도 쉽게 확인되고 있다.

고려 왕실과 원 황실의 특수한 관계는 고려청자를 원 황실과 상류층으로 그 수요를 확대시키는데 큰 역할을 하였다. 따라서 송宋나라의 여운이 짙은 남송관요南宋官窯와 용천요龍泉窯 청자보다 새롭고 화려한 고려의 상감청자가 아낌없는 찬사를 받았을 것으로 추정된다. 특히, 원 황실 정치에 깊게 개입하였

사진 406 | 청자상감국화문 잔과 받침, 遼寧省 瀋陽 砂山街 2호묘 출토

사진 407 | 청자상감국화넝쿨무늬베개,
遼寧省 遼陽 蘭家鄕 石灰䄅村 元 墓 출토

던 충선왕(1308~1313)과 원 황실의 실권을 장악하였던 원 순제順帝(1333~1367)의 비인 기황후奇皇后 활동기에는 '고려풍'이라고 하였던 고려 문물이 원 황실에 더욱 넓고 깊게 파급되어 고려청자의 수요는 더욱 커졌다. 첨단 제품이라고 할 수 있는 원나라의 청화백자靑畵白瓷는 당시 터키와 아라비아 여러 제국에 최고의 상품으로 교역되었다. 그런데 당시 원 황실의 권위를 자랑하던 원나라 청화백자와 같은 형태의 화형대반花形大盤과 투각透刻 받침대가 있는 매병, 둥근 항아리 등이 고려에서 제작되고 있었다. 따라서 고려청자는 중국의 수요를 넘어 세계 각지로 나아가던 원나라

사진 408 | 청자상감국화문팔각접시,
黑龍江省 淸山 발해 동경성 출토

도자 교역의 길을 따라 또는 황족이나 상류층의 이동을 따라 그 수요 범위를 확장할 수 있었다고 추정된다. 이를 뒷받침하는 자료로 현재 북방에 위치한 내몽고 일대에서 출토되는 고려청자를 들 수 있다. 중국 북방의 초원지대와 농경지대를 연계하는 호혜시장互惠市場이 형성되어 있던 내몽고 자

치구의 집영로集寧路 성
터 발굴조사에서 출토된
고려청자 연적 1점이 바
로 실증적 자료이다. 집
영로 유적은 북경 서북
쪽으로 비단길인 '초원
의 길'의 교역 중계지로
1192년(명종 22)에 형성
되어 원나라 때까지 융
성하다가 1358년(공민

사진 409 | 청자거북이형연적, 內蒙古 集寧路 窖藏 출토

왕 7) 명나라 군대에 의하여 초토화된 지역이다. 이곳에 고속도로를 개설하
면서 발굴조사를 실시하였는데, 이곳에서는 1358년 전쟁의 혼란을 입증하듯
200여 개의 항아리 속에 도자기 등의 귀중품을 넣어 땅에 묻어놓은 상태로
고스란히 드러났다. 이들 도시유적이 발굴조사되면서 당시 유통되던 중국
도자의 실체가 한 눈에 드러나게 되었다. 특히, 이곳은 명의 발흥으로 인해
북쪽으로 피신한 원나라 귀족들의 피난지였는데, 출토 도자의 대부분이 전
국 각지에서 생산된 고급품으로 이를 뒷받침하였다. 이곳에서는 유리홍釉裏
紅과 백자병, 균요鈞窯 향로, 용천요龍泉窯 청자, 홍녹채紅綠彩 대반大盤 등 희
귀품과 함께 고려청자 1점이 출토되었다. 집영로에서 출토된 고려청자는 용
머리를 한 거북이 모양의 연적인데 철채鐵彩로 눈동자를 표현하여 생동감이
넘친다. 이 고려청자 연적은 지금까지 중국에서 출토된 가장 우수한 색상과
품질을 유지하고 있는 고급품 중 하나로 학술 발굴조사에서 출토된 청자 가
운데 비단길에 진입한 최초 사례이다.

유라시아 대륙을 동서로 관통하는 '초원의 길'은 청동기시대 이래 유목민
의 교통로로 돈황燉煌과 천산산맥天山山脈, 타클라마칸TaklaMakan 사막, 파

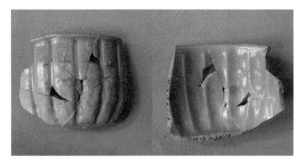

사진 410 | 상감국화문주전자,
몽골 카라코룸 출토

사진 411 | 청자상감국화문꽃모양잔, 러시아 연해주 출토

미르Pamir 고원, 중앙아시아를 거쳐 지중해地中海 연안까지 이어지는 장대한
길이다. 이 길은 고려의 왕이자 원 황실의 일원이었던 충선왕이 1320년(충숙
왕 7) 정치적 몰락으로 유배지인 신강新疆 투루판吐魯番으로 향하는 길이었
으며, 집영로는 유배 길에 잠시 머물렀던 도시의 하나로 원나라와 중앙아시
아를 연계하는 거점지역이기도 하다. 따라서 '집영로' 유적 출토의 고려청자
는 원나라 귀족층을 따라 이동하며 교역하였던 교류의 역사를 입증하는 실
증 자료이다. 즉, 포효하는 용머리의 힘찬 기운을 담고 있는 거북 모양 청자
연적은 고려청자의 북방행로를 밝혀주는 표식적 자료라 할 수 있다. 충선왕
의 유배로와 원나라의 교역로를 따라 확산되었던 고려청자의 북방행로가
중앙아시아로 이어지고 있음도 점차 분명해지리라 생각된다. 그리고 내몽
고를 지나 몽골에 위치한 카라코룸과 러시아의 연해주까지 고려청자가 유
통되어 사용되었음을 알 수 있다.

한편, 황제의 스승으로 원 영향력 아래에 있는 모든 나라의 불교계에 절대
적인 영향을 미쳤던 제사帝師가 머물던 티베트西藏에서도 고려청자가 전해
오고 있다. 티베트에 전하는 고려청자는 원 세조世祖(1260~1294)에게 보냈
다는 기록이 남아 있는 화금청자畵金青瓷로 만든 차도구의 일종인 타호唾壺
이다. 화금청자는 금을 사용하여 무늬를 그린 최고급의 청자로 제사의 권위

사진 412 | 청자상감화금국화문타호(티베트박물관)　　사진 413 | 청자상감화금운학국화문완,
　　　　　　　　　　　　　　　　　　　　　　　　　　　　　　(臺北 國立故宮博物院)

를 그대로 알려주는 자료이자 원에 보냈다는 화금청자의 기록을 뒷받침하고
있다. 그리고 정확한 전래 경위는 알 수 없으나 청淸 황실에 전래되었던淸宮
舊藏 명품 유물을 소장하고 있는 타이베이臺北 국립고궁박물원國立故宮博物院
에도 청자상감화금운학국화문완이 있는데, 이는 고려에서 원元에 보냈던 화
금청자가 전세되어 오늘에 이르는 것으로 추정된다.

　지금까지 고려청자의 역사에서 13세기 말부터 14세기 후반까지는 쇠퇴기
로 정리되어 왔다. 그러나 이 시기의 청자가 전성기 비색청자의 전통을 계승
하고 청자가 대중적으로 대량생산되면서 양적인 확산을 거쳤음은 국내 유적
에서도 많이 확인되고 있다. 이러한 양상은 육로를 따라 교역되었던 중국 대
륙에서도 쉽게 확인되어 중국 출토 고려청자는 고려의 대외교류뿐만 아니라
청자의 변천을 연구하는데도 많은 자료를 제공하고 있다. 또한, 고려 왕실은
원 황실의 일원으로 북경으로의 잦은 사행과 이로 인한 국가재정의 어려움
을 극복하고 원 황실에 대한 비용과 북경에서의 체제 비용 등을 마련하기 위
해 국내외에서 상업 활동을 적극 실시하였으며, 이 가운데 중요한 물품 가운
데 하나가 고려청자였다. 따라서 육로를 통한 고려청자의 유통과 확인은 당
시 고려 왕실의 상업 활동과 교통로 등을 연구하고 확인하는 중요한 도구이
기도 하다.

참고문헌

세계도자기엑스포재단『동북아 도자 교류전』2001

한성욱「고려 도자의 대중 교역」『동아시아의 도자 문화 백자』한성백제박물
관, 2020.

董千里「중국 출토 고려 청자의 지역적 분포와 시대적 특징」『고려 건국과 통
일의 원천, 바다』국립해양박물관, 2018.

馬爭鳴,「중국에서 출토된 고려 청자」『청자 보물선 뱃길 재현 기념 국제학술
심포지엄』강진군, 2009.

小林仁,「중국 출토 고려 청자-신안선에서 발견된 고려 청자의 자리매김-」『미
술자료』90, 국립중앙박물관, 2016.

國立故宮博物院『大汗的世紀』2001.

浙江大學 亞洲硏究中心 外『高麗靑瓷國際學術會議論文摘要集』2013.

彭善国「中國出土高麗靑瓷述論」『邊疆考古硏究』14, 吉林大学 邊疆考古硏究
中心, 2014.

龜井明德『カラコルム遺跡-出土陶瓷器の硏究-』櫂歌書房, 2007.

彭善國「中國出土の高麗靑瓷」『李秉昌博士記念 韓國陶磁硏究報告』8, 大阪市
立東洋陶磁美術館, 2015.

Eugenia Ivanovna Gelman(エフゲニア・I・ゲルマン), 金澤陽 譯,「沿海州にお
ける遺跡出土の中世施釉陶器と磁器」『出光美術館館報』105, 出光美
術館, 1998.

Гельман Е.И. Глазурованная керамика и фарфор средневек
овых памятников Приморья. Владивосток: ДВО РАН,
1999.

2. 서해 바닷길을 건너 중국을 매료시킨 고려청자

흙을 빚어 매끄럽고 푸른 옥과 같은 그릇을 만드는 청자의 생산은 인류 문명사에서 청동기 제작에 이은 제2의 첨단기술이라고 할 수 있다. 최초의 자기로 탄생된 청자는 중국 서진西晉부터 시작되어 당唐을 거쳐 송宋 때는 세계 각국으로 유통되는 주요한 교역품 가운데 하나였다. 고려는 지리적 여건으로 3~4세기부터 중국의 첨단제품인 자기 문화를 수용하면서 10세기에는 중국에 이어 제2의 청자 생산국이 되었다. 그리고 12~14세기에는 청자의 종주국인 중국에 도자를 유통시키는 자기 수출의 역사를 전개하였다. 근대 이전에 자기 발상지인 중국에 자기를 수출한 나라는 세계에서 고려가 유일하다. 중국에서 고려청자는 정치적 중심지인 수도와 교역의 창구였던 항구를 중심으로 널리 유통되었다. 고려와 해상 교역의 중심지였던 절강성 영파寧波와 남송南宋의 수도가 있었던 항주杭州, 원元의 수도가 있었던 북경北京, 요遼나라가 위치하였던 요양시遼陽 부근을 중심으로 고려청자가 대량으로 출토되고 있다. 중국에서 유통되었던 고려청자는 크게 해상과 육로에 의한 교역품으로 나누어 볼 수 있다. 해상을 이용하여 고려청자가 유입되었던 곳은 영파 이외에 강소성 남경南京과 소주蘇州, 절강성 항주, 산동성 봉래蓬萊 등이 알려

사진 414 | 청자편, 山東省 蓬萊 水城 고려선 출수

사진 415 | 도기 장군, 山東省 蓬萊 水城 고려선 출수

져 있다. 특히, 항
주와 영파에서는
전성기의 비색청
자가 대량으로 출
토되어 고려와의
활발하였던 교역
을 엿볼 수 있다.
이외의 지역에서
후기 상감청자가
소량 출토되고 있

사진 416 | 청자상감버들연꽃무늬
매병, 江蘇省 南京 牛首山 출토

사진 417 | 청자상감버들매화대나무
무늬매병, 江蘇省 蘇州 同里鎭 출토

는데, 이는 고려 후

기가 되면 원의 수도인 북경을 중심으
로 육로에 의한 교류가 많아지면서 나
타난 결과로 추정된다.

사진 418 | 청자상감용연꽃무늬호, 安徽省 滁州 출토

중국과의 해상 항로는 크게 북선北
線 항로와 남선 항로로 나누어진다. 북
선 항로는 황해도 옹진항 또는 개성
인근의 예성강 하류인 예성항에서 대
동강 어구를 지나 동북 직선항로로 황
해를 건너 산동반도山東半島 등주登州
에 이르는 길이며, 남선 항로는 예성
강에서 서해 연안 항로인 태안과 변산
반도를 돌아 고군산도와 위도, 흑산도
를 경유하여 서해를 가로질러 영파에
이르는 길이다. 이들 가운데 남선 항

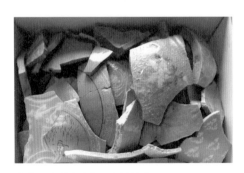

사진 419 | 청자편, 浙江省 杭州 출토

로가 교역의 중심 역할을 하였으나 고려 선박과 말기 상감청자가 산동성 봉래수성蓬萊水城에서 확인될 만큼 북선 항로도 고려 후기까지 계속 이용되었다. 험난한 서해를 넘어 중국에 유입된 고려청자는 중국인의 애호를 받으며 꾸준히 유통되었다. 이들 고려청자는 황실과 상류층의 많은 사랑을 받았는데, 이는 중국의 여러 문헌 기록과 중국에서 출토되는 고려청자를 통해 쉽게 알 수 있다.

사진 420 | 청자음각연화문주전자,
浙江省 杭州 傳世

고려청자의 우수성을 이야기하고 있는 중국 기록 가운데 가장 유명한 문헌은 북송北宋의 사신으로 1123년(인종 1) 고려에 왔던 서긍徐兢(1091~1153)이 쓴『선화봉사고려도경宣和奉使高麗圖經』이다. 서긍은 고려청자를 묘사하면서 '비색청자翡色靑瓷'와 '고려신요高麗新窯' 등을 설명하였다. 그리고 송나라의 태평노인太平老人이 쓴『수중금袖中錦』에서도 고려 비색청자를 당시 중국인들이 가장 좋아하며 아끼던 명품으로 기록하고 있다. 송나라 이후에

사진 421 | 청자음각투각의자,
浙江省 杭州 德壽宮(宋 高宗 上皇府) 출토

사진 422 | 청자원앙형향로,
浙江省 杭州 출토

사진 423 | 청자상감씨름무늬뚜껑,
浙江省 寧波 출토

도 1387년(우왕 13) 조소曹昭가 쓴『격고요론格古要論』의 고요기론古窯器論과 명明의 문인 동기창董其昌 (1555~1636)이 저술한『골동십삼설骨董十三說』, 청淸의 양동서梁同書(1723~1815)가 기록한『고요기고古窯器考』에서도 고려청자의 뛰어남과 아름다움 등을 적고 있어 중국에서 고려청자의 수요층이 널리 형성되어 있었음을 짐작할 수 있다.

서해를 통한 해상교역으로 건너간 전성기 비색청자가 가장 많이 출토된 항주에서는 고려청자 파편을 매우 쉽게 접할 수 있을 만큼 수량이 상당하다. 그러나 이들 고려청자는 학술조사에 의한 것보다 급속한 경제개발에 따른 도로공사와 주택건축 등을 시행하면서 수습된 것들이 많아 아쉬움이 있다. 항주는 남송의 수도이며 당시 해상 교역의 중심지였던 영파와도 매우 가까워 많은 고려청자가 유입되어 황실을 비롯하여 널리 유통되었다. 영파는 우리나라 해저유적 조사의 출발점이 되었던 신안선이 출항한 항구로도 널리 알려져 있으며, 고려사관高麗使館이 설치될 정도로 고려와 중국과의 교류에 핵심적인 역할을 하였다. 항주에서 출토된 고려청자는 국보나 보물로 지정된 것들과 비슷한 문양과 기종들이 많아 전성기 최고급 양질청자가 해외에서 가장 많이 확인되는 곳은 항주가 유일하다고 할 수 있다. 그

사진 424 | 청자편, 浙江省 寧波 출토

롯의 형태는 일상생활 용기인 발과 접시, 잔을 비롯하여 주전자, 매병, 화분, 향로, 합 등 매우 다양하다. 이외에도 화분과 조합을 이루는 그릇 받침과 베개 등도 확인되고 있어 그 다양성과 수량에 놀라울 정도이다. 무늬는 음각과 양각, 투각, 상감 기법 등을 사용하여 모란문과 국화문, 연판문, 인물문, 운학문, 연화문, 운룡문, 유노수금문, 포도동자문, 봉황문, 여지문 등이 확인되고 있다. 특히, 왕실의 상징인 용문이 확인되고 있으며, 덕수궁德壽宮 등의 황실 유적에서 고려청자가 출토되고 있어 왕실간의 교류가 있었음을 뒷받침하고 있다. 그릇을 구울 때 그릇이 서로 붙는 것을 방지하기 위해 사용하였던 받침은 양질청자에 가장 많이 사용된 규석硅石이 대부분이며, 이외에 큰 그릇에 사용된 거친 내화토耐火土와 14세기대 중반에 사용된 모래 받침이 부분적으로 확인된다.

항주와 영파에 유입되었던 고려청자에 대한 내용은 중국의 기록에서도 확인되고 있다. 나준羅濬이 1226년(고종 13) 편찬한 『보경사명지寶慶四明志』 시박조市舶條에 고려를 소개하면서 명주明州(현재 영파)에서 수입한 물품 가운데 고려청자를 '청기靑器'로 적고 있어 이 시기에 고려에서 청자를 수입하여 널리 사용하였음을 알 수 있다. 또한, 1342년(충혜왕 복위 3) 왕후손王厚孫이 편찬한 『지정사명속지至正四明續志』 시박조에도 고려청자가 포함되어 있어 지속적으로 고려청자가 수입되었음을 알 수 있다.

고려와 중국은 교역이 활발하고 사신이 많이 왕래하였음에도 그 실체를 확인할 수 있는 자료가 많지 않다. 그런 의미에서 항주와 영파 등에서 확인되는 고려청자는 고려의 활발했던 해상 교역뿐만 아니라 고려청자에 대한 예찬을 아끼지 않았던 중국과 고려의 기록을 실증적으로 뒷받침하고 있으며 한정된 문헌 사료를 보완하고 있다. 이와 같이 해외에서 고려청자가 많이 확인된 사례는 일본 대외교역의 관문인 후쿠오카福岡가 있으나 항주처럼 전성기 양질청자가 많지 않고 청자의 품질이 쇠퇴한 14세기 후기 청자가 중심을 이루고 있어 뚜렷하게 비교된다. 따라서 항주와 영파에서 출토되고 있는 고려청자는 고려와 송·원과의 활발하였던 교역 실상을 파악하는데 매우 중요한 역할을 하고 있으며, 송과 원나라 사람들의 기호와 미의식 등을 연구하는데도 매우 귀중한 자료를 제공하고 있다.

참고문헌

김영제『고려 상인과 동아시아 무역사』푸른역사, 2019.

백승호『고려와 송의 무역 연구』전남대학교 박사학위논문, 2006.

이강한『고려와 원제국의 교역의 역사』창비, 2013.

이강한『고려의 자기 원 제국과 만나다』한국학중앙연구원 출판부, 2016.

이진한『고려시대 무역과 바다』경인문화사, 2014.

민족문화유산연구원,『중국 浙江省 소재 한국 문화재 한중 공동연구』국외소재문화재재단, 2019.

국립해양문화재연구소『해상 교류를 통해 본 서남해 지역의 바닷길』2014.

한성욱「고려 도자의 대중 교역」『동아시아의 도자 문화 백자』한성백제박물관, 2020.

董十里「중국 출토 고려 정자의 지역적 분포와 시대적 특징」『고려 건국과 통일의 원천, 바다』국립해양박물관, 2018.

潘佳利,「杭州出土的南宋時期高麗靑瓷相關問題研究」浙江大學 本科生 畢業論文, 2013.

山東省文物考古研究所 外『蓬萊古船』文物出版社, 2006.

浙江大學 亞洲研究中心 外『高麗靑瓷國際學術會議論文摘要集』2013.

3. 고려청자의 새로운 교역로, 중국 태창太倉 번촌경樊村涇 유적

인류는 국가와 지역, 개인 등 상호간 다양한 교역과 교류를 통해 선진 문화와 문물을 받아들여 발전을 거듭하였다. 특히, 교역은 전문화와 분업화를 통해 특화된 물품에 집중하도록 하고 발전시켜 서로에게 도움을 주는 체제로 인류는 일찍부터 이를 받아들여 적극 활용하였다. 고려도 중국과 일본을 비롯한 다른 나라와 적극적으로 교역을 실시하였는데, 이는 고려를 뜻하는 코리아(Korea)가 현재의 우리나라 영문 표기임에서도 쉽게 알 수 있다. 특히, 선진 문화의 중심지인 중국과 가장 활발한 교역을 실시하여 많은 물품을 주고받았는데, 고려에서는 청자를 비롯한 다양한 물품을 수출하여 중국 사람들의 삶을 풍요롭게 하는데 일조하였다. 중국에서 고려청자는 정치적 중심지인 항주杭州와 북경北京 등의 수도首都, 교역의 창구였던 영파寧波와 태창太倉, 봉래蓬莱 등의 항구를 중심으로 널리 유통되었다.

고려 정부는 절강성浙江省 영파와 강소성江蘇省 태창, 산동성山東省 봉래를 비롯한 여러 항구에 상선을 파견하여 적극적인 교역을 실시하고 대외진출을 왕성하게 시행하였다. 특히, 중국과의 교역에서 가장 많이 이용되었던 남선 항로는 개성 인근의 예성강에서 서해 연안 항로인 태안과 변산반도를 돌아 고군산도와 위도, 흑산도를 경유하여 서해를 가로질러 중국의 남방지역인 영파 등에 이르는 길로 신안선과 서긍의 항로가 이를 간접적으로 입증하고 있다. 중국과의 활발한 교역 활동은 이외에도 원을 상대로 교역하였던 상인들을 위해 고려 정부가 발간한 어학 교재인 『노걸대老乞大』와 『박통사朴通事』 등을 통해서도 알 수 있다.

일찍부터 중국 해상 교역의 중심지로 널리 알려진 영파는 무엇보다 '해상 실크로드와 세라믹로드'의 거점 항구로 가장 대표적인 무역 상인인 '영파방寧波幇'의 원류이자 요람이었다. 또한, 한국과 일본의 고승들이 불교를 공부하

사진 425 | 청자음각연화문병,
영파 외성로巍星路 교장窖藏 출토

기 위해 중국으로 향했던 기항지로 고대 동북 아 교역의 거점 지역이었다. 특히, 고려시대 에는 중국과의 많은 왕래를 상징하는 고려사 관高麗使館이 설치되어 고려에서도 핵심적인 교역항이었음을 알려주고 있다. 그리고 오늘 날의 세관과 같은 시박사市舶使를 설치하여 동 북아 무역을 관장하고 있어 그 중요성은 역사 적으로도 입증되어 있다.

영파에서는 외성로巍星路 교장窖藏 등 여 러 유적에서 다양한 고려청자가 출토되고 있 으며, 당시 영파에서 수입한 고려 물품 가운 데 하나로 기록되어 있어 이를 실증적으로 입 증하고 있다. 즉, 1226년(고종 13) 나준羅濬이 편찬한 『보경사명지寶慶四明志』 시박조市舶條에 고려를 소개하면서 명주明州 (현재 영파)에서 수입한 물품을 양질품과 조질품으로 구분하고 있는데 고려 청자는 조질품에 포함되어 있다. 이와 같이 고려청자가 조질에 포함되어 있 는 것은 사용 계층이 귀족층만은 아니었음을 의미한다. 원대에는 1342년(충 혜왕 복위 3) 왕후손王厚孫이 편찬한 『지정사명속지至正四明續志』 시박조에 양 질품으로 기록되어 있다. 이를 통해 1220년대 조질품이었던 고려청자가 이 시기 고급품으로 변화되어 교역이 더욱 활성화되었음을 짐작할 수 있다.

태창은 2016년 강소성 태창시太倉市 번경촌樊涇村 유적에서 원대元代 자기 를 수출하던 대규모의 창고 유적이 확인되면서 원대 교역 도시로 알려졌다. 이곳에서는 많은 중국 자기들과 함께 고려청자도 여러 점 확인되어 고려와 중국과의 교역이 영파와 봉래 이외의 지역에서도 실시되었음을 직접 알려주 었다. 번촌경 유적은 옛 항로인 치화당致和塘 남안에 있는데 서쪽에는 무릉

사진 426 | 태창太倉 번경촌樊涇村 유적 전경

사진 427 | 태창太倉 번경촌樊涇村 유적 유물 퇴적 상태

사진 428 | 태창太倉 번경촌樊涇村 유적 유물 노출 상태

교武陵橋가 있으며, 북쪽 끝에는 원대 경원慶元(현재 영파)에 설치되었던 시
박사市舶使의 태창 출장소 역할을 하였던 시박제거사市舶提擧司가 있었다. 동
쪽에는 주경교周涇橋가 있으며, 다리 건너 남북으로 해신을 모시는 동악묘東
岳廟와 천비궁天妃宮이 마주하고 있다. 따라서 이곳에 교통과 운송, 통관, 기
도 등 무역 도시의 운영에 필요한 각종 시설들이 집약되어 있음을 알 수 있
다. 또한, 문헌 자료에 의하면 원대 태창에서 해운으로 곡류를 운송하였던
기록이 남아 있으며, 명明 초기에는 정화鄭和(1371~1434)의 대항해가 이곳에
서 출발하고 있어 일찍부터 교역 도시의 역할을 하였음을 알 수 있다.

번경촌 유적에서는 발굴조사 결과 많은 건물지와 함께 도로, 하천, 우물,
담장, 교량지, 구덩이 등의 유구가 확인되었다. 유적은 남북 방향의 고번경
하古樊涇河를 경계로 동쪽과 서쪽으로 나뉘어 있는데, 동쪽은 두터운 벽체를
쌓아 여러 칸으로 나뉘는 큰 규모의 건물과 많은 자기 파편들이 확인되어 수
출용 자기를 보관하던 창고 구역으로 판단된다. 서쪽은 부뚜막이 있는 건물
들이 확인되며 일정한 규모로 건물이 밀집 분포하고 있어 주거 공간이었던
것으로 추정된다. 이들 건물들은 체계적인 계획에 의해 배치되었던 것으로

원대 무역 도시의 구조와 기능 등을 밝히는데 매우 중요한 자료를 제공하고 있다.

출토 유물은 다양한 자기를 비롯하여 도기와 동기銅器, 석기, 목기, 골기, 유리 제품 등이 확인되었다. 이들 출토 유물 가운데 자기의 수량은 300여 톤에 이르러 태창의 규모와 함께 원대 무역 도자의 방대함을 알려주고 있다. 자기들의 생산지는 절강성의 용천요龍泉窯와 철점요鐵店窯, 강서성江西省의 경덕진요景德鎭窯, 하북성河北省의 자주요磁州窯와 정요定窯, 복건성福建省의 포구요浦口窯와 동장요東張窯, 의요義窯, 차양요茶洋窯 등이 확인되어 넓은 지역에서 자기들이 집산되었음을 알 수 있다. 이들 가운데 원대 중만기의 용천요 청자가 가장 많으며 적은 수량의 난백유卵白釉와 청화백자, 그리고 명대明代 청화백자 등이 있다. 기종은 완과 접시, 잔, 반盤, 병, 호, 주전자, 향로, 고족배高足杯, 세洗, 관罐, 등燈, 소조상塑像 등 40여 종이 확인되었다. 무늬는 화훼문花卉文이 가장 많이 확인되며 이외에 팔괘문과 용문, 초엽문, 쌍어문 등으로 주로 부귀영화를 상징하고 있다. 또한, 용천龍泉에서 생산한 '지원至元 4년(1338; 원 혜종惠宗 6, 충숙왕 복위 6)'명청자를 비롯하여 '추부樞府'와 '복록福祿', '금옥만당金玉滿堂', '천하태평天下太平', '장명부귀長命富貴' 등의 명문이 확인되어 창고가 운영되던 시기 당시 사람들의 염원과 바람을 잘 알려주고 있다.

이들 자기들은 생산 시기와 퇴적 상황 등을 비교 검토하여 원대 중만기와 원대 만기晚期, 원말명초元末明初의 세 시기로 구분할 수 있는데 원대 중만기가 중심을 이루고 있다. 특히, 용천요 청자는 기형과 문양 등이 신안선에서 출수된 용천요 청자와 같거나 매우 비슷하며, '지원 4년(1338)' 명문이 확인되어 상호 비교 연구를 통해 무역 도자의 소비 실

사진 429 | 청자음각茶花文'至元四年'명완, 원元, 太倉 樊涇村 유적 출토

태와 유통 구조를 밝히는데 소중한 자료를 제공할 것으로 기대된다.

태창은 원대 항구 도시로 도자 생산에 대한 기록이 전혀 없어 이들 자기들은 교역을 위해 여러 지역에서 집산되었음을 알 수 있다. 그리고 출토된 자기들은 대부분 사용 흔적이 없어 운반과 선적 과정에서 파손된 것으로 판단된다. 또한, 일부 그릇들은 번조하면서 사용하였던 받침 등의 요도구 흔적이 남아 있어 생산과 함께 바로 이곳으로 운반되었음을 알 수 있다. 이러한 조건으로 보아 번경촌 유적에서 출토된 이들 대량의 자기 파편들은 오로지 상품으로 선적하기 위해 집산되었음을 쉽게 알 수 있다. 즉, 영파 등과 함께 강남 지역에 운영하였던 자기 무역의 집산지 상황을 뚜렷하게 잘 보여주고 있다.

원대 무역 도자의 중심을 이루었던 용천 청자가 생산지 이외의 유적에서 대규모로 확인된 사례는 많지 않다. 특히, 수량뿐만 아니라 그릇의 종류도 다양하여 무역 집산지의 특징을 잘 알려주고 있다. 무엇보다 다양한 용천요 청자의 편년과 시대를 대표하는 표준적 기형을 알 수 있는데, 이는 우리나라 수중발굴의 효시가 되었던 신안선 출수 용천 청자의 연구에도 많은 도움을 줄 것으로 판단된다. 또한, 용천에서 태창까지의 중국 국내 운송 경로와 방법 등을 규명하는데도 중요한 자료를 제공할 것으로 기대된다.

중국에서 원대 유적은 발견 사례가 매우 적은데, 특히 유적의 보존 상태가 양호한 도시 유적은 더욱 드물다. 번촌경 유적은 체계적인 도시 계획에 의해 대규모의 창고와 주거 건축이 밀집된 곳이며, 이에 더하여 항구의 가장 중요한 요소를 이루는 부두와 이를 뒷받침하는 창고가 함께 확인되어 매우 중요한 유적이다. 그리고 고려와도 교역이 이루어졌던 상황으로 미루어보아 번촌경 유적은 고려의 교역 도시와 무역 항구를 이해하는데도 많은 도움을 줄 수 있는 유적이다.

태창에서 현재까지 확인된 고려청자는 20여 점으로 대부분 굽 바닥에 모래 받침을 받쳐 번조하고 있어 1340년대 고려 후기 생산품임을 알 수 있다. 고려 후기는 대몽항쟁의 여파로 원의 영향력이 고려에 절대적이었던 시기이다. 그러나 고려인들은 이를 기회로 이용하여 대외활동을 비약적으로 증가시켰으며, 어느 때보다 해외시장에 능동적으로 대처하여 고려의 시장도 활짝 개방하여 많은 외국 상인들이 고려를 찾았다. 고려는 원 제국의 넓은 영토를 활용하여 시장을 넓혔으며, 이를 바탕으로 교역이 매우 활성화되었다. 이 시기 왕실 등의 사행使行을 통한 육로 교역과 함께 해상 교류도 매우 활발하게 이루어졌음을 태창 유적을 통해 다시 한 번 입증하고 있다.

사진 430 | 청자상감구름학무늬고족배, 太倉 樊涇村 유적 출토

원대에 유입된 고려청자에 대한 기록은 1342년 편찬한 『지정사명속지至正四明續志』 시박조에도 기록되어 있어 고려청자가 중국의 여러 지역에서 인기를 끌었음을 알 수 있다. 특히, 태창이 위치한 강소성江蘇省의 경우 소주蘇州와 양주揚州 등에서 이미 여러 점의 고려청자가 확인되고 있어 이 지역에 고려청자가 널리 유통되고 있었음을 알 수 있다. 이와 같이 태창을 비롯한 강소성 지역에서 고려청자가 확인되는 것은 고려가 영파 이외의 중국의 많은 지역과 직간접적으로 교역을 실시하였음을 입증하는 것으로 앞으로 고려의 대외 교역을 연구하는데 중요한 자료를 제공

사진 431 | 청자상감구름봉황무늬대접, 太倉 樊涇村 유적 출토

사진 432 | 청자상감구름무늬팔각접시, 太倉 樊涇村 유적 출토

사진 433 | 청자상감빗방울무늬병,
太倉 樊涇村 유적 출토

사진 434 | 청자상감갈대새무늬접시, 太倉 樊涇村 유적 출토

할 것으로 기대된다.

태창 번촌경 유적은 중국 무역사와 교역을 담당하였던 항구 도시 등을 이해하는데도 매우 중요하지만 교역의 상대였던 고려의 무역 도시를 연구하는데도 많은 자료를 제공할 수 있으리라 판단된다. 무엇보다 원元 간섭이라는 역사적 역경을 극복하면서 세계 시장을 적극 개척하고 왕성하게 교역 활동을 전개하여 오늘날 코리아라는 이름을 남긴 고려인들의 역동성을 입증하는 유적으로 그 중요성은 매우 크다고 할 수 있다. 이러한 사실은 오늘날 우리나라가 세계적인 무역 대국으로 자리 잡은 하나의 토대가 되었으며, 앞으로 더욱 내실 있는 교역 강국이 되는데 중요한 기반이 되리라 판단된다.

참고문헌

羅鵬 外「寧波余姚巍星路發現宋末元初窖藏」『中國文物報』2019년 1월 11일.

浙江省博物館『大元·倉-太倉樊村涇遺址出土文物展-』2018.

太倉市考古研究所『大元·倉-太倉樊村涇元代遺址出土瓷器精粹-』太倉博物館, 2018.

한성욱「고려 도자의 대중 교역」『동아시아의 도자 문화 백자』한성백제박물관, 2020.

4. 고려와 일본 교류의 상징, 현해탄을 건너간 고려청자

미美에 대한 관념과 조형은 지역과 시대, 문화, 환경, 종교 등에 따라 차이는 있으나 생성하여 발전하며 소멸한다. 이 과정에서 이웃 나라와의 다양한 교류에 의해 새로운 양식이 발생하여 삶을 더욱 살찌우는 역할을 한다. 자기 문화도 중국에서 진정한 자기가 탄생한 이후 주변국으로 확산되었는데, 고려가 이를 가장 먼저 받아들여 독창적인 비색청자와 상감청자로 발전시켰다. 그러나 자기 생산을 오랫동안 갈망하던 일본은 임진왜란을 계기로 조선 장인들의 힘을 빌려 그렇게 열망하였던 자기 생산국 대열에 편입되었다. 자기 생산 이전은 중국과 한국에서 수입한 청자와 백자, 흑자 등으로 상류층의 욕구 충족을 대신하였다. 특히, 12세기 이후 해양을 통한 교류는 '도자의 길'이라 명명될 정도로 세계 교역의 중심에 도자기가 자리 잡았는데, 일본 역시 이 시기에 많은 자기가 유입되었으며 고려청자도 수량의 많고 적음은 있으나 홋카이도北海道를 제외한 일본 전역에서 확인되고 있다.

중국과 함께 가장 가까운 이웃인 일본과의 교역은 다자이후大宰府를 통한 제한적인 공무역公貿易이 중심을 이루어 중국 도자에 비해 고려청자의 비율은 매우 한정적이다. 따라서 일본에서 출토되는 고려청자의 수량은 많지 않다. 그러나 정치, 경제, 문화와 대외 교역의 핵심지역인 교토京都와 후쿠오카福岡, 가마쿠라鎌倉, 특히 한반도 교역의 중계지 역할을 하였던 쓰시마對馬島 지역 등에서 집중적으로 출토되고 있어 고려청자가 일본 도자문화에 끼친 영향이 적지 않았음을 알 수 있다. 교토는 정치와 문화의 중심을 이루는 수도로 다른 지역에 비해 많은 고려청자가 출토되고 있으나 후쿠오카와 가마쿠라, 쓰시

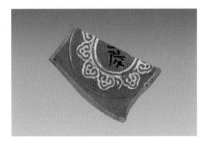

사진 435 | 청자상감국화문'正陵'명접시, 다자이후大宰府 관세음사 출토

사진 436 | 청자상감국화문대접, 교토京都 출토

사진 437 | 청자음각연화문매병, 교토京都 출토

마에 비하면 많은 수량은 아니다. 수도로서 대외 교류가 많았음을 생각한다면 고려시대 전 기간 유입된 수량이 많지 않아 고려청자의 소비에 매우 소극적이었음을 알 수 있다. 이는 9세기대 신라의 큐슈九州지역 침략에 대한 반감으로 이후 한반도에 대해 적대적이며 폐쇄적인 외교정책을 실시하였던 교토 귀족층들의 고려청자에 대한 선호도가 낮았기 때문으로 추정된다. 그리고 초기부터 후기 청자까지 지속적으로 출토되고 있으나 초기 청자보다 중기 이후가 많으며, 순청자에 비해 상감청자의 비율이 많음을 알 수 있다. 순청자는 굽이 없으면 중국 청자와 쉽게 구분되지 않아 그 수량이 제대로 파악되지 못한 결과일 수도 있다. 그러나 상감청자는 고려만의 독특한 문양기법으로 중국 청자와 쉽게 구분되고 있어 상대적으로 중기 이후의 고려청자가 많이 확인되었을 수도 있다. 아무튼 현재의 상황으로는 고려 중기 이후에 생산된 상감청자의 수량이 많다고 할 수 있는데, 이는 이전 시기에 비해 고려청자가 활발하게 유입되었음을 알려준다.

후쿠오카는 일본 대외교류의 창구 역할을 담당했던 지역으로 다종다양한 외래문물이 유입되어 사용되었다. 고려청자 역시 초기 청자부터 말기 청자까지 다양한 청자가 유입되어 일본에서 가장 많은 수량이 확인되고 있다. 이는 후쿠오카가 대외교류의 창구로 고려와 사신 왕래가 잦았으며 한반도와 가까웠기 때문이기도 하지만, 무엇보다 다른 지역에 비해 후쿠오카 사람들

이 고려청자를 좋아하였
기 때문에 발생한 결과
로 추정된다. 후쿠오카
에서 고려청자의 유입
과정을 시기별로 살펴보
면, 전기인 11세기부터
12세기 전반은 다자이
후와 후쿠오카에서 청자
가 집중 출토되고 있다.

사진 438 │ 청자 해무리굽완, 후쿠오카福岡 출토

그리고 12세기가 되면 해남 유형의 품질이
떨어지는 조질청자가 증가하는데, 이후 조
질청자와 철화청자는 수량의 차이는 있으나
계속 출토된다. 12세기 중반부터 14세기 전
반까지는 일정한 수량의 고려청자가 출토되
고 있으나 전기에 비해 그 수량이 매우 적다.
이 시기는 가마쿠라 막부가 다자이후로부터
큐슈지배와 무역관리 권한을 접수하여 직접

사진 439 │ 청자원앙형향로,
후쿠오카福岡 출토

이 지역을 관할하였기 때문으로 추정된다. 즉, 고려청자를 선호하였던 막부
에서 외교적 선물과 교역품을 직접 관리하면서 이를 가마쿠라로 이송하였
기 때문으로 추정된다. 고려 말기인 14세기 후반에 이르면 고려청자의 유입
이 매우 급증하는데, 이 시기는 중국 도자가 감소하면서 상대적으로 고려청
자가 증가하여 점유율도 20~30%에 이르고 있다. 가마쿠라 시대에 매우 소량
유입되었던 것에 비하면 특징적 현상으로 이전의 정상적인 교역에서는 찾아
볼 수 없는 사례이다. 많은 청자가 유입되는 이 시기는 1350년(충정왕 2)부
터 본격적으로 시작되는 왜구의 한반도 등장 시기와 일치한다. 이 시기는 원

元과 명明이 교체되는 혼란의 시기이며 왜구의 등장으로 중국과의 무역이 제한되어, 고려에서의 도자 유입이 보다 절실하게 요구되는 때였다. 또한, 왜구의 금지와 소탕을 요청하기 위한 고려 사신의 방문과 고려 포로들을 송환하기 위한 일본 사절 등의 왕래에 의해 다양한 외교적 선물이 들어오면서 고려청자도 함께 유입되었기 때문으로 추정된다. 이 시기의 고려청자는 대부분 상감청자로 후쿠오카 출토 고려청자의 특징은 고려 후기 상감청자의 특징을 엿볼 수 있는 자료적 가치를 지니고 있다.

가마쿠라는 가마쿠라 막부의 핵심지역으로 가마쿠라 시기에 한정하여 집중적으로 고려청자가 유입되는데, 이는 새로운 무가武家 정권을 수립한 그들만의 독창적 문화를 구축하고자 노력하였던 가마쿠라 사람들의 문화적 욕구에 의한 결과로 추정된다. 한편, 13세기는 원元의 일본 원정에 대한 야욕으로 대립과 반목의 시기였으나 이를 해결하기 위한 사신 방문으로 고려청자가 가마쿠라 막부에 유입될 수 있는 여건이 마련되었다. 또한, 가마쿠라 막부는 다자이후로부터 큐슈지배와 무역관리 권한을 접수하여 적극적으로 대외교

사진 440 | 청자음각연화문매병, 가마쿠라鎌倉 출토

사진 441 | 청자상감운학모란문병, 가마쿠라鎌倉 출토

류를 실시하여 많은 외래문물이 수입되었는데 고려청자도 그 가운데 하나
였다. 이때 일본의 대외교역을 알려주는 대표적인 무역선이 바로 신안선이
다. 가마쿠라에서 출토되는 고려청자는 13세기대의 순청자와 상감청자가
중심을 이루고 있어 시대적 특징을 반영하고 있다.

한반도와 일본의 교류에서 가장 중요한 역할을 담당하
였던 관문으로 양국 교류의 가교 역할을 담당하였던 쓰시
마에서도 많은 고려청자가 출토되거나 전래되고 있다. 쓰
시마의 고려청자는 한국과 쓰시마의 가까운 거리를 반영
하듯 매병과 주전자, 연적 등 다종다양한 청자가 출토되
었는데, 청자해치형연적靑瓷獬豸形硯滴은 신안선에 선적되
었던 연적과 비슷하여 활발하였던 교역의 실상을 뒷받침
하고 있다. 특히, 쓰시마에서는 신사神社에 많은 고려청자
가 전래되고 있는데 해신신사海神神社에 남아 있는 청자상
감운학문매병과 청자상감버들무늬매병, 청자상감당초문
표주박형주전자, 청자음각연화문매병, 청자음
각여의두문매병, 청자퇴화문봉황형주전자 등이
대표적이다. 이처럼 쓰시마에 남아 있는 많은 고
려청자는 고려 상감청자의 우수성을 직접적으
로 말해주고 있는 매우 중요한 사례이다.

사진 442 | 청자해치형연적,
쓰시마對馬島 출토

일본에서 대표적으로 고려청자가 많이 출토
되는 교토와 가마쿠라, 쓰시마의 경우 대부분
품질이 좋은 양질의 병과 호 등 장엄과 권위를
상징하는 특수 기종이 큰 비중을 차지하고 있으
나 후쿠오카는 일상생활 용기인 발과 접시가 출
토품의 절대량을 차지하고 있다. 그리고 교토와

사진 443 | 청자상감버들무늬매병,
쓰시마對馬島 해신신사海神神社 전래

후쿠오카는 조질청자와 철화청자가 출토되고 있는데, 조질청자는 일본의 다른 지역에서는 거의 출토되지 않은 양상으로 고려청자가 장기간 유입된 교토와 후쿠오카만의 특징이라 할 수 있다. 한편, 후쿠오카와 가마쿠라에서 출토되는 고려청자는 생산과 폐기 시기가 대부분 비슷한데, 교토 출토품은 생산 시기보다 늦은 후대 유적에서 출토되는 특징이 있다. 이는 소량 유입된 고려청자를 오랫동안 사용한 다음 폐기하였음을 의미한다. 이를 통해 교토 사람들이 일반적으로 고려청자를 선호하지 않았으나, 고려청자를 선호한 소수 귀족층이 잘 관리하여 오랜 기간 사용하였음을 알 수 있다.

일본에 유입된 고려청자 가운데 가마쿠라 지역 출토품은 가마쿠라 시기라는 한정된 시기(1185~1338)에 많은 수량이 유입되었으며 체계적인 조사가 이루어져 고려청자를 연구하는데 다양한 자료를 제공하고 있다. 이들 청자는 대부분 전성기 비색청자의 여운을 간직한 양질품으로 수도인 교토京都와는 다른 신문화를 창조하려는 가마쿠라 사람들의 선호에 의해 유입되었다. 그릇의 종류는 병과 주전자, 호, 항 등 주연酒宴과 다례茶禮를 위한 용기이거나 실내 장식 등에 사용되는 특수 기종이 중심을 이루어 장엄과 권위를 상징하는 위세품 성격의 그릇이 선호되었음을 쉽게 알 수 있다. 그리고 가마쿠라 지역에서 출토되는 고려청자는 대부분 13세기 유적에서 확인되고 있어 이 시기에도 전성기 비색청자 유형이 계속 생산 유통되었음을 알려주고 있다. 이러한 가마쿠라의 출토상황은 기존 12세기로 비정되었던 비색청자가 13세기에도 계속 생산되었음을 입증하는 것으로 최근 국내의 고고학적 성과를 뒷받침하고 있다. 특히, 가마쿠라에서는 13세기 2/4분기 강진 사당리 요장에서 생산하였던 음각'o'명연판문병이 확인되어 양질청자를 전담 생산하였던 강진의 청자가 머나먼 파도를 넘어 일본에 유입되었음을 실증적으로 정확하게 뒷받침하고 있다. 이들 고려청자 가운데 일부는 신안선의 사례로 보아 고려에서 중국으로 수출되어 다시 일본으로 재수출되었던 것으로 판단된다.

사진 444 | 청자음각'o'명병, 가마쿠라鎌倉 출토

사진 445 | 청자음각연판문'o'명대접,
강진 사당리 23호 청자 요장 출토

　일본에서 출토되는 고려청자의 무늬는 교토와 후쿠오카의 경우 다양하지만 특징적인 문양은 확인되지 않는다. 그러나 가마쿠라는 음각연화문과 상감운학문, 상감운학모란문, 상감운학모란국화문 등으로 한정되어 있으며, 그릇 종류에 따라 특정 문양이 중심을 이루는데, 순청자 매병은 음각연화문을 선호하였으며 상감청자 매병은 운학문 유형을 중심으로 포도동자문이 일부 유입되었다. 특히, 주전자는 상감포도동자문을 매우 선호하였는데, 이는 국내에서도 출토 사례가 매우 희소한 특징적인 유물로 가마쿠라에서의 출토 의미가 면밀하게 검토되어야 하겠다. 이처럼 특징적인 무늬가 확인되는 것은 새로운 아름다움을 추구하였던 가마쿠라 무사 계층의 취향이 남달랐음을 알려준다.

　앞서 살핀 것처럼 고려청자는 중국 청자에 비해 수량은 많지 않으나 오랫동안 일본 사람들의 도자문화에 영향을 미쳤으며, 그들의 미의식에 중요한 요소로 자리 잡았음을 알 수 있다. 그러나 국내에서 이에 대한 체계적인 조사와 연구가 부진하며 지원도 미약한 형편이다. 따라서 일본에서 출토된 고려청자에 대한 조사와 연구가 강화된다면 고려청자의 대외교류를 밝히는데 도움을 줄 수 있으리라 생각한다. 그리고 중국 자기를 모방하는 것에서 시작한 일본 사람들의 자기 생산에 대한 욕구는 임진왜란을 통한 조선 장인들의 힘을 빌려 비로소 실현될 수 있었다. 문명의 교류는 모방성과 함께 이를 독자적인 것으로 변화시키면서 발전하는데 일본은 이런 모방과 변천을 거듭한 결과 현재 세계적인 도자 강국으로 등장할 수 있었다. 우리도 과거의 화려함을 밝히는 것도 중요하지만 현재를 바탕으로 미래의 풍요로운 도자문화를 개척하는데도 힘을 쏟아야 하겠다.

참고문헌

강진청자자료박물관 「대외교섭으로 본 고려청자」 2003.

세계도자기엑스포재단 『동북아 도자 교류전』 2001

한성욱 「일본 鎌倉 출토 고려청자의 연구」 『동아문화』 창간호, 동아문화연구원, 2005.

한성욱 「일본 京都 출토 고려청자의 현황과 성격」 『한국중세사연구』 25, 한국중세사학회, 2008.

降矢哲男 「일본 출토 고려 청자」 『고려 건국과 통일의 원천, 바다』 국립해양박물관, 2018.

西都原考古博物館 『靑으로 잇다 고려청자와 고대해양교역-靑がつなぐもの 高麗靑磁と古代海洋交易-』 2020.

片山まび 「對馬・北部九州地域과 고려도자」 『대한해협과 한일문화 네트워크』 동아대학교 석당학술원, 2007.

國立歷史民俗博物館 『日本出土の貿易陶磁』 1994.

茶道資料館 『遺跡出土の朝鮮王朝陶磁-名碗と考古學-』 1990.

大阪市學藝員等共同硏究實行委員會 『海を渡つた翡色のやきもの-日本出土の高麗靑磁-』 2001.

東京國立博物館 『日本出土の舶載陶磁-朝鮮渤海・ベトナム・タイ・イスラム-』 2000.

5. 청자, 머나먼 파도를 넘어 고려를 알리다

고려청자는 이웃하고 있는 중국과 일본에서 가장 많이 출토되고 있으나 험난한 파도를 헤치고 멀리 류큐琉球(현재 일본 오키나와)와 타이완臺灣, 필리핀, 베트남, 그리고 초원과 사막을 지나 이란까지 유입되었다. 이들 나라들은 교역에 대한 단편적인 기록과 조난사고에 의한 표류 등의 기록이 남아 있어 일찍부터 교류가 있었음을 유추할 수 있다. 고려는 현재 우리나라의 영문명 KOREA를 정착시킨 왕조로 세계를 상대로 많은 교역을 실시하였음을 여러 문헌에서 확인할 수 있다. 그러나 교역 활동에 비해 다른 나라에서 확인되는 고려의 문화유산은 많지 않아 그 실상과 성격을 파악하는데 어려움이 있는데, 이를 실증적으로 밝혀주고 있는 것이 청자이다.

류큐 왕국은 현재는 일본에 속해 있지만 이전에는 독립된 왕국을 이루고 있었다. 일본의 큐슈九州에서 타이완까지 1,200㎞ 정도에 걸쳐 섬들로 이루어진 나라로 지정학적 이점을 살려 중계무역이 발달하였다. 류큐와 한반도 교류에 대한 문헌기록을 살펴보면 고려와는 매우 한정적이며 조선에는 40여 회에 걸쳐 사신을 파견하였음을 알 수 있다. 그러나 조선과의 직접 교류도 조선이 건국된 14세기 말에서 16세기 전반까지로 한정되어 있는데, 이는 16세기 후반 이후 양국의 외교관계가 청淸의 수도인 북경北京에서 만나는 사신들에 의해 이루어졌기 때문이다. 한편, 류큐와 조선에 대한 기록은 14세기 말에서 15세기 전반까지의 일부를 제외하면 대부분 후쿠오카福岡 상인을 중심으로 한 일본인에 의한 위사僞使로 추정된다. 즉, 류큐 사신의 대부분은 하카타 상인이나 쓰시마對馬島 소씨宗氏 등이 공모하여 조선으로부터의 회사품回賜品과 무역 활동에 대한 이익을 추구하기 위한 가짜 사절이었던 것이다. 류큐에서 출토되는 고려청자가 고려 말~조선 초 무렵으로 한정될 뿐만 아니라, 출토유적이 왕성王城을 중심으로 한 지배층의 거주 공간인 구스쿠城로

사진 446 | 청자상감여의두문접시,
오키나와沖繩 슈리성首里城 출토

사진 447 | 청자상감국화문팔각접시,
오키나와沖繩 나키진성今歸仁城 출토

사진 448 | 청자와 도기, 기카이지마喜界島 구스쿠城 유적 출토

제한되고 있어 정식 사신은 이 무렵에 가장 활발하게 왕래하였음을 알 수 있다.

류큐 열도에서는 중국 도자기를 비롯하여 많은 무역 도자기가 출토되고 있다. 이들은 주로 14~16세기의 것이 가장 많은데, 이는 명明·청淸과의 조공 관계를 유지하면서 아시아 각지와 활발한 중계 무역을 실시한 결과이다. 그러나 이들 무역 도자 가운데 고려청자는 중국과 동남아시아 도자기에 비하면 그 수량이 많지 않다. 또한, 대부분 고려 말~조선 초 청자가 중심을 이루며, 출토 유적은 왕성인 슈리성首里城을 비롯하여 오키나와沖繩에서 구스쿠라고 부르는 성곽이 대부분이다. 구스쿠는 지배층이 거주하는 곳으로 소량 출토되는 고려청자는 이들 구스쿠에서 생활하였던 지극히 한정된 사람들이 사용한 것이다. 그런데 최근 아마미제도奄美諸島에서 지금까지 알려지지 않았던 초기 고려청자와 도기가 출토되고 있어 주목된다. 이 가운데 일본의 다자이후大宰府와 코로칸鴻臚館에서 출토된 초기 청자와 유사한 순청자가 확인되는 기카이지마喜界島 구스쿠가 특징적이다. 이곳에서는 대량의 일본 도기 등과 함께 고려청자와 도기가 출토되고 있다. 이러한 초기 고려청자와 도기의 유입은 류큐열도의 활발한 움직임이 있었기 때문에 가능한 결과이다. 따라서 지금까지 류큐 열도에 고려 말~조선 초에 고려청자가 유입되었다는 견해는 수정되어야 한다. 이는 슈리성에서 출토된 12세기 후반~13세기 초반에 유입된 상감청자에 의해서도 뒷받침되고 있다. 그리고 류큐 열도에서 출토된 초기 고려청자와 도기는 일본에 유입되었던 제품이 다자이후大宰府를 통해 반입되었을 가능성도 있다. 한편, 오키나와에서는 1273년(원종 14) 고려 장인이 제작하였음을 밝힌 '계유년고려장인와장조癸酉年高麗匠人瓦匠造'가 적혀 있는 기와를 비롯하여 13세기 중엽에 제작된 진도 용장성에서 출토된 연판문수막새와 비슷한 수막새가 많은 유적에서 출토되고 있다. 또한, 같은 류큐 열도에 위치한 도쿠노시마德之島에서는 고려 도기의 생산기술을 받아들여 제작한 가무이도기가 11~14세기까지 제작되고 있음도 시사하는 바가 크다. 즉, 단순한 도기 제작기술만 유입되지 않고 고려의 다른 문화

사진 449 | 가무이도기, 일본, 도쿠노시마德之島 도기 요장 출토

도 유입되었을 가능성이 많은 것이다.

11세기 후반이 되면 다자이후와 코로칸을 거점으로 한 대외무역은 쇠퇴하며 중국 송宋 상인을 중심으로 한 사무역私貿易이 활발해진다. 이 결과 중국 대륙과의 교통로 가운데 하나를 형성하였던 류큐 열도를 중심으로 지금까지 계속 활동하였던 일본 상인의 가세와 야광夜光 조개나 화약의 원료가 되는 유황을 구하려는 송 상인이 찾아오면서 점차 중국산 도자기를 중심으로 한 교역 제품이 반입되었다. 이런 환경 속에서 류큐 열도 안에도 교역에 종사하는 조직이 형성되기 시작하여 류큐 사회의 변화를 촉진시켰다 이 결과 14세기 후반이 되면 명明의 초유招誘에 응해 조공 관계를 수립하는 세력이 형성되어 같은 조공 국가인 조선에도 사신을 보내게 된다. 이로 인해 교역 관계가 재구축되어 류큐에 고려와 조선의 도자가 유입되지만, 수량은 중국 도자기에 비해 많지 않다. 그러나 앞서 살펴본 것처럼 고려청자의 수량이 많지 않은 것은 고려와 류큐의 교류 양상을 보았을 때 매우 한정적으로 이는 조사와 연구의 부진에 의한 결과일 수도 있다. 따라서 앞으로 보다 많은 출토 가능성을 높여준다고 할 수 있다.

타이완臺灣은 중국 동쪽에 있는 섬으로 중국과 동남아를 잇는 교량 역할을 담당하여 일찍부터 주목되던 곳이다. 서양에서는 16세기 포르투갈 선박이 처음 타이완에 도착하였는데, 교역로에서 차지하는 지리적 장점으로 인해 1624년(인조 2) 네덜란드가 타이완의 남부, 즉 현재의 타이난시

사진 450 | 청자상감꽃무늬완 등, 대만臺灣 란위도蘭嶼島 출토

臺南市 주변을 점령하였으며, 1626년에는 스페인이 타이완 북부를 점거하여 식민지를 경영하였다. 이처럼 해상 교역에서 중요한 위치를 차지하였던 타이완의 중요성을 반영하듯 타이완에서는 중국과 일본, 동남아 등에서 생산된 다양한 무역도자가 출토되고 있다. 고려청자는 란위도蘭嶼島의 학교 농구장 조성을 위한 공사를 하면서 수습되어 타이완과 고려의 교류를 알려주고 있다. 란위도에서는 당대唐代부터 명대明代까지의 무역도자가 출토되고 있는데, 고려청자는 고려와 타이완 또는 고려와 동남아와의 교역 과정에서 유입되었거나 이곳을 거점으로 암약하였던 해적들의 약탈에 의해 유입되었을 가능성도 있다. 이들 청자는 고려 중기에 제작된 것으로 상감청자 1점을 제외하면 문양이 없는 순청자가 중심을 이루고 있다.

필리핀은 7,100여 개의 섬들로 이루어진 국가로 일찍부터 인도와 중국, 중동 등 아시아 여러 나라들과 교역을 실시하였다. 무역품의 대부분은 중국산으로 당唐부터 청淸까지 장사요長沙窯와 용천요龍泉窯, 경덕진요景德鎭窯 등에서 만든 다양한 도자가 출토되고 있는데, 특히 남부의 광동廣東과 복건福建에서 생산된 도자가 많다. 이들 중국 도자는 양주揚州, 천주泉州, 광주廣州의 무역항을 통해 동남아로 수출되었는데, 고려청자도 이곳 무역항을 통해 필리핀에 유입된 것으로 추정된다. 즉, 고려와의 직접 교역보다는 중국을 경유하였거나 중동 상인의 중계무역에 의해 고려청자가 필리핀에 유입되었던 것으로 추정된다. 이외에도 베트남과 크메르, 미얀마, 태국을 비롯한 인도

사진 451 | 청자양각연화문화형접시, 필리핀 출토

사진 452 | 청자화형접시, 필리핀 출토

차이나 반도에서 생산된 도자도 출토되고 있어 다양한 도자를 수입하여 사용하였음을 알 수 있는데, 이곳이 해적들의 본거지였음을 고려한다면 해적들의 약탈에 의해 유입되었을 가능성도 있다. 필리핀 출토 고려청자는 일본의 토야마사토미술관富山佐藤美術館에 소장되어 있는 세키關수집품 가운데 고려청자 2점과 조선 분장청자 1점이 알려져 있다. 청자는 청자화형접시와 청자양각연화문화형접시로 일부 파열된 부분이 있으나 12~13세기 청자 전성기에 생산된 것들로 굽 안바닥에 규석을 받쳐 구운 양질의 고급 청자이다. 필리핀 사람들이 매력적이고 희소한 고려청자를 어떻게 생각하고 어떻게 사용하였을까 궁금해진다. 그러나 필리핀에 전래된 고려청자는 고고학적인 자료가 아닌 단점이 있어 연구 자료로 활용하기 위해서 보다 철저한 검증이 필요하다.

베트남은 남북으로 긴 해안선을 지니고 있어 해양을 통한 교류가 매우 왕성하였던 국가이다. 북쪽으로는 중국, 서쪽으로는 라오스·캄보디아와 국경을 접하고 있으며 남서쪽으로는 타이만, 남쪽과 동쪽으로는 남중국해와 통킹만에 접해 있다. 베트남은 10세기 이후에 건축용 도자기와 일상 용기 그리고 종교 의식에 사용할 도자기의 수요가 증가하면서 도자 기술이 빠르게 발전하여 14세기 후반에는 청화백자를 생산하기 시작한다. 이들 청화백자는 왜구의 창궐로 인한 명明의 해금정책海禁政策에 힘입어 15~16세기에 동남아시아와 중동, 일본, 유럽 등에 수출되며 발전을 거듭하였다. 고려청자는 하노이의 탕롱 왕궁 유적에서 여지문과 국화문 등이 그려진 14세기 중반의 상감청자를 비롯하여 여러 점이 출토되었으나 매우 한정적이다. 탕롱은 북부 베트남의 해상 출입구 역할을 하였던 곳으로 교역이 매우 활발하였던 중요 항구이다. 따라서 탕롱 왕궁에서 출토된 고려청자는 베트남이 자기를 생산하기 이

사진 453 | 청자상감여지국화문대접,
베트남 탕롱昇龍 황성皇城 출토

전에 해상 교류를 통해 왕실에 유입되어 소중하게 사용되었던 것이다. 특히, 1226년(고종 13) 베트남 리 왕조(1009~1226)의 마지막 왕손인 이용상李龍祥 (1174~?)이 황해도 옹진 화산에 정착하여 화산 이씨의 시조가 되었으며, 이 외에 이양혼李陽焜을 시조로 하는 강원도 정선 이씨가 베트남에서 귀화한 것 으로 알려져 있다. 따라서 베트남에서 출토된 고려청자는 이들이 우연히 표 류하여 귀화한 것이 아니며 이미 베트남에서 고려를 충분히 인식하고 있었 음을 보여주는 귀중한 자료이다.

이란은 지정학적으로 동서 길목에 자리 잡고 있어 일찍부터 외국과의 교류가 많았던 곳이다. 그리고 중국을 경유한 중동 상인들이 교역을 위 해 고려를 찾고 있어 이란에 남아 있는 고려청 자 2점은 고려와 중동의 교류를 실증적으로 뒷 받침할 수 있는 중요한 자료이다. 레자압바스미 술관Muse-ye Reza Abbasi에 소장되어 있는 청자 상감운학문유병은 팔레비(1941~1979) 국왕의 왕비가 경매에서 구입하여 기증한 것으로 이란 에 대대로 전해왔던 것인지 불분명하다. 청자상 감운학문표주박형주전자는 아르다빌Ardabil의 샤이후·사피·웃디묘廟에 있는 도자관Shaykh Safi al-Din Chini Khane에 전시되고 있다. 이곳은 16세 기 사파비 왕조를 개창하였던 샤 이스마일 1세 (1501~1524)의 영묘靈廟로 도자기는 1611년 샤 압바스 1세(1587~1629)가 기증한 것으로 중국 도자가 대부분을 차지하고 있다. 이외에 일본의 아리타有田와 유럽의 도자기 등이 함께 전시되어

사진 454 | 청자상감구름학무늬유병, 이란 레자압바스미술관

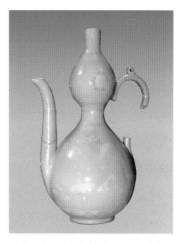

사진 455 | 청자상감구름학무늬표주박형 주전자, 이란 샤이후·사피·웃디묘廟 도자관

있다. 이들 고려청자는 역참驛站 제도가 발달된 원대元代에 바다보다는 초원과 사막을 지나 이란에 유입된 것으로 추정되며, 많은 중동 상인들이 고려를 찾았음을 증명하는 실증 자료일 수 있다. 그러나 필리핀 전래 고려청자처럼 연구 자료로 활용하기 위해서 보다 철저한 검증이 필요하다.

머나먼 이국에서 출토되는 고려청자는 국제 사회와 소통하였던 고려의 면모를 엿볼 수 있는 소중한 학술적 자료로 매우 중요한 역할을 하고 있다. 또한, 이와 같은 교류의 이면에는 고려인으로 동고동락하면서 고려의 국제적 소통에 열과 성을 다했던 귀화인들의 역할이 매우 컸음을 잊지 않아야 하겠다. 이는 곧 국제사회와의 다양한 교류와 소통이 고려 사회를 더욱 발전시키고 향상시키는 중요한 요인 가운데 하나였기 때문이다.

참고문헌

국립제주박물관『탐라와 琉球 왕국』2007.

국립해양유물전시관『14세기 아시아의 해상교역과 신안 해저유물』2006.

윤용혁『한국과 오키나와-초기 교류사 연구-』서경문화사, 2020.

新里亮人「도쿠노시마德之島의 요업 생산에서 본 류큐 열도와 한반도의 교류」『해항도시문화교섭학』22, 한국해양대학교 국제해양문제연구소, 2020.

謝明良,「有關蘭嶼甕棺葬出土瓷器年代的討論」『臺灣史研究』19-2, 中央研究院 臺灣史研究所, 2012.

徐韶韺,「蘭嶼椰油村Rusasol遺址調査報告」『南島研究學報』2-1, 國立臺灣史前文化博物館, 2008.

國立歷史民俗博物館『日本出土の貿易陶磁』1994.

町田市立博物館『富山佐藤美術館 關コレクション フィリピンにわたった燒きもの』1999.

1. 고려청자 새롭게 변신하다, 조선 분장청자

분장청자粉粧靑瓷(분청사기)는 자유분방함을 특징으로 모양과 틀에 얽매이지 않고 대담하게 자신을 표현하며, 꾸밈없고 자유스러운 솔직한 자연의 멋과 정감을 품고 있어 독특하면서 신선한 아름다움을 지니고 있다. 또한, 실용적이며 투박한 느낌을 주지만 소박하면서도 활달한 정서를 가장 잘 표현하고 있어 가장 현대적인 미감을 담고 있는 자기로 알려져 오늘날에도 가장 많은 사랑을 받고 있는 미술품 가운데 하나이다.

조선 전기에 유행하였던 분장청자는 고려청자와 같이 철분이 포함된 회색 또는 회흑색의 바탕 흙 위에 하얀 흙을 바른粉粧 다음 청자에 쓰인 회청색 유약을 입혀 구운 자기를 뜻하는 것으로 백토를 발랐다는 점만 다를 뿐 기본적으로 고려청자의 기술과 조형을 계승하고 있다. 그러나 그릇의 종류와 형태가 장식적인 것보다 기능적이며 일상적인 것이 많으며 섬세하고 세련된 것보다 실용적인 모양이 중심을 이루고 있는 등 세부적 요소에서 고려청자와 뚜렷하게 구분되는 요소들이 있어 고려 상감청자와 구별하기 위해 분청사기粉靑沙器로 일컫기도 한다.

분장청자의 유약은 회청색이 많고 회색이나 녹갈색 등 여러 가지가 있는데 대체로 고려청자에 비해 색깔이 좋지 않고 바탕 흙도 거칠어 이를 감추기 위해 백토 분장을 하였다. 즉, 분장을 통해 새로운 청자로 변신하여 독특한 아름다움을 갖춘 자기로 등장한 것이다. 기술의 쇠퇴를 기회로 활용한 것으로 사람이 얼굴의 단점을 보완하기 위해 화장을 하는 원리와 같은 것이다. 따라서 분장청자는 청자의 쇠퇴가 아니며 청자가 널리 확산되면서 새롭게 변신하여 실용성과 대중성을 갖춘 참신한 제작 기법으로 대량 생산된 결과인 것이다.

분장청자는 고려청자의 전통을 계승하였으나 가장 조선적인 아름다움으로 재창조된 독특한 미감을 지닌 도자문화로 발전하였다. 특히, 분장청자의 기본을 이루는 분장기법에 사용하는 백토는 이미 고려청자의 상감과 백화白畫, 퇴화堆花 기법 등에 사용되어 백토의 사용이 일찍부터 시작되었음을 알 수 있다. 또한, 분장청자에 사용되는 상감과 철화, 조화, 박지 등의 시문 기법도 고려청자에 그 기원을 두고 있어 고려청자와 분장청자의 깊은 연관성을 알 수 있다. 그러나 점차 고려청자의 조형에서 벗어나 15세기 중엽 조선의 새로운 문화가 무르익으면서 새로운 변모를 보여주기 시작한다. 또한, 고려 후기부터 시작된 수요층의 확대와 대량 생산은 이 시기가 되면 더욱 커져 생산지가 전국으로 확산되면서 지역적 미감을 보여주는 등 조선 전기의 독창적인 문화로 발전하였다.

조선 전기 왕성하게 제작되었던 분장청자는 고려청자가 실용성을 갖추고 대중적으로 확산되면서 탄생한 조선 고유의 도자문화로 우리 민족의 정서를 간식한 자유분방함을 특징으로 많은 지역에서 널리 제작되었다. 또한, 전라도와 경상도, 충청도 등 지역적 특색을 갖추며 발전하여 지방 문화를 이해하는데도 크게 기여하고 있다. 즉, 경상도 지방은 명문銘文과 인화분청이 많이 발견되며, 계룡산으로 대표되는 충청도 지역은 철화분청이 유명하다. 전라도는 조화기법과 박지기법을 통한 회화적인 분청과 그릇 전체를 하얗게 칠한 덤벙분청이 발달하였다. 한편, 모양과 틀에 얽매이지 않고 대담하게 자신을 표현하는 귀얄 백토 분장은 그릇 전체에 율동감을 주고 있으며, 그 위에 그린 자유로운 무늬는 조선시대를 대표하는 문화적 전통으로 손색이 없다. 따라서 분장청자는 꾸밈없고 자유스러운 솔직한 자연의 멋과 정감을 품고 있어 독특하면서 신선한 아름다움을 안겨주는, 조상들의 순수한 마음의 깊이를 느낄 수 있는 소중한 문화적 자산이다. 무늬의 소재는 고려청자처럼 자연에서 얻은 물고기와 연꽃, 모란 등 동식물과 추상적인 것 등 매우 다양하다. 그리고 일상에서 사용하는 그릇이 중심을 이루고 있어 실용적이며 투박한 느낌을 주지만 소박하면서도 활달한 정서를 가장 잘 나타내고 있다.

조선시대의 자기는 크게 분장청자와 백자를 비롯하여 백태청유자白胎靑釉瓷, 흑유자, 도기류 등도 제작되었다. 특히, 분장청자는 『세종실록지리지世宗實錄地理志』에 기록된 자기소磁器所 139개소와 도기소陶器所 185개소의 분포에서 보듯이 생산과 수요가 넓게 확산되었음을 알 수 있다. 즉, 고려 후기 잦은 전란과 사회적 혼란으로 강진과 부안에 집약되어 있던 청자 장인들이 전국으로 흩어져 많은 지역에서 자기를 생산할 수 있는 여건이 충분히 조성되어 있었던 것이다. 15세기 전반에는 상감과 인화분청이 중심을 이루는데 세종대(1418~1450)에 다양한 기법이 나타나 크게 발전하며 세조대(1455~1468)에 완성된다. 이 시기에는 왕실과 관청 이름을 도장으로 찍은 분청이 많이 만들어져 이들 기관에서 특히 분장청자를 많이 사용하였음을 알 수 있다. 그러나 15세기 중후기를 지나면 분장청자는 중심에서 벗어나 조질화되면서 16세기 초반부터 점차 소멸하기 시작하여 임진왜란(1592)을 전후한 시기 백자에 흡수되어 완전히 소멸한다. 분장청자의 소멸은 경기도 광주에 정부에서 직접 관리하는 사용원司饔院 분원分院의 설치와 지방 사기장의 정착으로 백자가 대량 생산되었기 때문이다. 무엇보다 분청보다 고품질인 백자에 대한 높은 선호도가 분장청자를 빠른 속도로 지방화 조질화시켰으며, 전쟁이라는 큰 사회적 요인으로 자연스럽게 소멸한 것이다. 한편, 분장청자도 후기에 이르면 백자와 같은 느낌을 주도록 귀얄과 분장 기법을 이용하여 하얗게 생산하고 있어 소비자들의 백자에 대한 열망이 매우 높았음을 알 수 있다.

분장청자의 문양은 회청색 태토와 흰색의 분장토가 어울리도록 여러 기법을 이용하여 시문하고 있지만 대부분 청자의 장식기법을 응용한 것으로 시문 방법에 따라 크게 상감분청계와 분장분청계로 나누어진다. 상감분청계는 선상감線象嵌과 면상감面象嵌, 인화상감印花象嵌 등이 있으며, 태토와 유약이 정선되고 비교적 정교한 기술이 필요한 고급품이 대부분이다. 분장분청계는 조화彫花와 박지剝地, 철화, 귀얄분장, 덤벙(담금)분장 등으로 다양하지만, 대체로 태토가 거칠고 유약도 얇아 저급품인 경우가 많은데, 일부 박지와 조화, 철화 분청은 우수한 품질을 유지하고 있다.

사진 456 | 청자분장상감운룡문호
(국보 제259호)

사진 457 | 청자분장'德泉'명
인화상감화문발

상감분장청자는 금속기에 은입사銀入絲 등의 무늬를 새겨 넣는 기법을 계승한 것으로 그릇 바탕 위에 무늬를 그리고 이를 새긴 다음 그 부분에 붉은 흙이나 하얀 흙으로 메꾸는 방법이다. 분장청자의 상감기법은 독보적인 발전을 이루었던 고려 상감청자의 시문기법을 계승한 것으로 크게 선상감과 면상감으로 나누어진다. 특히, 면상감에서 가장 큰 특징을 보이는데 이는 박지기법으로 이행 발전된다. 상감기법은 백자에도 영향을 주어 상감백자가 일부 만들어졌으나 15세기 후반 이후로는 만들지 않았다. 그리고 여러 가지 무늬를 도장에 새겨 이를 눌러 찍어 표현하고 있는 인화상감 분청은 우수한 태토와 양질의 투명한 유약을 사용하여 견고하며 무늬도 정성스럽게 새겨 넣고 있는데, 이들 가운데 일부는 국가에 공납하거나 상류층을 위해 만든 것으로 중앙 관청이 직접 생산과 관리를 감독하여 지역적 특징도 일부 있으나 대부분 품질이 균등하다. 인화분청은 태종(1400~1418) 세종 연간인 15세기 전반에 가장 많이 사용되었으며 15세기 중엽에 전성기를 이루었다.

사진 458 | 청자분장조화물고기무늬편병(국보 제178호)

조화분장청자는 고려 음각청자의 전통을 계승한 것으로 음각분장청자라고도 하며 흔히 박지기법과 함께 사용되는 경우가 많다. 백토 분장을 한 다음 예리한 도구를 이용하여 선으로 무늬를 그린 것으로 백색의 그릇 겉면과 바탕 흙인 회청색이 대비를 이루어 무늬가 표현된다. 박지분장청자는 고려의 역상감기법과 유사한 시문기법으로 그릇 겉면에 백토를 분장하고 무늬를 그린 후 무늬를 제외한 배경을 긁어내어 백색 무늬와 회청색 바탕 흙을 대조시키는 기법이다. 즉, 선으로 그린 조화무늬가 뚜렷하지 않아 무늬가 없는 면을 긁어내어 바탕 흙과 백토 분장을 뚜렷하게 대비시킨 것이다. 조화박지분장청자는 성형한 날그릇 겉면에 백토를 분장한 뒤 조화기법과 박지기법을 함께 사용하여 문양을 표현하는 방법이다. 조화와 박지를 각각 별도로 사용한 사례들도 있으나 대부분 함께 사용하여 문양을 표현하고 있다. 조화박지 기법을 이용한 분장청자는 광주 충효동이

사진 459 | 청자분장박지모란문자라병(국보 제260호)

사진 460 | 청자분장조화박지연꽃물고기무늬편병(국보 제179호)

사진 461 | 청자분장철화모란문장군(보물 제1387호)

대표적 요장으로 전라도에서 주로 발전하여 지역적 특징을 이루고 있다.

철화분장청자는 대부분 귀얄 기법을 이용하여 백토를 그릇 전체에 분장한 다음 그 위에 철분이 많이 섞인 안료를 사용하여 붓으로 무늬를 그린 다음 유약을 입혀 번조한다. 무늬는 흑갈색 또는 흑색으로 나타나는데, 무늬를 그릴 때 붓을 사용하기 때문에 선이 짧고 굵지만 대담하고 율동감이 있는데 이것이 철화분청의 가장 큰 매력이다. 회화성이 높고 생활 속의 감정이 정겹게 표현된 철화분청은 15세기 후반부터 16세기에 많이 만들어졌다. 특히, 충청남도 공주시 반포면 학봉리 계룡산 기슭에서 주로 만들어져 '계룡산 분장청자'라고도 한다. 철화기법의 화화성은 고려청자에서도 확인되며 조선시대에는 분장청자뿐만 아니라 백자에도 충실하게 계승되어 많은 사랑을 받았다.

귀얄분장청자는 털끝이 뾰쪽하고 뻣뻣한 풀비(귀얄)에 적신 백토를 그릇 겉면에 발라 겉을 하얗게 만드는 기법으로 풀비 자국이 나타나 활달한 운동감이 있다. 조화와 박지, 철화기법에는 기본적으로 귀얄 분장을 실시하고 있으며, 순수한 귀얄기법은 분장청자의 쇠퇴 과정에서 많이 사용하였는데 이는 백자화되어 가는 과정이기도 하다. 포개구이로 대량 생산하여 일상생활 용기에서 많이 확인된다. 분장청자에서만 확인되는 독창적인 시문기법이다.

사진 462 | 청자분장귀얄무늬접시, 고흥 운대리 14호 분장청자 요장 출토

딤벙분장청자는 그릇 전체를 백토 물

에 덤벙 담갔다가 꺼내 전면全面을 하얗게 만드
는 기법으로 담금분장청자라고도 한다. 귀얄
과 같은 붓 자국이 없어 표면이 차분한 느낌을
주며 무심하면서도 묵직한 분위기를 주고 있어
마치 현대 회화를 보는 듯하다. 백토가 두텁게
씌워져 거의 백자처럼 보여지며 역시 분장청
자 말기에 많이 만들었다. 즉, 백자에 대한 수요
는 많은데 분장청자의 바탕 흙으로 백자를 만
들 수 없자 지역에 따라 분장청자의 겉면을 하
얗게 분장하여 백자의 효과가 나타나도록 하였
다. 백자 제작에 필요한 높은 기술력과 바탕 흙
을 정제하는데 필요한 시간과 인력, 이를 충족
시키기 위한 경제력 등은 검약한 생활을 강조
하였던 조선 사회의 분위기와 맞지 않아 현실
적으로 백자의 구입이 쉽지 않자 덤벙분청이
한 때 유행하였던 것이다. 이와 같이 그릇 전체
를 태토와 유약 이외의 안료로 칠하는 시문기

사진 463 | 청자분장덤벙무늬병,
고흥 운대리 14호 분장청자 요장 출토

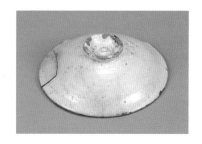

사진 464 | 청자분장덤벙무늬접시,
보성 도촌리 분장청자 요장 출토

법의 경우 청자에는 철채청자와 진사채청자가 있다. 철채청자와 진사채청자
는 초벌구이 그릇에 산화철과 산화동을 바르고 그 위에 유약을 시유하여 재
벌구이를 하는 것으로 전체에 안료를 칠하는 것에서 분장청자의 백토 분장과
유사한 시문기법임을 알 수 있다. 특히, 철채청자는 백토로 무늬를 그린 백화
기법이 함께 사용되는 사례들이 많아 분장청자의 시원과 관련이 있을 것으로
추정된다. 또한, 백토를 이용한 시문기법은 퇴화기법에서도 확인되고 있어
백토를 이용한 시문기법이 다양하게 이용되었음을 알 수 있다.

분장청자는 질적으로도 양질과 조질 등으로 나누어지며, 그릇의 종류와 시문기법, 문양 소재 등도 다종다양하게 나타나 우리 민족의 정서를 어느 문화유산에 뒤지지 않을 정도로 잘 반영하고 있다. 또한, 고려청자를 계승한 시문기법은 백자에도 전승되어 우리 도자문화의 전통과 내용을 풍요롭게 하는 요소가 되었다. 오늘날에도 이러한 법고창신法古倉新의 노력은 계속되고 있으며, 현대 분장청자의 창작에도 적극 인용되고 있다. 무엇보다 자연의 미를 간직한 멋스러우면서도 자유분방한 특징을 갖추고 있는 분장청자는 가장 현대적인 미감을 담고 있는 자기로 알려져 있다. 따라서 전통 분장청자의 답습에서 벗어나 효율적으로 이를 계승하여 현재적으로 재창조하고 미래에 전승될 오늘날의 새로운 분장청자를 창조하는 것이 우리의 역할이라고 생각된다.

참고문헌

강경숙『분청사기 연구』일지사, 1986.

경기도자박물관『분청사기 가마터 조사 현황』2010.

김영원『조선시대 도자기』서울대학교 출판문화원, 2003.

김재열『백자·분청사기』Ⅰ·Ⅱ, 예경, 2000.

국립광주박물관『분청사기 가마터 조사현황과 성격』2018.

국립광주박물관『한·중·일 분장자기 현황과 성격』2019.

국립광주박물관『한국 가마터 발굴 현상 소사』2, 분청사기 상, 2020.

국립대구박물관『추상의 멋, 분청사기』2014.

국립전주박물관『고려말 조선초의 미술』1996.

이화여자대학교박물관『분청사기』2019.

호림박물관『자연의 빛깔을 담은 분청-귀얄과 덤벙-』2018.

호암미술관『분청사기 명품전』2001.

2. 전라도 분장청자, 자신의 멋을 갖추다

고려 말기는 정치경제와 사회문화 등 모든 면에서 매우 혼란했던 시기로
이 시대를 대표하던 상감청자 역시 조형성을 갖춘 정예품精藝品 생산에서 실
용성을 갖춘 대량 생산으로 변화하면서 태토와 유약의 색상이 짙은 암갈색
으로 변하고 문양은 간략해지거나 밀도가 낮아지는 등 품질이 떨어진다. 이
와 같은 대량 생산과 조질화의 경향은 고려에서 조선으로 왕조가 교체되면
서 일단락된다. 새로운 정부에 의해 사회 제도가 안정되고 문물이 정비되면
서 일상용기도 빠르게 변화하였다. 고려 말 14세기 후기에 최악의 상태로 떨
어졌던 상감청자는 고려와는 다른 조형과 장식 기법으로 변화 발전하는데,
이것이 조선 전기를 대표하는 분장청자(분청사기)이다. 분장청자는 태토와
유약, 장식기법을 포함한 여러 요소가 고려 상감청자의 전통을 계승하고 있
으나 형태와 문양 등에서 독창성을 갖추며 발전하였다.

조선 전기 분장청자를 이해하는데 가장 중요한 기록은 『세종실록지리지
世宗實錄地理志』에 있는 자기소磁器所와 도기소陶器所에 대한 내용이다. 세종
(1418~1450)이 돌아가신 다음 기록한 『세종실록지리지』는 전국 모든 지역의
호구戶口와 특산물 등을 파악하여 국가 통치체제의 확립 자료로 활용하기 위
해 편찬된 것으로 지역의 사정을 종합적으로 반영하고 있다. 특히, 이곳에
기록된 자기소와 도기소는 왕실과 관청 등 국가에서 사용하던 도자기를 공
물로 보냈던 곳을 정리한 것이다. 따라서 당시 전국의 가장 대표적인 분장청
자 요장을 기록한 것임을 알 수 있다. 이들 요장은 치소治所로부터의 방향과
거리, 상·중·하 가운데 하나를 정하여 평가하는 등 매우 자세하게 기록하고
있다. 이들 전국의 도기소와 자기소는 모두 324곳에 분포하고 있으며, 이 가
운데 자기소가 139곳이고 도기소는 185곳이다. 특히, 전라도는 자기소 31곳
과 도기소 39곳이 분포하고 있어 자기소 37곳과 도기소 34곳이 분포하고 있

는 경상도와 함께 가장 많은 요장이 분포하고 있어 고려시대 이후에도 자기 생산에서 중요한 위치를 차지하고 있음을 알 수 있다. 이외에 경기도 34곳, 충청도 61곳, 황해도 29곳, 강원도 14곳, 평안도 25곳, 함길도 20곳 등에 분포하고 있어 요장의 수량에는 차이가 있으나 전국에 고루 분포하고 있음을 알 수 있다. 이는 고려 말 정치 사회적 혼란으로 강진에 집약되어 있던 청자 장인들이 전국으로 흩어졌던 결과가 반영된 것이다. 장인들은 자신들이 정착하였던 지역의 풍토와 문화 등이 반영된 수요층의 욕구를 충족시키는 그릇을 제작하여 분장청자는 점차 지역적 특색을 갖추면서 번회 발견힌디.

분장청자는 거칠지만 대담하면서 자연스러운 무늬와 형태 등으로 신선한 조형미를 갖추면서 전국에서 생산하고 있어 대부분 일상생활 용기가 중심을 이루고 있다. 또한, 지역마다 특색을 지니고 있어 경상도는 관청 이름이 적힌 인화분청이 가장 많이 확인되며, 충청도는 계룡산을 대표로 하는 철화분청이 유명하다.

인화분청은 다른 분청에 비해 품질이 좋은 태토와 유약을 사용하여 매우 견고하며, 무늬도 도장을 이용하여 치밀하고 정성들여 새기고 있어 정교하면서 높은 품격을 유지하고 있다. 특히, 이들 가운데 일부는 왕실과 관아에서 사용하는 그릇으로 보내거나 양반 사대부에게 공급되었는데, 중앙 관청에서 엄격하게 생산을 관리하여 전국적으로 품질이 균등하여 조형미가 대부분 유사하다. 그러나 이들 인화분청 가운데 지역적 특색을 반영한 것이 있는데, 지역 이름과 관아의 이름을 함께 새긴 명문銘文 분청이다. 이들 지역과 관아가 새겨진 인화분청은 경상도 지역의 특징적 생산품이다. 이외의 지역에서는 광주 충효동 무등산 요장 등에서 확인된 '무진茂珍 내섬內贍' 등이 일부 있으나 대부분 지역 또는 관아 이름만 적고 있어 경상도 지역과 뚜렷한 차이를 보이고 있다. 이들 명문 그릇은 장흥고長興庫 등 중앙 관청과 공안부恭安府 등 왕실 관련 관부官府에 주로 공납되고 있다. 예를 들어 '경주 장흥고'라

적혀 있는 그릇은 경주 지역에서 만들어 지역 관아에 현물로 바친 것으로 중앙의 장흥고에 보내거나 일부는 중앙의 위임을 받아 지역에서 사용하였다. 이들 그릇에 적힌 지역 이름은 엄격한 품질 보장을 위해 새긴 것으로 공납한 그릇의 품질이 불량하면 만든 지역에서 다시 만들도록 하는 등 책임을 지도록 하였다. 이를 더욱 강화하여 그릇을 만든 장인의 이름을 굽 안바닥에 적은 그릇들도 등장하는데, 특히 광주 충효동 무등산 요장에서 장인의 이름이 많이 확인되고 있어 특징적이다. 관청 이름을 적은 것은 지방에서 한양으로 가는 공납 과정과 실제 중앙 관청에서 이를 사용하면서 그릇이 사사로운 이익을 위해 유실되는 것을 방지하기 위해서이다.

철화분청은 분장된 백토 위에 철사 안료를 이용하여 그림을 그리는 것으로 공주 계룡산이 가장 유명하다. 다른 지역의 철화분청은 대부분 초화문 등 간략한 무늬가 중심을 이루고 있으나 충청도 지역에서 생산된 철화분청은 필력이 강하고 중심 소재만을 대담하게 표현하여 생동감이 있다. 무늬의 소재는 풀과 꽃, 새와 물고기 등 대부분 자연을 대상으로 하고 있는데, 도식적인 것과 추상적인 것, 회화적인 것, 익살스러운 것 등 매우 다양하게

사진 465 | 청자분장인화상감'內贍'명국화문접시, 곡성 구성리 분장청자 요장 출토

사진 466 | 청자분장인화상감'慶州長興庫'명 새끼줄무늬호

사진 467 | 청자분장철화초화문발, 고흥 운대리 7호 분장청자 요장 출토

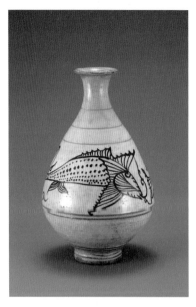

사진 468 | 청자분장철화물고기무늬병

표현되어 있다. 이들 무늬 가운데 입신양명
立身揚名을 상징하는 물고기인 쏘가리가 가장
많이 그려지고 있어 당시 사람들의 소망을 반
영하고 있다. 철화로 그림을 그리는 것은 쉽
다고 할 수 있으나 그릇을 굽는 과정에서 온
도가 너무 높으면 산화 안료가 날아가 버리
며, 온도가 낮으면 원하는 철화 색상을 얻기
가 매우 힘들다. 따라서 높은 예술성도 중요
하지만 가마를 다루는 고도의 숙련된 기술이
없으면 만들기가 매우 어려운 것이 철화분청
이다. 특히, 거침없이 휘돌린 질박하면서도
역동적인 무늬에서 느끼는 추상적이며 해학
적인 아름다움은 현대적 감각으로 보아도 매
우 세련된 모습으로 이러한 조형미가 계룡산 철화분청의 매력이라고 할 수
있다.

전라도의 특징적 분장청자는 조화박지와 귀얄, 덤벙 기법을 이용한 그릇
들이다. 특히, 순박한 아름다움이 특징인 분장청자 가운데 덤벙과 귀얄 분청
은 전혀 기교를 부리지 않은 가장 단순하면서 깊은 멋을 지니고 있어 이를 가
장 많이 생산하였던 전라도 사람들의 미적 감각이 매우 뛰어났음을 알려주
고 있다.

귀얄 기법은 덤벙 기법이 함께 확인되는 고흥 운대리와 보성 도촌리, 장흥
신촌리 이외에 몽탄면 사천리 요장을 비롯한 무안 지역 요장이 널리 알려져
있다. 귀얄은 풀칠을 하는 거친 빗자루 같은 솔을 이용하여 그릇 표면에 백
토 물을 묻혀 빗자루 흔적이 남도록 칠하는 것으로 그릇의 바탕을 이루는 태
토와 백토가 조화를 이루어 무늬의 효과를 내는 것이다. 이때 그릇의 겉면

은 귀얄이 지나간 곳과 그렇지 않은 곳으로 구분되는데, 이를 가마에 넣고 구우면 백토가 그대로 드러난 하얀 부분과 바탕 흙의 회청색이 대비를 이룬다. 또한, 그릇 전체에서 차지하는 백토의 면적이나 윤곽선 등이 전혀 의도되거나 꾸밈이 없어 귀얄분청만의 독특한 아름다움을 한층 돋보이도록 하고 있다. 그리고 단순한 귀얄 흔적 이외에 하얗게 칠한 백토 위에 박지와 조화, 철화 등으로 자연을 소재로 한 다양한 무늬를 표현하고 있다. 모양과 틀에 얽매이지 않고 단순하면서 대담하게 자신을 표현한 붓 자국은 그릇 전체에 빠르고 힘찬 율동감과 함께 추상화적인 효과까지 안겨주는데, 이는 특정한 도안圖案과 의도가 전혀 없는 장인의 자유로운 필치筆致와 붓의 흐름, 가마의 변화 등에 따른 무기교의 자연적인 아름다움이다. 귀얄분청은 백자처럼 그릇을 하얗게 하려는 목적으로 처음 만들었으나 또 다른 분장청자의 조형미

사진 469 | 청자분장귀얄무늬 병과 발, 무안 사천리 분장청자 요장 출토

를 완성하고 있어 남도 장인의 멋을 느낄 수 있다. 그러나 진정한 백자를 원하는 끝없는 소비자의 욕구에 의해 백자를 닮아가려는 분장청자는 더 이상 진화하지 못하고 임진왜란 이후 자연스럽게 소멸하며 귀얄분청도 이때 역사에서 퇴장한다.

덤벙 기법은 그릇의 전체 또는 일부를 백토 물에 담가 그릇을 하얗게 하는 것으로 '담금'으로 부르기도 한다. 백토가 차분히 씌워지기 때문에 상대적으로 경쾌한 귀얄문과는 달리 정적인 느낌을 준다. 그릇 전체에 백토가 입혀져 백자와 구별하기 힘든 그릇도 있으며, 백토 물에 담그면서 손으로 잡았던 굽 주변에 백토가 묻지 않아 태토가 노출된 것도 있다. 또한, 그릇에 바른 백토가 자연스럽게 흘러내려 꾸밈없는 아름다움을 안겨 주는 등 다양한 느낌을 주고 있다. 그리고 귀얄처럼 백토 위에 박지와 조화, 철화 기법을 이용하여 물고기와 모란, 연꽃 등 자연을 소재로 한 다양한 무늬를 기하학적으로 변형하거나 추상화하여 자유분방하고 활달하게 표현하고 있다. 덤벙분청 역시 백자를 원하는 소비자의 욕구에 의해 처음 등장하였으나 백자가 일상화되면서 자연스럽게 퇴장한다.

덤벙분청은 다른 지역에서는 매우 소량 생산되고 있으나 현재까지 고흥 운대리와 보성 도촌리, 장흥 신촌리에서만 전문적인 요장이 확인되고 있어

사진 470 | 청자분장덤벙무늬발, 장흥 덕산리 해저 출수

보성만을 끼고 해안에 집중 분포하였음을 알 수 있다. 한편, 덤벙분청은 일본인들에 의해 '粉引(고히키·고비키; 덤벙분청)'으로 불리며 널리 애호되고 있으며, 특히 '寶城粉引(호조고비키)으로 불리는 다완은 일본인들이 가장 좋아하는 다완 가운데 하나이다. 덤벙분청을 전문적으로 생산하였던 고흥

사진 471 | 청자분장덤벙무늬발,
고흥 운대리 27호 분장청자 요장 출토

사진 472 | 청자분장덤벙무늬발
(三好; 일본 중요문화재)

과 보성, 장흥 등을 포함하여 보성이라는 지명을 유물 명칭에 사용하고 있어
일찍부터 이를 인식하고 애호하였음을 알 수 있다. 그리고 최근 고흥 운대리
27호 요장에서 그릇 외측면이 부분적으로 시유되지 않아 적갈색의 태토가
드러나 역삼각형을 이루는 희마火間라는 문양이 표현된 덤벙 발이 출토되었
다. 이와 같은 문양이 표현된 발은 대부분 일본에 남아 있으며, 다완茶碗으로
매우 높은 평가를 받고 있다. 가장 대표적인 사례는 미쓰이기념미술관三井記
念美術館에 소장되어 있는 일명 '미호시三好'라 불리는 다완이다. 이와 같은 덤
벙분청은 국내보다 일본에 남아 있으며 수량도 많고 조형성도 높아 일본을
대상으로 한 수출품이었을 가능성이 많다. 지리적으로도 덤벙분청을 전문적
으로 만들었던 요장이 모두 일본과의 교역에 유리한 남해안에 위치하고 있
어 이를 뒷받침하고 있다. 따라서 덤벙분청의 이해는 조선 전기 일본과의 대
외 교역과 문화 교류를 이해하는데도 매우 중요한 자료를 제공하고 있어 향
후 이에 대한 연구가 더욱 깊게 진행되어야 하겠다.

　광주 무등산과 고창 용산리(전라북도 기념물 제115호)로 대표되는 조화박
지분청은 기형과 문양의 활달함을 비롯하여 생략과 변형, 빠른 속도감이 주
는 경쾌한 표현들이 특징적이다. 주로 호와 병, 준주, 대호, 장군 등 운반 또
는 저장 용기 등 면적이 넓은 그릇에서 확인되고 있다. 따라서 위세품의 성

사진 473 | 청자분장조화박지모란문편호, 영암 상월리 분장청자 요장 출토

격을 갖는 큰 기물에 주로 표현하였음을 알 수 있다. 무늬는 다른 기법의 분청처럼 모란문과 파초문, 당초문, 물고기 등 대부분 자연에서 소재를 얻고 있다. 남도의 조화박지분청 가운데 가장 널리 알려진 그릇은 광주광역시립민속박물관에 소장된 '全ㅅ道(전라도)'가 새겨진 모란문호이다. 다른 문헌 기록에서도 확인되지만 복잡한 획수의 '羅'를 'ㅅ'로 간략하게 새긴 대형의 항아리로 도자기에서는 유일하게 확인되고 있다. 목에서 살짝 밖으로 벌어진 아가리와 곧고 짧은 목 언저리를 가졌으며, 어깨가 팽창되고 몸통이 길며 아래로 갈수록 날씬한 형태이다. 그릇 전체에 백토를 얇게 바르고 몸통에 음각으로 초화문과 제작지를 알 수 있는 '全ㅅ道'라는 명문을 새겼다. 어깨에는 연판문을 새겼는데 일부 결실되어 보수하였다. 특히, 몸통에 세로로 새긴 '全ㅅ道'라는 명문과 무늬 등을 통해 이 지역 특색인 조화박지분청을 제작하였음을 알려주고 있어 학술적으로 매우 중요한 자료이다.

조선 전기 한 시대를 풍미하였던 분장청자는 고려청자의 본고장 남도의 전통을 이어받아 생산된 새로운 도자문화로, 독특한 아름다움과 역사 문화적 중요성을 인정받아 대표적 생산지인 고흥 운대리 지역이 2016년 3월 18일 중소기업청 지역특화발전특구위원회에서 '분청사기 문화예술특구'로 선정되어

사진 474 | 분청사기'全ㅅ道전라도'명모란문호 (광주광역시 문화재자료 제23호)

분장청자가 국내의 대표적 문화유산임을 현재에도 인정받고 있다. 또한, 분장청자는 문화체육관광부에 의해 우리나라를 대표하는 문화유산으로 선정되어 세계에 널리 알려져 있으나 빛나는 전통과 뛰어난 가치에 비해 제대로 대접받지 못하고 있어 아쉬움이 있다. 무엇보다 당시의 지역적 역사 의식과 문화가 응축된『세종실록지리지』에 기록된 자기소와 도기소가 학술적 조사나 성격 규명 없이 지속적으로 훼손되고 있어 많은 아쉬움을 주고 있다. 이들 요장이 더 이상 훼손되거나 유실되지 않도록 대책을 세우고 이를 실천하여 예향藝鄕 남도의 긍지와 품격을 잃지 않도록 하였으면 한다.

참고문헌

국립광주박물관『무등산 분청사기』2013.

국립나주문화재연구소『호남의 자기소·도기소 나주목』2017.

국립나주문화재연구소『호남의 자기소·도기소 남원도호부』2020.

국립나주문화재연구소『호남의 자기소·도기소 전주부』2021.

국립나주문화재연구소『호남의 자기소·도기소 장흥도호부』2022.

고흥분청문화박물관『고흥 분청사기 덤벙에 물들다』2019.

고흥분청문화박물관『고흥 운대리 분장 분청사기』2019.

고흥분청문화박물관『고흥 운대리 가마 구조의 특징과 성격』2020.

무안분청문화제추진위원회『무안분청의 역사적 조명과 발전 방안에 관한 학술대회』2006.

민족문화유산연구원『동북아 분장분청사기의 변천과 고흥 운대리 분장분청사기의 의미』고흥군, 2017.

민족문화유산연구원『보성 도촌리 분청사기의 현황과 성격』보성군, 2016.

3. 전라도의 큰 고을 나주 분장청자, 바다 따라 한양에 가다

태안 마도 해역은 강한 물살과 암초, 짙은 안개 등으로 선박들의 난파 사고가 매우 빈번한 곳으로 피하고 싶지만 바닷길을 이용하여 수도인 개경과 한양을 가기 위해서는 반드시 거쳐야하는 경유지였다. 동력을 갖추지 못한 당시의 돛단배는 바람에 의지해 항해하기 때문에 태풍 등으로 풍향이 바뀌거나 물살이 세면 속수무책이었다. 따라서 마도 해역은 옛날부터 항해가 어렵다는 뜻으로 난행량難行梁으로 분류되며, 많은 배가 침몰되어 수중 문화재의 보고寶庫 역할을 하면서 신안선에서 출발한 한국 수중 고고학의 새로운 전기와 발전의 계기를 마련하여 주었다.

마도 해역에서 발굴조사된 마도 4호선은 좌현 외판의 일부를 제외하고 외형이 잘 보존된 상태로 남아있었다. 선체에서 목간 63점과 분장청자 155점, 도기 8점, 금속품 3점, 목제초본 72건 115점, 석재 12건 32점, 곡물 6점, 골각 1건 3점 등 321건 386점의 유물이 출수되어 조선시대의 다양한 연구에 많은 자료를 제공하고 있다.

마도 4호선의 남아 있는 크기는 길이 12m, 너비 5m, 깊이 2m 정도이며, 마도 북동쪽 수심 9~15m에서 확인되었다. 선체는 남동쪽(150°)을 향해 있었으며, 우현 방향으로 50° 정도 기울어진 채 매몰되어 있었다. 선체의 구조는 밑판 3열, 좌현 외판 4단, 우현 외판 11단, 그리고 선수船首와 선미船尾 부분도 일부 남아 있는 평저선이다. 이전의 고려시대 선박은 선수 판재가 세로로 설치되었지만, 마도 4호선은 가로로 설치되었으며, 좌우 외판재를 연결하는 가룡목加龍木은 2m 정도 간격으로 6곳에 설치되었다. 또한, 고려 선박은 비교적 얇은 원통목을 사용하였지만, 마도 4호선은 두텁고 강한 횡강력재를 사용해 선체의 견고함을 높이고 있어 한층 발전된 조선술을 알려주고 있다.

목간류는 모두 63점으로 43점이 목간이며 죽찰은 20점인데 목간木簡과 죽찰竹札은 형태에 약간의 차이가 있다. 목간은 주로 발송처와 수취처를 적고 있으나 일부 목간은 세곡의 종류와 수량만 간단하게 적고 있으며, 길이는 15㎝ 내외로 고려시대에 비해 크기가 매우 작다. 목간을 만드는 방법도 고려는 가공에 정성을 들이고 있으나 마도 4호선 목간은 벌채한 다음 한쪽 면만 가공하여 글씨를 쓰고 있다. 그리고 수령도 오래되지 않고 가늘며 강도도 떨어진다. 목간의 가장 큰 특징은 이전의 고려 목간에 비해 단순하면서 간결하지만 조운선임을 뚜렷하게 밝히고 있는 묵서의 내용이다. 고려시대 목간은 관청과 기관 등 보내는 곳이 다양하여 이를 구분하기 위해 발신자와 수신자, 화물의 종류와 수량 등을 정확하게 표기할 필요성이 있어 내용

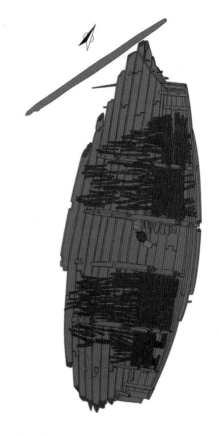

사진 475 | 태안 마도 4호선 선박과 유물 노출 상태

이 많다. 그러나 조선은 건국 초기부터 왕권을 강화하고 중앙 집권을 확립하였기 때문에 개인이 아닌 지방 관청에서 중앙 관청으로 보내는 공물에 대한 기록이 단순 명료하였던 것이다.

목간의 내용 가운데 지명은 '나주'가 유일하며 55점이 확인되었다. 수취처를 파악할 수 있는 기록은 54점으로 광흥창을 뜻하는 '亼州廣興倉(나주광흥창)' 또는 '羅州廣興倉(나주광흥창)'이 적혀있다. 또한, 화물의 종류를 알려주는 목간은 2점으로 '白米十五斗(백미십오두)'와 '麥三斗(맥삼두)'가 적혀

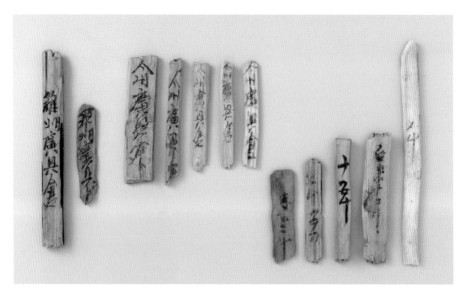

사진 476 | 태안 마도 4호선 출수 목간

있다. 곡물의 종류와 수량이 적혀 있어 목간이 화물의 물표로도 쓰였음을 알수 있다. 따라서 마도 4호선은 나주목에 설치된 영산창榮山倉에서 거둬들인세곡과 공납품을 싣고 수도인 한양에 있던 경창京倉인 한강변 서강西江의 광흥본창廣興倉本倉 또는 광흥강창廣興倉江倉으로 공물을 운반하던 조운선임을알 수 있다. 광흥창은 관리들의 녹봉을 관장하던 국가 기관으로 고려 충렬왕때 처음 설치되어 조선시대까지 존속하였다. 광흥창은 현재 서울시 마포구창전동에 있는 광흥창역 부근에 있었는데, 각종 문헌에 전국에서 출항한 조운선이 도착하는 곳으로 기록되어 있어 마도 4호선 목간은 이들 문헌에 기록된 내용을 뒷받침하고 있다. 고려시대 배인 마도 1호와 2호, 3호선은 대부분당시의 권력자나 개인에게 보낸 화물을 운송하던 선박으로 조운선 여부가명확하지 않았다. 그러나 마도 4호선은 조선시대 선박이지만 관리들의 녹봉을 관리하던 국가 기관인 광흥창으로 공물을 운반하고 있어 현재까지 성격이 뚜렷하게 밝혀진 국내 유일의 조운선으로 그 의미가 매우 크다.

마도 4호선에서 출수된 분장청자는 가장 대표적인 일상 반상용기인 발과 접시로 구성되었으며 모두 155점이 확인되었다. 이들 분장청자는 10점 혹은 20점 단위로 포갠 다음 60점의 청자를 성글게 엮어 만든 망태기에 담아 그릇의 종

사진 477 | 태안 마도 4호선 분장청자 포장 상태

류별로 적재하였다. 이는 그릇 종류별로 포갠 다음 4개의 나무 막대를 길게 덧대 새끼줄로 묶었던 고려시대 포장 방법과는 다른 방식이다. 이들 분장청자의 형태는 대체로 비슷하나 크기에 차이가 있으며, 청자음각파상문발 1점과 청자발 2점 이외에는 인화문을 꽉 차게 시문하고 있다. 태토와 유약의 색상은 갈색, 회색, 녹청색 등 3종류인데, 기종과 시문 기법 등에 따라 색상 차이가 뚜렷하다. 유약은 굽 안바닥을 포함하여 그릇 전체에 시유한 것과 굽부분을 시유하지 않은 것으로 구별된다. 굽 부분을 시유하지 않은 것은 그릇을 포개 구울 때 다른 그릇과 서로 달라붙는 것을 방지하여 번조 후 쉽게 분리하기 위해서이다. 번조 방법은 그릇을 2개 이상 포갠 다음 굽고 있어 가장 위에 놓고 구운 그릇은 내저면에 받침 흔적이 없으며, 중간에 놓고 구운 그릇은 내저면과 굽 바닥에 거친 태토비짐을 받치고 있다. 가장 아래에 놓고 구운 그릇은 내저면은 태토비짐을 받치고 있으나 굽바닥은 도지미 위에 모래를 받쳐 번조하여 모래 흔적이 남아 있다. 굽 형태는 그릇의 종류에 관계없이 대부분 굽 측면이 대마디 형태인 죽절형竹節形이다. 한편, 문양과 시문기법, 시유상태, 특히 굽의 형태와 높이에서 뚜렷한 차이가 있는 일부 그릇은

사진 478 | 태안 마도 4호선 출수 분장청자

제작지나 공방(장인)이 다를 가능성이 있다.

마도 4호선 출수 분장청자의 생산 시기는 필각筆刻으로 '內贍(내섬)'을 새
긴 3점의 분장청자가 많은 단서를 제공하였다. 내섬은 궁궐의 물품을 관리
하던 관청인 내섬시內贍寺를 이르는데, 1403년(태종 3) 관제를 개혁할 때 처
음 설치되었다. 이후 1405년(태종 5) 육조의 직무와 그 소속을 정할 때 호조
에 소속되었으며, 1800년(정조 24) 국가의 재정 지출을 줄이기 위해 의영고
義盈庫에 병합되면서 폐지되었다. 내섬시의 역할은 왕실의 일상생활에 필요
한 물품을 전담하는 전공아문專供衙門으로 그 대상은 왕비였다. 이러한 업무
의 특성으로 태종~세종 연간에 내섬시와 내자시內資寺는 호조에 속한 관사
였음에도 이조에 속한 왕실 관청인 인수부仁壽府와 함께 왕실 창고로 운용되
었다.

조선은 건국과 함께 공납제를 시행하여 한양의 여러 관청에서 사용할 자
기를 각 군현에서 공물貢物로 상납받았다. 이들 자기는 전국에 있는 자기소

사진 479 | 태안 마도 4호선 출수 도기호

磁器所에서 제작하였으며, 해당 지방의 수령이 장인으로부터 징수하여 중앙 정부에 납부하였다. 이러한 공납 자기는 여러 의례를 시행하면서 행사를 주관하는 전각殿閣과 관사별로 장흥고長興庫에서 빌려 사용한 다음 반납하였는데, 이 과정에서 반납되지 않고 분실되는 사례가 많아 1417년(태종 17) 이를 개선하기 위해 공납 자기에 관청의 이름을 새기도록 하였다. 따라서 '內贍'이 표기된 분장청자는 1417년을 전후한 시기에 제작된 공납용 자기임을 쉽게 알 수 있다. 그리고 그릇의 형태와 문양, 제작 기법, 번법 등을 검토하였을 때 이들 마도 4호선 분장청자는 사회가 안정되고 경제력이 증가하여 문화가 꽃 피웠던 시대적 배경을 반영한 15세기 초반에 만든 매우 우수한 제품임을 알 수 있다. 한편, 1413년(태종 13) 공납제가 전국적으로 실시되고 있으며, 전라도 관찰사에게 매년 자기를 바치게 한 태종 13년 7월의 기록을 고려하였을 때 '內贍'이 쓰인 분장청자를 비롯한 마도 4호선 분장청자는 구체적으로 1413년부터 1418년 사이에 생산되었던 것으로 판단된다. 따라서 마도 4호선

사진 480 | 태안 마도 4호선 출수 청자분장상감국화문'內贍'명발

은 1410~1420년(태종~세종)에 물품을 싣고 항해하던 중 마도 해역에서 풍랑을 만나 침몰하였던 것으로 판단된다. 이들 분장청자의 생산지는 나주목 영산창에 조세를 납부하는 군현郡縣 가운데『세종실록지리지』에 자기소가 기록된 지역이다. 또한, 1410~1420년 사이에 '內贍'의 글씨가 확인되는 자기소가 유력한데, 여기에 해당되는 곳은 나주와 영암, 영광, 광주, 곡성, 순천, 고창 등이다. 따라서 앞으로 이들 지역에 대한 조사와 연구를 통해 마도 4호선에서 출수된 분장청자의 정확한 성격을 규명할 필요가 있다.

사진 481 | 청자분장철화당초문병,
나주 황동 유적 출토

마도 4호선은 목간의 내용으로 보아 나주목羅州牧에서 징수한 세곡을 비롯하여 대나무와 분장청자를 비롯한 여러 공물을 싣고 한성부漢城府에 있는 광흥창廣興倉으로 항해하였음을 알 수 있다. 태종~세종 연간에 나주목에 소속되었던 27개 주현州縣의 조세를 받

아들여 보관하고 경창京倉으로 운송하는 역할은 나주목에 설치된 영산창榮山倉에서 담당하였다. 분장청자에서 확인된 내섬시는 광흥창과 함께 호조에 속한 관청이다. 따라서 '羅州廣興倉'과 '內贍'의 명문은 마도 4호선이 공물을 운반하던 조운선임을 뚜렷하게 알려주고 있다. 목간과 분장청자 이외에도 세곡으로 선적한 벼와 보리 그리고 『신증동국여지승람新

사진 482 | 구리로 만든 '廣興倉印' 도장

增東國輿地勝覽』「전라도 나주목 토산」편에 공물로 기록된 대나무와 숫돌 등도 함께 출수되어 조운선의 성격을 더욱 뚜렷하게 보여주고 있다. 또한, 바가지형 목제품(되)과 목제 바늘 등 세곡과 관련된 공구류를 비롯하여, 초립과 짚신 등이 확인되어 선원들의 선상생활을 상상할 수 있는 자료를 함께 제공하였다.

고려 후기는 왜구들의 극심한 출몰로 해로가 막혀 육로로 조운을 실시하였으나 이 시기가 되면 사회가 안정되고 국방력이 완비되어 해로가 다시 열리는데 마도 4호선은 이와 같은 역사적 사실을 뒷받침하고 있다. 특히, 고려 후기에는 수레에 실어 육로로 청자를 운반하여 매우 불편하였는데, 곧바로 해로를 이용하여 자기를 이송하고 있어 바닷길이 도자 운반에 매우 유용하였음을 알려주고 있다. 한편, 선체에서 출수된 목간과 곡물, 분장청자 등의 유물은 조선 초기 공납 제도의 실제와 공물을 운반하였던 조운선을 연구하는데 많은 자료를 제공하였다. 또한, 최초로 확인된 조선 초기의 선박으로 해양사와 선박사, 도자사 등 다양한 연구에 큰 도움을 주고 있다.

마도 4호선에서 출수된 분장청자는 같은 시기에 만든 일괄 유물이 가장 많이 확인된 사례로 조선 초기 분장청자의 기형과 문양, 시문 기법, 번법 등을

사진 483 | 태안 마도 4호선 출수
청자분장상감물고기무늬발

사진 484 | 태안 마도 4호선 출수,
청자분장상감새무늬발

연구하는데 매우 중요한 자료이다. 그리고 독특한 물고기와 새 문양 등은 현대적 조형에도 전혀 뒤지지 않는 남도의 멋과 아름다움을 그대로 표현하고 있어 분장청자의 특성을 잘 전달하고 있다. 이와 같은 아름다운 멋을 우리에게 안겨 준 장인들의 손길을 느낄 수 있는 생산지를 찾아 마도 4호선 출수 분장청자의 연구를 심화시킬 필요가 있다. 또한, 생산지에서 영산창을 경유하여 광흥창까지의 유통 과정도 밝힐 수 있는 계기가 되리라 생각된다. 끝으로 임무를 완수하지 못하고 이를 전달받지 못한 선조들의 희생으로 오늘날 우리에게 더할 수 없는 값진 선물을 안겨준 것에 대해 조상들께 깊은 감사를 드린다.

참고문헌

국립나주문화재연구소『호남의 자기소·도기소 나주목』2017.
국립나주문화재연구소『호남의 자기소·도기소 장흥도호부』2022.
국립해양문화재연구소『태안 마도 4호선 수중 발굴조사 보고서』2016.

4. 고려청자의 쇠퇴와 조선백자의 등장

조선의 자기문화는 크게 고려 상감청자의 뒤를 이은 분장청자와 중국의 영향을 받아 발전된 백자로 나눌 수 있다. 흑자와 도기 등도 생산되었지만 주도적 역할을 하였던 것은 백자였으며, 분장청자는 조선 전기에 꽃을 피웠다. 분장청자는 15세기 중·후기를 지나면 중앙 정부에서 직접 관리하는 경기도 광주廣州에 설치된 사옹원司饔院 분원分院(중앙 관요)의 정립과 지방 사기장의 정착으로 백자가 대량 생산되면서 점차 소멸한다. 한편, 고려시대에 청자뿐만 아니라 백자가 지속적으로 생산된 것처럼 조선시대에도 청자는 소량이지만 계속 생산되었다. 특히, 오방사상五方思想에 의해 동쪽에 거주하였던 동궁(세자)의 생활공간에서 많이 소비되었는데, 이는 동쪽의 색상이 청색이었기 때문이다. 따라서 분원 성립 이전에는 지방에서도 청자를 생산하여 공납하였으나 분원이 확립된 이후에는 분원에서 백자 바탕 흙에 청자 유약을 입힌 백태청유자白胎靑釉瓷를 생산하여 사용하였다.

사진 485 | 청자대접(조선), 영암 상월리 분장청자 요장 출토

백자를 전문으로 생산하는 분원 성립 이후 전국에 위치하고 있던 분장청자 요장은 점차 소멸하면서 지방 백자 요장이 등장한다. 이들 백자 요장에는 지방 관청의 통제를 받는 사기장이 배치되고 지역의 관청과 향교, 사찰, 사대부 등을 대상으로 백자를 제작하였다. 생산품은 분원의 영향을 받아 중·상품이 소량 생산되기도 하였으나 대부분 중·하품으로 조질 백자가 중심을 이루었다. 전라남도에서도 나주목이 위치하고 있는 나주를 중심으로 품질이 좋은 백자를 생산하였던 요장이 일부 확인되고 있으나 대부분 중·하품을 생산하였다.

백자는 고려시대에도 만들어졌지만 청자가 중심이던 당시에는 성행하지 못하였다. 그러나 세계 도자의 큰 흐름이 청자에서 백자로 바뀌는 원말명초 元末明初(14세기 후기)에 중국 백자의 영향으로 치밀질 백자에 대한 요구가 증대되고 있었다. 백자는 크게 고려 백자의 전통을 이은 연질백자와 중국의 영향을 받은 경질백자가 있는데 조선시대에 성행하였던 것은 치밀질의 경질 백자였다. 새로운 백자는 세종(1418~1450) 때에 왕실용으로 사용할 만큼 세련되게 발전하였고 중국 황실에서 요구할 정도로 매우 높은 수준에 이르렀으며 청화백자靑畵白瓷도 만들 수 있게 되었다. 분원 설치 이전에는 고령과 남원, 광주廣州 등에서 만든 백자가 주로 왕실에서 사용되었으며, 분원이 설치된 1468년(세조 14) 이후에는 갑발匣鉢(도자기를 구울 때 담는 큰 그릇)을 사용한 품질 좋은 순백자가 약간의 청화백자와 함께 만들어졌다.

15세기 백자는 대체로 풍만한 가운데 단정하며 구연부를 제외하고는 기벽이 두텁고 굽도 넓어 안정감을 갖는다. 일상생활에 널리 쓰이는 그릇 외에 제사 용기와 문방구, 화장 용기 등 특수한 기물들이 백자의 보편화 단계에서 나타나고 있다. 장식기법에는 상감과 인화, 청화, 철화, 동화 등이 사용되며, 때로는 서로 조화시키는 경우도 있지만 항상 간결함과 검소한 미를 잃지 않는 한계를 지키며 사용되었다. 이 시기의 백자는 사대부들이 추구하였던 검소하고 질박하며 결백한 미감과 맞아 떨어져 발전을 거듭하였다.

16세기의 백자는 초기의 엄숙하고 정돈된 느낌이 보다 자연스러움을 갖추면서 꾸준히 발진한다. 서원이 설립되고 향약이 널리 보급되는 등 유교 이념이 확산되는 사회적 동향 때문이다. 17세기에는 임진왜란과 청淸의 건국(1616)으로 작은 중화中華 사상이 대두되어 진경산수화眞景山水畵나 국문학의 주체성이 나타나는 등 조선의 독자적인 문화가 더욱 강조되었다. 백자는 달항아리 등 간결한 순백자가 대다수를 차지한다. 청의 건국으로 청화 안료를 쉽게 구할 수 없게 되자 주변에서 쉽게 구할 수 있는 산화철 안료로 무늬를 그린 철화백자가 많이 만들어진다.

18세기 백자는 사대부의 정신세계를 나타낸 청초하고 간결하면서도 기품 있는 독특한 멋을 지닌다. 밝고 광택이 있는 달항아리와 각진 병, 굽이 높은 고족高足접시 등이 제작되며, 청화로 난초와 매화, 풀꽃 등을 청초하게 그린 병과 항아리 등이 생산된다. 18세기 후반까지 이러한 경향이 이어지며 분원 요장이 광주 분원리分院里로 옮겨져 본격적인 분원리 시기의 백자가 만들어진다. 영조와 정조대에는 문화의 중흥기로 산수와 인물, 사군자, 십장생, 수복壽福이 쓰인 각종 청화백자가 만들어진다. 설백雪白의 유약 색상이 점차 청백靑白으로 바뀌며 의례에 쓰이는 청화 항아리와 병, 고족접시, 문방구 등이 많이 성행한다.

19세기에는 세도정치가 기승을 부리며 외세의 발호와 함께 문호가 개방된다. 분원리 백자 특유의 담청을 머금은 무문과 음각, 양각, 투각, 동식물 형태로 만든 문방구(필통, 연적)와 제기, 생활용기(병, 호) 등이 다양한 모습으로 만들어진다. 특히, 두꺼비, 오리, 해태, 토끼, 복숭아, 금강산 등의 형태로 만든 소박하고 정감어린 기물과 투각의 각종 필통은 전성기의 순청자를 보는 듯하다. 또한, 청화를 이용하여 운룡문과 봉황문, 장생문, 산수문, 인물문, 연꽃문, 모란문 등을 간략하고 대범하게 그리고 있다.

이와 같이 시기에 따른 변화가 있으나 백자의 기본적인 특징은 우리 조상들의 꾸밈없는 순수하고 평범한 마음과 생활을 반영하듯 티 없이 맑고 고운 순백색의 자연스러운 아름다움과 여유로운 둥근 곡선에 있다. 백자는 하얀 바탕 흙 위에 파르스름한 투명 유약이 입혀지며 무늬가 있는 것은 매우 적다. 무늬는 산화철이나 구리, 코발트와 같은 안료를 이용하여 대담하게 생략하거나 재구성하였다. 소재는 소나무나 대나무, 국화, 용, 풀꽃 등으로 간결하게 그리며, 넓은 여백을 남겨 무늬의 효과를 확대시키고 있다. 전라도를 비롯한 지방 백자도 크게 이러한 배경에서 제작되었으나 품질이 낮고 문양도 간략하여 분원과는 뚜렷한 차이를 보이면서 변화 발전하였다.

백자 역시 청자처럼 시문 방법에 의해 크게 구분된다. 가장 일반적인 순백자純白瓷는 성형 후 유약만 바른 순수한 백색의 자기를 말한다. 여기에는 무늬가 전혀 없는 백자와 무늬가 있는 음·양각백자, 투각백자透刻白瓷, 상형백자象形白瓷 등이 있다. 상감백자는 고려 상감기법을 이은 것으로 그릇 바탕 위에 무늬를 새긴 후 그 부분에 붉은 흙(자토赭土)을 메운 다음 표면을 다듬은 뒤 시유하여 번조하였는데 주로 조선 전기에 만들었다. 청화백자靑畵白瓷는 청화 안료(사화 코발트)로 무늬를 그리는 것으로 중국의 원과 명에서 생산되었던 청화백자의 영향을 받아 만들어졌으며 한국풍과 중국풍이 함께 있다. 한국적인 것은 소나무와 대나무, 매화 등의 나무와 간결한 절지문折枝文을 비롯하여 달과 별 등이 회화적인 수법으로 표현되었으며 유약이 다소 치밀하다. 중국적인 것은 세밀한 용무늬나 다소 조잡한 넝쿨무늬가 그릇에 가득 그려져 있으며 유약이 다소 조잡하다. 처음에는 페르시아 코발트 안료를 중국을 거쳐 수입하였기 때문에 회청回靑 또는 회회청回回靑이라고 불렸으며 매우 귀하고 값이 비싸 많은 수량을 만들 수 없었다. 조선 후기가 되면 분원에서 일반 판매를 목적으로 문방구류를 중심으로 많이 번조하여 널리 확산되는데 이러한 경향은 지방 요장까지 확산된다. 그러나 안료의 품질도 떨어지고 문양도 간략하여 분원 생산품과는 많은 차이가 있다.

철화백자鐵畵白瓷는 백토로 성형한 후 산화철 안료로 무늬를 그린 것으로 무늬가 흑색이

사진 486 | 백자와 청화백자(조선), 무안 피서리 백자 요장 출토

나 흑갈색을 띤다. 조선시대 전 시기에 걸쳐 만들어졌으며 그 무늬는 대담한 것과 치졸한 것, 추상적인 것, 해학적인 것, 회화적인 것 등 시기와 요장에 따라 많은 차이가 있다. 임진왜란과 병자호란, 청의 건국 등으로 청화안료가 귀한 중기 이후에 본격적으로

사진 487 | 철화백자(조선), 장성 추암리 백자 요장 출토

등장한다. 이때 청화백자처럼 지방에서도 생산하는데 문양이 매우 간략하며 품질도 대체로 낮다. 동화백자銅畵白瓷는 산화 구리로 무늬를 그린 것으로 붉은 색을 띤다. 붉은 색을 자기에 사용하는 것은 매우 적으며 18세기부터 만들고 있는데 대부분 치졸하거나 해학적으로 시문하였다. 이외에 후기 분원 백자에서 적극적으로 수용되었던 철채鐵彩와 동채銅彩, 청채靑彩 등의 백자가 있는데, 하나의 그릇에 두 가지 기법이 함께 사용되기도 하였다. 그리고 백자 태토 위에 흑유를 바른 흑유백자는 일명 '석간주石間硃' 자기로 불리며 꿀이나 술 등의 액체류를 주로 담았는데, 담양을 중심으로 전라도에서 특히

사진 488 | 흑유백자(조선), 담양 용연리 백자 요장 출토

많이 확인되고 있어 특징적이다.

조선의 기본 법전이었던 『경국대전經國大典』에 의하면 지방 관요에 모두 100명의 사기장이 배치되었는데 전라도에 가장 많은 39명이 배치되었으며, 이외에 경상도 32명, 충청도 23명, 경기도 6명이 배치되었음을 기록하고 있다. 따라서 사옹원 분원이 설치되었던 경기도 광주 지역을 제외하면 전라도에서 가장 활발하게 백자를 생산하였음을 알 수 있다. 이는 전라도에서 확인되는 많은 백자 요장窯場의 분포에서도 쉽게 알 수 있다. 특히, 전라남도는 많은 백자 요장의 발굴조사를 통해 백자의 생산 체제와 공정 등을 파악할 수 있는 다양한 공방이 확인되어 도자사와 요업사 등에 많은 자료를 제공하였다. 즉, 순천 후곡리에서 처음 백자 공방이 확인된 이후 곡성 송강리와 장성 대도리 등에서 공방의 실체를 추정할 수 있었던 것이다. 이를 바탕으로 조사를 실시한 무안 피서리에서 백자 요장, 즉 백자 마을(도예촌)의 전모가 확인되어 이후 요장의 발굴조사가 마을 개념으로 확대되는 계기를 마련하였다. 특히, 장흥 월송리 백자 요장에서는 다른 유적에서 확인할 수 없었던 원료를

사진 489 | 순천 후곡리 백자 요장

채취하던 구덩이까지 조사되어 백자 생산의 모든 과정을 확인할 수 있었다. 이와 같은 조선 백자 요장의 전모는 강진 사당리와 고창 용계리, 용인 보정리 등 일부 요장에서만 확인되었던 고려청자의 생산 과정을 이해하는데도 많은 자료를 제공하였다.

요장은 마을을 구성하는 요소 가운데 매장영역(무덤)이 제외된 생산(공방과 가마, 폐기장 등)과 주거(생활), 자원(원료) 공간이 갖추어진 곳으로 자기 생산을 목적으로 조성된 곳이다. 따라서 요장은 기본적으로 원료를 채취하는 채토장探土場과 수비水飛·건조乾燥·성형成形·시문施文·시유施釉 등을 실시하는 공방, 번조를 담당하는 가마, 실패한 도자와 가마 찌꺼기 등을 버리는 폐기장을 비롯하여 상하수와 빗물 등을 관리하기 위한 수로水路 등으로 구성되어 있다. 그리고 가마는 산과 강, 바다 등 자연 지리적 조건이 입지에 중요하다. 요장의 가장 중요한 입지 조건은 땔감이 많은 곳이며, 풍향과 풍속의 영향이 적고 적절한 경사를 갖춘 구릉 또는 산기슭이 이상적이다. 또한, 유통에 편리하도록 해로나 수로와 가까워야 하며 육상 운송도 소비지로 쉽게 운반할 수 있는 입지 조건을 갖추어야 한다. 한편, 태토 정제를 위한 수비를 위해서는 많은 물이 필요하므로 반드시 주위에 풍부한 수원水源이 있어야 한다. 물도 다양한 성분을 갖추고 있어 도자의 품질에 영향을 줄 수 있으므로 도자에 맞는 수질水質이면 더욱 이상적이다. 관요官窯를 제외한 일반 요장은 가까운 곳에서 태토를 채취하여 운반 거리를 줄이는 것도 중요하다.

사진 491 | 장흥 월송리 백자 요장 원료 구덩이

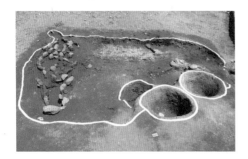

사진 492 | 강진 월하리 백자 요장 공방

사진 493 | 나주 동수동 백자 요장 공방

요장의 정확한 이해를 위해서는 관련문헌과 민속학적 조사 등을 함께 실시하여야 한다. 민속학적 조사에서는 장인과 가마에 대한 인식 등 세밀한 접근이 필요하다. 또한, 가마에 불을 지필 때와 도자를 운반하면서 시행한 의례 등도 이해할 필요가 있다. 문헌분석을 통해 가마의 운영 시기와 각종 제도, 지역 특산물 등을 함께 파악하여 이들 요소가 가마 운영에 미친 영향을 파악하고 주변 소비 유적에서 출토된 도자를 분석하여 유적의 광역적인 입지 배경과 운송, 소비 등의 관계를 검토하여 유통망(교역권)도 밝혀야 하겠다.

왕조의 교체와 기술적 발전, 소비자의 욕구 등으로 자기의 중심은 청자에서 백자로 변화되었으나 전라도 지역은 계속 왕성한 생산 활동을 하였는데, 이는 많은 요장의 확인에서도 쉽게 알 수 있다. 이와 같은 결과는 유구한 전통과 전라도의 예술혼, 소비자의 문화 의식 등이 대대로 전승되었기 때문에 가능한 것이다. 도자 요장을 찾는다면 눈에 보이는 가마와 폐기장뿐만 아니라 지하에 남아 있는 다양한 공방을 인식하고 당시 도자를 만들던 생기발랄하고 창작열이 넘쳤던 도자 마을을 상상해 보았으면 한다.

참고문헌

강경숙『한국 도자사』일지사, 1990.

경기도자박물관『조선 왕실 출토품으로 본 조선 도자』2008.

경기도자박물관『분원백자의 전통과 현대적 계승』2009.

국립중앙박물관『백자 항아리-조선의 인과 예를 담다』2010.

김영원『조선시대 도자기』서울대학교 출판문화원, 2003.

김재열『백자·분청사기』I · II, 예경, 2000.

목포대학교박물관『지방 백자-서민의 삶을 담다』2017.

삼성미술문화재단『조선 백자전』I · II · III, 1983·1985·1987.

윤용이『한국 도자사 연구』문예출판사, 1993.

이화여자대학교박물관『조선 백자』2015.

정양모『한국의 도자기』문예출판사, 1991.

최건 외『한눈에 보는 백자』한국공예·디자인문화진흥원, 2014.

호림박물관『조선 백자 명품전-순백과 절제의 미-』2003

5. 청자와 백자를 보완하고 남도의 멋 이룬 옹기

옹기는 신석기부터 꾸준히 발전해 온 도자의 일종으로 우리 민족의 정서와 조형미를 가장 잘 담고 있는 그릇 가운데 하나이다. 전통 도자문화 가운데 일상생활에서 가장 널리 쓰이고 흔히 볼 수 있었던 그릇으로 지역이나 장소, 계층을 불문하고 집집마다 적게는 열 개 내외에서 많게는 수십 개씩 갖추고 있어 가장 많이 생산되고 유통되었던 생활필수품이 옹기였다. 이들 옹기는 무엇보다 물과 간장, 된장, 고추장, 곡물 등을 운반 또는 저장하던 기능을 담당하였던 큰 그릇이 특징으로 작은 기종이 중심인 청자와 백자의 기능을 보완하면서 발전하였다. 또한, 전라도 지역 옹기는 독특한 제작기법인 '체바퀴타래(타렴)' 기법을 사용하여 전라도 특유의 풍만한 곡선미를 갖추고 있어 남도 사람들의 넉넉하고 후덕함을 잘 보여주고 있다. 이러한 독특한 제작방

사진 494 | 장독대(국가민속문화재 제161호 장흥 존재 고택)

법과 특징 등으로 인해 오래된 옹기는 오늘날 민속품이나 생활용품이 아닌 전통미를 갖춘 공예미술로 재인식되고 있다.

옹기는 크게 날 그릇에 잿물(유약)을 입히지 않고 구워 만든 광택이 없는 질그릇과 잿물을 입혀 번조하여 광택이 나고 단단한 오지그릇으로 나누어진다. 옹기는 고려시대까지 대부분 유약을 바르지 않은 경질도기 수준에 머물렀으나 유약 사용이 일반화되는 고려말 조선초에 매우 큰 기물에도 유약을 시유하면서 색다른 아름다움을 갖춘 생활필수품이 되었다. 그리고 근래 질그릇의 사용이 급격히 줄어들면서 현재는 오지그릇을 지칭하는 말로 바뀌게 되었다. 또한, 옹기는 선사시대부터 꾸준하게 만들어졌던 대형 항아리를 이르기도 하는데, 제작 기술의 변화에 따라 점차 질적인 향상을 거듭하여 현재의 옹기로 정착되었다.

옹기는 일찍부터 일상생활에서 널리 사용되었는데, 신라는 와기전瓦器典이라는 관청을 설치하여 그릇을 만들었다는 기록이 『삼국사기三國史記』에 있으며, 고려시대는 송宋의 사신으로 1123년(인종 1) 고려에 왔던 서긍徐兢(1091~1153)이 기록한 『고려도경高麗圖經』에 물을 담았던 옹기인 수옹水甕에 대한 내용이 남아 있다. 조선시대는 기본 법전인 『경국대전經國大典』에 104명의 옹장瓮匠을 두어 왕실과 중앙 정부에서 사용할 그릇을 생산하였다는 내용이 있다. 또한, 성현成俔(1439~1504)이 정리하여 1525년(중종 20) 간행된 『용재총화慵齋叢話』에 의하면 질그릇을 매우 요긴하게 사용하였음을 밝히고 있으며, 1834년(순조 34) 간행된 서유구徐有榘(1764~1845)의 『임원경제지林園經濟志』에는 일상생활의 필수품으로 도기 그릇 가운데 가장 큰 것이며, 주로 곡식을 비롯하여 간장과 된장 등의 장류를 담아두기 위해 사용되었다고 기록하고 있다.

우리나라는 전통적으로 발효 식품인 김치를 비롯하여 간장과 된장, 고추장, 젓갈 등의 음식을 선호하였으며, 이들 발효 식품의 저장에는 반드시 옹기

사진 495 | 무안 몽강리 옹기 우물(현대)

를 사용하였다. 따라서 많은 가정의 뒤뜰과 정원에는 소담하게 자리한 장독대가 필수이며 집안의 음식 맛뿐만 아니라 조상들의 멋을 느끼게 하는 전통의 숨결을 지니고 있다. 또한, 옹기는 항아리 이외에도 병·단지·옴박지·투가리·자배기·종지 등 일상 음식용기와 소주고리·소주독·술독 등 술을 만드는 도구, 목욕통·연탄 아궁이·베개·요강 등 주거에 필요한 용구, 기와·굴뚝·우물 등 건축용기, 장군·귀댕이·물병 등 생업용구, 연적·붓꽂이 등의 문방용구, 무덤의 관 등에서 확인되어 청자와 백자보다 훨씬 다양한 용도로 사용되었다. 따라서 옹기는 얼마 전까지만 하여도 우리 생활에서 빼놓을 수 없는 가장 중요한 용기였다. 특히, 농경을 생업 수단으로 한 정착사회에서는 음식과 주거 등 일상생활뿐만 아니라 생업수단으로 필수적인 용기이며 도구라고 할 수 있다.

사진 496 | 옹기초화문관棺(조선), 광주 대지동 유적 출토

옹기는 지역별로 기후와 풍토, 음식, 생활 관습 등의 차이에 따라 각기 다른 형태와 이름으로 발전하였는데, 전라도는 햇빛이 많고 기후가 따뜻하여 어깨가 넓고 입과 밑이 좁은 형태

로 만들어 자외선을 많이 차단할 수 있도록 하였다. 이러한 특징은 풍만한 곡선미를 갖추고 있어 전라도 사람들의 넉넉하고 후덕함을 잘 보여주고 있다. 또한, 기후적으로 습도와 온도의 차이가 심해 독을 땅에 묻어 저장하는 사례가 많아 벌레와 이물질이 들어가지 못하도록 뚜껑을 깊게 만들어 주둥이에 꼭 맞게 제작하였다. 그리고 간장과 고추장, 젓갈 등 음식문화가 발달하여 이에 맞는 다양한 옹기를 만들었다.

이처럼 옹기는 모든 계층에서 다종다양하게 애용되었으며 오랜 역사와 전통을 갖고 계승하여 온 우리 민족의 소중한 전승 공예품임을 알 수 있다. 또한, 청자와 백자를 비롯한 여러 자기들과 함께 도자문화 발전을 이끌어 왔다. 옹기는 일찍부터 생산되었으나 가장 왕성하게 운영되었던 시기는 현대화된 일본의 대형 상업 가마에서 대량의 상업 도자가 유입되어 전통 백자의

사진 497 | 광주 고룡동 옹기 요장(조선)

생산이 대부분 쇠퇴한 시기이다. 일본 산업도자의 유입으로 백자 공방이 대부분 해체되는 등 전통 도자산업이 쇠퇴하는 19세기 이후 가장 많이 설치되어 1990년대까지 왕성하게 운영되었던 것이다. 특히, 조선 후기 옹기 생산은 천주교와 밀접한 관련을 가지고 있는데, 이들은 정치적인 탄압을 피해 인적이 드문 산간오지에 정착하여 옹기를 만들어 팔면서 신앙생활을 유지하였다. 이와 같은 역사적 배경으로 현재 활동하고 있는 장인들 가운데 천주교와 관련된 사람이 많으며, 우리에게 잘 알려진 고 김수환(1922~2009) 추기경의 호가 '옹기'인 것도 부모님께서 옹기를 판매하였던 것과 연관이 있다. 또한, 투박하지만 소박한 멋과 정취가 배어 나오는 질그릇 같은 삶을 추구하였던 추기경의 인생관이 담긴 것으로 이해되고 있다.

옹기를 만들던 곳을 보통 옹기점 또는 옹점이라 부른다. 옹기점 시설은 크게 그릇을 성형하는 공방과 이를 굽는 가마로 나눌 수 있다. 공방은 주로 날그릇을 다루는 곳으로 생질生土을 저장하고 다루는 연토장, 작업장인 움, 건조장인 송침, 날그릇을 건조하는 찬간(헛동막, 동막), 잿물을 만들고 바르는 시설 등이 있다. 가마는 그릇을 완성하는 최종 시설로 대체로 구릉 경사면을 이용하여 반지하식으로 만든다. 형태에 따라 조대불통가마와 뻘불통가마, 설창가마, 칸가마(뙤통가마) 등이 있는데 전라남도 지역은 뻘불통가마를 주로 사용하였다. 옹기의 제작기법은 원형의 점토띠를 한 단씩 쌓아올려 만드는 똬리(또아리)기법, 가래떡처럼 길게 뽑아 나선형으로 쌓아 올라가는 타래기법, 넓고 납작한 판장(타래미)을 물레에 올려 붙여 만드는 체바퀴타래(타렴)기법 등이 있다. 특히, 전라도 지역은 다른 지역에서는 찾아 볼 수 없는 체바퀴타래(쳇바퀴타림, 타렴, 타래미, 판뜨기, 판장질쌓기) 기법을 이용하여 크고 작은 모든 그릇을 만들고 있다. 작업과정은 생질작업을 시작으로 건아꾼작업製粘, 製土→대장작업成形→잿물작업施釉→건조작업→가마작업燔造을 거쳐 마지막으로 그릇이 구워진 상태를 보고 선별하는 순서로 진행한다. 이 작업이 모두 끝나면 지게와 수레, 뱃길 등을 통해 수요자에게 전달된다. 생질은 생토를 다루는 작업으로 옹기를 만드는 처음 과정이며 생질꾼이 담당한다. 건아꾼작업은 생질꾼이 만들어 놓은 질배늘(고작태미, 고작더미)을 다시 가공하는 것으로 매통질이나 옆매질 등으로 생질작업 때 가려내지 못한 돌이나 잡물 등을 골라내며 건조시키는 작업이다. 대장은 그릇 모양을 만드는 성형 작업과 한 가마 분량의 날그릇이 모이면 가마 속에 서려 넣는 일,

사진 498 | 타래미 만들기(정윤석; 국가무형문화재 제96호)

사진 499 | 타래미 올리기(이학수; 무형문화재 제37호)

가마에서 그릇을 구워내는 모든 일을 직접 담당하거나 관리 감독한다.

옹기 요장 한 곳은 가마 한 기를 중심으로 보통 4~7개의 공방이 체제를 갖추고 운영되었다. 공방 한 곳은 대체로 2~3인이 작업하며 3인이 1개월 정도 작업하면 한 가마 분량의 그릇을 제작할 수 있었다. 또한, 1가구(공방)는 1년에 5~8회 그릇을 구웠다. 그릇을 만드는 모든 공정은 청자와 백자처럼 전문화 분업화되어 실시되었다. 또한, 옹기를 운반하고 판매하였던 옹기 운반선

사진 500 | 강진 봉황리 요장 옹기 운반선(1969년)

도 사공과 웃동무, 하장 등으로 전문화되어 운영되었다. 그러나 현재는 공방 조직 체제가 무너져 대부분 한두 사람이 모든 공정을 담당하고 있으며, 옹기 운반선은 1970년대 이후 역사의 뒤안길로 사라졌다.

한편, 가마에 그릇을 적재하고 불을 지필 때는 풍향과 풍속, 습도의 변화 가 성공률과 직결되어 장인들은 대체로 자연에 대한 경외심이 매우 높았으 며, 완성된 옹기는 지게나 수레로 운반하기도 하였으나 대부분 바다나 강을 이용하여 대량 운송하는 때가 많아 반드시 무사 항해를 위한 의례를 실시하 였다. 이는 좋은 원료와 숙련된 기술도 필요하지만 자연의 조화가 무엇보다 중요한 요소 가운데 하나임을 알려주고 있다. 여기에 더하여 만드는 과정에 참여하는 사람들의 정성과 혼이 깃들어 있어야 아름답고 단단하며 사용하기 에 좋은 옹기가 탄생하는 것이다.

근래에 이르기까지 일상생활의 필수품으로 사랑받았던 옹기는 서구문명 의 유입과 과학기술의 발달, 중산층의 증가 등으로 새로운 음식문화와 주택

공간이 등장하면서 수요가 줄고 생산이 격감하게 되었다. 또한, 한국전쟁을 전후하여 옹기 생산에 필수적인 땔감의 부족과 생산비 절감을 위한 대체연료 개발 등으로 전통적인 제작기법이 쇠퇴하기 시작하였다. 즉, 산업사회로 전환되면서 수요층이 줄면서 우리 주변에서 옹기가 점차 사라지고, 제작 기술이 단절될 위기에 놓이게 된 것이다. 이로 인해 제작 기술의 퇴보와 함께 장인 집단의 해체가 더욱 촉진되고 있다. 정부에서도 옹기장을 문화재로 지정하여 보호 육성하고 있으나 수요가 없는 옹기장은 그야말로 문화재 역할에 그치고 있어 전통이 단절될 위험에 직면하고 있는 것이다.

수요의 급감과 새로운 장인들의 부재를 극복하고 전통을 계승 발전시키기 위한 대책이 필요한 실정이다. 즉, 현대에 맞는 창조적 전통 계승에 대한 모두의 고민이 요구된다. 옹기를 미래에 전수하고 발전시킬 수 있는 방법은 다양한 조사와 계획보다 이를 전담할 수 있는 체계적인 전승 교육이다. 도제식의 소수에 의한 교육도 중요하지만 많은 젊은이들이 옹기를 배울 수 있도록 교육환경을 개방하고 사회 분위기를 조성하는 것이 필요하다. 이러한 교육

사진 501 | 옹기 차도구(현대, 이학수)

사진 502 | 강진 봉황리(해상) 옹기 요장

사진 503 | 무안 몽강리(강변) 옹기 요장

을 통해 다음 세대들이 전통을 바탕으로 새로운 옹기 문화를 창조하고 계승
할 수 있도록 하여야 한다. 또한, 현재의 가족문화와 주거조건 등에 맞는 시
대가 요구하는 옹기를 만들어야 한다. 그러나 수요층에 맞춘 제작도 중요하
지만 전라도만의 독창성을 간직한 지역적 정체성을 잊지 않아야 한다. 이를
위해서는 전통을 바탕으로 현대에 맞는 창조적 계승이 있어야 한다. 이러한
보존과 전승, 활용 등 모든 내용은 정부의 역할도 중요하지만 시민들을 중심
으로 자생적이면서 자율적인 노력으로 이루어져야 그 의미가 깊고 오래도록
전통이 숨 쉴 수 있을 것이다.

전라남도 지역에서는 1980년대까지 나주시 봉황면 신동리와 장흥군 부산
면 구룡리, 영암군 신북면 양계리, 고흥군 동강면 장월리, 광주시 광산구 삼
소동 등 많은 곳에서 옹기를 제작하였으나, 현재 고유한 전통을 계승하여 요
장을 운영하고 있는 곳은 세 곳만 남아 있다. 이들 요장은 각각의 특징을 지
니고 있는데, 강진군 칠량면 봉황리 요장(봉황옹기)은 해안을 끼고 있으며,

무안군 몽탄면 몽강리 요장(무안옹기)은 영산강변에 위치하고 있다. 그리고 보성 미력면 도개리 요장(미력옹기)은 내륙에 위치하여 입지요건이 확연히 구분된다. 따라서 이들 요장의 입지조건을 살려 마을을 정비하고 자연의 아름다움을 갖춘 전통 옹기 마을로 꾸밀 필요가 있다. 즉, 전승의 핵심인 기능도 중요하지만 마을 환경도 전통을 계승하고 발전시키는데 중요한 요소 가운데 하나이다. 또한, 공방과 가마를 비롯한 요장 전체에 대한 문화재 지정이 시급하다. 문화재 지정은 현재의 가치도 중요하지만 미래의 문화유산이 멸실 훼손되는 것은 막기 위한 목적도 그기 때문이다. 끝으로 남도 특유의 멋과 독창성을 지니고 있는 옹기를 보고 느끼고 아낄 수 있는 교육의 장으로 옹기 자료관(박물관)이 건립되기를 희망한다.

참고문헌

국립문화재연구소『옹기를 만드는 사람들』2009.

국립민속박물관『옹기-국립민속박물관 소장품-』2013.

국립해양문화재연구소『옹기배 사공과 전통 항해 기술』2017.

경기도자박물관『한국의 옹기전』2010.

광주광역시립민속박물관『옹기 특별전』1992.

광주광역시립민속박물관『할머니의 부엌문을 열다』2015.

원광대학교박물관『호남지방의 옹기 문화』1997.

옹기민속박물관『옹기 나들이』2000.

옹기민속박물관『옹기 문양』2002.

이명헌『자연의 그릇을 만드는 옹기장』전라남도 농업박물관, 2013.

윤용이 외『한눈에 보는 옹기』한국공예·디자인문화진흥원, 2015.

정양모 외『옹기』대원사, 1991.

6. 기와를 도자로 이해하다

도자기는 기본적으로 점력을 가지고 있는 바탕 흙을 반죽하여 형태를 만든 다음 이것을 가마에 넣고 높은 온도로 구워낸 것이다. 따라서 기와도 도자의 한 유형이지만 용도가 일반적인 도자는 음식과 관련된 그릇이 중심이라면 기와는 건축 재료가 중심을 이루고 있어 도자와 별도로 나누어 연구하고 있다. 그러나 기와도 도자기처럼 지역과 장소, 수요 계층 등에 따른 특징을 지니고 있으며, 시대에 따라 변화하고 있어 사회 문화적 변천과 미술사적 특징을 파악하는데 중요한 역할을 하고 있다.

기와는 건물을 장식하는 부재로 단단하고 쉽게 침식되지 않는 성질이 있어 건축재로 적극 활용되었다. 특히, 지붕을 장식하는 기와는 반영구적이며 방수 효과가 높고 경관이 좋아 건축재로 많이 생산되었다. 하지만 이런 실용적인 기능 이외에 건물의 장엄과 권위, 벽사辟邪, 길상吉祥의 의미를 함께 지니고 있다. 따라서 기와는 조선시대까지는 궁성과 관아, 사찰, 향교, 고위 관료의 저택 등 한정된 계층과 장소에만 사용하도록 엄격하게 규제되었으며 생산도 통제되었다. 특히, 일반적인 암키와와 수키와 이외의 막새를 비롯한 새모양 등의 잡상雜像과 치미鴟尾, 용두龍頭 등의 특수 기와는 더욱 제한적으로 사용되어 건물의 위상뿐만 아니라 거주자의 품격을 상징적으로 알려주는 역할을 하였다.

기와는 고대 그리스시대부터 사용되기 시작하였으며 로마에도 존재하였다. 동양에서는 중국 하대夏代(기원전 2070~1600년경)부터 사용한 것으로 알려져 있으나 전국시대戰國時代(기원전 475~221)를 거쳐 진秦(기원전 221~기원전 206), 한漢(기원전 206~기원후 220)에 이르러 매우 발달하였다. 이후 목조 건물에 기와를 사용하여 지붕을 덮는 풍습은 고대 동양 건축의 중요한 특색이라고 할 수 있는데, 뚜렷한 기원은 쉽게 규명되지 않고 있다. 중국에서 기와가 처음으로 확인되는 시기는 서주西周(기원전 11세기~771) 초기이다. 이 시기의 기와가 당시 도읍지로 추정되는 있는 종주宗周 지역에서 발견되고 있기 때문이다. 주 왕조가 세워진 것이 기원전 1050년 무렵이므로 중국에서 기와의 사용은 3000년 정도의 역사를 지녔다고 할 수 있다.

한반도에서 기와가 언제부터 사용되었으며, 막새(와당)가 언제부터 나타났는지는 정확히 알 수 없으나 기와가 출현한 시기는 기원전 2~1세기 무렵(한사군漢四郡 설치 전후)으로 추정된다. 그러나 지역에 맞는 자연조건과 인문환경을 반영하여 자체적인 형태를 갖추어 발전하는 것은 3세기말 이후이다. 삼국시대 건물지에서 비로소 막새기와가 확인되고 있는데 고구려의 장군총과 신라의 황룡사지, 백제의 미륵사지 등에서 각 나라의 특징을 지니고 있는 막새가 출토되고 있다. 『삼국사기三國史記』에는 궁궐과 사찰의 건축 조영을 담당하는 관청이 기록되어 있다. 백제는 나라에서 쓰는 기와만을 전담하는 와박사 직제가 있었으며, 588년(위덕왕 35) 일본에 와박사를 파견할 정도로 매우 발전하였다. 신라에는 그릇과 기와 굽는 일을 담당하였던 와기전瓦器典이란 관청이 있었으며, 중국 문헌인『신당서新唐書』「고구려전」에는 고구려에서 왕실과 관부 또는 사찰에 기와를 사용하였다는 기록이 있다.

기와는 용도와 위치에 따라 다양한 유형이 있는데 가장 기본적이며 많은 수량을 차지하는 것은 평기와로 분류되는 암키와와 수키와이다. 이들 기와는 목조 건물의 지붕에 이어져 기왓골과 기왓등을 형성하며 눈과 빗물의 누수를 방지하기 위하여 사용되는 것으로 가장 보편화된 일반 기와라고 할 수 있다.

암키와는 편평하고 넓적한 장방형의 기와로 수키와 밑에 위치하여 지붕의 기왓골을 형성하며, 평와平瓦 또는 바닥기와, 여와女瓦, 자와雌瓦라고도 부른다. 대부분 모골(물레)에서 성형한 큰 원통 기와를 4등분하여 세로로 자른 것으로, 좌우 너비가 중심보다 치켜 올라가 약간 휜 모습이다. 전체적으로 지붕 바닥을 덮는 역할을 하는 암키와는 기와 중에서 가장 많이 쓰이는 기와이다. 형태에 따라 하단부 안쪽에 언강이라고 부르는 낮은 턱을 만들어 두 암키와의 끝을 연접시키기 위한 물림자리인 짧은 미구가 내밀고 있는 유단식, 그리고 언강과 미구가 생략된 무단식의 두 종류로 구분된다.

수키와는 지붕의 기왓등을 형성하는 반원통형의 기와로 원와圓瓦 또는 부와夫瓦, 남와男瓦, 웅와雄瓦라고 부른다. 대부분 모골에서 성형한 원통 기와를 양분하여 만들고 있다. 수키와는 지붕 바닥에 이어진 두 암키와 사이에 이어져 기왓등을 형성하는데 기왓골을 이루는 암키와와 함께 가장 많은 수량이 제작되고 있다. 수키와는 형태에 따라 하단부의 지름이 상단부의 지름보다 좁은 토시 모양의 무단식(토수키와)과 수키와를 서로 연접할 수 있도록 하단부에 언강이라는 턱을 만들어 물림자리인 미구가 내밀고 있는 유단식(미구기와)의 두 종류로 구분된다. 무단식은 삼국시대 초기부터 제작되기 시작하여 고구려와 백제, 신라에서 각각 유행한 것으로 이후에는 적은 수량만 확인되고 있다. 유단식은 삼국시대 말기부터 출현하여 고려와 조선까지 전통이 계승되고 있다.

막새기와는 일반적으로 암키와와 수키와의 한쪽 끝에 문양을 새긴 드림새를 덧붙여 제작한 것으로 목조 건물의 처마 끝에 사용되는 대표적인 무늬 기와이다. 막새는 이외에도 소형막새와 반원막새, 타원막새, 모서리막새, 서까래막새 등의 다양한 이형막새가 있다. 암키와와 수키와만 있어도 건물의 지붕을 마감할 수 있으나 권위와 장엄을 위해 특별히 더하여 막새를 사용하고 있는 것이다. 암막새는 당초와 여막사 등으로 불리는 기와로 기와집의 추녀 끝인 기왓골 마지막에 얹어져 눈과 빗물의 낙수를 돕고 있다. 수막새는 수키와의 한쪽 끝에 원형의 드림새를 덧붙여 제작한 것으로 기왓등 끝에 사용된다. 막새는 여러 가지 문양이 새겨진 목제나 도제의 와범瓦范에서 찍어내 평기와의 한쪽 끝에 결합한 것으로 만든 시대와 지역에 따라 문양이 다채롭게 변화하며, 제작 기법도 서로 다른 차이를 보이고 있어 기와 제작 당시의 제작 기술과 사회 문화 등을 연구하는데 좋은 자료를 제공하고 있다.

이외에도 전당殿堂 가운데 가장 핵심적인 건물, 즉 궁궐의 경우 왕의 공간, 사찰의 경우 불보살의 공간은 적새와 착고 등의 기와를 이용하여 용마루를 만들고 치미나 용두, 다양한 잡상 등을 덧붙여 그 위상을 더욱 높이고 있다. 한편, 기와에는 궁궐과 관청, 사찰 등의 사용처, 기와를 제작한 장소(지역)와 제작자(생산자, 감독자), 만든 시기 등을 표기한 사례들이 확인되어 생산과 공급 등의 유통 구조뿐만 건물의 창건과 역사적 배경 등도 알려주고 있어 학술적으로 매우 중요한 결정적 자료가 되고 있다.

전라남도는 장흥에 국내에서 유일하게 제와장製瓦匠(국가무형문화재 제91호)이 활동하고 있어 기와와 인연이 매우 깊은 곳이다. 즉, 도자의 한 갈래인 기와의 전통성을 인정받아 도자의 핵심지역인 전라남도에서 그 맥을 잇

사진 505 | 장흥 신월리 기와 요장(조선)

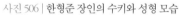

| 사진 506 | 한형준 장인의 수키와 성형 모습 | 사진 507 | 김창대 장인의 암키와 성형 모습 |

고 있어 그 의미가 매우 크다고 할 수 있다. 처음 제와장 기능 보유자로 지정된 한형준(1929~2013) 장인은 전통적인 기와 제작 기술만을 고집하면서 작업을 실시하여 1988년 8월 1일 보유자로서 지정되었다. 또한, 선생은 그의 타계 이후 2019년 제와장 보유자로 지정된 김창대 장인에게 온전히 기술을 전수하여 전통적인 제와 기술을 미래에 전수하는데 큰 공을 세웠다. 특히, 한형준 장인은 2008년 2월 11일 불의의 화재로 소실되어 국민들께 큰 상처를 주었던 숭례문(국보 제1호)이 2010년 온전히 복구되는데 핵심적 요소였던 기와 제작에 힘과 열, 성을 다해 큰 역할을 하였다. 숭례문 복구에 쓰이는 암키와와 수키와, 암막새, 수막새, 잡상 등 모두 2만2400여 장의 기와 가운데 대부분을 장흥 요장에서 만들었으며, 강도와 흡수율, 동파율에서 탁월한 것

사진 508 | 순천 송광사 기와골 전경(1940년대)

으로 인정되어 전통의 계승과 전수뿐만 아니라 기술력도 탁월하였음을 인정
받았다.

　한형준 장인은 14살 때 가정 형편이 어려워 당시 기와 장인으로 유명했던
이모부 최기수 장인의 심부름을 하면서부터 기와를 배웠다. 17살이 되면서
고윤석 장인(1915~1988)이 창설한 장흥군 안양면 모령리 공방에 터를 잡아
기와를 만들었으며, 이후 안양면 기산리로 공방을 옮겨 타계할 때까지 계속
작업하였다. 이들 기와는 1960년대까지 날개 돋친 듯 팔렸으나 새마을운동
이 본격화된 1970년대에 들어서면서 기계식과 시멘트 기와 등에 밀려 볼품
없는 구시대의 유품이 되었다. 그러나 한형준 장인은 전통 제와製瓦 기술을
포기하지 않고 꾸준히 재현하여 오늘에 이를 수 있도록 하였다.

　한형준 장인의 뒤를 이어 2019년 기능 보유자로 지정된 김창대(1972~) 장
인은 1998년 11월부터 한형준 장인에게 입문하여 20여 년 간 그 기능을 충실

하게 전수받아 전통 제와의 보존과 전승에 힘써왔다. 그는 일반적인 수키와
와 암키와, 수막새와 암막새를 비롯하여 제작 시간이 길고 성공률이 낮아 그
동안 기능 연마와 조사 연구가 미흡하였던 기와의 꽃으로 불리는 잡상 등 특
수 기와를 각고의 노력으로 재현하여 상당한 경지에 이르렀다. 또한, 전통
기와의 재현과 함께 이 시대의 생활과 문화에 어울리는 기와 제품을 적극 개
발하고 있어 단순한 재현을 넘어 전통을 이 시대의 문화로 활용하는 법고창
신法古創新의 자세도 잊지 않고 있다. 한편, 김창대 장인은 한형준 장인과 함
께 숭례문 복구용 기와 제작에 참여하였으며, 이후 창덕궁 부용정(보물 제
1763호)을 비롯하여 문화재로 지정된 여러 건물의 번와飜瓦에 쓰인 기와를

사진 509 | 숭례문(국보 제1호; 기와 현대, 한형준)

사진 510 | 취두 기와(현대, 김창대)

사진 511 | 기와를 이용한 거리 장식,
일본 나라현奈良縣 나라시

재현하여 탁월한 기능을 인정받고 있다.

전통 기와의 제작공정은 흙 채취에서 시작하여 원토 가공, 다무락 쌓기, 성형, 건장치기, 건조, 가마에 적재하기, 불때기(번조), 가마에서 기와 빼기(요출) 등 9단계 34공정으로 이루어진다. 이들 제작공정이 이루어지는 제작시설은 제와마製瓦幕(흙구덩이, 믹새 세작시실)과 기와 밭(건조장), 백와간白瓦間, 가마 등이 있다. 제작 도구는 원토 가공도구(괭이 외 3종), 다무락 쌓기 도구(바닥철사 외 5종), 성형도구(암키와 와통 외 26종), 정형도구(건장채 외 2종), 번조도구(당글게 외 6종)를 구비하고 있다. 이들은 모두 전통 방식 그대로를 따르고 있으나 현재는 주변 환경이 좋지 않아 전통 환경 조성과 전통 목조 건축물을 통한 다양한 전통 기와의 재현이 필요한 실정이다.

전통 제와는 단순한 전승 공예 미술품이 아닌 산업적 자원으로 재인식할 필요성이 있다. 신축 건물은 몰라도 적어도 문화재로 지정된 건축물은 전통의 방식으로 제작된 기와를 반드시 사용하기 때문이다. 이전에는 검증되지 않은 기계식의 기와를 사용하여 문화재를 보수하였으나 이제는 제대로 된 옷을 입혀 아름답고 유서 깊은, 품격을 갖춘 맵시를 뽐내는 우리의 자랑스러운 문화유산으로 가꾸어야 한다. 이를 위해서 오늘날의 제와는 숙달된 기술뿐만 아니라 역사와 인문, 미감, 산업적 측면을 모두 고려한 문화자원으로 거

사진 512 | 기와를 이용한 건물 외벽,
일본 에히메현愛媛縣 기쿠마정菊間町 기와박물관

듭 태어나야 한다. 그리고 기와는 공공미술로 활용할 수 있는 우수한 가치를 지니고 있으므로 충분한 논의와 심의를 거친 기와로 만든 미술품을 거리나 벽에 장식하고 가꾸는데 적극 활용할 필요가 있다. 또한, 제와장이 활동하고 있는 장흥은 지역의 대표적 명품이며 국가 농업유산인 청태전과 어울리는

차도구 등 일상생활에서 사용할 수 있는 기와로 만든 다양한 명품을 적극 개발하여 널리 보급하였으면 한다.

한형준 장인 타계 이후 몇 년간의 단절이 있었던 전통 제와 기술의 지속적 연마를 위해서는 이를 체계적으로 전

사진 513 | 기와를 이용한 일상 소품,
일본 시가현滋賀縣 오미하치만시近江八幡市 기와박물관

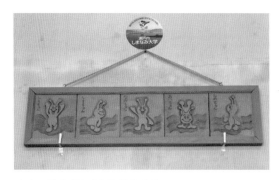

사진 514 | 기와를 이용한 실내 장식,
일본 에히메현愛媛縣 기쿠마정菊間町 기와박물관

승, 보존, 체험할 수 있는 박물관(체험관) 건립이 필수적이다. 현재까지 기와박물관은 개인이 설립한 유금와당박물관 한 곳으로 공공기관에서 설립한 박물관이 없으므로 독창적인 박물관으로 성장할 가능성이 큰 특성화된 공간이 필요하다. 무엇보다 유물의 복제가 쉽고 다른 유물에 비해 항온 항습 등이 쉬워 유지 관리에도 장점이 있으므로 하루빨리 기와박물관을 설립하여 지역의 문화 자원으로 적극 활용할 필요가 있다.

참고문헌

국립김해박물관『기와, 공간을 만들다』한국매장문화재협회, 2016

국립문화재연구소『제와장』1996.

김성구『옛기와』대원사, 1992.

김성구『한눈에 보는 제와』한국공예·디자인문화진흥원, 2018.

김유식『신라 기와 연구』민속원, 2014.

백종오『고구려 기와의 성립과 왕권』주류성출판사, 2006.

양주회암사지박물관『마루 장식 기와-건물의 위용과 품격을 담다』2014.

이은진「장흥의 제와장으로 본 근대 한일 제와기술의 교류」『장흥문화』40, 장흥문화원, 2018.

최맹식『백제 평기와 신연구』학연문화사, 1999.

최맹식『삼국시대 평기와 연구』주류성출판사, 2006.

제8부

도자의 관리와 미래

1. 고려청자의 이해와 감상

청자는 일상생활에서 가장 쉽게 접하고 널리 쓰이는 도자기 가운데 한 종류이다. 특히, 고려시대에 꽃을 피운 우리 민족의 대표적 공예 미술품으로 고려의 문화 예술적 성취와 나라의 흥망성쇠를 가장 잘 반영하고 있는 특징도 갖추고 있다. 고려청자의 신비로운 비색은 오늘날에도 우리의 감탄을 자아내는 매력을 지니고 있는데, 색상뿐만 아니라 문양과 형태가 아름다움을 갖추고 있을 때 더욱 그 멋의 깊이를 느낄 수 있다. 고려청자의 수려한 선線에서 한국 미술의 특징을 파악하고 비색에서 한국 미술의 맑고 고요한 미美를 찾고 있듯이 기발하고 참신한 조형미는 한국 미술을 대표한다고 할 수 있다. 이러한 선과 색의 아름다움, 즉 조형미는 오랜 전통의 기반 위에 고려인의 독창적인 조형 의지가 표출되었기 때문에 비로소 이루어진 것이다. 그 선의 특징은 중국 도자에서 보이는 대담하고 양감量感이 넘치는 풍만한 것이 아니라, 강하지도 않고 허약하지도 않은 세련된 균형과 조화에서 비롯된 것이며, 다른 나라의 도자기에서 전혀 찾아볼 수 없는 고려만의 독창적인 조형미이다.

높고 깊은 가을 하늘을 닮은 고려청자의 비색翡色은 고려 사람들이 만든 독자적인 색으로 우리 민족이 추구하는 이상적인 색이라고 할 수 있다. 고

사진 515 | 청자참외형병,
(개성 인종 장릉 출토, 국보 제94호)

려는 중국에서 청자 제작의 핵심적 기술을 받아들였지만 중국의 비색秘色과는 다른 맑고 깊은 독자적인 비색翡色을 만들어 그 아름다움을 완성하였던 것이다. 비색翡色이라는 용어는 1123년(인종 1) 고려에 사신으로 왔던 송나라의 사신 서긍徐兢이 기록한 『선화봉사고려도경宣和奉使高麗圖經』이라는 책에 처음 등장한다. 또한, 중국의 같은 시기에 살았던 태평노인太平老人은 『수중금袖中錦』이라는 책에서 비색을 갖춘 고려청자를 자기 가운데 천하제일로 꼽고 있어 전성기 고려청자의 기술이 매우 뛰어났음을 알려주고 있다. 비색청자의 푸른색은 빙렬氷裂이 없이 깊고 차분한 느낌을 주는 것으로 맑고 투명하며 얇게 시유되어 음각이나 양각 등의 무늬가 선명하게 드러나 무늬와 장식을 간결하고 단아하게 표현할 수 있었다. 이처럼 투명한 유약은 흑백으로 그려진 상감象嵌 무늬를 뚜렷하고 밝게 보이게 하는 요소이기도 하다. 고려청자가 우아하고 세련된 조형미를 완성하게 된 데에는 비색이 갖는 맑고 투명한 절대적 조건이 있었기 때문에 가능하였다. 유약 아래에 무늬를 그리는 철화鐵畵나 퇴화堆花 기법의 청자도 유약이 맑고 투명하지 않았다면 뚜렷하게 나타나지 못했을 것이다. 이와 같이 푸른 가을 하늘을 연상시키는 청자의 비색은 가을 하늘 그 자체의 아름다움일 수 있으나 청자를 빚었던 강진 사람들은 강진 바다에 비치는 가을 하늘을 비색으로 인식하고 있어 신비스러움을 더하고 있다. 그리고 고려청자는 일반적으로 2~3%의 철분이 들어있는 바탕흙을 사용하며, 역시

사진 516 | 청자양각죽절문병
(국보 제169호)

1~3%의 철분이 섞여있는 장석질長石質 유약을 입혀 1100~1300℃의 환원염還元焰에서 구워낸다. 따라서 이러한 조건을 갖추어야 비석을 완성할 수 있어 유약뿐만 아니라 바탕 흙과 번조 환경도 비색을 구현하는 데 매우 중요하다.

사진 517 | 청자투각칠보문향로
(국보 제95호)

한편, 청자는 영어로 셀라돈celadon이라 부르는데 이는 16세기 유럽에서 중국 절강성의 용천龍泉 청자가 유행할 당시 프랑스 작가 오노레 뒤르페(1567~1625)의 소설 '라스트레L'Astree'를 원작으로 한 오페라 '라스트레'에서 주인공 셀라돈이 용천 청자의 색상과 유사한 옥색 의상을 입고 나온 것에서 유래하였다.

고려청자를 더욱 돋보이게 하는 요소 가운데 하나는 유려한 곡선과 균제均齊의 미를 갖춘 형태이다. 그릇의 형태는 만든 곳과 사는 사람들의 문화와 미감美感 위에 새로운 시대정신과 양식을 반영하여 이루어진 것이다. 고려청자도 처음에는 딱딱한 금속기적인 기형이었으나 점차 유연하고 부드러운 고려적 조형으로 변화해 간다. 인위적인 위엄이나 현세적인 권위, 지나친 신비감, 과장된 모습을 비롯하여 논리적인 철학적 모습은 거의 찾아볼 수 없다. 따라서 자연스러운 조형을 가장 이상적인 형태로 구현하여 미적 완성을 추구하였다. 동물과 식물의 형태를 본떠 만든 상형청자도 가능하면 인공미와 장식성을 최소한으로 줄여 자연 상태의 특징과 매력을 절묘하게 표현하여 그 아름다움이 그대로 드러나도록

사진 518 | 청자상감모란문표주박형
주전자(강진 출토, 국보 제116호)

사진 519 | 청자상감모란문항아리(국보 제98호)

하였다. 반상용기로 가장 많이 제작된 대접과 접시, 잔 등의 일상적인 그릇도 각 부분의 균형이 잘 어우러져 고려적인 부드럽고 유연한 곡선의 미를 갖추도록 하였다.

고려청자는 대부분 자연을 담은 서정적 아름다움을 갖춘 문양을 담고 있어 그 빛을 더하고 있다. 자기는 실생활에 사용하기 위한 공예품으로 순수 회화보다는 대부분 그 시대에 유행하는 문양이나 사용하는 사람들의 바람을 담아 무늬를 베풀고 있어 자기에 그려진 무늬는 그 시대의 일상생활과 문화상을 엿볼 수 있는 자료로 활용되고 있다. 고려청자에 베풀어진 무늬에서도 고려 사람들의 삶을 엿볼 수 있는데, 이를 통해 단아하고 간결하면서 자연을 사랑하였던 고려인들의 서정적이며 시적인 아름다움을 읽을 수 있다. 고려청자에 나타난 무늬는 최대한 인위적인 것을 배제하고 자연에서 얻은 구름과 연꽃, 모란, 국화, 버들, 억새, 들짐승, 날짐승 등의 자연적 특징을 살려 묘사한 것들이 대부분이다. 즉, 고려의 자연 안에 살아 있는 꽃과 나무와 새 등 자연의 모습을 직접 관찰하여 그림을 그리듯 서정적으로 표현하고 있어 생기발랄한 생명감을 느낄 수 있다. 그리고 상감 기법이 가장 원숙하게 발전하여 성행하던 13세기에는 회화처럼 사실적 소재를 여백을 두면서 간결하게 새겨 넣어 자연의 청량한 멋과 마음의 여유로움을 느낄 수 있도록 하였다. 이는 고려 사람들이 인위적인 미감보다 자연을 있는 그대로 바라보고 사랑하는

사진 520 | 청자상감매죽학문매병
(보물 제903호)

마음을 청자에 표현하고자 노력하였음을 알려준다.

무늬는 청자의 유형을 분류하는데 가장 중요한 요소 가운데 하나로 어떤 시문 기법과 재료를 가지고 어떤 무늬와 형상으로 만들었는지에 따라 결정된다. 청자의 종류는 순청자와 상감청자, 철화청자, 동화청자, 화금청자, 퇴화청자, 철채청자, 동채청자, 흑유청자, 연리문청자 등 매우 다양하다. 이와 같은 다양한 시문기법은 사용하는 도구에 따라 크게 두 가지로 나눌 수 있다. 하나는 조각칼을 사용하여 문양을 새기는 각기법刻技法이며, 다른 하나는 붓으로 문양을 그리는 화기법畵技法이다. 각기법은 그릇 겉면

사진 521 | 청자철화버들무늬통형병
(국보 제113호)

에 칼로 문양을 새긴 것인데, 청자 단일색으로 나타나는 순청자와 칼로 문양을 음각한 후 흙을 메워 넣은 상감기법이 대표적이다. 화기법은 산화 철 안료로 문양을 그린 철화기법과 전면에 산화 철을 바르고 백토로 문양을 그리는 철채백화기법 등이 있다. 음각과 양각, 상감 기법과 같은 각기법은 대부분 태토의 품질이 우수한 고급 청자에 사용하고 있다. 그러나 화기법으로 시문된 청자는 대부분 조질로 태토가 다소 거칠어도 그림을 그리는데 크게 지장을 받지 않으며, 기술이 정교하고 숙달되지 않더라도 문양 효과를 내는데 어렵지 않다. 그렇지만 화금청자는 예외적으로 특성상 같은 화기법이지만 양질의 고품격 청자에 시문되고 있다.

이와 같이 청자는 시문기법에 따라 품질도 정해지며 소비층도 달라 다양한 계층에 공급되었다. 고려청자에 다양한 시문 기법과 문양이 발달할 수 있

사진 522 | 청자동화연화문표주박형
주전자(강화 최항묘 출토 국보 제133호)

사진 523 | 청자철채퇴화잎무늬매병
(보물 제340호)

었던 배경은 고려만의 비색이라는 투명한 유약이 있었기 때문에 가능하였다. 맑고 투명한 유약은 작은 변화에도 민감하기 때문에 모든 문양과 장식을 간결하고 우아하며 정적靜的으로 바뀌게 하는 매력이 있었던 것이다. 한편, 무늬는 그릇의 겉면을 장식하는 단순한 역할도 있으나 그 속에는 여러 가지 염원과 뜻을 지니고 있다. 실용성을 갖는 청자에 각종 무늬가 그려지면서 예술성이 더욱 가미되어 미술품으로서의 역할에 힘을 실어주었다. 따라서 무늬는 기형, 유색과 함께 자기의 미술적 완성도를 판단하는데 중요한 기준이 되고 있다. 무늬는 사회가 안정되고 제도가 정비되면서 수요자의 기호에 맞추어 대부분 일정한 양식이 등장하면서 규격화되었다. 수요자의 대부분을 이루는 집권층은 자신들이 원하는 견본품을 제시하거나 화원을 보내 자신들의 취향을 반영하여 무늬를 그리거나 새기도록 하였다. 그러나 장인들의 독특한 해학성이 반영된 청자들도 일부 남아 있어 다양성도 엿볼 수 있다. 자기에

사진 524 | 청자사자형베개(보물 제789호)

그려진 무늬는 예술성뿐만 아니라 그 시대 사람들의 의식(인식, 관념)과 염원, 사상, 미감, 문화, 사회 등을 반영하고 있다. 따라서 청자에 남아 있는 무늬들에는 고려인들의 다양한 바람과 사상이 스며있음을 쉽게 알 수 있다. 특히, 왕실이나 관아 등에 사용된 일부 고품격의 양질청자는 전문적인 화원들이 무늬를 그리고 있어 전란 등의 여파로 자료가 많지 않은 고려의 회화를 이해하는데 중요한 자료를 제공하고 있다.

색상과 형태, 문양의 핵심적 내용 이외에도 청자의 아름다움을 이해하는데 필요한 추가적 요소들이 있다. 청자를 비롯한 도자기는 공예품이기 때문에 예술적美感 가치도 매우 중요하지만 무엇보다 쓰임새가 편리한 실용적實用 가치가 있어야 진정한 아름다움을 갖추었다고 할 수 있다. 또한, 당시를 대변할 수 있는 문화적文化 가치와 탁월한 기술적技藝 가치를 함께 지니는 작품이 명품이라고 할 수 있다. 쓰임새에 있어서도 사람이 쉽게 다룰 수 있고 잡았을 때 손에 달라붙고 안기는 맛이 있는 단순한 기능성도 중요하지만 심리적으로 편안한 안정감을 줄 수 있다면 더욱 좋을 것이다. 그리고 청자를 비롯한 자기들은 시간이 흐르면서 굽의 형태가 변화하고 있다. 또한, 가마에서 자기를 구울 때 서로 붙지 않도록 굽이나 내저면에 받치는 받침이 시기별로 종류가 다르고 받치는 위치도 바뀌고 있다. 따라서 받침의 종류와 위치, 굽 형태 등을 자세히 살피는 것도 청자를 이해하는데 가장 중요한 요소이므로 잊지 않고 살펴보아

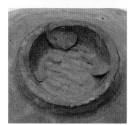

사진 525 | 청자 굽 유형과 받침 종류

야 한다.

도자를 비롯한 공예 미술은 유물에 명칭을 붙이는 일반적인 방법이 있는데, 이름을 짓기 위해서는 일반적으로 가장 먼저 재질이 무엇이며, 어떤 시문기법으로 어떤 무늬를 넣었는지, 어떤 형상에 어떤 용도로 만들었는지에 따라 순서에 맞추어 이름을 붙인다. 즉, 도자기의 이름은 일정한 약속에 따라 지어지고 있어 이름만 보고도 도자기의 재질과 시문기법, 무늬의 종류, 그릇 용도를 알 수 있다. 도자기의 세부 설명은 사람의 몸에 비유하여 정리하고 있는데, 입술을 구연口緣이라 부르며 항아리와 병 등 규모가 큰 그릇은 어깨肩部, 몸통胴體, 굽다리 등으로 그 형태를 설명한다. 그리고 다시 입이 넓고 좁고, 목이 길고 짧고, 몸체가 원형인지 반원형인지, 굽다리가 어떤 형태로 깎였는지에 따라 세부 이름이 정해진다. 이름을 붙이는 순서와 종류를 구체적으로 살펴보면 다음과 같은데, 동식물의 형상을 모방한 상형象形 도자는 그 사례가 많지 않아 일반적으로 재질과 시문 기법, 무늬, 그릇의 용도에 따라 이름을 붙이고 있다. 또한, 장식과 문양이 두 가지 이상 중복되는 사례들이 있는데 이때는 비중이 큰 중심 소재를 앞에 표기한 후 병렬식으로 나열하여 이름을 붙인다. 중심 소재가 중복되는 경우도 함께 병기하는데 어떤 문양을 앞에 붙일 것인지는 학계에서 일반적으로 사용하는 명칭을 참조하도록 한다. 도자기는 이름을 붙이는데 필요한 요소가 가장 중요한 속성으로 이를 잘 분석하면 시대적 특징 등 기본적 내용을 파악할 수 있다. 이름을 알면 도사에 숨겨진 기본적인 요소를 알 수 있으므로 박물관과 미술관을 찾거나 책을 읽으면서 명칭의 원리를 알고 스스로 이름을 붙여보는 것도 유물을 깊이 이해하는데 도움이 될 수 있으리라 생각된다.

좋은 청자(작품)를 이해하고 감상하며 소장하는 것도 중요하지만 이를 잘 보관하고 교육과 전시 등 공공 목적에 효율적으로 활용할 수 있는 덕목도 반드시 필요하다. 이것이 진정으로 미술을 사랑하는 목적이라고 할 수 있겠다. 또한, 예술성과 편리성 이외에도 전래(소장) 과정의 역사성과 학문적 의미도 되새겨 보아야 진정으로 그 청자를 이해하고 감상하였다고 할 수 있겠다.

참고문헌

강경숙·김세진『유적 출토 도자기 바로 보기』진인진, 2015.

국립문화재연구소『고려도경 숨은 그림 찾기』2019.

경기도박물관『고려도경 900년 전 이방인의 코리아 방문기』2018.

경기문화재단『고려와 고려도경』2018.

김윤정 외『한국 도자 사전』경인문화사, 2015.

문화재청『문화재대관 보물-토기·도자기-』2015.

문화재청『문화재대관 국보-도자기 및 기타-』2011.

윤용이『아름다운 우리 도자기』학고재, 1996.

2. 소중한 문화유산을 전승하기 위한 도자 관리법

    도자기는 고온에 의해 새롭게 탄생된 쓰임새 좋고 아름다운 그릇이지만 유리질의 경도로 인해 쉽게 파손되는 치명적인 단점을 지니고 있다. 따라서 공예품의 가장 큰 목적 가운데 하나인 쓰임의 과정에서 세심하고 소중하게 다루어야 오래도록 사용할 수 있는 번거로움이 있다. 이러한 단점 때문에 도자기는 한 때 서구에서 밀려온 플라스틱 신소재에 밀려 우리의 식탁을 떠난 적도 있었다. 그러나 건강과 환경 등의 이로운 조건을 갖추고 있어 다시 인기를 얻고 있으며, 예전 도자기와는 다르게 더욱 강하고 단단하며 새로운 미감을 자랑하고 있다. 따라서 미래의 훌륭한 문화유산을 위해 현재의 명품 도자기를 소중하게 사용할 필요도 있으나, 이에 앞서 우리 조상들이 남겨주신 세계의 자랑거리인 청자와 백자 등의 전통 도자기를 더욱 잘 보관하고 간직할 필요성이 있다. 조사와 연구, 전시 등을 위해 도자기를 옮기거나 다룰 때 신중하여야 하며, 파손되고 훼손된 도자기는 더 이상의 훼손을 방지하고 안전하게 보관하기 위해 수리를 실시하여야 한다.

    고려청자를 비롯한 전통 도자기는 조상 대대로 내려온 전래품도 있으나 대부분 오랜 동안 땅 속에 있다 출토되어 새로운 환경에 취약하므로 보관 환경이 매우 중요하다. 당시에 아무리 아름답게 만든 도자기라 하더라도 보존 상태에 따라 아름다움에 큰 차이가 생길 수 있다. 때문에 안전한 관리와 보관뿐만 아니라 명품의 아름다움을 유지하기 위해서도 중요한 것이 보존 환경이다. 도자기는 화학적 변화를 거쳐 반영구적인 재질이지만 충격을 비롯하여 온도와 습도의 급격한 변화, 산성에 의한 유층의 약화 등 여러 조건에 취약한 측면도 있으므로 다른 유물들과 같이 안정적인 환경을 조성하여야 한다. 온도와 습도가 급격하게 변화하면 유약 층이 떨어져 바탕 흙이 노출되거나 보존 수리를 실시한 부분의 재료들이 손상될 수 있다. 또한, 자외선의 영향으로 수리한 부분이 변색되거나 접착력이 약화되어 새로운 위험에 노출될 수도 있다.

도자기의 보관은 가능하면 재질이 가볍고 단단한 오동나무 상자를 사용하는 것이 좋다. 보관 장소에 여러 점을 함께 놓을 경우 넘어졌을 때 충격이 없도록 충분한 간격을 유지하여야 한다. 가급적 작은 유물을 앞에 놓고 큰 유물을 뒤쪽에 배치하는 것이 이상적이다. 또한, 밀폐된 공간보다 보관 상태를 확인할 수 있도록 유리장으로 만드는 것이 관리에 효율적이다. 조그만 공간에 단순하게 보관만 한다면 빈 공간이 없도록 완충재를 충분하게 채워 넣는 것도 고려하여야 한다. 그리고 미세한 진동도 장기간 계속되면 균열을 발생시키고 유물이 파손되는 결과를 초래하기 때문에 최대한 진동을 흡수할 수 있는 조건을 갖추어야 하겠다.

전시와 정기적인 점검, 학술적 조사 등을 위해 도자기를 옮기거나 다루어야 할 때는 매우 세심한 주의가 요구된다. 또한, 반드시 주변이 청결하고 정리정돈되어 있어야 한다. 그리고 유물을 놓거나 다룰 땐 안정적인 자세에서 포장을 풀거나 다루어야 하므로 높은 곳은 금물이며, 바닥에 완충 시설이 깔려 있어야 한다. 무엇보다 사전에 유물의 취약한 부분과 수리 여부 등을 확인한 다음 다루어야 한다. 그리고 유물을 다루는 모든 과정에 대해 사진으로 찍고 여러 기록을 남기면 유물의 안전과 효율적 관리를 위해 매우 좋다. 유물을 다룰 때는 복장이 간결 단정하고 반지와 시계, 귀걸이 등 장신구는 반드시 신체에서 분리해야 하며, 신발도 끈과 굽이 없는 것을 신어야 한다. 그릇의 크기와 관계없이 한쪽 손으로 입술이나 목을 잡고 다른 손으로 그릇의 바닥을 잡거나 받쳐 들어야 한다. 뚜껑이 있는 그릇은 뚜껑을 먼저 옮기며, 주전자와 손잡이가 있는 잔 등 돌출된 부분이 있는 그릇은 돌출 부분을 잡지 않으며 몸통과 바닥을 받쳐 다루어야 한다.

도자기를 용기에 넣어 운반하고자 할 때는 그릇이 움직이지 않도록 빈 공

사진 526 | 청자음각연화문병(진동 방지), 중국 여요박물관(余姚博物館))

사진 527 | 오리형잔(중국, 진동 방지), 국립광주박물관

간에 중성 한지韓紙 등의 완충재를 채운 다음 상자에 담아야 안전하다. 또한, 한쪽 손으로 상자의 바닥을 받치고 다른 손은 상자 위 끈을 잡고 운반한다. 바퀴가 달린 이동 수단을 이용하여 운반할 때는 완충재를 충분하게 채우거나 움직이지 않도록 단단하게 묶은 다음 옮겨야 한다. 차량을 이용하여 장거리를 운반한다면 무진동 차량을 이용하여야 한다. 그리고 도자기는 충격에 매우 약해 파손될 가능성이 높은 유물이므로 가능하다면 전문가에게 취약 부분이 없는지 자문을 받은 다음 포장하는 것이 바람직하다. 도자기를 전시 감상한다면 넣고 빼는 데 이상적인 높이의 전시 공간을 선택하여야 한다. 어깨 이상의 높이는 절대 금물이며, 충분한 간격을 유지하여야 하겠다. 또한, 병과 호, 항 등의 높이가 큰 그릇은 충격에 쉽게 넘어지지 않도록 내부에 깨끗하게 세척한 정갈하고 미세한 모래 등을 넣어 안정감을 갖추도록 한다. 유물의 형태와 무게 등을 고려하여 안전대를 놓거나 낚싯줄 등을 이용하여 유물이 움직이는

것을 방지할 필요성이 있다. 우리나라도 이제 지진에서 안전할 수 있는 곳이 아니므로 작은 충격에도 쉽게 파손되는 도자기를 안전하게 보관하고 감상하는데 많은 주의를 요구하기 때문이다.

도자기는 소중하게 간직하고 사용한다면 반영구적으로 사용할 수 있지만 충격에 매우 약한 단점이 있다. 충격에 의해 파손된 그릇은

사진 528 | 册頁所見舞鑽圖(戴進1388~1462, 17세기 모방)

쓰임을 목적으로 하는 본래의 기능을 상실하였기 때문에 대부분 버려진다. 그러나 역사와 추억, 아름다움 등이 깃든 소중한 도자기와 고가의 도자기는 간단한 파손 때문에 버릴 수는 없다. 또한, 물자가 귀할 때는 깨진 그릇을 수리하여 계속 사용하였다. 근래에도 수리하여 계속 사용하는 옹기를 우리 주변의 장독대에서 어렵지 않게 볼 수 있었다. 현대는 그릇이 흔하고 생활이 윤택해졌기 때문에 수리된 그릇을 찾기 쉽지 않다. 그릇을 수리하여 사용하는 것은 도기가 처음 등장한 신석기시대부터 확인되고 있다. 서울 암사동 유적에서 출토된 신석기시대 도기를 살펴보면 파손된 부분을 역청 등으로

사진 529 | 도기 수리 흔적
(신석기시대, 서울 암사동 유적 출토)

접합한 다음 양쪽에 구멍을 뚫어 나무껍질이나 가죽 등으로 묶어 수리한 흔적을 확인할 수 있다. 이는 도자기의 수리가 도기가 탄생하면서 바로 시작되었음을 알려주는 귀중한 자료이다. 이 시기에는 그릇이 귀해 재사용을 위한 목적으로 수리되었을 것으로 판단된다. 그리고 『세종실록』에 '하사한 자기를 쓰면 곧 깨어져 일찍이 금과 은으로 입술을 장식하였다'는 기록이 있는데, 이는 중국의 황제에게 받은 그릇을 수리한 것으로 사용하기 위한 그릇의 원래 기능보다 황제에게 받은 그릇이라는 역사적 사실이 더 큰 목적이었음을 알 수 있다.

한편, 서유구徐有榘(1764~1845)의 『임원경제지林園經濟志』 등 여러 문헌에 깨진 도자기를 수리하는 방법 등이 남아 있으나 실제 수리된 그릇을 확인하기는 쉽지 않다. 이는 선인들께서 파손된 그릇을 수리해서 다시 쓰는 것을 긍정적으로 여기지 않았기 때문으로 추정된다. 현재도 파손된 그릇은 대부분 버리고 있어 깨지거나 금이 간 도자기를 실생활에서 쉽게 찾아 볼 수 없다. 식당에서 깨지거나 금이 간 그릇을 내놓으면 손님은 불쾌한 언사나 표정을 짓는다. 이는 기본적으로 파손된 그릇을 터부시하는 감정이 우리 심성에 남아있기 때문이다.

도자기를 수리하는 것은 그릇의 생산 목적인 재사용을 위한 기능 복원과 감상(전시)을 위한 수단으로 실시된다. 감상을 위한 수리는 이를 통해 역사와 추억을 복원하고 미술품(유물)으로서의 전시 기능을 갖출 수 있다. 과거에는 그릇의 재사용과 개인적인 추억을 위해 수리하였다면 현재는 미술품 복원을 위한 목적이 가장 크다고 할 수 있다. 중국과 일본에는 수리하여 대대로 사용한 그릇들이 많은데, 수리와 재사용에 거부감이 없으며 오히려 세월의 멋과 유구한 역사를 증명하는 상징으로 받아들이고 있다. 도자기 수리에서 가장 일반적으로 확인되는 방법은 깨지거나 금이 간 부분을 접착제를 이용하여 수복하는 것과 그릇에 생긴 균열 좌우에 구멍을 뚫고 고리나 끈으로 고정한 꺾쇠기법이 있다. 이외에 그릇을 다시 번조하여 수리하거나 다른 그릇의 파편을 파손된 부분에 맞추어 접착하는 등 다양한 방법이 있다.

접착제를 이용한 방법은 우리 조상들도 많이 활용하여 여러 문헌에 그 방법이 기록되어 있다. 대체로 미세하게 걸러낸 삶지 않은 밀가루와 석회를 섞은 가루를 곱게 갈아 물로 반죽하여 접착하였다. 이외에도 찹쌀로 만든 죽과 계란 노른자를 아교와 섞거나 달걀 흰자위와 백반가루를 섞어 사용하였다. 또한, 생옻이나 역청을 녹여 접착하거나 쇳가루와 초를 섞어 수리하기도 하였다. 이처럼 접착제를 사용하면 꺾쇠수리처럼 그릇에 구멍을 뚫지 않아도 되고 거친 흔적이 남지 않는 장점이 있다. 접착제를 이용한 수리 방법은 일본에 그 사례가 많이 남아 있는데, 아교나 칠, 석고 등으로 수리한 다음 그 부분에 금이나 은을 칠하고 있다. 이러한 방법은 16세기부터 등장하는데 금이나 은빛을 강조한 것은 수리한 도자기의 소중함을 강조하고 소유자의 권위와 위엄을 드러내기 위한 위세품의 성격을 지니고 있었기 때문이다. 우리나라에도 금분과 은분으로 수리한 청자 등이 많이 남아 있는데, 이는 대부분 일제강점기에 수리된 것으로 그릇을 예술적 감상을 위한 목적으로 소유하여 수리 자체를 하나의 작품으로 생각한 결과이다.

사진 530 | 청자분장조화박지철화모란문병 (금분 수리)

사진 531 | 옹기(꺾쇠 수리)

꺾쇠를 이용한 수리는 다양한 기록과 함께 중국에 풍부한 자료가 남아 있다. 이 방식은 그릇의 떨어진 부분을 메우거나 그릇에 생긴 균열의 좌우에

구멍을 뚫고 고리나 끈으로 연결 고정하여 수리하는 방법이다. 특히, 일본 도쿄東京국립박물관에 소장되어 있는 남송대南宋代 용천요龍泉窯에서 만든 청자화형완(일본 중요문화재)은 수리에 사용된 꺾쇠들이 마치 메뚜기가 뛰는 것처럼 보인다는 의미에서 마황반馬蝗絆이라는 이름을 얻고 있는 세계적으로 널리 알려진 명품 다완이다.

사진 532 | 청자화형완
(송宋, 꺾쇠 수리, 일본 중요문화재)

고려청자를 비롯한 조상들이 물려준 유물은 비록 개인이 소유하였다 할지라도 영원히 개인의 소유가 될 수 없는 우리 공동의 문화유산이며 소장자는

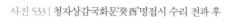

사진 533 | 청자상감국화문'癸酉'명접시 수리 전과 후

이를 잠시 보관하는 것이라는 사실을 잊지 않아야 하겠다. 전통 도자를 대할 때는 크기와 가치 등을 떠나 언제나 경건하고 신중한 자세로 임하여야 한다. 반드시 두 손을 사용하여 잡아야 하며 침착함을 잊지 않아야 한다. 전통 도자의 감상은 이를 만든 장인과 사용하였던 선조들과의 역사적 묵언의 대화이다. 또한, 명품 도자가 갖추고 있는 만든 이와 지닌 이의 예술성과 역사성, 학술성 등을 잊지 않고 살피는 것도 매우 중요하다. 유물의 객관화된 아름다움과 함께 숨겨진 아름다움을 찾아보는 것도 유물을 이해하는데 매우 중요하다. 그리고 유물을 부분에 따라 세분화하여 그 특징을 파악하고 앞면뿐만 아니라 옆면과 뒷면도 꼼꼼하게 살펴볼 필요가 있다. 이와 같은 능력을 갖추려면 많은 유물을 반복적으로 접하고 느끼는 노력이 무엇보다 중요하다. 또한, 도자 이외의 미술품을 공부하고 역사와 문화를 함께 이해하여야 한다.

이와 같이 유물을 소중하게 보관하고 관리하며 수리하면서 조사 연구하는 것은 선조들이 물려주신 아름다운 도자기와 우리 시대에 만든 명품 도자기를 보고 느낄 수 있는 정신적·심리적 기쁨을 얻을 수 있게 하여준다. 따라서 과거의 도자와 현대의 명품에 대해 우열을 나누는 것보다 이들을 미래의 문화유산으로 후손들에게 물려줄 의무가 우리에게 있다. 즉, 전통 도자도 중요하지만, 현재의 내가 사용하고 있는 도자기를 명품으로 만들어 다음 세대에 물려주는 것도 매우 중요하다. 이는 현재 침체된 전통 도자 시장을 활성화하는데도 큰 도움이 될 수 있다. 도자의 생활화와 함께 우리 집에 후손들을 위한 명품 도자를 하나쯤 장만할 것을 권하여 본다. 그리고 좋은 도자기를 소장하는 것도 중요하지만 이를 공공재로서 효율적으로 활용하는 소양도 반드시 필요하다.

참고문헌

국립고궁박물관『고려 美 色-벨기에 왕립역사박물관 소장 한국문화재-』2021.

국립해양문화재연구소『해양 출수 도자기 보존 처리』2020.

리움미술관『리움 보존 이야기』2021.

문화재청『동산문화재 관리 가이드북』2010.

양필승『도자기 수리 복원 사례 연구』공주대학교 박사학위논문, 2014.

이내옥『문화재 다루기』열화당, 1996

謝明良『陶瓷修補術的文化史』臺大出版中心, 2018.

謝明良『陶瓷修補術的文化史』上海書畫出版社, 2019.

本多郁雄『やきもの修理法』里文出版, 1999.

3. 청자와 백자를 오늘에 잇다, 남도의 현대 도자

대지大地는 만물의 근원으로 무한한 가치를 지니고 있으나 단순한 물체인 흙의 가치는 크다고 할 수 없다. 그러나 흙은 예술의 힘으로 사용하기에 편리하고 아름다움을 갖춘 그릇으로 재탄생하면서 무에서 유를 창조하는 새로운 가치를 갖는 고품격의 미술품으로 변신할 수 있는 특성을 지니고 있다. 특히, 오늘날의 도자기는 공예 산업과 연계된 일상의 생활용품 뿐만 아니라 조각과 회화 등의 예술적 소재로 활용되고 있으며, 우주선과 자동차, 의료 등의 최첨단 산업에도 응용되고 있어 그 가치는 무궁하다고 할 수 있다.

고려에서 시작된 청자의 전통은 백자로 계승되어 탄생과 성장, 쇠퇴를 지속하면서 변화 발전하였으나 조선 후기가 되면 사회적 혼란과 함께 품질이 떨어진다. 조선 후기 백자의 품질 저하와 점진적인 소멸은 박제가朴齊家(1750~1805) 등 실학자들의 기록과 독립신문의 기사 등에서도 확인되고 있다. 특히, 개항기를 전후한 18세기 말 일본의 히젠肥前 지역에서 생산한 막대한 산업 자기들이 유입되면서 쇠퇴를 더욱 재촉하였다. 이들은 조선 사람들의 기호에 맞는 값싼 제품을 개발하여 대량으로 수출하였다. 따라서 처음에는 뛰어난 미의식을 반영하거나 탁월한 조형미를 갖추지 않은 일상생활 용기가 중심을 이루었으나 18세기 후반에는 고급품도 서서히 유입되었다. 그러나 무늬에 붉은색 등을 넣은 화려한 자기는 조선 사람들의 기호에 맞지 않아 실용화되지 못하였다.

이후 일본은 자기 수출을 원활하게 추진하기 위해 1888년(고종 25) 조선국수출일수문옥정관朝鮮國輸出一手問屋定款을 정립하는데 이를 계기로 조선으로의 자기 유입이 더욱 증가하였다. 그리고 1917년 조선총독부 주도 아래 일본경질도기주식회사가 부산에 설립되는 등 전국에 126개소에 달하는 대규모 산업도자 공장이 운영되면서 전통적인 백자 요업은 와해된다. 이전에 이미 왕실과 중앙 관청에 자기를 공납하던 경기도 광주에 있던 사옹원司饔院 분원分院은 대량 유입된 일본 산업도자의 영향 등으로 1883년(고종 20) 해체된 상태였다. 즉, 전통 도자는 장흥 월송리(전라남도 기념물 제30호) 등 일부 지방 요장에서 민수용 백자를 만들거나 옹기 요장을 운영하면서 명맥을 유지하였으나, 이 땅에서 일본의 산업도자 공장이 본격적으로 운영되면서 옹기 요장만 남고 백자 요장은 대부분 소멸되었던 것이다.

일본에서 수입된 자기들은 조선 사람들의 기호에 맞추기 위해 대부분 중앙의 분원과 지방 백자들의 조형을 본받아 제작하였는데, 이는 1920년대 이후 조선에서 활발히 제작된 도자의 표본이 되고 있어 일정 부분 조선 백자와 연결되고 있다. 그러나 1930년대에는 시대적 변화와 함께 그릇의 두께가 얇고 화려한 장식의 일본풍 도자가 유행하면서 전혀 새로운 그릇들이 등장한다. 일본경질도기주식회사 설립 이후 조선의 백자 요장은 대부분 소멸되고 자기 생산은 일본인들의 독점적 산업이 되었다. 그러나 새로운 근대 문화가 일찍부터 유입되었던 개항 도시 목포에 1942년 순수한 민족자본에 의한 최초의 산업도자 공장인 행남사(현재 행남자기)가 설립되면서 남도의 도자문화는 다시 한 번 전통을 계승하면서 변화 발전한다. 즉, 남도 곳곳에 축적되

어 있던 도자문화의 전통이 개항도시 목포에서 생활문화에 어울리는 산업도자로 새롭게 꽃을 피운 것이다. 행남사는 무엇보다 순수한 국내 민족자본으로 근대 산업도자 공장을 설립했다는 점에서 그 의미가 매우

사진 534 | 행남자기 전경(1942년, 목포 산정동)

사진 535 | 한국산업도자전시관 개관식(2006년 8월 4일, 현재 목포생활도자박물관)

크다. 행남사는 설립 이후 목포의 도자산업을 발전시키는 원동력이 되었으며 오늘날 많은 도자 요장이 목포 지역에서 운영되고 목포도자기축제가 열리는 밑바탕 가운데 하나가 되었다. 목포시는 우리 민족 최초의 산업도자 발상지임을 기념하고 첨단과 창작, 그리고 미래를 제시하는 오늘날의 도자문화를 널리 알리기 위해 2006년 목포산업도자전시관(현재 목포생활도자박물관)을 개관하였다. 이를 통해 남도 도자의 혁신과 산업 도자의 중요성을 제시하고 있으며 일상생활에서 필수적인 그릇의 쓰임새를 다양하게 보여주고 있다.

1940년대 시작된 산업도자는 대량 생산체제를 갖추었으나 남도에 계승되어 온 도자문화를 바탕으로 변화 발전하였다. 그리고 서민적이며 실용적인 식생활 중심의 생활자기를 생산하여 변화하는 시대 상황과 문화를 반영하였다. 행남사는 1942년 5월, 자기 생산에 성공하면서 본격적인 생활자기를 만들기 시작하였다. 초창기에는 대부분 단순한 생산방식을 통해 무늬가 없거

사진 536 | 1940년대 행남사 대접과 접시

사진 537 | 일제강점기 강진 명승 엽서

나 간략한 무늬를 지닌 서민용 그릇을 생산하였다. 1950년대에는 한국전쟁의 영향으로 일시 쇠퇴하기도 하였으나 전통식 가마에서 대량생산이 용이한 터널식 가마로 생산 방식을 전환하여 근대 도자산업의 기틀을 마련하였다. 특히, 한국전쟁을 겪으면서 군수품과 함께 들어온 커피문화를 반영하여 1953년 국내 최초로 커피잔 세트를 생산하였으며, 1957년에는 본차이나 제조 기술도 개발하였다.

1960년대는 경제개발 계획의 추진으로 생활수준이 향상되면서 대접과 접시 등 전통 식기를 중심으로 생산하였다. 자동 성형기의 도입 등으로 설비의 기계화가 이루어고 공장도 대규모로 변화하였다. 또한, 같은 무늬를 안정적으로 반복하여 넣을 수 있는 전사기법轉寫技法의 도입 등으로 대량생산의 길을 열었다. 1963년에는 홍콩에 도자기를 수출하는 등 동남아 지역으로 유통망을 확장하여 국내뿐만 아니라 국외에서도 명성을 쌓아갔다. 1970년대에는 이를 바탕으로 대규모 공장으로 발전하면서 세계적인 도자 선진국의 면모를 갖추었다. 이 시기에는 다세대 공동주택(아파트)이 건설되면서 입식 부엌이 등장하고 취사와 난방에 아궁이 대신 연탄을 사용하면서 관리하기 쉬운 양은과 스테인리스 등 금속제 그릇이 유행하여 도자산업이 위축되기도 하였다.

1980년대는 제조기술과 장식의장이 매우 역동적으로 전개되었던 시기이다. 설비의 현대화와 자동화, 도자기의 기능과 형태, 색상의 다양화, 다품종 소량 생산체제, 품질의 고급화와 본격적인 공업용 도자의 개발이 이루어졌다. 또한, 유백색의 소뼈 가루Bone ash를 함유시켜 만든 고급 본차이나가 양산 체제에 들어가 도자의 선진화를 이룬 시기이다. 특히, 1988년 서울올림픽의 개최는 생활 자기의 내수 시장과 해외 수출의 확대를 가져와 목포의 도자산업을 견인하였다. 1990년대 이후 값이 싼 중국 도자의 대량 유입과 식생활의 변화 등으로 도자산업은 점차 설 자리를 잃어가고 있으나 생활수준이 향상되면서 식기 위주의 그릇에서 벗어나 다양한 기능과 형태의 제품을 생산하고 있다. 고려와 조선시대에는 매우 한정적으로 생산되었던 화병과 화분, 촛대, 필통, 연적 등을 비롯하여 현실을 반영한 시계와 인형, 액자 등의 실내 장식용, 반지와 목걸이, 넥타이 핀 등의 장신구, 비누통과 칫솔꽂이 등의 욕실 용품 등이 우리 곁에 함께하고 있다.

현대도자는 음식기와 문방구, 건축재 등 전통적인 기능을 탈피하여 의료품과 우주선, 자동차, 전자기기 등의 최첨단 부품으로 다양한 발전을 하고 있다. 정제된 원료를 이용하여 전자와 기계 부품 등에 쓰이는 고부가가치의 첨단제품인 파인 세라믹Fine ceramics(공업도자)은 우수한 기계적 특징과 독

특한 전기 전자적 물성, 뛰어난 내열성, 생체 친화성 등의 특성을 갖추고 있어 첨단의 여러 주요 부품에 많이 사용되고 있다. 이외에도 에너지 소비 증가에 따른 자원고갈과 대기오염, 지구온난화 문제 등을 줄일 수 있는 대안으로 발전 효율이 높고 공해 발생이 적은 환경 에너지 도자기 대극 개발되고 있다.

기계구조용 도자 가운데 하나인 절삭공구용 도자는 열에 강하고 단단하며, 부식되지 않고 마찰에 잘 견뎌 금속 기계 부품의 절삭가공에 많이 사용된다. 또한, 반영구적인 예리한 절삭성을 지니고 있으며 날이 무뎌지지 않고 가벼우며 녹슬지 않아 칼과 가위 등의 주방용으로 인기가 높다. 도자로 만든 베어링은 금속품에 비해 표면이 더 매끄러울 뿐만 아니라 마모성에 견디는 성능이 우수하며 강도도 뛰어나다. 전기와 전자용 도자는 전기가 통하지 않는 절연성과 전기 에너지를 운동 에너지로 변환하는 압전성壓電性, 열을 전기로 변환하는 초전성焦電性, 전하電荷를 저장하는 유전성誘電性, 환경의 변화에 따라 전기 저항이 변화하는 반도성半導性 등의 전기 전자적 특성이 있어 고기능 전자부품으로 많이 사용된다. 이러한 특성을 지니고 있어 텔레비진과 냉장고, 컴퓨터, 만노제, 휴대전화 능의 부품으로 사용되어 정보통신 산업발전에 중요한 역할을 담당하고 있다.

생체의 일부분을 대체할 목적으로 만들어진 바이오 세라믹은 대표적인 고기능성 도자 제품으로, 경도硬度와 강도強度가 뼈보다 우수하고 화학적으로 안정성이 높은 생체 친화적 특성이 있는 산화알루미늄(Al_2O_3) 재료를 이용하여 뼈와 치아, 안구 등을 만들고 있다. 자동차 부품용 도자는 열에 강하고 단단하며, 부식되지 않고 마찰에 잘 견디며, 금속에 비해 가벼운 성질을 이용하여 엔진용 구조 부품으로 많이 사용된다. 이는 엔진의 중량을 감소시켜 연비와 가속 성능을 향상시켜 준다. 또한, 인체와 환경에 유해한 배기가스의 감소를 목적으로 하는 정화장치에도 도자 필터를 사용하고 있다. 우주선은 우주 공간에서 대기권으로 진입할 때 공기의 마찰에 의해 순간 표면 온도가 1,000℃ 넘게 뜨거워지므로 우주선 외부에 도자 단열 판(타일)을 사용한다. 특히, 1,460℃의 가장 높은 온도에 노출되는 우주선 선단부와 날개의 전면 가장자리는 탄소섬유carbon fiber 합성물과 산화방지를 위한 이산화규소를 칠해 고온에서도 우주선 내부 재료인 알루미늄을 보호하는 역할을 한다. 또한, 우주선의 궤도 수정을 가능하게 하는 자세제어분사기를 위한 로켓의 노즐과 같은 고온 장치에도 사용하여 안전 비행을 돕고 있다.

한편, 산업도자의 발전과 함께 고유한 전통을 간직한 전승도자도 현대도

사진 539 | 고려청자 재현품

자를 대표하는 산업이 되었다. 특히, 청자는 개항기와 일제강점기에 인기 있는 고미술품으로 평가되면서 일본을 비롯하여 미국과 영국 등 많은 나라에 널리 유통되어 우리 민족의 뛰어난 전통문화를 유감없이 뽐내고 있다. 고려청자에 대한 높은 평가와 인기는 많은 재현품을 생산하는 계기가 되었다. 이러한 전승도자의 생산은 주로 서울과 경기 지역을 중심으로 발전하였는데, 우리 지역에서는 1977년 강진에 고려청자재현사업추진위원회가 구성되면서 본격적으로 시작되었다. 이후 1986년 고려청자사업소가 개소되면서 고려청자의 연구와 전승 청자의

사진 540 | 강진고려청자재현사업추진위원회 첫 재현 청자
(1978년 2월 3일)

사진 541 | 강진 사당리 청자 공동 전시 판매장

사진 542 | 강진 사당리 청자 마을 전경

사진 543 | 무안 분청사기명장전시관

생산이 체계화되었다. 또한, 1997년 강진청자박물관(현재 고려청자박물관)이 개관하였으며, 2005년에는 도예문화원을 개원하여 생산과 연구뿐만 아니라 전시 기능까지 갖추면서 전승도자의 품격도 함께 높일 수 있는 계기가 되었다. 이를 바탕으로 강진은 청자를 중심으로 한 전승도자의 중심지가 되어 현재 30여 곳의 요장이 운영되고 있다. 그리고 2015년에는 다양한 형태와 용도 등을 갖춘 청자를 공동 전시 판매하는 강진 청자판매장이 개장되면서 찾는 사람들의 발길도 부쩍 늘어 청자의 산업 발전과 경제적 재화 창출에 일조하고 있다.

모양과 틀에 얽매이지 않고 대담하게 자신을 표현하는 자유분방한 멋과 정감을 품고 있어 누구나 쉽게 다가설 수 있는 분장청자는 무안을 중심으로 활발하게 전승되고 있다. 무엇보다 2016년 분청사기명장전시관이 무안에 개관되어 분장청자 전승에 힘을 보태고 있다. 그러나 무안 지역은 일찍부터 분장청자가 널리 알려진 곳이지만 그 중요성에 비해 학술적인 조사와 연구가 활성화되지 않아 유구한 전통 도자문화의 토대가 명확하게 정립되지 않은 아쉬움이 있다.

소중하고 아름다운 남도도자의 전통을 미래의 후손들에게 온전히 물려주기 위해서는 오늘날의 현대 도자산업이 발전되어야 한다. 이를 위해 오늘, 사용하기 편리하고 아름다움을 갖춘 나만의 그릇을 장만하러 나들이하였으면 한다. 많은 사람이 사랑하고 널리 사용하며, 넓은 유통망과 충분한 투자 여건을 갖추어야 도자 공예도 더욱 발전할 수 있으며, 이에 도전하는 청춘들도 많아지기 때문이다.

참고문헌

경기도자박물관『경기 근대 도자 100년의 기록』2011.

경기도자박물관『남북 도자 하나되어』2019.

경기도자박물관『근대 도자-산업과 예술의 길에 서다』2020.

남양미디어『강진 청자의 어제와 오늘-고려시대~대한민국 1,000년 세월 장엄
　　　한 역사』2016.

목포생활도자박물관『목포생활도자박물관』2007.

부산근대역사관『그릇으로 보는 부산의 근현대』2017.

엄승희『일제강점기 도자사 연구-도자정책과 제작구조를 중심으로-』경인문
　　　화사 2014.

인천광역시립박물관『그릇, 근대를 담다』2009.

주식회사 행남사『행남오십년사』1992.

천안박물관『근대의 희로애락을 빚다』2016.

천안박물관『근대 도자 시대를 공유하다』2016.

4. 남도 도자문화의 활용과 미래

　　전라남도는 고대의 독특한 옹관 문화를 시작으로 신라 하대의 영암 구림리 도기 요장과 다른 지역에서 유례를 찾기 힘든 강진과 해남의 대규모 청자 요장, 다종다양한 분장청자가 제작된 고흥 운대리 요장, 그리고『경국대전經國大典』에서 확인되는 많은 조선 백자 사기장과 이를 잇는 근대기의 강진 봉황리와 무안 몽강리, 보성 도계리 등의 옹기 요장 등이 있어 우리나라를 대표하는 도자문화의 산실이다. 또한, 근대기에는 목포를 중심으로 생활도자가 발전하였으며, 장흥에는 전국 유일의 제와장이 있어 그야말로 도자문화의 다양성과 중요성을 고루 갖추고 있다. 그러나 1960년대 이후 사회가 점차 서구화되면서 도자의 역할이 축소되어 생산도 쇠퇴하였다.

　　21세기가 되면서 도자문화에 대한 새롭고 다양한 연구가 진행되

사진 544 | 영암 구림리 도기 요장 발굴조사 전경

사진 545 | 강진 사당리 청자 요장 발굴조사 현장 공개

고 있으며, 전통의 재창조에 대한 필요성이 강하게 대두되고 있다. 전통문화의 중요성뿐만 아니라 생활이 안정되면서 건강을 지키는 음식기로 도자문화의 인식이 확산되고 있다. 그러나 현대인의 다양한 문화적 욕구를 충족시키기에는 현재 운영되고 있는 영암도기박물관과 고려청자박물관(강진), 고흥분청문화박물관, 목포생활도자박물관 등은 조직과 예산, 시설, 연구 등에서 미흡하며, 해남(청자)과 장흥(기와), 보성(옹기) 등은 각자의 독특한 도자문화의 활성방안이 필요한 형편이다. 이들 도자문화를 문화자원으로 활성화하기 위해서는 종합적이며 지속적인 연구개발이 있어야 실효성을 거둘 수 있다. 이를 통해 전라남도의 유구한 도자문화를 새롭게 조명하여 도자의 고장인 전라남도의 새로운 문화자원으로 적극 활용하여야 하겠다. 또한, 이를 다른 문화관광 자원들과 연계하여 지역 경제발전에 기여할 수 있도록 대책 마련이 필요하다.

　최근 시민사회의 성장과 국민들의 생활수준이 높아짐에 따라 전통 문화유산에 대한 관심과 참여 욕구가 점차 커지면서 적극적인 활용이 요구되고 있다. 문화유산을 활용하면 국민의 전통문화 향유 기회를 확대하고 문화유산에 내재된 상징성을 문화자원의 소재로 개발하여 관광 진흥에 적극 기여할 수 있다. 문화유산은 그동안 원형 보존을 중심으로 관리되었으나 이제는 원형을 유지하면서 자연환경과 역사문화를 갖춘 새로운 관광자원으로 적극 활용되

사진 546 | 광주 충효동 분장청자 요장 보호각

고 있다. 또한, 역사를 배우고 전통의 향기를 느낄 수 있다는 점에서 교육적 자원으로의 가치가 내재되어 있다. 그러나 문화유산을 지역경제의 활성화 수단으로 인식하여 경쟁적으로 개발하고 있어 역효과도 있다. 즉, 충분한 검토가 없는 개발은 오히려 문화유산을 훼손시킬 우려가 있다. 여러 지역에서 유사한 성격의 문화유산에 중복 투자하거나 재원 대책 없이 사업을 추진하여 지역별로 특화된 문화자원으로 정착되지 못하는 경우도 있다. 따라서 문화유산을 원형대로 보존하고 체계적으로 관리하면서 주민들이 이에 대해 잘 알고 찾으며 가꾸어 나갈 수 있도록 효율적이며 적극적으로 활용할 수 있는 종합적인 방안을 수립하여야 한다.

전라남도 도자 요장의 효율적인 보존과 활용을 위해서는 먼저 요장에 대한 정확한 현황 조사가 있어야 한다. 부분적인 조사는 오랜 기간 실시되었으나 심층적인 조사가 미흡하여 일부 지역은 그 실체가 충분히 파악되지 않고 있다. 현황 조사를 토대로 중요한 요장은 더 이상 훼손되지 않도록 방지대

사진 547 | 고려 난파선 해남청자를 품다 특별전(국립해양문화재연구소)

책, 즉 노출된 유적 유물의 보호를 위해 그물망으로 덮어 무단채집을 막는 등 보존대책을 수립하여야 한다. 또한, 노출된 유적이 더 이상 훼손되지 않도록 철저한 계획을 수립하여 과학적으로 보존·수리하거나 보호각 등 보호물을 설치하여야 한다. 유적의 보존은 적절한 시설과 인위적인 감시도 중요하지만 무엇보다 지역민들의 애정이 담긴 보호 운동이 선행되어야 하며, 지역민을 중심으로 늘 함께 감시할 필요도 있다.

사진 548 | 고흥 운대리 분장청자 국제 학술대회

전라남도 도자문화의 우수성은 오래전부터 학계에 널리 알려졌으나 학술적 연구는 강진 청자 이외에는 매우 미흡하다. 따라서 전라남도 도자의 정확한 이해를 위해서는 추가적인 발굴조사와 체계적인 연구가 시행되어야 한다. 이는 전라남도 도자의 성격 규명과 전통을 계승한 새로운 도자상품을 개발하는데 많은 자료를 제공할 것이다. 그리고 전라남도 도자가 발전하게 된 정치, 경제, 사회, 문화적 배경과 유통과정에 대한 연구도 심층적으로 이루어져야 한다. 유통과 관련하여서는 국내뿐만 아니라 중국과 일본 등 대외적인 유통과 교류를 함께 조사 연구하여야 한다. 또한, 조사와 연구 성과를 공유하고 새로운 과제를 탐색할 수 있도록 학술대회가 지속적으로 개최될 필요성이 있다. 이를 통해 연구자들에게 적극적으로 연구할 수 있는 기회를 제공하도록 한다. 이는 그 중요성을 지역 주민들과 국내외에 널리 홍보할 수 있기 때문이다. 그리고 국내외 도자문화의 연구 성과와 전시회 등을 집대성하고 전라남도 도자문화를 홍보할 수 있는 다각적인 방안을 검토하여야 한다. 예를 들어 도자 정보를 정리 홍보하는 누리집을 구축하여 연구자뿐만 아니라 도자에 관심이 있는 사람은 누구나 방문하여 다양한 정보를 얻을 수 있게 된다면 자연스럽게 지역홍보는 물론 경제적 수익에도 효과가 있으리라 생각된다.

도자문화의 활성화를 위해서는 주변 문화관광 자원과 연계되어야 한다. 이를 위해서는 도자문화뿐만 아니라 각 지역의 독자적인 문화상품이 함께 개발되어야 하겠다. 또한, 도자 문화권역과 밀접한 접근성이 있는 다도해 해

사진 549 | 광주 무등산분청사기전시실 청소년 도자 교실

사진 550 | 목포도자기축제

상국립공원 등 자연 문화유산을 최대한 활용할 필요성이 있다. 이들을 연계
한 탐방로를 개발하여 방문객을 확보하고 탐방로가 방문객이 선호하는 관
광코스가 될 수 있도록 계획을 수립하여야 한다. 남해안은 다도해 해상국립
공원과 연계되는 천혜의 청정해역으로 자연 경관이 아름답고 인공적인 개발
이 거의 없는 곳이다. 따라서 자연이 살아 숨쉬는 해안선을 활용한 해안도로
와 도자문화 탐방을 연계하여 개발하여야 한다. 도자 요장과 연계한 문화상
품은 독자적인 것일 수도 있으나 이들을 연계하여 관람객들이 오랫동안 전
라남도의 매력과 정을 느끼면서 머물 수 있도록 유도해야 한다. 이를 위해서
는 지역 축제를 이용할 수도 있다. 축제를 통해 전라남도의 독창적 도자문화
와 자연을 홍보하여 관람객을 유도하여야 한다. 축제는 관객과 주최자 모두
에게 만족을 주어야 하므로 방문자뿐만 아니라 지역민에게도 감동과 즐거움
이 있어야 성공할 수 있다. 이를 위해서는 도자의 신비성과 함께 홍미 유발
프로그램을 개발하여 지역경제에도 도움이 되어야 지속적으로 추진할 수 있

다. 축제는 우선적으로 출향민을 지역 홍보대사로 적극 활용하여 지역 팬을 확보하면 좋다. 그리고 남녀노소 다양한 수요층을 대상으로 기호와 흥미 등을 설문조사하여 이를 토대로 교육형, 관람형, 체험형, 여가형, 복합형 등으로 나누어 교육과 체험학습, 문화상품 등을 다양하게 개발하여야 한다. 체험학습은 시각과 촉각, 후각이 모두 만족하고 몸과 마음이 함께 느낄 수 있도록 개발하여야 하겠다. 자신이 제작하는 체험 도자의 소재는 주변에서 스스로 찾도록 하며, 그 의미를 되새기면서 다양한 재료와 표현을 통해 자신만의 작품을 만들 수 있도록 한다. 이를 통해 도자에 대한 즐기움과 성취감을 갖도록 유도한다. 한편, 남도음식축제 등 도 단위의 다른 축제와도 연계할 수 있어야 하며, 각 지역의 도자문화 역시 주변 지역 문화상품과 상호 연계하여 다양한 지역문화의 향유 공간을 마련한다면 서로에게 도움을 줄 수 있으리라 생각된다.

도자문화를 활성화하기 위해서는 전통을 갖추고 현대를 반영한 도자기를 연구 개발할 필요가 있다. 문화는 시대적 흐름을 반영하여 계속 진화하는 생명력이 있다. 따라서 단순한 전통 계승과 보존을 뛰어넘어 시대정신을 담고 있지 않으면 구태의연한 답습에 그쳐 대중들의 외면을 받을 수 있다. 시대상을 반영하고 사람들이 공감하는 도자 형태와 문양 등을 창조해야 널리 사랑받을 수 있다. 예술 작품의 가장 중요한 요소 가운데 하나가 시대성으로 이를 반영하

사진 551 | 옹기의 변신(탁자와 의자; 현대, 이학수)

여 재창조한 도자기는 단순한 그릇이 아닌 장인의 혼과 땀이 배어 있는 시대정신이 담긴 문화적 결정체가 될 수 있다. 그리고 과학적 분석과 실험을 거쳐 장인이 원하는 안정적 원료를 확보하여 기본적인 품질을 유지하도록 하는 것도 매우 중요하다.

우수한 도자 요장의 입지는 풍향과 풍속, 풍부한 물 등 다양한 요소가 있으나 가장 결정적 조건은 바탕 흙과 땔감 등의 원료를 비롯하여 생산한 도자를 사용할 소비지(시장)와 이를 소비지까지 빠르고 쉽게 운반할 수 있는 편리한 운송 수단(유통 구조)이 중요하다. 이들 요소가 하나라도 부족하다면 산업화, 현대화된 대단위 요장을 운영할 수 없으며 지역 위주의 가내 수공업의 지위에 머물 수밖에 없다. 무엇보다 도자를 높은 수준으로 발전시키려면 숙련된 기술력을 갖춘 많은 장인의 확보가 중요하며, 이들 장인에 대한 사회적 우대와 경제적 보장이 필요하다. 또한, 체계적인 생산 조직을 구축하고 철저한 긍지를 갖는 장인 정신을 갖추도록 한다. 이를 통해 분업화된 전문적인 장인으로 육성하여 전적으로 도자 생산에만 전념할 수 있도록 한다. 이러한 조건들이 충족될 때 장인들은 그들의 기술과 미감, 정성을 다해 양질의 고품격 도자 생산에 매진하여 우수한 도자를 생산할 수 있다. 우수한 태토와 유약을 갖추고 아름다운 색상과 형태, 무늬를 통한 우아한 기품이 있는 도자기를 생산해야 한다. 이를 위해서는 열과 성, 혼을 다해 자신의 창작물을 생명처럼 소중하게 다루는 인재 육성이 필요하다.

도자문화의 활성화를 위해서는 공예의 가장 큰 덕목 가운데 하나인 쓰임새가 편리하고 일상생활에서 쉽게 쓸 수 있도록 가격에 부담이 없어야 한다. 생활에서 쉽게 접하고 사용하여야 하는데, 전통을 간직한 전승도자는 대부분 고가의 작품으로 인정되어 일상용이 아닌 장식용의 기능이 강하다. 도자는 작품성과 예술성, 상품성을 분명하게 구분할 필요가 있는데, 지금까지 그에 대해서는 진지한 검토가 없었다. 다시 말해 전통의 계승과 발전은 작품성과 예술성 측면에서 추진하여야 하며, 도자문화의 활성화는 그릇의 일차적 목적인 쓰임새를 갖춘 상품적 측면에서 접근되어야 한다. 즉, 단순한 전시와 장식을 위한 전승도예가 아닌 재창조의 개념을 도입하여 새로운 문화상품을 개발하여 생산성에 일익을 담당할 수 있도록 하여야 한다. 또한, 각 지역 도자문화의 성격에 맞는 독창성을 개발하여야 지역발전에도 일조할 수 있을 것이다.

참고문헌

강진청자박물관『도자 산업 육성 및 인력 양성 방안』2010.

고려청자박물관『고려 청자 박물관 40주년 도록』2017.

고려청자박물관『다시 빚은 천년 혼 고려 청자와 강진』

국립대구박물관『추상의 멋, 분청사기』2013.

국립해양문화재연구소『시대교감 천년을 넘어 만난 일상과 예술』, 2020.

문화재청『문화재 보존관리 및 활용에 관한 기본계획』2002.

문화재청『요지의 보존정비 관리방안 연구』한국문화재정책연구원, 2015.

전라남도『전통문화 상품화 계획』1, 2000.

전라남도『남도, 도자기 로드를 가다』2015.

한국관광공사『한국 문화유산 관광 상품화 방안』1996.

한국문화예술신흥원 분화발전연구소『한국 전통 공예의 세계 시장화를 위한 연구』1991.

한성욱「전남지역 도자문화의 활성화 방안」『전남문화재』12, 전라남도, 2005.

호남문화재연구원『호남의 문화유산 그 보존과 활용』학연문화사, 1999.

INAXミュ-ジアムブッ企劃委員會『やきものを積んだ街かど-再利用のデザイン-』INAX出版, 2011.

5. 남도에서 도자의 길을 걷다

사람들은 심신의 재충전을 위해 다양한 아름다움을 느끼고 배움을 찾고자 여행을 떠난다. 자연 풍광이 좋거나 역사와 문화가 깃들여 있는 유적 등을 찾아 마음의 위안으로 삼고 있다. 여행자들은 한 곳에서 많은 것을 보고 느끼기도 하지만 여러 곳을 탐방하기도 한다. 여러 곳을 여행할 때는 특별한 주제 없이 이동의 편리성에 의해 다니기도 하지만 특별한 주제를 정하여 찾기도 한다. 그런 점에서 전라남도 남해안은 도자라는 특정 주제로 여행하기 아주 좋은 지역이다. 전라남도는 우리나라 도자 발전에 있어 유일하게 특징적인 부분과 일반적인 요소를 모두 지니고 있기 때문이다.

고대의 독창적인 무덤인 대형 옹관묘가 영산강을 중심으로 발전하였으며, 옹관의 뒤를 이은 전통 도기문화가 고려청자의 탄생과 발전을 이끌고 있다. 또한, 청자가 새로운 모습으로 변신하는 조선 분장청자도 지역적 특성과 함께 어느 지역에 뒤지지 않은 뛰어난 조형미를 보이고 있다. 백자의 생산도 분원이 설치된 경기도 광주로 중심이 옮겨가지만 여전히 왕성하게 운영되었음은 다양한 문헌 기록과 유적 조사에서 확인되고 있다. 또한, 청자와 백자의 빈자리를 채워주었던 옹기는 독특한 제작 기법과 지역적 특성을 반영한 조형성을 유지하면서 현재까지 전통을 계승하고 있다. 도자의 한 갈래인 기와도 전국에서 유일하게 전통 제작기법을 인정받은 제와장(국가 무형문화재 제91호)이 활동하고 있는 곳이다.

도자는 한줌의 흙에 장인의 정성과 혼을 담아 무한의 가치를 지니는 예술로 재탄생한다. 또한, 점력을 지닌 흙이 높은 열을 견디고 단단한 그릇으로 변화되어 인류 발전의 한 도구가 되었다. 높은 열에 터지거나 찌그러지지 않고 전혀 다른 성질의 온전한 그릇으로 탄생하는 것은 매우 어려운 과정이다. 사람에게 가장 강조되는 덕목 가운데 하나인 '인격도야人格陶冶'라는 단어에

'도'와 '야'가 쓰이는 이유이다. '야' 역시 광석에 높은 열을 가해 철이라는 새로운 물성을 만드는 과정이므로 도자와 비슷하다. 그만큼 그릇 만들기가 인격 도야처럼 쉽지 않고 매우 어렵다는 것이다. 따라서 도자문화의 순례는 도자가 지니는 조형적 아름다움과 역사와 지리, 경제적 배움도 중요하지만 그 뒤에 숨어 있는 조상들의 열과 혼을 느끼고 도자의 탄생에 '도야'라는 깊은 뜻이 있음을 되새긴다면 더욱 많은 것을 느낄 수 있을 것이다.

최근에는 산이나 계곡, 바다 등에 있는 다양한 길을 연결하여 올레길 또는 둘레길이라 부르며 사람들을 유혹하고 있다. 따라서 전라남도의 남해안을 따라 남아 있는 도자문화를 '남도 도자 올레길'로 적극 개발할 필요가 있다. 그 시작을 목포에서 시작하고자 한다. 목포는 도자 발전에서 가장 늦은 현대 생활 도자가 중심인 곳이지만 남해안의 시작점에 있어 출발지로 선정하였다. 목포는 새로운 근대 문화가 일찍부터 유입되었던 개항 도시로 1942년 순

사진 552 | 목포생활도자박물관

수한 민족자본에 의한 최초의 생활 도자 공장인 행남사(현재 행남자기)가 설립된 곳이다. 즉, 남도 곳곳에 축적되어 있던 도자문화의 전통이 개항 도시 목포에서 생활 도자로 재탄생하여 2006년 목포생활도자박물관이 개관되어 이를 기념하고 있다. 이외에도 목포에는 국립해양문화재연구소의 해양유물 전시관이 있어 해저유적에서 출수된 청자를 비롯한 도자기를 전시하고 있어 한국 도자사를 공부하기 위해서는 반드시 찾아야 하는 곳이다. 그리고 인근의 무안은 일찍부터 분장청자 가운데 귀얄분청이 유명한 곳으로 곳곳에 요장이 분포하고 있으며, 2016년 분청사기명장전시관이 개관되어 무안 분청의 독창성을 알리고 있다.

　목포와 인접한 지역은 해남과 영암이 있는데 해남을 먼저 찾아본다. 해남은 이웃 강진과 함께 고려청자를 가꾸고 발전시킨 매우 중요한 지역이다. 해남 청자는 강진과는 다른 조형미를 갖춘 곳으로 규모면에서도 강진과 비견될 정도로 중요한 곳이다. 강진은 고려 500여 년간 200여 기의 요장이 운영되었으나 해남은 고려 중기까지 300여 년간 200여 기가 운영되어 짧은 기간에 대단위로 운영되었음을 알 수 있다. 또한, 초기 청자 요장이 집중 분포하

사진 553 | 해남 진산리 17호 청자 요장

사진 554 | 해남 대흥사 일지암

고 있는 곳은 전국에서 해남 신덕리(기념물 제220호)가 유일하여 전남지역 청자 발전의 배경을 연구하는데 중요한 자료를 제공하고 있다. 해남 진산리(사적 제310호)로 대표되는 해남 유형의 청자는 중앙과 최상류층보다는 지방과 중간 계층을 위해 대량 생산되어 투박하면서 거친 맛이 있으며, 철화무늬는 단순하면서 간략한 멋을 지니고 있어 해남만의 전통을 엿볼 수 있다. 해남은 청자의 가장 큰 쓰임새와 불가분의 관계에 있는 다도문화茶道文化에서 빼놓을 수 없는 지역이나. 나성茶聖으로 추앙받고 있는 초의선사草衣禪師 (1786~1866)께서 대흥사大興寺 일지암一枝庵에서 다도문화를 확립하여 현재까지 그 맥을 잇고 있다. 따라서 해남의 청자 문화유산과 초의선사의 거처였던 일지암을 연계하여 탐방할 필요가 있다.

영암은 우리나라의 대표적 도기 생산지 가운데 한 곳인 구림리 도기 요장(사적 제338호)이 있는 곳이다. 구림리 요장은 신라 하대부터 고려 초기에

사진 555 | 영암도기박물관

운영된 대단위 도기 산업단지로 남도 청자 발생의 시원적 역할을 하였던 곳이다. 즉, 전라남도 청자는 전통 도기 제작기술에 중국의 신기술을 받아들여 발생하였는데, 그 핵심적 역할을 구림리 요장이 담당하였던 것이다. 특히, 구림리 도기는 신라 하대에 유행하였던 다도문화에서 중국 자기가 주로 쓰였던 다완 이외의 찻물을 운반하거나 담았던 용기로 사용되었다. 다도문화에서 다완 이외의 역할을 보완하여 다도를 완성할 수 있도록 하였던 것이다. 한편, 영암은 영산강을 끼고 있는 고대 문화의 핵심 지역으로 독창적 무덤 구조인 옹관묘가 성행 발전하였던 곳으로 일찍부터 도자 생산의 역사 문화적 기반을 이미 갖추고 있어 이를 쉽게 전승 발전시킬 수 있었다. 그러므로 영암의 도자문화를 이해하기 위해서는 영암도기박물관뿐만 아니라 반드시 영산강 유역 옹관 고분을 함께 살펴보아야 하겠다.

고려는 중국에 이어 세계에서 두 번째로 청자와 백자를 생산하여 세계 도자사에서 기념비적 업적을 이루었으며, 비색청자의 완성과 상감청자의 독보적 발전을 이루어 인류 도자문화를 풍성하게 하였다. 그 중심에 강진 청자 요장(사적 제68호)이 있음은 삼척동자도 아는 상식일 것이다. 강진에는 고려 청자박물관을 비롯한 다양한 시설이 있다. 그러나 유적에 대한 정비가 단순한 보존과 보호에 그치고 있어 요장에서 느낄 수 있는 역사 문화적 감흥이 부족하다. 위치별로 대표적 요장을 발굴조사하여 강진 청자의 성격을 보다 분명하게 밝히고 다양한 의견을 수렴하여 이를 가시적으로 제시할 필요성이 있다. 이를 통해 청자 요장 전체를 역사와 자연의 숨결을 만끽할 수 있는 올레길로 완성하여 탐방객들이 오래 머물 수 있도록 하여야 하겠다. 또한, 고려 장인들의 정신적 위안처였을 정수사淨水寺에 대한 정비가 필요하며, 완성된 청자를 바닷길로 운반하기 위해 운영되었던 사당리 미산 포구도 역사적 고고학적 성격을 규명하여 재현할 필요성이 있다. 강진은 이외에도 도자 문화와 관련한 다양한 요소들이 있다. 봉황리 옹기 요장(정윤석, 국가무형문화재 제96호)은 해안에 위치하여 바닷길로 옹기를 운반한 인문지리 조건

사진 556 | 강진 사당리 청자 마을

을 잘 보존하고 있어 전통 환경을 복원하여 청자 문화와 적극 연계할 필요성이 있다. 1656(효종 7)~1663년(현종 4) 병영성에서 생활하였던 헨드릭 하멜(1630~1692)의 직장인 네덜란드의 동인도회사는 최대의 동양 도자 수입 회사였음은 잘 알려진 사실이다. 월출산을 중심으로 성행하였던 차문화와 사람들이 많이 찾는 차밭을 강진의 도자문화에 함께 반영한다면 강진의 청자가 훨씬 빛나리라 생각된다.

　강진과 인접한 장흥은 청자가 발생하던 시기의 풍길리 청자 요장(기념물 제221호)부터 근대의 월송리 백자 요장(기념물 제30호)까지 시대별 요장이 고루 분포하고 있으나 무엇보다 국내 유일의 제와장(김창대, 국가무형문화재 제91호)이 전통 기와를 생산하고 있는 곳이다. 기와는 흙을 불에 구워 만드는 것으로 도자의 한 종류이지만 기능이 대부분 건축재인 것이 가장 큰 특징이다. 즉, 단단하고 쉽게 침식되지 않는 성질이 있어 건축재로도 적극 활용되었던 것이다. 그러나 요즘은 시멘트를 이용한 연립주택의 난립으로 기

사진 557 | 장흥 모령리 제와장 옛 요장

와를 생산하는 공방을 주변에서 찾는 것은 쉽지 않다. 따라서 전통기법으로 기와를 제작하는 장흥 제와장은 전통과 현대를 잇는 고단한 사명을 수행하고 있는 이 시대의 고독한 장인으로 우리에게 전통의 의미가 무엇인지 무언無言으로 알려주고 있다. 무엇보다 기와의 역사와 전통 계승, 제작 과정 등을 알릴 수 있는 박물관이 빨리 건립되어 제와장을 찾는 이들의 배움에 대한 갈증을 해소시켜야 하겠다. 그리고 장흥 월송리 백자 요장은 가마를 비롯하여 공방과 원료를 채취하였던 장소까지 모두 남아 있는 유일한 곳으로 도자사 연구에서 매우 핵심적이 유적이다. 또한, 장흥에는 음다문희를 받이 들어 도자문화의 확산을 가져왔던 구산선문九山禪門의 으뜸 사찰인 보림사寶林寺가 있으며, 보림사를 중심으로 성행하였던 전통 떡차의 하나인 청태전(국가중요농업유산 제12호)의 제다법이 전승되고 있다. 한편,『세종실록지리지』에 차를 전문적으로 생산하였던 다소茶所의 분포가 기록되어 있어 차 생산이 많았던 고을임을 쉽게 알 수 있다. 이들 도자와 다도 문화가 함께 어울릴 수 있

사진 558 | 보성 도개리 옹기 요장

사진 559 | 보성 차밭

도록 지혜를 모아야 하겠다.

보성은 도자 발전을 견인하였던 차문화에 있어서는 수도首都와 같은 곳이다. 또한, 내륙 유통이 특징인 도개리 옹기 요장(이학수, 무형문화재 제37호)이 일찍부터 무형문화재로 지정되고 활발하게 운영되어 보성의 도자문화를 대표하고 있다. 옹기는 신석기시대부터 꾸준히 발전해 온 도자의 일종으로 우리 민족의 정서와 조형미를 가장 잘 담고 있는 그릇 가운데 하나이다. 특히, 전라도 옹기는 독특한 제작기법인 '체바퀴타래' 기법을 사용하여 특유의 풍만한 곡선미를 갖추고 있어 남도 사람들의 넉넉하고 후덕함을 잘 보여주고 있다. 옹기는 일상생활에서 가장 널리 쓰이고 흔히 볼 수 있는 용기였으나 현재는 쓰임새가 줄어 기와처럼 전통 계승의 어려움을 겪고 있다. 그러나 오늘날 오래된 옹기는 민속품이나 생활용품이 아닌 전통미를 갖춘 공예미술

로 재인식되고 있는데, 이런 특징을 담아내고 옹기의 제작과 전승 등을 담아
낼 박물관이 필수적이라 하겠다. 녹차수도 보성에는 국내 최대의 풍광 좋은
차밭이 운영되고 있으며, 매년 다향제茶香祭가 열리고 있으나 도자문화와의
연계성을 찾기는 쉽지 않다. 다향제와 한국차박물관을 적극 활용하여 차뿐
만 아니라 옹기 등 보성 도자문화를 적극 홍보하였으면 한다. 특히, 옹기를
찻그릇으로 변신시키는 등 현대적으로 재해석하고 있는 옹기장甕器匠과의
연계를 강화하였으면 한다.

남해안 도자길은 고흥에서 마무리하려고 한다. 고흥 역시 마무리에 손색
이 없는 도자문화를 지니고 있기 때문이다. 고흥 운대리는 국내 최대의 분장
청자 요장(사적 제519호, 기념물 제80호)이 분포하고 있어 우리나라 분장청
자의 변화 과정을 알 수 있는 매우 중요한 곳이다. 특히, 운대리 요장은 분장
청자의 모든 기법이 확인되고 있을 뿐만 아니라 전라도를 대표하는 덤벙분

사진 560 | 고흥분청문화박물관

청의 핵심적 생산지로 국내보다 일본에서 더 유명한 곳이다. 덤벙분청은 백토가 차분히 씌워지기 때문에 상대적으로 경쾌한 귀얄문과는 달리 정적靜的인 느낌을 주며 덤벙 담근 백토의 흐름과 번조 과정에서 계속 변화하는 매력이 있다. 그리고 그릇을 사용하면서 찻물 등이 스며들어 자연스럽게 새로운 멋을 갖추어 가는 특징이 있다. 한편, 오늘날의 도자는 산업과 연계된 생활용품뿐만 아니라 조각과 회화 등의 예술적 소재로 활용되고 있으며, 자동차와 의료 등의 최첨단 산업에도 응용되고 있어 그 가치는 무궁하다. 특히, 우주선이 대기권으로 진입할 때 고열을 견딜 수 있는 가장 필수적인 기술이 도자이다. 따라서 우주수도宇宙首都 고흥에서는 나로우주센터와 우주항공축제 등과 연계하여 미래의 첨단산업과 관련된 도자 전시와 상품을 개발하고 연구하였으면 한다.

남도의 도자길에서 많은 것을 보고 느낄 수 있었는데, 무엇보다 조상들의 뜨거운 장인 정신과 시대에 맞추어 새로움을 창조하는 법고창신法古創新의 힘이 오늘날에도 여전히 필요함을 절감하였다. 이를 위해서는 미래의 주역인 청소년들과 함께 이 길을 걸어야 하며, 박물관이 없는 해남과 장흥, 보성은 박물관을 교육 시설로 인식하고 하루 빨리 이를 갖추기를 건의한다. 그리고 도자문화를 간직하고 전승하고 있는 마을의 환경을 잘 보전하여 자연과 어우러진 전통이 살아 있는 마을로 지속적으로 가꾸었으면 한다.

참고문헌

한국문화예술진흥원 문화발전연구소『국토 순례 문화관광 개발 보급방안 연구』1993.

전라남도『남도, 도자기 로드를 가다』2015.

한성욱「전남지역 도자문화의 활성화 방안」『전남문화재』12, 전라남도, 2005.

사진 목록

사진 목록은 일련 번호, 유물 또는 유적의 명칭, 시기, 출토지, 지정문화재의 경우 종목과 번호를 명기하였다. 끝 부분에 유물의 소장기관 또는 유적의 조사기관을 밝혔으며, 필요한 경우 유물 기증자와 사진 촬영자를 명기하였다. 소중한 사진을 제공하여 주신 모든 기관과 촬영자 선생님께 재차 깊은 감사를 드린다.

058 | 해남 신덕리 20호 청자 요장 가마(진흙), 민족문화유산연구원

059 | 영암 구림리 도기 요장 가마, 민족문화유산연구원

060 | 강진 사당리 43호 청자 요장 가마, 민족문화유산연구원

061 | 고흥 운대리 14호 분장청자 요장 가마, 민족문화유산연구원

062 | 강진 사당리 23호 청자 요장 만두형 초벌 가마, 민족문화유산연구원

063 | 강진 사당리 43호 청자 요장 숯 가마, 민족문화유산연구원

064 | 청자음각참외무늬주전자, 고려청자박물관

065 | 청자양각죽절문병(국보 제169호), 개인 소장

066 | 청자어룡형주전자(국보 제61호), 국립중앙박물관

067 | 청자철채퇴화잎무늬매병(보물 제340호), 국립중앙박물관

068 | 청자투각연꽃넝쿨무늬베개, 국립중앙박물관

069 | 청자상감동채모란문매병(보물 제346호), 국립중앙박물관

070 | 청자철화초화문잔탁, 일본 이데미츠미술관出光美術館

071 | 청자상감화금연판문 파편(강진 용운리 출토), 부안청자박물관(김대환 기증)

072 | 청자동화퇴화국화문합, 국립중앙박물관

073 | 청자연리문완, 국립중앙박물관

074 | 청자상감동채연화당초용문병(보물 제1022호), 호림박물관

075 | 청자상감봉황연꽃넝쿨무늬대접, 국립중앙박물관

076 | 청자기린형향로(국보 제65호), 간송미술관

077 | 청자거북형주전자(국보 제96호), 국립중앙박물관

078 | 청자사자형베개(국보 제789호), 개인 소장

079 | 청자원숭이형연적(국보 제270호), 간송미술관

080 | 청자상감물고기무늬접시, 국립중앙박물관

081 | 청자상감매죽학문매병(보물 제1168호), 국립진주박물관

082 | 청자오리형연적(국보 제74호), 간송미술관

083 | 청자음각연화문매병(태안 마도 2호선 출수, 보물 제1784호), 국립대인해양유물전시관

084 | 청자상감모란문항아리(국보 제98호), 국립중앙박물관

085 | 청자상감매화새무늬판(보물 제1447호), 개인 소장

086 | 청자상감죽학매화문매병(보물 제903호), 국립중앙박물관

087 | 청자상감소나무인물문매병, 국립중앙박물관

088 | 청자상감국화구름학무늬주전자(보물 제1451호), 호림박물관

089 | 청자상감동화포도동자문 주전자와 받침, 국립중앙박물관

090 | 청자석류형주전자, 국립중앙박물관

188 | 청자상감연꽃넝쿨무늬소형상(강진 사당리 청자 요장 출토), 국립광주박물관

189 | 청자상감넝쿨무늬'三盃詩'명잔, 국립중앙박물관

190 | 청자상감넝쿨무늬'中白玉盃'명잔, 국립중앙박물관

191 | 청자상감국화문 잔과 받침, 고려청자박물관

192 | 청자상감연꽃국화문'正陵'명종이통紙筒, 선문대학교박물관

193 | 분채자붓대粉彩瓷筆(청淸), 臺北 國立古宮博物院

194 | 청자투각연꽃넝쿨무늬붓꽂이筆架(보물 제1932호), 국립중앙박물관

195 | 백자청화산모양 붓씻는그릇筆洗(조선), 국립중앙박물관

196 | 백자청화필관筆管(명明), 臺北 國立故宮博物院

197 | 백자투각십자문대나무형필통筆筒(조선), 국립중앙박물관

198 | 청자퇴화섬문누꺼비형벼루(태안 대섬 해저유적 줄수, 보물 제1782호),
       국립태안해양유물전시관

199 | 청자원숭이형묵호墨壺(개성 부근 출토), 국립중앙박물관

200 | 백자 안료 합과 절구, 중국 四川博物院

201 | 백자청화먹받침墨床(일본 에도시대江戸時代), 단바고도관丹波古陶館

202 | 청자상감육학문관, 일본 오사카시립동양도자미술관大阪市立東洋陶磁美術館

203 | 백자화문벼루병풍硯屏(일본 현대), 일본 아리타有田 개인 소장

204 | 행원아집도杏園雅集圖(명明 사환謝環), 중국 鎭江博物館

205 | 청자동녀형연적(일본 중요미술품), 일본 大阪市立東洋陶磁美術館

206 | 청자동자형연적, 일본 大阪市立東洋陶磁美術館

207 | 청자동자형연적(보령 원산도 해저유적 출수), 국립해양문화재연구소

208 | 청백자첩화문진文鎭(송宋, 일본 후쿠오카福岡 하카다博多 유적 출토,
       일본 중요문화재), 일본 福岡博物館

209 | 청자원숭이형인장, 국립중앙박물관

210 | 청자두귀병, 국립중앙박물관

211 | 청자투각칠보문향로(국보 제95호), 국립중앙박물관

212 | 청자상감꽃새무늬의자, 경기도박물관

213 | 청자순화삼년淳化三年'명두형豆形접시(배천 원산리 청자 요장 출토), 북한 사회과학원

214 | 청자'순화사년淳化四年'명항아리(국보 제326호), 이화여자대학교박물관

215 | 청자상감상준, 호림박물관

216 | 청자상감상준(강진 사당리 청자 요장 출토), 국립전주박물관

217 | 청자분장상준, 국립중앙박물관

218 | 청자상감희준(양산 가야진 출토), 양산시립박물관

219 | 청자상감희준(강진 사당리 청자 요장 출토), 국립전주박물관

220 | 청자상감보(양산 가야진 출토), 양산시립박물관

221 | 청자상감궤, 호림박물관

222 | 청자상감작, 호림박물관

223 | 청자상감유노수금문이, 호림박물관

224 | 청자퇴화문말(장흥 천관사 출토), 천관사

225 | 토우장식장경호(신라, 경주 계림로 30호분 출토, 국보 제195호), 국립경주박물관

226 | 청자철화모란넝쿨무늬장구(완도 해저유적 출수), 국립광주박물관

227 | 청자장구(나주목 관아지 출토), 영해문화재연구원

228 | 도기요고(진도 명량대첩로 해저유적 출수), 국립해양문화재연구소

229 | 화순 쌍봉사 철감선사 징소탑 부분(국보 제57호)

230 | 청자철채넝쿨무늬장구(진도 용장성 출토), 목포대학교박물관

231 | 청자상감운학국화문피리, 미국 메트로폴리탄박물관

232 | 청자음각넝쿨무늬종(강진 사당리 청자 요장 출토), 고려청자박물관(이용희 기증)

233 | 청자상감인물문매병, 국립중앙박물관

234 | 청자상감인물문매병(부안 유천리 청자 요장 출토), 이화여자대학교박물관

235 | 청자상감인물문병, 미국 하버드박물관

236 | 백자동화생황형연적(조선), 국립중앙박물관

237 | 청자병, 용인대학교박물관

238 | 청자상감풀꽃새무늬병, 고려청자박물관

239 | 청자상감연지蓮池원앙문정병(국보 제66호), 간송미술관

240 | 수월관음도 부분(일본 중요문화재), 센오쿠박고관泉屋博古館

241 | 청자상감구름학무늬매병(보물 제1869호), 국립중앙박물관

242 | 제사알례알존자第四嘎礼嘎尊者(원元), 臺北 國立古宮博物院

243 | 청자상감국화문반, 경기도박물관

244 | 청자음각모란문반, 경북대학교박물관

245 | 청자상감모란국화문화분, 일본 고려미술관

246 | 청자양각풀꽃새무늬화분(진도 명량대첩로 해저유적 출수), 국립해양문화재연구소

247 | 청자상감화분곤충문잔(나주 송월동 유적 출토), 영해문화재연구원

248 | 청자투각꽃무늬화분받침(보령 죽도 해저유적 출수), 국립부여박물관

249 | 청자상감모란문 화분과 받침, 이화여자대학교박물관

250 | 꽃 그릇과 과일器皿折枝圖(안중식·조석진), 아모레퍼시픽미술관

251 | 청자음각앵무문합, 용인대학교박물관

252 | 청자상감국화문모자합, 코리아나화장박물관

253 | 청자상감모란문병, 아모레퍼시픽미술관

254 | 청자음각넝쿨무늬주전자, 용인대학교박물관

255 | 청자철화모란문반, 호림박물관

256 | 청자구슬(강진 사당리 청자 요장 출토), 고려청자박물관

257 | 철제거울걸이와 구리거울, 호림박물관

258 | 청자상감투각귀갑문상자(장흥 모산리 고분 출토), 국립중앙박물관

259 | 화장품 만들기(코리아나화장박물관)

260 | 청자정(국립중앙박물관)

261 | 청자상감집사람무늬항아리, 국립중앙박물관

262 | 청자와당(강진 사당리 청자 요장 출토), 국립중앙박물관

263 | 청자음각모란무늬'大平'명기와(강진 사당리 청자 요장 출토), 민족문화유산연구원

264 | 청자연봉형기와(강진 삼흥리 청자 요장 출토), 국립광주박물관

265 | 연봉형기와 사용 사례(강화 전등사 대웅전, 보물 제178호)

266 | 청자연목와(남원 실상사 출토), 국립부여문화재연구소

267 | 청자새모양기와(남원 실상사 출토), 국립부여문화재연구소

268 | 새모양기와 사용 사례(臺北 孔子廟)

269 | 청자상감모란문판, 국립중앙박물관

270 | 청자음각연화문판(강진 월남사 출토), 민족문화유산연구원

271 | 청자철화모란넝쿨무늬난주, 호림박물관

272 | 강화 대산리 출토 태호, 강화역사박물관

273 | 강진 사당리 출토 태호, 민족문화유산연구원

274 | 나주 장산리 출토 태호, 국립나주박물관

275 | 영암 서남리 영암읍성 출토 태호, 전남문화재연구원

276 | 성종 태실(창경궁), 국립고궁박물관

277 | 세조 태지와 태호, 국립고궁박물관

278 | 예종 태호, 국립전주박물관

279 | 성종 폐비 윤씨 태호, 국립중앙박물관

280 | 월산대군 태호, 일본 大阪市立東洋陶磁美術館(六田知弘 촬영)

281 | 청자상감인화문호(광주 충효동 분장청자 요장 출토), 국립광주박물관

282 | 청자상감인화국화문태호(국보 제177호), 고려대학교박물관

283 | 청자乙巳○三月十五日金贊壽置表가 쓰여진 묘지(광주 매곡동 출토), 국립광주박물관

284 | 청자상감'宣德十年'명묘지, 이화여자대학교박물관

285 | 청자상감'正統四年'명묘지(보물 제1830호), 경기도박물관

286 | 청자상감'正統五年'명묘지(보물 제577호), 개인 소장

287 | 청자상감'正統十三年'명묘지와 인화문사각편병(보물 제1450호), 아모레퍼시픽미술관

288 | 청자상감'正統十三年'명묘지(보물 제1428호), 국립중앙박물관(이건희 기증)

289 | 진양군 영인 정씨 묘지(국보 제172호), 리움미술관

290 | 청자상감'景泰五年'명이선제묘지(보물 제1993호), 국립광주박물관

291 | 청자상감'成化'명묘지(광주 충효동 분장청자 요장 출토), 국립광주박물관

292 | 개성 인종 장릉 출토 유물, 국립중앙박물관

293 | 개성 인종 장릉 출토 청자참외형병(국보 제94호), 국립중앙박물관

294 | 개성 인종 장릉 출토 청자사각형받침, 국립중앙박물관

295 | 개성 명종 지릉 출토 청자, 국립중앙박물관

296 | 개성 명종 지릉 전경, 국립중앙박물관

297 | 강화 희종 석릉 출토 청자, 국립문화재연구소

298 | 강화 희종 석릉 출토 음각'○'명청자, 국립문화재연구소

299 | 강화 원덕태후 곤릉 출토 청자, 국립문화재연구소

300 | 강화 원덕태후 곤릉 청자 출토 상태, 국립문화재연구소

301 | 청자상감'正陵'명연꽃넝쿨무늬대접, 국립중앙박물관

302 | 나주 지역 출토 '正陵'명청자, 동신대학교문화박물관 · 고려청자박물관

303 | 장흥 신월리 8호 토광묘 도자 출토 상황, 목포대학교박물관

304 | 장흥 신월리 7호 토광묘 청자 출토 상황, 목포대학교박물관

305 | 장흥 신월리 5호 토광묘 도자 출토 상황, 목포대학교박물관

306 | 장흥 신월리 5호 토광묘 출토 청자, 목포대학교박물관

307 | 무안 청계리 고분 출토 청자, 국립광주박물관

308 | 고흥 남계리 고분 출토 청자, 국립광주박물관

309 | 강진 고분 출토 청자구룡형정병(일본 중요문화재), 일본 야마토문화관大和文華館

310 | 장흥 모산리 고분 출토 청자상감투각귀갑문상자, 국립중앙박물관

311 | 진도 용장리 고분 출토 청자, 목포대학교박물관

312 | 함평 보여리 고분 출토 청자, 국립광주박물관

313 | 강진 용상리 고분 출토 청자상감용문매병, 고려청자박물관

314 | 광주 동운동 고분 출토 청자상감연꽃무늬매병, 국립광주박물관

315 | 순천 동화사 삼층석탑 사리장엄구, 국립중앙박물관

316 | 개성 불일사 오층석탑 청자사리호

317 | 공주 신원사 오층석탑 사리장엄구, 불교중앙박물관

318 | 순천 선암사 삼층석탑 사리장엄구(보물 제955호), 선암사성보박물관

319 | 일본 오사카大阪 金剛寺 승탑 청자사리주전자, 金剛寺

320 | 영암 성풍사 오층석탑 사리장엄구, 영암도기박물관

321 | 영암 청풍사 오층석탑 청자사리합, 전남대학교박물관

322 | 영암 용암사 삼층석탑 사리장엄구, 국립나주박물관

323 | 문경 신현리 삼층석탑 사리장엄구, 국립대구박물관

324 | 칠곡 송림사 오층전탑 청자상감국화문사리합(보물 제325호), 국립대구박물관

325 | 순천 송광사 자정국사 묘광탑 청자상감국화문사리합(유형문화재 제18호),
　　　송광사성보박물관

326 | 원주 영전사 보제존자탑 사리장엄구, 국립춘천박물관

327 | 밀양 영원사 승탑 사리장엄구, 국립진주박물관

328 | 청자나한상(강화 국화리 출토, 국보 제173호), 개인 소장

329 | 청자 불보살과 나한상(강진 백련사 용혈암 출토), 민족문화유산연구원

330 | 청자발우(태안선 출수), 국립해양문화재연구소

331 | 청자구룡형향로(보물 제1027호), 개인 소장

332 | 청자양각연화형향로(강진 월남사 출토), 민족문화유산연구원

333 | 청자상감모란문정병, 고려청자박물관

334 | 청자종(강진 사당리 청자 요장 출토), 고려청자박물관(이용희 기증)

335 | 청자철화국화넝쿨무늬장구, 국립중앙박물관

336 | 청자퇴화문말(장흥 천관사 출토), 천관사

337 | 청자음각모란문기와(장흥 천관사 출토), 불교문화재연구소

338 | 청자음각연화문판(강진 월남사 출토), 민족문화유산연구원

339 | 청자상감나한문판(강진 사당리 청자 요장 출토), 민족문화유산연구원

340 | '己巳'명상감청자(강진 월남사 출토), 민족문화유산연구원

341 | 청자상감범자문접시, 이화여자대학교박물관

342 | 청자인물형주전자(대구大邱 출토, 국보 제167호), 국립중앙박물관

343 | 청자인물형연적, 국립중앙박물관

344 | 청자봉황인물형주전자, 미국 시카고미술관

345 | 청자복숭아형연적(보물 제1025호), 개인 소장

346 | 청자구룡형주전자(국보 제96호), 국립중앙박물관

347 | 청자기린형향로(국보 제65호), 간송미술관

348 | 청자어룡형주전자(국보 제61호), 국립중앙박물관

349 | 청자상감'燒錢'명완, 국립중앙박물관

382 | 신안 안좌선 발굴조사 전경, 국립해양문화재연구소

383 | 신안 안좌선 출수 도자, 국립해양문화재연구소

384 | 목포 달리도선 발굴조사 전경, 국립해양문화재연구소

385 | 목포 달리도선, 국립해양문화재연구소

386 | 군산 십이동파도 해저유적 전경, 국립해양문화재연구소

387 | 군산 십이동파도선 출수 도자, 국립해양문화재연구소

388 | 군산 십이동파도선 청자 포장 꾸러미 재현, 국립해양문화재연구소

389 | 완도선, 국립해양문화재연구소

390 | 완도선 출수 청자, 국립해양문화재연구소

391 | 해남 진산리 17호 청자 요장 출토 유물, 목포대학교박물관

392 | 태안 마도 1호선 모형, 국립해양문화재연구소

393 | 태안 마도 1호선 출수 철화청자, 국립해양문화재연구소

394 | 해남 청자 전시 모습, 국립해양문화재연구소

395 | 군산 십이동파도선 전시 전경, 국립해양문화재연구소

396 | 군산 십이동파도선 출수 청자꽃모양접시, 국립해양문화재연구소

397 | 완도선 출수 청자철화매병, 국립해양문화재연구소

398 | 태안 마도 1호선 출수 청자, 국립해양문화재연구소

399 | 해남 신덕리 20호 청자 요장 출토 흑유병, 민족문화유산연구원

400 | 해남 진산리 74호 청자 요장 출토 청자와 흑자, 국립해양문화재연구소

401 | 해남 진산리 17호 청자 요장 출토 도자, 목포대학교박물관

402 | 완도선 출수 청자철화모란넝쿨무늬장구, 국립광주박물관

403 | 청자표주박형주전자, 北京 豊台區 烏古論窩論墓 출토

404 | 청자편, 北京 宣武區 右安門北 출토

405 | 청자상감모란구름무늬매병, 河北省 石家庄市 后太保 史氏墓 출토

406 | 청자상감국화문 잔과 받침, 遼寧省 瀋陽 砂山街 2호묘 출토

407 | 청자상감국화넝쿨무늬베개, 遼寧省 遼陽 蘭家鄉 石灰祔村 元 墓 출토

408 | 청자상감국화문팔각접시, 黑龍江省 清山 발해 동경성 출토

409 | 청자거북이형연적, 內蒙古 集寧路 窖藏 출토

410 | 상감국화문주전자, 몽골 카라코룸 출토

411 | 청자상감국화문꽃모양잔, 러시아 연해주 출토

412 | 청자상감화금국화문타호, 티베트박물관

413 | 청자상감화금운학국화문완, 臺北 國立故宮博物院

414 | 청자편, 山東省 蓬萊 水城 고려선 출수

415 | 도기 장군, 山東省 蓬萊 水城 고려선 출수

416 | 청자상감버들연꽃무늬매병, 江蘇省 南京 牛首山 출토

417 | 청자상감버들매화대나무무늬매병, 江蘇省 蘇州 同里鎭 출토

418 | 청자상감용연꽃무늬호, 安徽省 滁州 출토

419 | 청자편, 浙江省 杭州 출토

420 | 청자음각연화문주전자, 浙江省 杭州 傳世

421 | 청자음각투각의자, 浙江省 杭州 德壽宮(宋 高宗 上皇府) 출토

422 | 청자원앙형향로, 浙江省 杭州 출토

423 | 청자상감씨름무늬뚜껑, 浙江省 寧波 출토

424 | 청자편, 浙江省 寧波 출토

425 | 청자음각연화문병, 영파 외성로巍星路 교장窖藏 출토, 중국 寧波市文物考古研究所

426 | 태창太倉 번경촌樊涇村 유적 전경, 중국 太倉市考古研究所

427 | 太倉 樊涇村 유적 유물 퇴적 상태, 중국 太倉市考古研究所

428 | 太倉 樊涇村 유적 유물 노출 상태, 중국 太倉市考古研究所

429 | 청자음각茶花文'至元四年'명완, 원元, 太倉 樊涇村 유적 출토, 중국 太倉市考古研究所

430 | 청자상감구름학무늬고족배, 太倉 樊涇村 유적 출토, 중국 太倉市考古研究所

431 | 청자상감구름봉황무늬대접, 太倉 樊涇村 유적 출토, 중국 太倉市考古研究所

432 | 청자상감구름무늬팔각접시, 太倉 樊涇村 유적 출토, 중국 太倉市考古研究所

433 | 청자상감빗방울무늬병, 太倉 樊涇村 유적 출토, 중국 太倉市考古研究所

434 | 청자상감갈대새무늬접시, 太倉 樊涇村 유적 출토, 중국 太倉市考古研究所

435 | 청자상감국화문'正陵'명접시, 다자이후大宰府 관세음사 출토,
큐슈역사자료관九州歷史資料館

436 | 청자상감국화문대접, 교토京都 출토, 교토시고고자료관京都市考古資料館

437 | 청자음각연화문매병, 교토京都 출토, 교토시고고자료관京都市考古資料館

438 | 청자 해무리굽완, 후쿠오카福岡 출토, 후쿠오카시교육위원회福岡市教育委員會

439 | 청자원앙형향로, 후쿠오카福岡 출토, 후쿠오카시교육위원회福岡市教育委員會

440 | 청자음각연화문매병, 가마쿠라鎌倉 출토, 가마쿠라시교육위원회鎌倉市教育委員會

441 | 청자상감운학모란문병, 가마쿠라鎌倉 출토, 가마쿠라시교육위원회鎌倉市教育委員會

442 | 청자해치형연적, 쓰시마對馬島 출토, 쓰시마시교육위원회對馬島市教育委員會

443 | 청자상감버들무늬매병, 쓰시마對馬島 해신신사海神神社 전래, 海神神社

444 | 청자음각'○'명병, 가마쿠라鎌倉 출토, 가마쿠라시교육위원회鎌倉市教育委員會

445 | 청자음각연판문'○'명대접, 강진 사당리 23호 청자 요장 출토, 고려청자박물관

446 | 청자상감여의두문접시, 오키나와沖繩 슈리성首里城 출토,
　　　오키나와현립매장문화재센터
447 | 청자상감국화문팔각접시, 오키나와沖繩 나키진성今歸仁城 출토, 今歸仁村敎育委員會
448 | 청자와 도기, 기카이지마喜界島 구스쿠城 유적 출토, 喜界町敎育委員會
449 | 가무이도기, 일본, 도쿠노시마德之島 도기 요장 출토,
　　　이센정역사민속자료관伊仙町歷史民俗資料館
450 | 청자상감꽃무늬완 등, 대만臺灣 란위도蘭嶼島 출토, 개인 소장(吉良文男 촬영)
451 | 청자양각연화문화형접시, 필리핀 출토, 일본 토야마사토미술관富山佐藤美術館
452 | 청자화형접시, 필리핀 출토, 일본 토야마사토미술관富山佐藤美術館
453 | 청자상감여지국화문대접, 베트남 탕롱昇龍 황성皇城 출토, 베트남 사회과학원
454 | 청자상감구름학무늬유병, 이란 레자압바스미술관
455 | 청자상감구름학무늬표주박형주전자, 이란 샤이후·사피·웃디묘廟 도자관
456 | 청자분장상감운룡문호(국보 제259호), 국립중앙박물관
457 | 청자분장'德泉'명인화상감화문발, 호림박물관
458 | 청자분장조화물고기무늬편병(국보 제178호), 국립중앙박물관
459 | 청자분장박지모란문자라병(국보 제260호), 국립중앙박물관
460 | 청자분장조화박지연꽃물고기무늬편병(국보 제179호), 호림박물관
461 | 청자분장철화모란문장군(보물 제1387호), 개인 소장
462 | 청자분장귀얄무늬접시, 고흥 운대리 14호 분장청자 요장 출토, 민족문화유산연구원
463 | 청자분장덤벙무늬병, 고흥 운대리 14호 분장청자 요장 출토, 민족문화유산연구원
464 | 청자분장덤벙무늬접시, 보성 도촌리 분장청자 요장 출토, 민족문화유산연구원
465 | 청자분장인화상감'內贍'명국화문접시, 곡성 구성리 분장청자 요장 출토,
　　　전남문화재연구원
466 | 청자분장인화상감'慶州長興庫'명새끼줄무늬호, 호림박물관
467 | 청자분장철화초화문발, 고흥 운대리 7호 분장청자 요장 출토, 민족문화유산연구원
468 | 청자분장철화물고기무늬병, 국립중앙박물관
469 | 청자분장귀얄무늬 병과 발, 무안 사천리 분장청자 요장 출토, 분청사기명장전시관
470 | 청자분장덤벙무늬발, 장흥 덕산리 해저 출수, 국립해양문화재연구소
471 | 청자분장덤벙무늬발, 고흥 운대리 27호 분장청자 요장 출토, 민족문화유산연구원
472 | 청자분장덤벙무늬발(三好; 일본 중요문화재), 미츠이기념미술관三井記念美術館
473 | 청자분장조화박지모란문편호, 영암 상월리 분장청자 요장 출토, 민족문화유산연구원
474 | 분청사기'全 ᄉ道 전라도'명모란문호(광주광역시 문화재자료 제23호),
　　　광주역사민속박물관

475 | 태안 마도 4호선 선박과 유물 노출 상태, 국립해양문화재연구소

476 | 태안 마도 4호선 출수 목간, 국립해양문화재연구소

477 | 태안 마도 4호선 분장청자 포장 상태, 국립해양문화재연구소

478 | 태안 마도 4호선 출수 분장청자, 국립해양문화재연구소

479 | 태안 마도 4호선 출수 도기호, 국립해양문화재연구소

480 | 태안 마도 4호선 출수 청자분장상감국화문'內贍'명발, 국립해양문화재연구소

481 | 청자분장철화당초문병, 나주 황동 유적 출토, 목포대학교박물관

482 | 구리로 만든 '廣興倉印' 도장, 국립고궁박물관

483 | 태안 마도 4호선 출수 청자분장상감물고기무늬발, 국립해양문화재연구소

484 | 태안 마도 4호선 출수 청자분장상감새무늬발, 국립해양문화재연구소

485 | 청자대접(조선), 영암 상월리 분장청자 요장 출토, 민족문화유산연구원

486 | 백자와 청화백자(조선), 무안 피서리 백자 요장 출토, 목포대학교박물관

487 | 철화백자(조선), 장성 추암리 백자 요장 출토, 호남문화재연구원

488 | 흑유백자(조선), 담양 용연리 백자 요장 출토, 민족문화유산연구원

489 | 순천 후곡리 백자 요장, 이화여자대학교박물관

490 | 장흥 월송리 백자 요장, 마한문화연구원

491 | 장흥 월송리 백자 요장 원료 구덩이

492 | 강진 월하리 백자 요장 공방, 호남문화재연구원

493 | 나주 동수동 백자 요장 공방, 대한문화재연구원

494 | 장독대(국가민속문화재 제161호 장흥 존재 고택)

495 | 무안 몽강리 옹기 우물(현대)

496 | 옹기초화문관棺(조선), 광주 대지동 유적 출토, 전남문화재연구원

497 | 광주 고룡동 옹기 요장(조선), 영해문화재연구원

498 | 타래미 만들기(정윤석; 국가무형문화재 제96호)

499 | 타래미 올리기(이학수; 무형문화재 제37호)

500 | 강진 봉황리 옹기 운반선(1969년), 국립민속박물관

501 | 옹기 차도구(현대, 이학수)

502 | 강진 봉황리(해상) 옹기 요장

503 | 무안 몽강리(강변) 옹기 요장

504 | 보성 미력리(내륙) 옹기 요장

505 | 장흥 신월리 기와 요장(조선), 목포대학교박물관

506 | 한형준 장인의 수키와 성형 모습

507 | 김창대 장인의 암키와 성형 모습

508 | 순천 송광사 기와골 전경(1940년대)

509 | 숭례문(국보 제1호; 기와 현대, 한형준)

510 | 취두 기와(현대, 김창대)

511 | 기와를 이용한 거리 장식, 일본 나라현奈良縣 나라시

512 | 기와를 이용한 건물 외벽, 일본 에히메현愛媛縣 기쿠마정菊間町 기와박물관

513 | 기와를 이용한 일상 소품, 일본 시가현滋賀縣 오미하치만시近江八幡市 기와박물관

514 | 기와를 이용한 실내 장식, 일본 에히메현愛媛縣 기쿠마정菊間町 기와박물관

515 | 청자참외형병(개성 인종 장릉 출토, 국보 제94호), 국립중앙박물관

516 | 청자양각죽절문병(국보 제169호), 개인 소장

517 | 청자투각칠보문향로(국보 제95호), 국립중앙박물관

518 | 청자상감모란문표주박형주전자(강진 출토, 국보 제116호), 국립중앙박물관

519 | 청자상감모란문항아리(국보 제98호), 국립중앙박물관

520 | 청자상감매죽학문매병(보물 제903호), 국립중앙박물관

521 | 청자철화버들무늬통형병(국보 제113호), 국립중앙박물관

522 | 청자동화연화문표주박형주전자(강화 최항 묘 출토, 국보 제133호), 리움미술관

523 | 청자철채퇴화잎무늬매병(보물 제340호), 국립중앙박물관

524 | 청자사자형베개(보물 제789호), 개인 소장

525 | 청자 굽 유형과 받침 종류

526 | 청자음각연화문병(진동 방지), 중국 여요박물관(余姚博物館)

527 | 오리형잔(중국, 진동 방지), 국립광주박물관

528 | 册頁所見舞鑽圖(戴進1388~1462, 17세기 모방), 독일 개인 소장

529 | 도기 수리 흔적(신석기시대, 서울 암사동 유적 출토), 국립중앙박물관

530 | 청자분장조화박지철화모란문병(금분 수리), 국립중앙박물관

531 | 옹기(현대, 꺾쇠 수리), 고려청자박물관

532 | 청자화형완(송宋, 꺾쇠 수리, 일본 중요문화재), 일본 도쿄국립박물관東京國立博物館

533 | 청자상감국화문'癸酉'명접시 수리 전과 후, 고려청자박물관(한성욱 기증)

534 | 행남자기 전경(1942년, 목포 산정동), 목포생활도자박물관

535 | 한국산업도자전시관 개관식(2006년 8월 4일, 현재 목포생활도자박물관)

536 | 1940년대 행남사 대접과 접시, 목포생활도자박물관

537 | 일제강점기 강진 명승 엽서

538 | 도자로 만든 자동차 부품(예열 플러그), 목포생활도자박물관

539 | 고려청자 재현품, 고려청자박물관

540 | 강진고려청자재현사업추진위원회 첫 재현 청자(1978년 2월 3일), 고려청자박물관

민족문화유산연구원 학술총서 1

천하제일 고려청자
天下第一 高麗青瓷
남도에서 꽃피다

2022년 2월 1일 초판 1쇄 발행

지은이 한성욱

펴낸이 권혁재

편 집 권이지
교 정 천승현
디자인 이정아

인 쇄 성광인쇄
펴낸곳 학연문화사
등 록 1988년 2월 26일 제2-501호
주 소 서울시 금천구 가산디지털1로 16 가산2차 SKV1AP타워 1415호

전 화 02-6223-2301
전 송 02-6223-2303
E-mail hak7891@chol.com

ISBN 978-89-5508-462-7 93910